LE DOSSIER 1

Émile Gaboriau

Edition : Culturea (culurea.fr), 34 Hérault
Contact : infos@culturea.fr
Impression : BOD, Norderstedt (Allemagne)
ISBN :9791041836512
Date de publication : juillet 2023
Mise en page et maquettage : https://reedsy.com/
Cet ouvrage a été composé avec la police Bauer Bodoni

I

On lisait dans tous les journaux du soir du mardi 28 février 186.. le fait divers suivant :

Un vol très considérable, commis au préjudice d'un honorable banquier de la capitale, M. André Fauvel, a mis ce matin en émoi tout le quartier de la rue de Provence. Des malfaiteurs d'une audace et d'une habileté extraordinaires ont réussi à pénétrer dans les bureaux, et là, forçant une caisse qu'on avait tout lieu de croire inattaquable, ils se sont emparés de la somme énorme de trois cent cinquante mille francs en billets de banque.

La police, aussitôt prévenue, a déployé son zèle accoutumé, et ses investigations ont été couronnées de succès. Déjà, dit-on, un employé de la maison, le sieur P. B., est arrêté ; tout fait espérer que ses complices seront bientôt sous la main de la justice.

Quatre jours durant, Paris entier ne s'occupa que de ce vol.

Puis, de graves événements survinrent : un acrobate se cassa la jambe au Cirque, une demoiselle débuta sur un petit théâtre, et le fait divers du 28 février fut oublié.

Mais les journaux, pour cette fois, avaient été - peut-être à dessein - mal ou du moins inexactement renseignés.

Une somme de trois cent cinquante mille francs avait été, il est vrai, soustraite chez M. André Fauvel, mais non de la façon indiquée. Un employé, en effet, avait été arrêté provisoirement, mais on n'avait recueilli contre lui aucune charge décisive. Ce vol, d'une importance insolite, restait sinon inexplicable, du moins inexpliqué.

Au surplus, voici les faits, tels qu'ils se trouvent relatés avec une exactitude méticuleuse aux procès-verbaux d'enquête.

II

La maison de banque André Fauvel, rue de Provence, numéro 87, est très importante, et, grâce à son nombreux personnel, a presque les apparences d'un ministère.

C'est au rez-de-chaussée que sont situés les bureaux, et les fenêtres, qui prennent jour sur la rue, sont garnies de barreaux assez gros et assez rapprochés pour décourager toutes les tentations.

Une large porte vitrée donne accès dans un immense vestibule où stationnent du matin au soir trois ou quatre garçons.

À droite, se trouvent les pièces où le public est admis et un couloir qui conduit au guichet de la caisse principale.

Les bureaux de la correspondance, du grand-livre et de la comptabilité générale sont à gauche.

Au fond, on aperçoit une petite cour vitrée sur laquelle ouvrent sept ou huit guichets, inutiles en temps ordinaire, indispensables lors de certaines échéances.

Le cabinet de M. André Fauvel est au premier, à la suite de ses beaux appartements.

Ce cabinet communique directement avec les bureaux par un petit escalier noir, étroit et fort raide, qui débouche dans la pièce occupée par le caissier principal.

Cette pièce, que dans la maison on appelle « la caisse », est à l'abri d'un coup de main, et presque d'un siège en règle, blindée qu'elle est, ni plus ni moins qu'un *monitor*.

D'épaisses plaques de tôle garnissent les portes et la cloison où est pratiqué le guichet, et une forte grille obstrue le conduit de la cheminée.

Là se trouve, scellé dans le mur par d'énormes crampons, le coffre-fort, un de ces meubles fantastiques et formidables qui font rêver le pauvre diable dont la fortune entière tient à l'aise dans un porte-monnaie.

Chef-d'œuvre de la maison Becquet, ce coffre-fort a deux mètres de haut sur un mètre et demi de large. Entièrement en fer forgé, il est à triple paroi, et à l'intérieur se trouvent des compartiments isolés pour le cas d'incendie.

Une clé, petite et mignonne, ouvre ce meuble. C'est que, pour ouvrir, la clé est la moindre des choses. Cinq boutons d'acier mobiles, sur lesquels sont gravées toutes les lettres de l'alphabet, constituent surtout la force de l'ingénieux et puissant appareil de fermeture. Avant de songer à introduire la clé dans la serrure, il faut pouvoir replacer les lettres des boutons dans l'ordre où elles se trouvaient quand on a fermé.

Aussi, chez M. Fauvel, comme partout, du reste, ferme-t-on la caisse avec un mot qu'on change de temps à autre.

Ce mot, le chef de la maison et le caissier le connaissent seuls. Ils ont aussi chacun une clé.

Avec un tel meuble, possédât-on plus de diamants que le duc de Brunswick, on doit dormir sur les deux oreilles.

On ne court, ce semble, qu'un danger, celui d'oublier le mot qui est le « Sésame ouvre-toi » de la porte de fer...

Cependant, le 28 février au matin, les employés de la maison Fauvel arrivèrent à leurs bureaux comme d'ordinaire.

À neuf heures et demie, chacun était à sa besogne, lorsqu'un homme d'un certain âge, très brun, à tournure militaire, en grand deuil, se présenta dans le bureau qui précède la caisse, et où travaillent cinq ou six employés.

Il demandait à parler au caissier principal.

Il lui fut répondu que le caissier n'était pas encore arrivé, et que d'ailleurs la caisse n'ouvre qu'à dix heures, ainsi que l'annonce un grand écriteau placé dans le vestibule.

Cette réponse parut déconcerter et contrarier au dernier point le nouveau venu.

– Je pensais, dit-il d'un ton sec frisant l'impertinence, que je trouverais quelqu'un à qui m'adresser, m'étant entendu hier avec monsieur Fauvel. Je suis le comte Louis de Clameran, maître de forges à Oloron ; je viens retirer trois cent mille francs confiés à la maison par mon frère, dont je suis l'héritier. Il est surprenant qu'on n'ait pas donné d'ordres...

Ni le titre du noble maître de forges, ni ses raisons ne parurent toucher les employés.

– Le caissier n'est pas arrivé, répétèrent-ils, nous ne pouvons rien.

– Alors, conduisez-moi près de monsieur Fauvel.

Il y eut une certaine hésitation, mais un jeune employé nommé Cavaillon, qui travaillait près de la fenêtre, prit la parole.

– Le patron est toujours sorti à cette heure, répondit-il.

– Je repasserai donc, fit M. de Clameran.

Et il sortit, sans saluer ni même toucher le bord de son chapeau, comme il était entré.

– Pas poli, le client, fit le petit Cavaillon, mais il n'a pas de chance, car voici justement Prosper.

Le caissier principal de la maison André Fauvel, Prosper Bertomy, est un grand beau garçon de trente ans, blond, avec des yeux bleus, soigné jusqu'à la recherche et mis à la dernière mode.

Il serait vraiment très bien s'il n'outrait le genre anglais, se faisant froid et gourmé à plaisir, et si un certain air de suffisance ne gâtait sa physionomie naturellement riante.

– Ah ! vous voilà ! s'écria Cavaillon, on est déjà venu vous demander.

– Qui ? un maître de forges, n'est-ce pas ?

– Précisément.

– Eh bien ! il reviendra. Sachant que j'arriverais tard ce matin, j'ai pris mes mesures hier.

Prosper avait ouvert son bureau, tout en parlant, il y entra refermant la porte sur lui.

– À la bonne heure ! s'écria un des employés, voilà un caissier qui ne se fait pas de bile. Le patron lui a fait vingt scènes parce qu'il arrive toujours trop tard, il s'en soucie comme de l'an quarante.

– Il a, ma foi, bien raison, puisqu'il obtient tout ce qu'il veut du patron !

– D'ailleurs, comment viendrait-il matin ; un garçon qui mène une vie d'enfer, qui passe toutes les nuits dehors. Avez-vous remarqué sa mine de déterré, ce matin ?

– Il aura encore joué, comme le mois passé ; j'ai su par Couturier qu'en une seule séance il a perdu mille cinq cents francs.

– Sa besogne en est-elle moins bien faite ? interrompit Cavaillon. Si vous étiez à sa place...

Il s'arrêta court. La porte de la caisse venait de s'ouvrir et le caissier s'avançait d'un pas chancelant.

– Volé ! balbutiait-il, on m'a volé !...

La physionomie de Prosper, sa voix rauque, le tremblement qui le secouait exprimaient si bien une affreuse angoisse, que tous les employés ensemble se levèrent et coururent à lui.

Il se laissa presque tomber entre leurs bras, il ne pouvait plus se soutenir, il se trouvait mal, il fallut l'asseoir.

Cependant ses collègues l'entouraient, l'interrogeant tous à la fois, le pressant de s'expliquer.

– Volé, disaient-ils ; où, comment, par qui ?

Peu à peu, Prosper revenait à lui.

– On a pris, répondit-il, tout ce que j'avais en caisse.

– Tout ?

– Oui, trois paquets de cent billets de mille francs et un de cinquante. Les quatre paquets étaient entourés d'une feuille de papier et liés ensemble.

Avec la rapidité de l'éclair la nouvelle d'un vol s'était répandue dans la maison de banque ; les curieux accoururent de toutes parts ; le bureau était plein.

– Voyons, disait à Prosper le jeune Cavaillon, on a donc forcé la caisse ?

– Non, elle est intacte.

– Eh bien, alors...

– Alors il n'en est pas moins un fait, c'est qu'hier soir j'avais trois cent cinquante mille francs, et que je ne les retrouve plus ce matin.

Tout le monde se taisait ; seul, un vieil employé ne partagea pas la consternation générale.

– Ne perdez donc pas ainsi la tête, monsieur Bertomy, dit-il ; songez que le patron doit avoir disposé des fonds.

Le malheureux caissier se dressa tout d'une pièce ; il s'accrochait à cette idée.

– Oui ! s'écria-t-il, en effet, vous avez raison ; ce sera le patron.

Puis réfléchissant :

– Non, reprit-il d'un ton de découragement profond, non, ce n'est pas possible. Jamais, depuis cinq ans que je tiens la caisse, monsieur Fauvel ne l'a ouverte sans moi. Deux ou trois fois il a eu besoin de fonds, et il m'a attendu ou envoyé chercher plutôt que d'y toucher en mon absence.

– Peu importe, objecta Cavaillon ; avant de se désoler, il faut l'avertir.

Mais déjà M. André Fauvel était prévenu. Un garçon de bureau était monté à son cabinet et lui avait dit ce qui se passait.

Au moment où Cavaillon proposait de l'aller chercher, il parut.

M. André Fauvel est un homme de cinquante ans environ, de taille moyenne, aux cheveux grisonnants. Il est assez gros, légèrement voûté, comme tous les travailleurs acharnés, et il a l'habitude de se dandiner en marchant.

Jamais une seule de ses actions n'a démenti l'expression de bonté de son visage. Il a l'air ouvert, l'œil vif et franc, la lèvre rouge et bien épanouie. Né aux environs d'Aix, il retrouve, quand il s'anime, un léger accent provençal qui donne une saveur particulière à son esprit ; car il est spirituel.

La nouvelle portée par le garçon l'avait ému, car, lui d'ordinaire assez rouge, il était fort pâle.

– Que me dit-on ? demanda-t-il aux employés qui s'écartaient respectueusement devant lui, qu'arrive-t-il ?

La voix de M. Fauvel rendit au caissier l'énergie factice des grandes crises ; le moment décisif et redouté était arrivé ; il se leva et s'avança vers son patron.

– Monsieur, commença-t-il, ayant pour ce matin le remboursement que vous savez, j'ai, hier soir, envoyé prendre à la Banque trois cent cinquante mille francs.

– Pourquoi hier, monsieur ? interrompit le banquier. Il me semble que cent fois je vous ai ordonné d'attendre au jour même.

– Je le sais, monsieur, j'ai eu tort, mais le mal est fait. Hier soir j'ai serré ces fonds, ils ont disparu, et cependant la caisse n'a pas été forcée.

– Mais vous êtes fou ! s'écria M. Fauvel, vous rêvez !

Ces quelques mots anéantissaient toute espérance, mais l'horreur même de la situation donnait à Prosper, non le sang-froid d'une résolution réfléchie, mais cette sorte d'indifférence stupide qui suit les catastrophes inattendues.

C'est presque sans trouble apparent qu'il répondit :

– Je ne suis pas fou, par malheur, je ne rêve pas, je dis ce qui est.

Cette placidité dans un tel moment parut exaspérer M. Fauvel. Il saisit Prosper par le bras, et le secouant rudement :

– Parlez ! cria-t-il, parlez ! qui voulez-vous qui ait ouvert la caisse ?

– Je ne puis le dire.

– Il n'y a que vous et moi qui sachions le mot ; il n'y a que vous et moi qui ayons une clé !

C'était là une accusation formelle, du moins tous les auditeurs le comprirent ainsi.

Pourtant, le calme effrayant du caissier ne se démentit pas. Il se débarrassa doucement de l'étreinte de son patron, et, bien lentement, il dit :

– En effet, monsieur, il n'y a que moi qui aie pu prendre cet argent...

– Malheureux !

Prosper se recula, et, les yeux obstinément attachés sur les yeux de M. André Fauvel, il ajouta :

– Ou vous !

Le banquier eut un geste de menace, et on ne sait ce qui serait arrivé si tout à coup on n'avait entendu à la porte, donnant sur le vestibule, le bruit d'une discussion.

Un client voulait absolument entrer, malgré les protestations des garçons, et, en effet, il entra. C'était M. de Clameran.

Tous les employés réunis dans le bureau se tenaient debout,

immobiles, glacés ; le silence était profond, solennel. Il était aisé de voir que quelque question terrible, question de vie ou de mort se débattait entre tous ces hommes.

Le maître de forges ne voulut rien voir. Il s'avança, toujours le chapeau sur la tête, et du même ton impertinent, il dit :

– Il est dix heures passées, messieurs.

Personne ne répondit, et M. de Clameran allait poursuivre, lorsqu'il aperçut le banquier qu'il n'avait pas vu. Il marcha droit à lui.

– Enfin ! monsieur ! s'écria-t-il, je vous trouve, et c'est vraiment fort heureux. Déjà une fois, ce matin, je me suis présenté, la caisse n'était pas ouverte, le caissier n'était pas arrivé ; vous étiez absent.

– Vous vous trompez, monsieur, j'étais dans mon cabinet.

– On m'a cependant affirmé le contraire, et tenez, c'est monsieur que voici qui me l'a assuré.

Et du doigt le maître de forges désignait Cavaillon.

– Cela d'ailleurs importe peu, reprit-il ; je reviens, et cette fois non seulement la caisse est fermée, mais on me refuse l'entrée des bureaux. Bien m'en a pris de violer la consigne ; vous allez me dire si je puis, oui ou non, retirer mes fonds.

M. Fauvel écoutait tremblant de colère ; de blême il était devenu cramoisi ; pourtant il se contenait.

– Je vous serais obligé, monsieur, dit-il enfin d'une voix sourde, de vouloir bien m'accorder un délai.

– Il me semble que vous m'aviez dit...

– Oui, hier. Mais ce matin, à l'instant, j'apprends que je suis victime d'un vol de trois cent cinquante mille francs.

M. de Clameran s'inclina ironiquement.

– Et faudra-t-il attendre bien longtemps ? demanda-t-il.

– Le temps d'aller à la Banque.

Aussitôt, tournant le dos au maître de forges, M. Fauvel revint à son caissier.

– Préparez un bordereau, lui dit-il ; envoyez au plus vite ; qu'on prenne une voiture pour retirer les fonds disponibles à la Banque.

Prosper ne bougea pas.

– M'avez-vous entendu ? répéta le banquier près d'éclater.

Le caissier tressaillit ; on eût dit qu'il sortait d'un songe.

– Envoyer est inutile, répondit-il froidement, la créance de monsieur est de trois cent mille francs, et il ne nous reste pas cent mille francs à la Banque.

Cette réponse, on eût juré que M. de Clameran l'attendait, car il murmura :

– Naturellement...

Il ne prononça que ce mot ; mais sa voix, son geste, sa physionomie signifiaient clairement : « La comédie est bien jouée, mais c'est une comédie, et je n'en suis pas dupe. »

Hélas ! pendant que le maître de forges laissait ainsi percer brutalement son opinion, les employés, après la réponse de Prosper, ne savaient que penser.

C'est que Paris, à ce moment, venait d'être éprouvé par d'éclatants sinistres financiers. La tourmente de la spéculation avait fait chanceler de vieilles et solides maisons. On avait vu des hommes honorables et des plus fiers aller de porte en porte implorer aide et assistance.

Le crédit, cet oiseau rare du calme et de la paix, hésitait à se poser, prêt à ouvrir ses ailes au moindre bruit suspect.

C'est dire que cette idée d'une comédie convenue à l'avance entre le banquier et son caissier pouvait fort bien se présenter à l'esprit de gens, sinon prévenus, au moins très à même de comprendre tous les expédients qui, en faisant gagner du temps, peuvent assurer le salut.

M. Fauvel avait trop d'expérience pour ne pas deviner l'impression produite par la phrase de Prosper ; il lisait le doute le plus mortifiant dans tous les yeux.

– Oh ! soyez tranquille, monsieur, dit-il vivement à M. de Clameran ; ma maison a d'autres ressources, veuillez prendre patience, je reviens.

Il sortit, monta jusqu'à son cabinet, et, au bout de cinq minutes, reparut tenant à la main une lettre et une liasse de titres.

– Vite, Couturier, dit-il à un de ses employés, prenez ma voiture qu'on attelle, et allez avec monsieur jusque chez monsieur de Rothschild. Vous remettrez la lettre et les titres que voici, et, en échange, on vous comptera trois cent mille francs que vous donnerez à monsieur.

Le désappointement du maître de forges était visible ; il sembla vouloir excuser son impertinence.

– Croyez, monsieur, commença-t-il, que je n'avais aucune intention offensante. Voici des années, déjà, que nous sommes en relations et jamais...

– Assez, monsieur, interrompit le banquier, je n'ai que faire de vos excuses. Il n'y a, en affaires, ni connaissances ni amis. Je dois, je ne suis pas en mesure, vous êtes... pressant ; c'est juste, vous êtes dans votre droit. Suivez mon commis, il vous remettra vos fonds.

Puis se tournant vers les employés qu'avait attirés la curiosité :

– Quant à vous, messieurs, dit-il, veuillez regagner vos bureaux.

En un moment la pièce qui précède la caisse fut vide. Seuls les commis qui y travaillent y étaient restés, et assis devant leur pupitre, le nez sur leur papier, ils semblaient absorbés par leur besogne.

Encore sous le coup des rapides événements qui venaient de se succéder, M. André Fauvel se promenait de long en large, agité, fiévreux, laissant par intervalles échapper quelque sourde exclamation.

Prosper, lui, était resté debout, appuyé à la cloison. Pâle, anéanti, les yeux fixes, il paraissait avoir perdu jusqu'à la faculté de penser.

Enfin, après un long silence, le banquier s'arrêta devant Prosper ; il avait pris son parti et arrêté ses déterminations.

– Il faut pourtant nous expliquer, dit-il ; passez dans votre bureau.

Le caissier obéit sans mot dire, presque machinalement, et son patron le suivit, prenant bien soin de refermer la porte derrière lui.

Rien dans ce bureau n'annonçait le passage de malfaiteurs étrangers à la maison. Tout était en place ; pas un papier n'avait été dérangé.

Le coffre-fort était ouvert, et sur la tablette supérieure on voyait un certain nombre de rouleaux d'or, oubliés ou dédaignés par les voleurs.

M. Fauvel, sans se donner la peine de rien examiner, prit une chaise et ordonna à son caissier de s'asseoir. Il était devenu parfaitement maître de soi et sa physionomie avait repris son expression habituelle.

– Maintenant que nous sommes seuls, Prosper, commença-t-il, n'avez-vous rien à m'apprendre ?

Le caissier tressaillit, comme si cette question eût pu l'étonner.

– Rien, monsieur, dit-il, que je ne vous aie appris.

– Quoi ! rien... Vous vous obstinez à soutenir une fable ridicule, absurde, que personne ne croira. C'est de la folie. Confiez-vous à moi, là est le salut. Je suis votre patron, c'est vrai, mais je suis aussi et avant tout votre ami, votre meilleur ami. Je ne saurais oublier que voici quinze ans que vous m'avez été confié par votre père et que depuis ce temps je n'ai eu qu'à me louer de vos bons et loyaux services. Oui, il y a quinze ans que vous êtes chez moi. Je commençais alors l'édifice de ma fortune, et vous l'avez vue grandir pierre à pierre, assise par assise. Et à mesure que je m'enrichissais, je m'efforçais d'améliorer votre position à vous, qui, tout jeune encore, êtes le plus ancien de mes employés. À chaque inventaire j'ai augmenté vos appointements.

Jamais Prosper n'avait entendu son patron s'exprimer d'une voix si douce, si paternelle. Une surprise profonde se lisait sur ses traits.

– Répondez, poursuivait M. Fauvel, n'ai-je pas toujours été pour vous comme un père ? Dès le premier jour, ma maison vous a été ouverte ; je voulais que ma famille fût la vôtre. Longtemps vous avez vécu comme mon fils, entre mes deux fils et ma nièce Madeleine. Mais vous vous êtes lassé de cette vie heureuse. Un jour, il y a un an de cela, vous avez commencé à nous fuir, et depuis...

Les souvenirs de ce passé évoqué par le banquier se présentaient en foule à l'esprit du malheureux caissier ; peu à peu il s'attendrissait ; à la fin, il fondit en larmes, cachant sa figure entre ses mains.

– On peut tout dire à son père, reprit M. André Fauvel, que l'émotion de Prosper gagnait, ne craignez rien. Un père n'offre pas le pardon, mais l'oubli. Ne sais-je pas les tentations terribles qui, dans une ville comme Paris, peuvent assaillir un jeune homme ? Il est de ces convoitises qui brisent les plus solides probités. Il est des heures d'égarement et de vertige où l'on n'est plus soi, où l'on agit comme un fou, comme un forcené, sans avoir, pour ainsi dire, la conscience de ses actes. Parlez, Prosper, parlez.

– Eh ! que voulez-vous que je vous dise ?

– La vérité. Un homme vraiment honnête peut faillir, mais il se relève et rachète sa faute. Dites-moi : « Oui, j'ai été entraîné, ébloui, la vue de ces masses d'or que je remue a troublé ma raison, je suis jeune, j'ai des passions !... »

– Moi ! murmura Prosper, moi !

– Pauvre enfant, dit tristement le banquier, croyez-vous donc que j'ignore votre vie, depuis un an que vous avez déserté mon foyer ? Vous ne comprenez donc pas que tous vos confrères vous jalousent, qu'ils ne vous pardonnent pas de gagner douze mille francs par an. Jamais vous n'avez fait une folie que je n'en aie été prévenu par une lettre anonyme. Je pourrais vous dire le nombre de vos nuits passées au jeu et les sommes perdues. Oh ! l'envie a de bons yeux et l'oreille fine. Je sais quel cas on doit faire des lâches dénonciations, mais j'ai dû m'informer. Il n'est que juste que je sache comment vit l'homme auquel je confie ma fortune et mon honneur.

Prosper essaya un geste de protestation.

– Oui, mon honneur, insista M. Fauvel, d'une voix que le ressentiment de l'humiliation essuyée rendait plus vibrante ; oui, mon crédit, qui aurait pu être compromis aujourd'hui par cet homme. Savez-vous ce que vont me coûter les fonds qu'on va donner à monsieur de Clameran ? Et ces titres que je sacrifie, je pouvais ne pas les avoir, vous ne me les connaissiez pas !

Le banquier s'arrêta comme s'il eût espéré un aveu qui ne vint pas.

– Allons, Prosper, du courage, un bon mouvement !... Je vais me retirer, et vous visiterez de nouveau la caisse ; je parierais que, dans votre trouble, vous n'avez pas bien cherché... Ce soir, je reviendrai, et je suis sûr que dans la journée vous aurez retrouvé, sinon les trois cent cinquante mille francs, au moins la majeure partie de cette somme... et ni vous ni moi nous ne nous souviendrons demain de cette fausse alerte.

Déjà M. Fauvel s'était levé et s'avançait vers la porte ; Prosper le retint par le bras.

– Votre générosité est inutile, monsieur, dit-il d'un ton amer ; n'ayant rien pris, je ne puis rien rendre. J'ai bien cherché, les billets de banque ont été volés.

– Mais par qui, pauvre fou ! par qui !

– Sur tout ce qu'il y a de sacré au monde, je jure que ce n'est pas par moi.

Un flot de sang empourpra le front du banquier.

– Misérable ! s'écria-t-il, que voulez-vous dire ? Ce serait donc par moi ?

Prosper baissa la tête et ne répondit pas.

– Ah ! c'est ainsi, reprit M. Fauvel, hors d'état de se contenir, vous osez !... Alors, entre vous et moi, monsieur Prosper Bertomy, la justice prononcera. Dieu m'est témoin que j'ai tout fait pour vous sauver. Ne vous en prenez qu'à vous de ce qui va arriver. J'ai fait prier le commissaire de police de vouloir bien venir jusqu'ici ; il doit m'attendre dans mon cabinet ; dois-je le faire prévenir ?

Prosper eut ce geste d'affreuse résignation de l'homme qui s'abandonne, et d'une voix étouffée, il répondit :

– Faites !

Le banquier était près de la porte, il l'ouvrit, et après un dernier regard jeté à son caissier, il cria à un garçon de bureau :

– Anselme, priez monsieur le commissaire de police de prendre la peine de descendre.

III

S'il est un homme du monde que nul événement ne doive émouvoir ni surprendre, toujours en garde contre les mensonges des apparences, capable de tout admettre et de tout s'expliquer, c'est à coup sûr un commissaire de police de Paris.

Pendant que le juge, du haut de son tribunal, ajuste aux actes qui lui sont soumis les articles du Code, le commissaire de police observe et surveille tous les faits odieux que la loi ne saurait atteindre. Il est le confident obligé des infamies de détail, des crimes domestiques, des ignominies tolérées.

Peut-être avait-il encore, lorsqu'il est entré en charge, quelques illusions ; après un an, il n'en conserve plus.

S'il ne méprise pas absolument l'espèce humaine, c'est que souvent, à côté d'abominations sûres de l'impunité, il a découvert des générosités sublimes qui resteront sans récompense. C'est que, s'il voit d'impudents coquins voler la considération publique, il se console en songeant aux héros modestes et obscurs qu'il connaît.

Tant de fois ses prévisions ont été trompées qu'il en est arrivé au scepticisme le plus complet. Il ne croit à rien, pas plus au mal qu'au bien absolu, pas plus à la vertu qu'au vice.

Forcément, il en arrive à cette conclusion navrante qu'il n'y a pas des hommes, mais bien des événements.

Prévenu par le garçon de bureau, le commissaire de police mandé par M. Fauvel ne tarda pas à paraître.

C'est de l'air le plus calme, il faudrait dire le plus indifférent, qu'il entra dans le bureau.

Un petit homme, tout de noir habillé, portant cravate en corde autour d'un faux col douteux, le suivait.

C'est à peine si le banquier prit la peine de saluer.

– Sans doute, monsieur, commença-t-il, on vous a appris quelles circonstances pénibles me forcent à avoir recours à vos bons offices ?

– Il s'agit, m'a-t-on dit, d'un vol.

– Oui, monsieur, d'un vol odieux, inexplicable, commis dans ce bureau où nous sommes, dans cette caisse que vous voyez là, ouverte, et dont mon caissier – et il montrait Prosper – a seul le mot et la clé.

Cette déclaration parut tirer le malheureux caissier de sa morne stupeur.

– Pardon, monsieur le commissaire, dit-il d'une voix éteinte, mon patron, lui aussi, a la clé et le mot.

– Bien entendu, cela va sans dire.

Ainsi, dès les premiers mots, le commissaire était fixé.

Évidemment, ces deux hommes s'accusaient réciproquement. De leur aveu même, l'un d'eux pouvait seul être le coupable.

Et l'un était le chef d'une maison de banque très importante, l'autre un simple caissier. L'un était le patron, l'autre l'employé.

Mais le commissaire de police était bien trop habitué à dissimuler ses impressions pour que rien, au-dehors, ne trahît ce qui se passait en lui. Pas un muscle de sa figure ne bougea.

Seulement, devenu plus grave, il observait alternativement le caissier et M. Fauvel, comme si de leur contenance, de leur attitude, il eût pu tirer quelque induction profitable.

Prosper était toujours fort pâle et aussi abattu que possible ; il était affaissé sur sa chaise et ses bras pendaient inertes le long de son corps.

Le banquier, au contraire, se tenait debout, rouge, animé, l'œil étincelant, s'exprimant avec une violence extraordinaire.

– Et l'importance de la soustraction est énorme, poursuivait M. Fauvel ; on m'a pris une fortune, trois cent cinquante mille francs ! Ce vol pourrait avoir pour moi des suites désastreuses. Il est tel moment où, faute de cette somme, le crédit de la plus riche maison peut être compromis.

– Je le crois, en effet, le jour d'une échéance...

– Eh bien ! monsieur, j'avais précisément pour aujourd'hui un remboursement considérable.

– Ah ! vraiment !...

Il n'y avait pas à se méprendre à l'intonation du commissaire de police ; un soupçon, le premier, venait d'effleurer son esprit. Le banquier le comprit, il tressaillit et reprit très vite :

– J'ai fait face à mes engagements, mais au prix d'un sacrifice désagréable. Je dois ajouter que si on eut exécuté mes ordres, ces trois cent cinquante mille francs ne se seraient pas trouvés dans la caisse.

– Comment cela ?

– Je n'aime pas à avoir chez moi, la nuit, de grosses sommes. Mon caissier avait la consigne d'attendre toujours à la dernière heure pour envoyer chercher les fonds qui étaient déposés à la Banque de France. Je lui avais surtout formellement défendu de rien garder en caisse le soir.

– Vous entendez ? dit le commissaire à Prosper.

– Oui, monsieur, répondit le caissier, ce que dit monsieur Fauvel est parfaitement exact.

À la suite de cette explication, le soupçon du commissaire de police, loin de s'affirmer, se dissipait.

– Enfin, reprit-il, un vol a été commis. Par qui ? Le voleur est-il venu du dehors ?

Le banquier hésita un moment.

– Je ne le crois pas, répondit-il enfin.

– Et moi, déclara Prosper, je suis sûr que non.

Le commissaire de police avait préparé ces réponses, il les attendait. Mais il ne pouvait lui convenir d'en poursuivre sur-le-champ toutes les conséquences.

– Cependant, objecta-t-il, on doit tout prévoir. Et s'adressant à l'homme qui l'accompagnait :

– Voyez donc, monsieur Fanferlot, dit-il, si vous ne découvririez pas quelque indice échappé à l'attention de ces messieurs.

M. Fanferlot, dit l'Écureuil, doit à une agilité qui tient du prodige le sobriquet dont il est fier. De grêle et chétive apparence, en dépit de ses muscles d'acier, on le prendrait, à le voir boutonné jusqu'au menton dans sa mince redingote noire, pour un sixième clerc d'huissier. Sa physionomie est de celles qui inquiètent. Il a le nez odieusement retroussé, des lèvres minces et de petits yeux ronds d'une agaçante mobilité.

Employé depuis cinq ans à la police de sûreté, Fanferlot brille de se distinguer, de se faire un nom ; il est ambitieux. Hélas ! toujours les occasions lui ont manqué, ou le génie.

Déjà, avant que le commissaire eût parlé, il avait fureté partout, étudié les portes, sondé les cloisons, examiné le guichet, fouillé les cendres de la cheminée.

– Il me paraît bien difficile, répondit-il, qu'un étranger ait pu pénétrer ici.

Il tournait autour du bureau.

– Cette porte, demanda-t-il, est fermée le soir ?

– Toujours à clé.

– Et qui garde cette clé ?

– Le garçon de bureau, auquel je la remets chaque soir en me retirant, répondit Prosper.

– Lequel garçon, ajouta M. Fauvel, couche dans la pièce d'entrée sur un lit de sangle qu'il tend tous les soirs et qu'il détend tous les matins.

– Est-il ici ? demanda le commissaire.

– Oui, monsieur, répondit le banquier.

Aussitôt, il entrouvrit la porte et appela :

– Anselme !

Ce garçon, homme de confiance s'il en fut, était depuis dix ans au service de M. Fauvel. Certes, il ne pouvait être soupçonné, et il le savait ; mais l'idée d'un vol est terrible, et il tremblait comme la feuille en se présentant.

– Avez-vous couché cette nuit dans la pièce voisine ? lui demanda le commissaire de police.

– Oui, monsieur, comme d'ordinaire.

– À quelle heure vous êtes-vous couché ?

– Vers les dix heures et demie ; j'avais passé la soirée au café d'à côté, avec le valet de chambre de monsieur.

– Et vous n'avez entendu aucun bruit cette nuit ?

– Aucun ! et cependant j'ai le sommeil si léger que, si parfois monsieur descend à la caisse lorsque je suis endormi, le bruit de ses pas me réveille.

– Monsieur Fauvel vient donc souvent à la caisse la nuit ?

– Non, monsieur, très rarement, au contraire.

– Y est-il venu la nuit dernière ?

– Non, monsieur, j'en suis parfaitement sûr, ayant à peine fermé l'œil à cause du café que j'avais bu avec le valet de chambre.

– C'est bien, mon ami, fit le commissaire de police, vous pouvez vous retirer.

Anselme sorti, M. Fanferlot reprit ses recherches. Il avait ouvert la porte du petit escalier du banquier.

– Où conduit cet escalier ? demanda-t-il.

– À mon cabinet, répondit M. Fauvel.

– N'est-ce pas là, dit le commissaire, qu'on m'a conduit en arrivant ?

– Précisément.

– J'aurais besoin de le voir, déclara M. Fanferlot, je voudrais étudier cette issue.

– Rien n'est si facile, fit avec empressement M. Fauvel ; venez, messieurs, venez aussi, Prosper.

Le bureau particulier de M. André Fauvel est composé de deux pièces : d'abord le salon d'attente, somptueusement décoré ; puis le cabinet de travail ayant pour tous meubles un immense bureau, trois ou quatre fauteuils de cuir, et, de chaque côté de la cheminée, un secrétaire et un cartonnier.

Ces deux pièces n'ont que trois portes : l'une est celle de l'escalier dérobé, l'autre donne dans la chambre à coucher du banquier ; la troisième ouvre sur le vestibule du grand escalier, et c'est par cette dernière que sont introduits les clients et les visiteurs.

D'un coup d'œil, M. Fanferlot eut inventorié la pièce où se trouve le bureau. Il semblait dépité, en homme qui s'est flatté de l'espoir de saisir quelque indice et qui ne trouve rien.

– Voyons de l'autre côté, dit-il.

Aussitôt il passa dans le salon d'attente, suivi du banquier et du commissaire de police.

Prosper restait seul dans le cabinet de travail.

Si grand que fût le désordre de ses idées, il ne pouvait pas ne pas comprendre que de minute en minute sa situation s'aggravait.

Il avait demandé, il avait accepté la lutte avec son patron, cette lutte était engagée, et désormais il ne dépendait plus de sa volonté de la faire cesser ou d'en arrêter les conséquences.

Ils allaient maintenant combattre, sans trêve ni merci, utilisant toutes armes, jusqu'à ce que l'un des deux succombât, payant de son honneur sa défaite.

Aux yeux de la justice, quel serait l'innocent ?

Hélas ! le malheureux employé ne sentait que trop combien peu les chances étaient égales, et le sentiment de son infériorité l'accablait.

Jamais, non jamais, il n'aurait cru que son patron réaliserait ses menaces. Car enfin, dans un procès comme celui qui allait s'engager, M. Fauvel avait autant à risquer et bien plus à perdre que son commis.

Assis dans un fauteuil près de la cheminée, il s'abîmait dans les plus sombres réflexions, lorsque la porte de la chambre à coucher du banquier s'ouvrit.

Une jeune fille remarquablement belle parut sur le seuil.

Elle était assez grande, svelte, et son peignoir du matin, serré au-dessus des hanches par une cordelière de soie, faisait valoir toutes les richesses de sa taille. Brune, avec de grands yeux doux et profonds, son teint avait la pâleur mate et unie de la fleur du camélia blanc, et ses beaux cheveux noirs encore en désordre, échappant au léger peigne d'écaille qui les retenait, retombaient à profusion, en grappes bouclées, sur son cou du dessin le plus exquis.

C'était là cette nièce de M. André Fauvel, dont il avait parlé tout à l'heure : Madeleine.

En apercevant Prosper Bertomy dans ce cabinet où, probablement, elle croyait rencontrer son oncle seul, elle ne put retenir une exclamation de surprise :

– Ah !...

Prosper, lui, s'était levé comme s'il eut reçu un choc électrique. Ses yeux si complètement éteints brillèrent tout à coup, comme s'il eut entrevu une messagère d'espérance.

– Madeleine ! prononça-t-il, Madeleine !

La jeune fille était devenue plus rouge qu'une pivoine. Elle semblait tout d'abord disposée à se retirer, elle fit même un pas en arrière ; mais Prosper s'étant avancé vers elle, un sentiment plus fort que sa volonté l'emporta et elle lui tendit sa main qu'il prit et serra respectueusement.

Ils restèrent ainsi en présence, immobiles, oppressés ; si émus que tous deux ils baissaient la tête, redoutant la rencontre de leurs regards ; ayant tant de choses à se dire, que ne sachant comment commencer, ils se taisaient.

Enfin, Madeleine murmura d'une voix à peine intelligible :

– Vous, Prosper, vous !

Ces seuls mots rompirent le charme. Le caissier abandonna cette main si blanche qu'il tenait, et c'est du ton le plus amer qu'il répondit :

– Oui, c'est bien Prosper, votre compagnon d'enfance, soupçonné, accusé aujourd'hui du vol le plus lâche et le plus honteux ; Prosper, que votre oncle vient de livrer à la justice, et qui, avant la fin de la journée, sera arrêté et jeté en prison.

Madeleine eut un geste du plus sincère effroi, ses yeux exprimèrent une compassion profonde.

– Grand Dieu ! s'écria-t-elle, que voulez-vous dire ?

– Quoi, mademoiselle, vous ne le savez pas ? Madame votre tante, vos cousins ne vous ont rien dit ?

– Rien. J'ai à peine vu mon cousin ce matin, et ma tante est si souffrante que je venais tout inquiète chercher mon oncle. Mais, de grâce, parlez, dites, que vous arrive-t-il ?

Le caissier hésita. Peut-être eut-il l'idée d'ouvrir son cœur à Madeleine, de lui découvrir ses pensées les plus secrètes : un souvenir du passé, qui traversa son cœur, glaça sa confiance. Il secoua tristement la tête et dit :

– Merci, mademoiselle, de cette preuve d'intérêt, la dernière sans doute que je recevrai de vous ; mais permettez-moi, en me taisant, de vous épargner un chagrin, de m'épargner la douleur de rougir devant vous.

Madeleine l'interrompit d'un geste impérieux.

– Je veux savoir, prononça-t-elle.

– Hélas ! mademoiselle, répondit le caissier, vous n'apprendrez que trop tôt mon malheur et ma honte ; et alors, oui, alors vous vous applaudirez de ce que vous avez fait.

Elle voulut insister ; au lieu de commander, elle pria, mais la détermination de Prosper était prise.

– Votre oncle est à côté, mademoiselle, reprit-il, avec le commissaire et un agent de police, ils vont revenir ; de grâce, retirez-vous, qu'ils ne vous voient pas...

Tout en parlant, il la repoussait doucement, bien qu'elle résistât un peu, et il parvint à refermer la porte.

Il était temps, le commissaire de police et M. Fauvel rentraient. Ils avaient visité le salon d'attente, examiné le grand escalier et ils n'avaient pu rien entendre de ce qui se passait dans le cabinet.

Mais Fanferlot avait entendu pour eux.

Ce limier excellent n'avait pas perdu le caissier de vue. Il s'était dit : il va se croire seul, son visage parlera, je surprendrai un sourire, un clignement d'yeux qui m'éclaireront.

Laissant donc M. Fauvel et le commissaire à leurs recherches, il s'était mis en observation. Il avait vu la porte s'ouvrir et Madeleine entrer, il n'avait perdu ni un geste ni un mot de la scène rapide qui venait d'avoir lieu entre Prosper et la jeune fille.

Ce n'était rien, il est vrai, que cette scène, chaque phrase laissait deviner une réticence ; mais M. Fanferlot est assez habile pour compléter tous les sous-entendus.

Il n'avait encore qu'un soupçon ; mais c'était un soupçon, quelque chose, une hypothèse, un point de départ.

Même il lui semblait, tant il est prompt à bâtir tout un plan sur le moindre incident, que dans le passé de ces gens qu'il ne connaissait pas, il entrevoyait un drame.

C'est que si le commissaire de police est un sceptique, l'agent de la sûreté a la foi : il croit au mal.

Voici, pensait-il, ce qui est : le jeune homme aime cette jeune fille, qui est, ma foi, fort jolie, et comme de son côté il est très bien, il en est aimé. Ces amours ont contrarié le banquier, je comprends cela, et ne sachant comment se débarrasser honnêtement de cet amoureux importun, il a imaginé cette accusation de vol qui est assez ingénieuse.

Ainsi, dans la pensée de M. Fanferlot, le banquier s'était simplement volé lui-même, et le caissier, innocent, était victime de la plus odieuse machination.

Mais cette conviction de l'agent de la sûreté ne devait guère, pour le moment du moins, servir Prosper.

Fanferlot, l'ambitieux, l'homme qui veut arriver, qui a soif de renommée, était parfaitement décidé à garder pour lui seul ses conjectures.

Je vais laisser marcher les autres, se disait-il, et j'irai seul de mon côté. Quand, plus tard, grâce à un incessant espionnage, à force de patientes investigations, j'aurai réuni les éléments d'une belle et bonne condamnation, je démasquerai le coquin.

Du reste, il était radieux. Il trouvait donc enfin ce crime tant cherché qui devait le faire célèbre. Rien n'y manquait, ni les circonstances odieuses, ni le mystère, ni l'élément romanesque et sentimental représenté par Prosper et Madeleine.

Réussir semblait difficile, presque impossible ; mais Fanferlot, dit l'Écureuil, est plein de confiance en son génie d'investigation.

Cependant la visite de l'étage supérieur était terminée et on était redescendu dans le bureau de Prosper.

Le commissaire de police, si calme à son entrée, devenait de plus en plus soucieux. Le moment de prendre un parti approchait, et il hésitait encore, on le voyait.

– Vous le voyez, messieurs, commença-t-il, nos recherches n'ont fait que confirmer nos opinions premières.

M. Fauvel et le caissier eurent le même signe d'assentiment.

– Et vous, monsieur Fanferlot, continua le commissaire, que pensez-vous ?

L'agent de la sûreté ne répondit pas.

Occupé à étudier à la loupe la serrure du coffre-fort, il donnait les signes les plus manifestes de surprise. Sans doute il venait de faire quelque découverte de la dernière importance.

Sous le coup, en apparence, d'une émotion pareille, M. Fauvel, Prosper et le commissaire de police se levèrent vivement et entourèrent l'agent de la sûreté.

- Vous avez trouvé quelque indice ? demanda le banquier.

Fanferlot se retourna d'un air contrarié. Il se reprochait de n'avoir pas su dissimuler mieux ses impressions.

- Oh ! fit-il insoucieusement, c'est bien peu de chose, ce que j'ai constaté.

- Encore, voudrions-nous savoir..., insista Prosper.

- Je viens simplement d'acquérir la preuve que ce coffre-fort a été tout récemment ouvert ou fermé, je ne sais lequel, avec une certaine violence et une grande précipitation.

- Comment cela ? demanda le commissaire de police devenu attentif.

- Ici, monsieur, tenez, sur la porte, apercevez-vous cette éraillure qui part de la serrure ?

Le commissaire prit la loupe dont venait de se servir l'agent de la sûreté, se baissa, et, à son tour, examina longuement et attentivement le coffre-fort. On distinguait très bien une éraillure légère, qui avait enlevé une couche de vernis sur une longueur de douze ou quinze centimètres, de haut en bas.

- Je vois, dit le commissaire, mais qu'est-ce que cela prouve ?

- Oh ! rien du tout, répondit Fanferlot ; c'est précisément ce que je disais.

Oui, en effet, Fanferlot disait cela, mais il ne le pensait pas.

Cette égratignure - récente, on ne pouvait le nier - avait pour lui une signification qui échappait aux autres ; il y découvrait une confirmation de ses suppositions. Il se disait que le caissier, eût-il pris des millions, n'avait aucune raison de se presser. Le banquier, au contraire, descendant de nuit, à pas de loup, dans la crainte d'éveiller le garçon couché à côté, venant pour dévaliser sa propre caisse, avait mille raisons de trembler, de se hâter, de retirer précipitamment la clé qui, glissant hors de la serrure, avait éraillé le vernis.

Résolu de démêler seul l'écheveau embrouillé de cette affaire, l'agent de la sûreté devait garder pour lui ses conjectures, de même qu'il taisait l'entrevue surprise entre Madeleine et Prosper.

Bien plus, il se dépêcha de faire oublier, autant qu'il le pouvait, cet incident.

– Pour conclure, reprit-il en s'adressant au commissaire de police, je déclare que personne d'étranger n'a pu s'introduire ici. Cette caisse d'ailleurs est parfaitement intacte. On n'a exercé sur les boutons mobiles aucune pression suspecte. Je puis affirmer qu'on n'a essayé sur la serrure aucun instrument d'effraction, on n'y a pas introduit un cure-dent. Ceux qui ont ouvert connaissaient le mot et avaient la clé.

Cette affirmation si formelle d'un homme qu'il savait habile mit fin aux hésitations du commissaire de police.

– Voilà qui est dit, prononça-t-il, il ne me reste plus qu'à demander à monsieur Fauvel un moment d'entretien.

– Je suis à vos ordres, monsieur, répondit le banquier.

Prosper comprit, il plaça avec affectation son chapeau bien en évidence sur une table, comme pour montrer qu'il n'avait pas l'intention de s'éloigner, et passa dans le bureau voisin.

Fanferlot sortit également ; mais le commissaire de police avait eu le temps de lui faire un signe que les autres ne virent pas, et auquel il répondit.

Il signifiait, ce signe : « Vous me répondez de cet homme. »

L'agent de la sûreté n'avait nul besoin de cet encouragement à une attentive surveillance. Ses soupçons étaient trop vagues, trop vif était son désir de réussir, pour qu'il pût consentir à perdre Prosper de vue, à cesser de l'étudier.

C'est pourquoi, entré dans le bureau sur les pas du caissier, il alla s'établir tout au fond, dans l'ombre, sur une banquette, parut chercher une position commode, se tourna, se retourna, bâilla à se démettre la mâchoire, et finalement ferma les yeux.

Prosper, lui, était allé s'asseoir à la place et devant le pupitre d'un des employés absent pour le moment. Les autres brûlaient de connaître le résultat de l'enquête sommaire, la plus ardente curiosité brillait dans leurs yeux, pourtant ils n'osaient interroger.

N'y tenant plus, le petit Cavaillon, le défenseur du caissier, se risqua :

– Eh bien ? hasarda-t-il.

Prosper haussa les épaules.

– On ne sait pas, répondit-il.

Était-ce conscience de son innocence, certitude de l'impunité, insouciance du résultat ? Les employés remarquaient, non sans une stupéfaction profonde, que le caissier avait repris son attitude accoutumée, cette sorte de hauteur glaciale qui tient les gens à distance et qui lui avait fait tant d'ennemis dans la maison.

De son émotion, si grande tout à l'heure qu'il faisait pitié à voir, il n'avait gardé d'autres traces qu'une pâleur plus grande, un cercle plus brun autour de ses yeux rougis et le désordre de ses cheveux encore humides de la sueur froide de l'épouvante.

Jamais un étranger, entrant, n'aurait supposé que ce jeune homme, qui était là, assis, jouant machinalement avec un crayon, était sous le coup d'une accusation de vol et allait être arrêté.

Bientôt, cependant, il cessa de remuer le crayon qu'il tenait ; il attira à lui une feuille de papier et y traça en hâte quelques lignes.

Eh ! eh ! pensa Fanferlot, dit l'Écureuil, dont l'ouïe et la vue fonctionnaient à miracle, malgré son profond sommeil, eh ! eh ! on fait ses petites confidences au papier ; nous allons donc enfin savoir quelque chose de positif.

Sa courte lettre écrite, Prosper la plia soigneusement, la réduisant au moindre volume possible, et, après un regard furtif donné à l'agent de la sûreté, toujours immobile dans son coin, il la jeta au petit Cavaillon avec ce seul mot :

– Gypsy !

Tout cela fut exécuté avec un tel sang-froid, si prestement, avec une si rare habileté, que Fanferlot – un amateur – en fut émerveillé, confondu, et même un peu inquiet.

Diable ! se dit-il, pour un innocent, mon jeune homme a plus d'estomac et de nerf que beaucoup de mes vieilles pratiques. Ce que c'est pourtant que l'éducation.

Oui, innocent ou coupable, il fallait que Prosper fût doué d'une robuste énergie pour affecter cet imperturbable calme, pour faire preuve de cette présence d'esprit ; car enfin, de l'autre côté, en ce moment même, son sort, son avenir, son honneur, sa vie en décidaient. Et il avait trente ans !...

Avant d'agir, soit déférence fort naturelle, soit espoir de faire jaillir quelque lueur d'une conversation plus intime, le commissaire de police avait tenu à prévenir le banquier.

– Le doute n'est plus possible, monsieur, dit-il dès qu'ils furent seuls ; c'est ce jeune homme qui vous a volé. Je manquerais à mon devoir si je ne m'assurais provisoirement de sa personne ; le parquet ensuite l'élargira ou maintiendra son arrestation.

Cette déclaration parut toucher singulièrement le banquier.

– Pauvre Prosper ! murmura-t-il.

Et, voyant l'étonnement de son interlocuteur, il ajouta :

– Jusqu'aujourd'hui, monsieur, j'ai eu en sa probité la foi la plus absolue : je lui aurais, sans hésiter, confié ma fortune. Je me suis presque mis à ses genoux pour obtenir l'aveu d'un moment d'égarement, lui promettant pardon et oubli : je n'ai pu le toucher. Je l'aimais, et maintenant encore, malgré les soucis et les humiliations que je prévois, je ne saurais le haïr.

Le commissaire eut l'air de ne pas comprendre.

– Comment, demanda-t-il, des humiliations ?

– Quoi ! monsieur, fit vivement M. Fauvel, la justice ne doit-elle pas être et n'est-elle pas une pour tous ? De ce que je suis chef de maison pendant qu'il n'est qu'employé, s'ensuit-il qu'on doive me croire sur parole ? Pourquoi ne me serais-je pas volé moi-même ? On connaît des exemples. On me demandera des faits, je serai obligé d'exposer à un juge la situation exacte de ma maison, de lui expliquer mes affaires, de lui dévoiler le secret et le mécanisme de mes opérations.

– Il se peut, en effet, monsieur, qu'on vous demande quelques explications, mais votre honorabilité bien connue...

– Hélas ! lui aussi était honnête. Qui eût été soupçonné si ce matin je n'avais pu trouver à l'instant cent mille écus ? Qui serait soupçonné si je ne pouvais prouver que mon actif disponible dépasse mon passif de plus de trois millions ?...

Pour tout homme de cœur, la pensée, la possibilité, l'apparence d'un soupçon est une souffrance cruelle ; le banquier souffrait, le commissaire s'en aperçut.

– Soyez tranquille, monsieur, dit-il, avant huit jours la justice aura réuni assez de preuves pour établir la culpabilité de ce malheureux, que nous pouvons maintenant faire revenir.

Prosper rappelé revint avec M. Fanferlot, qu'on avait eu bien du mal à éveiller, et c'est sans un tressaillement, avec tous les dehors de l'insensibilité la plus complète qu'il s'entendit annoncer qu'il était arrêté.

Il répondit simplement, sans la moindre emphase :

– Je jure que je suis innocent !

M. Fauvel, bien plus troublé que son caissier, essaya une dernière tentative :

– Il en est temps encore, mon enfant, fit-il, au nom du Ciel, réfléchissez...

Prosper ne sembla pas l'entendre. Il tira de sa poche une petite clé qu'il plaça sur la cheminée.

– Voici, monsieur, dit-il, la clé de votre caisse. J'espère, pour moi, que vous reconnaîtrez un jour que je ne vous ai rien pris ; j'espère pour vous que vous ne le reconnaîtrez pas trop tard.

Puis, comme tout le monde se taisait, il reprit :

– Avant de partir, voici les livres, les papiers, les états nécessaires à celui qui me remplacera. Je dois en outre vous avertir que, sans parler des trois cent cinquante mille francs volés, je laisse en caisse un déficit.

Déficit !... Ce mot sinistre dans la bouche d'un caissier éclata comme un obus aux oreilles des auditeurs de Prosper.

Sa déclaration devait d'ailleurs être bien diversement interprétée :

Un déficit ! pensa le commissaire de police ; comment, après cela, douter de la culpabilité de ce jeune homme ? Avant de voler sa caisse en gros, il se faisait la main par des filouteries de détail.

Un déficit ! se dit l'agent de la sûreté ; il faut maintenant, pour douter de l'innocence de ce pauvre diable, lui supposer une perversité de préméditation inadmissible ; coupable, il eût évidemment remis l'argent dont il a disposé.

L'explication que donna Prosper devait singulièrement diminuer et la signification et la gravité du fait.

– Il manque à ma caisse, reprit-il, trois mille cinq cents francs, qui se décomposent ainsi : deux mille francs pris par moi en avance sur mon traitement, quinze cents francs avancés à plusieurs de mes collègues. Nous sommes aujourd'hui le dernier jour du mois, on paie demain les appointements, par conséquent...

Le commissaire de police l'interrompit.

– Étiez-vous autorisé, demanda-t-il sévèrement, à puiser à la caisse selon vos besoins et à faire des avances ?

– Non, mais il est évident que monsieur Fauvel ne m'aurait pas refusé la permission d'obliger des camarades. Ce que j'ai fait se fait partout ; j'ai simplement suivi l'exemple de mon prédécesseur.

Le banquier répondit par un geste d'approbation.

– Pour ce qui m'est personnel, continua le caissier, j'avais en quelque sorte le droit que je me suis arrogé, ayant dans la maison toutes mes économies, c'est-à-dire une quinzaine de mille francs.

– C'est exact, appuya M. Fauvel, monsieur Bertomy a cette somme au moins chez moi.

Ce dernier incident vidé, la mission du commissaire de police était terminée, son procès-verbal d'enquête sommaire était clos. Il annonça qu'il allait se retirer et ordonna au caissier de se préparer à le suivre.

D'ordinaire, ce moment où la réalité brutale éclate, où on sent qu'on ne s'appartient plus, qu'on perd sa liberté, ce moment est affreux.

À cette injonction fatale : « Suivez-moi ! » qui ouvre, pour ainsi dire, les portes de la prison, on voit les plus insouciants et les plus endurcis faiblir, verser des larmes et demander grâce.

Prosper, lui, ne perdit rien de ce flegme étudié qu'il affectait, et qu'intérieurement le commissaire de police taxait d'impudence extraordinaire.

Lentement, avec autant de calme et d'aisance que s'il se fût agi tout bonnement d'aller déjeuner en ville, il prit son pardessus, répara le désordre de sa chevelure, prit ses gants et dit :

– Je suis prêt, monsieur, à vous accompagner.

Déjà le commissaire de police avait serré son portefeuille et salué M. Fauvel.

– Partons ! dit-il.

Ils sortirent, et c'est avec une tristesse morne, les yeux humides de larmes qu'il ne retenait qu'à grand-peine, que le banquier les regarda s'éloigner.

– Mon Dieu ! murmura-t-il, que ne m'a-t-on volé le double, et que ne m'est-il permis d'estimer encore mon pauvre Prosper et de le garder près de moi comme autrefois !

C'est Fanferlot, l'homme à l'oreille toujours ouverte, qui recueillit et nota cette phrase, et prompt au soupçon, trop disposé à accorder à autrui un fonds d'astuce égal au sien il ne fut pas fort éloigné de croire qu'elle avait été prononcée à son intention.

Il était resté le dernier dans le bureau, sous prétexte de chercher un parapluie qu'il n'avait jamais eu, et il se retirait avec une lenteur calculée, non sans avoir répété à plusieurs reprises qu'il reviendrait voir si on ne l'avait pas trouvé.

Régulièrement, c'est à lui que revenait la charge de garder et de conduire Prosper ; mais au moment du départ, il s'était approché du commissaire de police, et, dans l'intérêt de l'affaire, il avait demandé et obtenu sa liberté d'action.

Le billet écrit par Prosper, ce billet qu'il sentait dans la poche du petit Cavaillon, lui trottait par la tête. Même, une fois revenu dans le bureau du caissier, il avait eu bien soin de laisser la porte entrebâillée, guettant du coin de l'œil, prêt à s'élancer au moindre mouvement du jeune employé.

S'emparer de cette preuve écrite, qui devait être importante, pouvait paraître la chose la plus aisée du monde. Que fallait-il faire ? Simplement arrêter Cavaillon, l'effrayer, lui demander le billet, et, au besoin, le lui prendre de force. L'agent de la sûreté eut un moment cette idée.

Oui, mais à quoi menait cet éclat ? À rien, du moins à un résultat incomplet et équivoque.

Fanferlot était persuadé que ce billet était destiné, non au jeune employé, mais à une tierce personne. Violenté, Cavaillon ferait-il connaître cette personne, qui pouvait fort bien ne pas porter le nom prononcé par le caissier : Gypsy. Et en mettant tout au mieux, s'il parlait, ne mentirait-il pas ?

Après mûres réflexions, l'agent de la sûreté décida, en sa sagesse policière, qu'il était puéril de demander un secret quand on pouvait le surprendre. Épier Cavaillon, le suivre, le saisir si bien en flagrant délit qu'il ne pût nier, n'était qu'un jeu.

Puis ces façons d'agir étaient bien mieux dans le caractère de l'employé de la rue de Jérusalem, qui est doux et silencieux de son naturel, et qui, par profession, a horreur du bruit, de l'éclat, de tout ce qui ressemble à de la violence.

Le plan de Fanferlot était irrévocablement arrêté quand il arriva au vestibule.

Là, il fit causer adroitement un garçon de bureau, et après quatre ou cinq questions absolument oiseuses en apparence, il acquit cette certitude que la maison Fauvel n'a pas d'issue rue de la Victoire et que les employés ne peuvent entrer et sortir que par la grande porte de la rue de Provence.

De ce moment, la tâche qu'il s'était imposée ne présentait plus l'ombre d'une difficulté. Il traversa rapidement la rue et alla s'établir, en face, sous une porte cochère.

Son poste d'observation était admirablement choisi. Non seulement, il pouvait de sa place surveiller les allées et les venues de la maison de banque ; mais encore il avait vue sur toutes les fenêtres. En se haussant sur la pointe des pieds, il distinguait, à travers les carreaux, Cavaillon penché sur son pupitre.

Fanferlot resta longtemps sous sa porte. Mais il est patient, mais il lui est arrivé maintes fois, pour un intérêt moindre, de rester à l'affût des journées et des nuits entières.

D'ailleurs, il n'avait pas le loisir de s'ennuyer. Il étudiait la valeur de ses découvertes, pesait ses chances, et, comme Perrette sur la vente de son pot au lait, il bâtissait sur son succès l'édifice de sa fortune.

Enfin, vers une heure, l'agent de la sûreté vit Cavaillon se lever, quitter son vêtement de bureau pour endosser son habit de ville et prendre son chapeau.

Bon ! se dit-il, le gaillard va sortir, ouvrons l'œil.

L'instant d'après, en effet, Cavaillon parut à la porte de la maison de banque. Mais avant de poser le pied sur le trottoir, il regardait de droite et de gauche ; il hésitait.

Se méfierait-il de quelque chose ? pensa Fanferlot.

Non, le jeune employé ne se défiait de rien ; seulement, ayant une commission à faire, craignant que son absence ne fût remarquée, il se demandait quel chemin prendre pour couper au plus court.

Bientôt, il se décida ; il gagna le faubourg Montmartre, le remonta et prit la rue Notre-Dame-de-Lorette. Il marchait très vite, se souciant peu des murmures des passants qu'il coudoyait, et l'agent de la sûreté avait presque peine à le suivre.

Arrivé rue Chaptal, Cavaillon tourna court et entra dans la maison qui porte le numéro 39.

Il avait à peine fait trois pas dans le corridor assez étroit que, se sentant frapper sur l'épaule, il se retourna brusquement et se trouva face à face avec Fanferlot.

Il le reconnut très bien, si bien qu'il devint tout pâle et se recula, cherchant des yeux une issue pour fuir.

Mais l'agent de la sûreté avait prévu la tentation ; il barrait absolument le passage. Cavaillon se sentit pris.

– Que me voulez-vous ? demanda-t-il d'une voix étranglée par la peur.

Ce qui distingue surtout M. Fanferlot, dit l'Écureuil, de ses confrères, c'est sa douceur exquise et son urbanité sans égale.

Même avec ses pratiques il est parfait, et c'est avec les plus grands égards, avec les formules les plus obséquieuses de la civilité, qu'il empoigne et coffre les gens.

– Vous daignerez, cher monsieur, répondit-il, excuser ma liberté grande, mais j'aurais à demander à votre obligeance un petit renseignement.

– Un renseignement, à moi ?

– À vous, oui, cher monsieur, à monsieur Eugène Cavaillon.

– Mais je ne vous connais pas.

– Oh ! que si ; vous m'avez très bien vu ce matin. Il s'agit d'ailleurs de la moindre des choses, et si vous vouliez me faire l'honneur d'accepter mon bras et de sortir un instant avec moi, vous me combleriez.

Que faire ? Cavaillon prit le bras de M. Fanferlot et sortit avec lui.

La rue Chaptal n'est pas une de ces voies bruyantes et encombrées où les voitures constituent pour le piéton un perpétuel danger. On n'y trouve que deux ou trois boutiques, et, du coin de la rue Fontaine, occupée par un pharmacien, jusqu'en face de la rue Léonie, s'étend un grand mur triste percé çà et là de petites fenêtres qui éclairent des ateliers de menuiserie.

C'est une de ces rues où l'on peut causer à l'aise, sans être à tout moment forcé de descendre du trottoir, et M. Fanferlot et Cavaillon ne devaient pas craindre d'être troublés par les passants.

– Voici donc le fait, cher monsieur, commença l'agent de la sûreté, monsieur Prosper Bertomy vous a, ce matin, lancé fort adroitement un petit billet.

Cavaillon pressentait vaguement qu'il allait être question de ce billet ; il s'était efforcé de se préparer, de se mettre en garde.

– Vous vous trompez, répondit-il en devenant rouge jusqu'aux oreilles.

– Pardon ! je serais, daignez le croire, au regret de vous donner un démenti, mais je suis certain de ce que j'avance.

– Je vous assure que Prosper ne m'a rien remis.

– De grâce, cher monsieur, ne niez pas, insista Fanferlot, vous me forceriez à vous prouver que quatre employés l'ont vu vous jeter un billet écrit au crayon et plié fort menu.

Le jeune employé comprit que s'obstiner en présence d'un homme si bien renseigné serait folie ; il changea donc de système.

– Soit, fit-il, c'est vrai, j'ai reçu un billet de Prosper ; seulement, comme il était pour moi seul, après l'avoir lu je l'ai déchiré et j'en ai jeté les morceaux au feu.

Ce pouvait fort bien être la vérité. Fanferlot en eut peur, mais comment s'en assurer ? Il se souvint que les ruses les plus grossières sont celles qui réussissent le mieux, et confiant dans son étoile, il dit, à tout hasard :

– Je me permettrai, cher monsieur, de vous faire remarquer que ceci n'est point exact ; le billet vous a été confié pour être transmis à Gypsy.

Un geste désespéré de Cavaillon apprit à l'agent qu'il ne s'était pas trompé ; il respira.

– Je vous jure, monsieur, commença le jeune commis...

– Ne jurez pas, cher monsieur, interrompit Fanferlot, tous les serments du monde sont inutiles. Non seulement vous n'avez pas déchiré ce billet, mais vous êtes entré dans cette maison pour le remettre à qui de droit et vous l'avez dans votre poche.

– Non, monsieur, non !...

M. Fanferlot ne releva pas cette dénégation, il poursuivit de sa plus douce voix :

– Et ce billet, vous allez être assez aimable, j'en suis persuadé, pour me le communiquer ; croyez que sans une nécessité absolue...

– Jamais ! répondit Cavaillon.

Et croyant le moment favorable, il essaya, en donnant une violente secousse, de dégager son bras pris sous le bras de Fanferlot et de s'enfuir.

Mais il en fut pour sa tentative, l'agent de la sûreté est aussi fort que doux.

– Prenez garde de vous faire mal, mon jeune monsieur, dit l'homme de la préfecture, et croyez-moi, confiez-moi ce billet.

– Je ne l'ai pas !

– Allons, bon ! voici que vous allez me réduire à des extrémités pénibles. Savez-vous ce qui va arriver, si vous vous entêtez ? J'appellerai deux sergents de ville qui vous prendront chacun un bras et vous conduiront chez le commissaire de police, et une fois là, j'aurai la douleur de vous fouiller bon gré mal gré. Tenez, franchement, vous me désolez.

Certes, Cavaillon était dévoué à Prosper, mais il lui était prouvé clair comme le jour qu'une lutte ne le mènerait à rien, qu'il n'aurait même pas le temps d'anéantir « le corps du délit ».

Livrer le billet dans ces conditions, ce n'était pas trahir ; il se résigna en maudissant son impuissance, pleurant presque de rage.

– Vous êtes le plus fort, dit-il ; j'obéis.

En même temps, il tira de son portefeuille le malencontreux billet et le remit à l'agent de la sûreté.

Les mains de Fanferlot tremblaient de plaisir en dépliant le papier, et cependant, fidèle à ses habitudes de méticuleuse politesse, une fois la lettre ouverte, il s'inclina devant Cavaillon en murmurant :

– Vous permettez, n'est-ce pas, cher monsieur ? je suis navré, en vérité, de l'indiscrétion.

Enfin il lut :

Chère Nina,

Si tu m'aimes, vite, sans une minute d'hésitation, sans réflexions, obéis-moi. Au reçu de ce mot, prends tout ce que tu as à toi, à la maison – tout absolument – et va t'établir dans quelque maison meublée à l'autre bout de Paris. Ne te montre pas, disparais autant que tu le pourras. De ton obéissance dépend peut-être ma vie. Je suis accusé d'un vol considérable et je vais être arrêté. Il doit y avoir cinq cents francs dans le secrétaire, prends-les. Laisse ton adresse à Cavaillon qui t'expliquera ce que je ne puis te dire. Bon espoir quand même, et à bientôt.

Prosper.

Moins consterné, Cavaillon eût pu surprendre sur la figure de l'agent de la sûreté tous les signes d'un immense désappointement.

Fanferlot s'était bercé de cet espoir qu'il allait s'emparer d'un document très important, et, qui sait ? peut-être d'une preuve irrécusable de l'innocence ou de la culpabilité de Prosper. Au lieu de cela, il venait de mettre la main sur un billet d'amoureux, s'inquiétant moins de soi que de la femme aimée.

Il avait beau se creuser la cervelle, il ne découvrait, à cette lettre, aucune signification précise, aucun sens déterminé. Elle ne prouvait rien, ni pour ni contre celui qui l'avait écrite.

Ces deux mots : « tout absolument » étaient, il est vrai, soulignés, mais on pouvait les interpréter de tant de façons !...

Cependant, l'agent de la sûreté crut devoir poursuivre.

– Cette madame Nina Gypsy, demanda-t-il à Cavaillon, est sans doute une amie de monsieur Prosper Bertomy ?

– C'est sa maîtresse.

– Ah ! et elle demeure là, au numéro 39 ?

– Vous le savez bien, puisque vous m'avez vu entrer.

– Je m'en doutais en effet, cher monsieur, et, dites-moi, est-ce à son nom qu'est loué l'appartement qu'elle occupe ?

– Non, elle habite chez Prosper.

– Parfait. Et à quel étage, s'il vous plaît ?

– Au premier.

M. Fanferlot avait replié soigneusement le billet dans ses plis, il le glissa dans sa poche.

– Mille remerciements, cher monsieur, dit-il, de vos bons renseignements ; en échange, si vous le voulez bien, je vous éviterai la course que vous alliez faire.

– Monsieur !...

– Oui, avec votre permission, je remettrai moi-même cette lettre à madame Nina Gypsy.

Cavaillon essaya une certaine résistance, il voulut discuter, mais M. Fanferlot était pressé, il coupa court à ses observations :

– Je vais oser, cher monsieur, lui dit-il, vous donner un conseil que je crois bon. À votre place, je retournerais bien paisiblement à mon bureau et je ne me mêlerais plus, oh ! plus du tout de cette affaire.

– Mais, monsieur, Prosper a été mon protecteur, il m'a tiré de la misère, il est mon ami.

– Raison de plus pour vous tenir tranquille. Pouvez-vous le servir ? Non, n'est-ce pas ? Eh bien, je vous dirai, moi, que vous pouvez lui nuire. On sait que vous lui êtes dévoué, ne remarquera-t-on pas votre absence ? Si vous vous remuez, si vous tentez des démarches qui n'aboutiront à rien, ne les interprétera-t-on pas mal ?

– Prosper est innocent, monsieur, j'en suis sûr.

C'était positivement l'opinion de Fanferlot ; mais il ne pouvait lui convenir de laisser deviner sa pensée intime, et, cependant, dans l'intérêt de ses investigations à venir, il lui importait d'imposer au jeune employé la prudence et la discrétion. Il aurait bien voulu le prier de se taire sur ce qui venait de se passer entre eux ; mais il n'osa pas.

– Ce que vous dites est fort possible, répondit-il, et je l'espère pour monsieur Bertomy. Je l'espère surtout pour vous, qui, s'il est coupable, serez infailliblement inquiété, vu votre intimité notoire, et peut-être même soupçonné de complicité.

Cavaillon baissa la tête ; il était atterré.

– Ainsi, croyez-moi, mon jeune monsieur, poursuivit Fanferlot, allez reprendre vos occupations et... à l'honneur de vous revoir.

Le pauvre garçon obéit. Lentement, le cœur bien gros, il regagna la rue Notre-Dame-de-Lorette. Il se demandait comment servir Prosper, comment avertir Mme Gypsy, comment surtout se venger de cet odieux agent de police qui venait de l'humilier si cruellement.

Dès qu'il eut disparu à l'angle de la rue, Fanferlot entra dans la maison, jeta au portier le nom de Prosper Bertomy, monta et sonna à la porte du premier étage.

Un domestique d'une quinzaine d'années, portant une livrée coquette, vint lui ouvrir.

– Madame Nina Gypsy ? demanda-t-il.

Le petit groom hésita ; ce que voyant, M. Fanferlot montra sa lettre.

– Je suis chargé, insista-t-il, par monsieur Prosper, de remettre ce billet à madame et d'attendre sa réponse.

– Entrez alors, je vais prévenir madame.

Le nom de Prosper avait produit son effet, Fanferlot fut introduit dans un petit salon, tendu de damas de soie bouton-d'or, relevé par des passementeries et des agréments gros bleu. Il y avait de triples rideaux aux fenêtres, des portières à toutes les portes. Un tapis splendide cachait le parquet.

– Peste ! murmura l'agent de la sûreté, il est bien logé notre caissier.

Mais il n'eut pas le loisir de poursuivre son inventaire ; une des portières se souleva, Mme Nina Gypsy parut.

Mme Nina Gypsy est, ou, pour parler mieux, était alors une toute jeune femme, frêle, délicate, mignonne, brune, ou plutôt dorée comme une quarteronne de la Havane, avec des pieds et des mains d'enfant.

De longs cils, soyeux et recourbés, tamisaient l'éclat trop vif de ses grands yeux noirs ; ses lèvres, un peu épaisses, souriaient sur des dents plus blanches que la dent du chat, dents fines, brillantes, nacrées, aiguës à croquer dix patrimoines.

Elle n'était pas habillée encore et s'enveloppait, frileuse, dans un ample peignoir de velours dont toutes les ouvertures laissaient échapper les flots de dentelle de sa camisole de nuit. Mais déjà elle avait passé par les mains du coiffeur ou d'une femme de chambre adroite. Ses cheveux étaient crêpés et frisés sur le devant, tout autour du front, retenus par des bandelettes de velours rouge et relevés en un énorme chignon très haut sur la nuque.

Elle était ravissante ainsi, d'une beauté si insolente et si tapageuse, que Fanferlot en fut ébloui et tout d'abord interdit.

Saperlotte ! se dit-il, songeant à la beauté noble et sévère de Madeleine, entrevue quelques heures plus tôt, il a bon goût, notre caissier, très bon goût... trop bon goût.

Pendant qu'il réfléchissait ainsi, tout penaud, se demandant comment commencer l'entretien, Mme Gypsy le toisait de l'air le plus dédaigneux, stupéfaite de voir dans son salon ce personnage étriqué et râpé, à chapeau gras retapé à l'aide d'un crêpe.

Ayant des créanciers, elle cherchait en sa mémoire lequel pouvait bien avoir cette tournure subalterne, ou tout au moins lequel se permettait d'envoyer ce cuistre essuyer ses bottes éculées à la haute laine de ses tapis.

Son examen terminé :

– Que désirez-vous ? demanda-t-elle enfin en forçant ses paupières au clignotement le plus impertinent.

Tout autre que Fanferlot aurait été révolté de ces regards et de ce ton ; lui n'y fit attention que pour en tirer quelques notions sur le caractère de la jeune femme.

Elle n'est point bonne, non ! pensa-t-il, et pas la moindre éducation.

Il tardait à répondre, Mme Nina frappa du pied avec impatience.

– Parlerez-vous, répéta-t-elle, que voulez-vous ?

– Je suis chargé, chère madame, fit l'agent de la sûreté, de sa plus douce et plus humble voix, de vous remettre un petit billet de monsieur Bertomy.

– De Prosper !... Vous le connaissez donc ?

– J'ai cet honneur, et même, si j'ose m'exprimer ainsi, je suis de ses amis.

– Monsieur !... fit Mme Gypsy, blessée dans son amour-propre.

M. Fanferlot ne daigna pas prendre garde à cette injurieuse exclamation. Il est ambitieux ; le mépris, sur lui, glisse comme la pluie sur une cuirasse grasse.

– J'ai dit de ses amis, insista-t-il, et peu de personnes, j'en suis sûr, auraient maintenant le courage d'avouer hautement leur amitié pour lui.

L'agent de la sûreté s'exprimait avec un sérieux si convaincu que Mme Gypsy en fut frappée.

– Je n'ai jamais su deviner les énigmes, dit-elle sèchement ; que prétendez-vous insinuer, s'il vous plaît ?

L'homme de la préfecture de police sortit lentement de sa poche la lettre enlevée à Cavaillon, et la présentant à Mme Gypsy :

– Lisez, dit-il.

Certes, elle ne pressentait rien de funeste. Bien qu'elle eût les meilleurs yeux du monde, elle ajusta sur son nez un charmant binocle avant de déplier le billet.

D'un coup d'œil elle le lut en entier.

Elle devint toute pâle d'abord, puis fort rouge ; un frisson nerveux la secoua de la tête aux pieds ; ses jambes fléchirent ; elle chancela. Fanferlot, croyant qu'elle allait tomber, tendit les bras pour la retenir.

Précaution inutile ! Mme Gypsy était de ces femmes dont la paresseuse insouciance masque une énergie endiablée, créatures fragiles dont la force de résistance n'a pas de limites ; chattes par les grâces et les délicatesses, chattes surtout par leurs nerfs et leurs muscles d'acier.

Le vertige du coup de massue qu'elle venait de recevoir dura ce que dure l'éclair. Elle chancela, mais elle ne tomba pas. Elle se redressa plus forte, saisit les poignets de l'agent de la préfecture et, de sa main mignonne, les serrant à le faire crier :

– Expliquez-vous, dit-elle ; qu'est-ce que cela signifie ? Vous savez ce que m'annonce cette lettre ?

Si brave qu'il soit, lui qui chaque jour affronte les plus dangereux coquins, Fanferlot eut presque peur de la colère de Mme Nina.

– Hélas ! murmura-t-il.

– On veut arrêter Prosper, on l'accuse d'avoir volé !...

– Oui, on prétend qu'il a pris à sa caisse trois cent cinquante mille francs.

– C'est faux ! s'écria la jeune femme, c'est une infamie et une absurdité.

Elle avait lâché les poignets de Fanferlot, et sa fureur, véritable rage d'enfant gâté, s'exhalait en gestes désordonnés. Elle se souciait bien vraiment de son beau peignoir et de ses magnifiques dentelles, qu'elle lacérait impitoyablement.

– Prosper, voler, disait-elle, ce serait trop bête. Voler ! à quoi bon ? N'a-t-il pas une grande fortune ?...

– C'est que précisément, belle dame, insinua l'agent de la sûreté, on affirme que monsieur Bertomy n'est pas riche, qu'il n'a pour vivre que ses appointements.

Cette réponse parut confondre toutes les idées de Mme Gypsy.

– Cependant, insista-t-elle, je lui ai toujours vu beaucoup

d'argent. Pas riche... mais alors...

Elle n'osa pas achever, mais ses yeux rencontrant ceux de Fanferlot, ils se comprirent.

Le regard de Mme Nina voulait dire : « Ce serait donc pour moi, pour mon luxe, pour mes caprices, qu'il aurait volé ? »

« Peut-être !... » répondait le regard de l'agent de la sûreté.

Mais dix secondes de réflexion rendirent à la jeune femme son assurance première. Le doute qui, de son aile, avait effleuré son esprit, s'envola.

– Non ! s'écria-t-elle, jamais, malheureusement, Prosper n'aurait volé un sou pour moi. Qu'un caissier puise à pleines mains dans la caisse confiée à son honneur, pour une femme qu'il aime, on le comprend et on se l'explique ; mais Prosper ne m'aime pas, il ne m'a jamais aimée.

– Oh ! belle dame ! protesta le galant et poli Fanferlot, ce que vous dites là, vous ne le pensez pas.

Elle secoua tristement la tête ; une larme, à grand-peine retenue, voilait l'éclat de ses beaux yeux.

– Je le pense, répondit-elle, et c'est vrai. Il est prêt à courir au-devant de mes fantaisies, direz-vous ? Qu'est-ce que cela prouve. Quand je dis qu'il ne m'aime pas, je n'en suis que trop persuadée, allez, et je m'y connais. Une fois en ma vie, j'ai été aimée par un homme de cœur, et parce que je souffre depuis une année, je comprends à quel point je l'ai rendu malheureux. Je ne suis rien, dans la vie de Prosper, à peine un accident...

– Mais alors pourquoi...

– Ah ! oui... interrompit Mme Gypsy, pourquoi ? Vous serez bien habile, vous, de me le dire. Voici un an que je cherche vainement une réponse à cette question terrible pour moi, et je suis femme !... Mais allez donc deviner la pensée d'un homme si maître de soi que rien de ce qui se passe en son cœur ne remonte à ses yeux. Je l'ai observé comme une femme sait observer l'homme de qui dépend sa destinée, peine perdue ! Il est bon, il est doux, mais il n'offre aucune prise. On le croit faible, on se trompe. C'est une barre d'acier peinte en roseau, que cet homme à cheveux blonds.

Emportée par la violence de ses sentiments, Mme Nina laissait voir jusqu'au fond de son âme. Elle était sans défiance, ne pouvant se douter de la qualité de cet homme qui l'écoutait, qui lui était inconnu, mais en qui elle voyait un ami de Prosper.

Pour lui, Fanferlot, il s'applaudissait intérieurement de son bonheur et de son adresse. Il n'y a qu'une femme pour tracer un portrait ressemblant. En un moment d'exaltation, elle venait de lui donner les plus précieux renseignements ; il savait désormais à quel homme il avait affaire, ce qui dans une enquête est le point capital.

– C'est qu'on dit, hasarda-t-il, que monsieur Bertomy est joueur, et le jeu mène loin.

Mme Gypsy haussa les épaules.

– Oui, c'est vrai, répondit-elle, il joue. Je lui ai vu, sans un tressaillement, perdre ou gagner des sommes considérables. Il joue, mais il n'est pas joueur. Il joue comme il soupe, comme il se grise, comme il fait des folies, sans passion, sans entraînement, sans plaisir. Quelquefois il me fait peur : il me semble qu'il traîne un corps où il n'y a plus d'âme. Ah ! je ne suis pas heureuse, allez ! Jamais je n'ai surpris en lui qu'une indifférence profonde, si immense que souvent elle m'a paru être du désespoir. Et cet homme-là aurait volé ! Allons donc ! Tenez, vous ne m'ôterez pas de l'idée qu'il y a quelque chose de terrible dans sa vie, un secret, un grand malheur, je ne sais quoi, mais quelque chose.

– Et il ne vous a jamais parlé de son passé ?

– Lui... Vous ne m'avez donc pas entendu ? Je vous l'ai dit, il ne m'aime pas.

L'attendrissement peu à peu avait gagné Mme Nina. Elle pleurait, et de grosses larmes roulaient silencieuses le long de ses joues.

Ce n'était qu'un moment de désespoir. Bientôt elle se redressa, l'œil enflammé par les plus généreuses résolutions.

– Mais je l'aime, moi ! s'écria-t-elle, et c'est à moi de le sauver. Ah ! je saurai parler à son patron, ce misérable qui l'accuse, et aux juges et à tout le monde. Il est arrêté, je prouverai qu'il est innocent. Venez, monsieur, partons, et je vous le promets, avant la fin du jour il sera libre ou je serai prisonnière avec lui.

Le projet de Mme Gypsy était louable, assurément, et dicté par les sentiments les plus nobles ; malheureusement il était impraticable.

Il avait en outre le tort d'aller à l'encontre des intentions de l'agent de la sûreté.

Si décidé qu'il fût à se réserver les difficultés comme les bénéfices de cette enquête, M. Fanferlot sentait fort bien qu'il ne pourrait dissimuler Mme Nina au juge d'instruction. Forcément un jour ou l'autre elle serait mise en cause et recherchée. C'est pour cela surtout qu'il ne voulait pas qu'elle se montrât de son propre mouvement. Il se proposait de la faire apparaître quand et comme il le jugerait convenable, afin de s'attribuer à tout hasard et sans vergogne le mérite de l'avoir découverte.

C'est-à-dire que tout d'abord il s'efforça consciencieusement de calmer l'exaltation de la jeune femme. Il pensait qu'il serait aisé de lui démontrer que la moindre démarche en faveur de Prosper serait une folie insigne.

– Que gagnerez-vous, chère madame ? lui disait-il ; rien. Vous n'avez pas, je vous l'affirme, la moindre chance de succès. Et songez que vous allez vous compromettre gravement. Qui sait si la justice ne voudra pas voir en vous une complice de monsieur Bertomy !

Mais ces perspectives inquiétantes, qui avaient arrêté Cavaillon, qui lui avaient fait livrer sottement une lettre qu'il pouvait si bien défendre, ne firent que stimuler l'enthousiasme de Mme Gypsy.

C'est que l'homme calcule, pendant que la femme suit les inspirations de son cœur.

Là où l'ami le plus dévoué hésite et recule, la femme marche tête baissée, insoucieuse du résultat.

– Qu'importe le danger ! s'écria-t-elle. Je n'y crois pas, mais s'il existe, tant mieux, il donnera quelque mérite à une tentative toute naturelle. Je suis sûre que Prosper est innocent, mais si par impossible il est coupable, eh bien ! je veux partager le châtiment qui l'attend.

L'insistance de Mme Gypsy devenait inquiétante. Elle avait, à la hâte, jeté un grand cachemire sur ses épaules, mis son chapeau, et ainsi vêtue, en peignoir et en pantoufles, elle se déclarait prête à partir, prête à aller trouver tous les juges de Paris.

– Venez-vous, monsieur ? demandait-elle avec une impatience fébrile, venez-vous ?...

Fanferlot n'était rien moins que décidé. Heureusement, il a toujours plusieurs cordes à son arc.

Les considérations personnelles n'ayant aucune prise sur cette nature énergique, il résolut d'invoquer l'intérêt même de Prosper.

– Je suis tout à vous, belle dame, répondit-il ; soit, partons. Seulement, laissez-moi, pendant qu'il en est temps encore, vous dire que très probablement nous allons rendre à monsieur Bertomy le plus mauvais service.

– En quoi, s'il vous plaît ?

– En ce que nous allons le surprendre, belle dame, en ce que nous tentons une démarche qu'il ne peut prévoir après ce qu'il vous a écrit.

La jeune femme eut un beau geste de téméraire fierté ; elle ne doutait de rien.

– Il est des gens, monsieur, répondit-elle, qu'il faut sauver sans les prévenir et comme malgré eux. Je connais Prosper, il est homme à se laisser assassiner sans lutter, sans mot dire, à s'abandonner par insouciance, par désespoir...

– Pardon, chère madame, pardon ! interrompit l'agent de la sûreté, monsieur Bertomy, précisément, n'a pas l'air d'un homme qui s'abandonne, comme vous dites. Je croirais volontiers, au contraire, qu'il a déjà bâti son plan de défense. Savez-vous si en vous montrant, lorsqu'il vous recommande de vous cacher, vous n'allez pas renverser ses plus sûrs moyens de justification ?

Mme Gypsy tardait à répondre. Elle examinait la valeur des objections de Fanferlot.

– Je ne puis pourtant pas, reprit-elle, rester là, inactive, sans essayer de contribuer en quelque chose à son salut. Ne comprenez-vous donc pas que le parquet ici me brûle les pieds ?

Évidemment, si elle n'était pas absolument convaincue, sa résolution était ébranlée. L'homme de la préfecture de police sentit qu'il l'emportait, et cette certitude, lui laissant l'esprit plus libre, donna plus d'autorité à son éloquence.

– Vous avez, chère dame, reprit-il, un moyen bien simple de servir l'homme que vous aimez.

– Lequel, monsieur, lequel ?

– Obéissez-lui, mon enfant, prononça paternellement M. Fanferlot.

Mme Gypsy s'attendait à tout autre conseil.

– Obéir !... murmura-t-elle, obéir...

– Là est votre devoir, reprit Fanferlot, devenu grave et digne, devoir sacré.

Elle hésitait, encore, il prit sur la table la lettre de Prosper, qu'elle y avait posée, et il continua :

– Quoi ! monsieur Bertomy, dans un moment terrible, alors qu'il va être arrêté, vous écrit pour vous tracer votre conduite, et vous voulez rendre vaine cette sage précaution ! Que vous dit-il ? Tenez, relisons ensemble ce billet, qui est comme le testament de sa liberté. Il vous dit : « Si tu m'aimes, je t'en prie, obéis... » Et vous hésitez à obéir. Il vous dit encore : « Il y va de ma vie... » Vous ne l'aimez donc pas ? Quoi ! vous ne comprenez pas, malheureuse enfant, qu'en vous conjurant de fuir, de vous cacher, monsieur Bertomy a ses raisons, raisons impérieuses, terribles.

Ces raisons, M. Fanferlot les avait comprises en mettant le pied dans l'appartement de la rue Chaptal, et s'il ne les exposait pas encore, c'est qu'il les gardait, comme un bon général garde sa réserve, pour décider la victoire. Mme Gypsy était assez intelligente pour les deviner.

– Des raisons !... commença-t-elle ; Prosper voudrait donc qu'on ignorât notre liaison !...

Elle demeura un instant pensive, puis le jour tout à coup se faisant dans son esprit, elle s'écria :

– Oui ! je comprends maintenant. Folle que je suis, de n'avoir pas vu cela tout de suite ! En effet, ma présence ici, où je suis depuis un an, serait contre lui une charge accablante. On dresserait l'inventaire de tout ce que je possède, de mes robes, de mes dentelles, de mes bijoux, et on lui ferait un crime de mon luxe. On lui demanderait où il a pris assez d'argent pour me combler à ce point de ne me rien laisser à désirer.

L'agent de la sûreté baissa la tête en signe d'assentiment.

– C'est bien cela, répondit-il.

– Mais alors il faut fuir, monsieur, fuir bien vite ! Qui sait si la police n'est pas déjà prévenue, si elle ne va pas se présenter.

– Oh ! fit M. Fanferlot, de l'air le plus dégagé, vous avez le temps, la police n'est ni si habile ni si prompte.

– Peu importe !...

Et laissant seul l'agent de la sûreté, Mme Nina se précipita dans sa chambre à coucher, appelant à grands cris sa femme de chambre, sa cuisinière, le petit groom lui-même, ordonnant de vider les tiroirs et les armoires, d'entasser pêle-mêle dans des malles tout ce qui lui appartenait, et de se dépêcher surtout, de se presser.

Elle-même donnait l'exemple, et du meilleur cœur, quand une idée soudaine la ramena près de Fanferlot.

– Tout est prêt à l'instant, dit-elle, et je pars ; mais où aller ?

– Monsieur Bertomy ne vous le dit-il pas, chère dame ? À l'autre bout de Paris, dans une maison meublée, dans un hôtel.

– C'est que je n'en connais pas.

L'homme de la préfecture eut l'air de réfléchir. Il avait mille peines à dissimuler une joie singulière qui éclatait, quoi qu'il fît, dans ses petits yeux ronds.

– Je connais bien un hôtel, moi, dit-il enfin, mais il ne vous conviendra peut-être pas. Dame ! ce n'est pas luxueux comme ici...

– Y serai-je bien ?

– Avec ma recommandation, vous serez traitée comme une petite reine, et cachée surtout...

– Où est-ce ?

– De l'autre côté de l'eau, quai Saint-Michel, hôtel du *Grand-Archange,* tenu par madame Alexandre...

Mme Nina n'a jamais été longue à prendre une détermination.

– Voici de quoi écrire, dit-elle à l'agent ; faites votre lettre de recommandation.

En une minute il eut fini.

– Avec ces trois lignes, belle dame, dit-il, vous ferez de madame Alexandre tout ce que vous voudrez.

– C'est bien ! Maintenant, comment faire savoir mon adresse à Cavaillon ? C'est lui qui devait me remettre la lettre de Prosper...

– Il n'a pu venir, chère madame, interrompit l'agent de la sûreté, mais je vais le voir tout à l'heure et je lui dirai où vous trouver...

Mme Gypsy allait envoyer chercher une voiture, Fanferlot, qui se dit pressé, se chargea de la commission. Le prétexte pour s'esquiver était bon.

Il jouait d'ailleurs de bonheur ce jour-là. Un fiacre passait devant la maison, il l'arrêta.

– Tu vas, dit-il au cocher après lui avoir décliné ses titres, attendre ici une petite dame brune qui va descendre avec des colis. Si elle te dit de la conduire quai Saint-Michel, tu feras claquer ton fouet ; si elle te donne une autre adresse, descends de ton siège avant de partir, comme pour arranger un trait ; je serai à portée de voir et d'entendre.

En effet, il alla s'établir de l'autre côté de la rue, chez un marchand de vins. Il était tout étourdi de ce qu'il venait d'apprendre, et ne sachant plus que penser au juste, il avait besoin de mettre de l'ordre dans ses idées.

Il n'en eut guère le temps : de formidables coups de fouet troublaient le silence de la rue ; Mme Nina se rendait au *Grand-Archange*.

– Allons ! s'écria-t-il gaiement, celle-là, du moins, je la tiens.

IV

À cette heure même où Mme Nina Gypsy allait chercher un refuge à cet hôtel du *Grand-Archange*, qui lui avait été indiqué par M. Fanferlot, dit l'Écureuil, Prosper Bertomy était écroué au dépôt de la préfecture de police.

Depuis le moment où, maître de ses impressions, il avait réussi à reprendre son maintien habituel, son sang-froid ne s'était plus démenti.

Vainement les gens qui l'entouraient, observateurs ingénieux, avaient épié une défaillance de son regard, une expression douteuse de sa physionomie, ils l'avaient trouvé de marbre.

Même, on aurait pu le croire insensible à son affreuse situation, sans une oppression douloureuse que révélait sa respiration plus pressée, sans les gouttes de sueur qui perlaient le long de ses tempes, trahissant d'horribles angoisses.

Chez le commissaire de police où il était resté plus de deux heures pendant qu'on était allé quérir des ordres, il avait causé avec les deux sergents de ville qui le gardaient.

Vers midi, étant à jeun, il sentit, à ce qu'il déclara, le besoin de prendre quelque chose. On lui fit apporter à déjeuner du restaurant voisin, et il mangea d'assez bon appétit, et but presque toute une bouteille de vin.

Pendant qu'il était là, dix agents au moins et divers employés de la préfecture, qui tous les matins ont affaire aux commissaires de police, vinrent examiner curieusement sa contenance. Tous eurent la même opinion et la formulèrent dans des termes presque pareils. Ils disaient :

– C'est un solide mâtin !

Ou encore :

– Ce gaillard-là est trop tranquille pour n'être pas gardé à carreau.

Lorsqu'on lui annonça qu'un fiacre l'attendait en bas, il se leva vivement ; mais avant de descendre, il demanda la permission d'allumer un cigare, permission qui lui fut accordée.

Sous la porte de la maison du commissaire, se tient habituellement une marchande de fleurs. Il lui acheta un petit bouquet de violettes. Cette femme, comprenant qu'il était arrêté, et lui ayant dit en manière de remerciement :

– Bonne chance ! mon pauvre monsieur !

Il parut touché de cette marque banale d'intérêt et répondit :

– Merci, ma brave femme, mais il y a longtemps que je n'en ai plus.

Il faisait un temps magnifique, une resplendissante journée de printemps. Tout le long de la rue Montmartre que suivait le fiacre, Prosper mit plusieurs fois la tête à la portière, se plaignant, en souriant, d'être mis en prison par ce beau soleil, lorsqu'il ferait si bon être dehors.

– C'est même singulier, fit-il, jamais je n'ai eu si grande envie de me promener.

Un de ses gardiens, qui était un gros garçon réjoui et épais, accueillit cette réflexion par un énorme éclat de rire, et dit :

– Je comprends cela.

Au greffe, pendant qu'on remplissait les formalités de l'écrou, Prosper répondit avec une hauteur mêlée de dédain aux questions indispensables qui lui furent adressées.

Mais, lorsque après lui avoir ordonné de vider ses poches sur la table, on s'approcha pour le fouiller, un éclair d'indignation jaillit de ses yeux, puis une larme chaude aussitôt séchée au feu de ses pommettes. Ce ne fut qu'un éclair. Il se laissa faire, levant les bras, pendant que, du haut en bas, des mains brutales le palpaient pour s'assurer qu'il ne dissimulait pas sous ses vêtements quelque objet suspect.

Les investigations auraient peut-être été poussées plus loin et seraient devenues bien autrement ignominieuses sans l'intervention d'un homme d'un certain âge, d'apparence distinguée, portant cravate blanche et lunettes à branches d'or, qui se chauffait près du poêle, et qui, en ce lieu, semblait être chez lui.

À la vue de Prosper, qui entrait suivi des agents, il eut un geste de surprise et parut extrêmement ému ; il s'avança même, comme pour lui adresser la parole, mais il se ravisa.

Si troublé que fût le caissier, il ne put s'empêcher de remarquer que les yeux de cet homme restaient obstinément fixés sur lui. Le connaissait-il donc ? Il eut beau chercher dans ses souvenirs, il ne se rappela pas l'avoir jamais vu.

Cet homme, aux allures de chef de bureau, n'était autre qu'un illustre employé de la préfecture de police, M. Lecoq.

Au moment où les agents qui avaient fouillé Prosper s'apprêtaient à lui faire retirer ses bottes – une lime ou une arme tiennent si peu de place ! –, M. Lecoq fit un signe et dit :

– C'est assez.

Les autres obéirent. Toutes les formalités étaient remplies, et enfin on conduisit le malheureux caissier à une étroite cellule ; la porte, à grand renfort de verrous et de serrures, se referma sur lui ; il respira ; il était seul.

Oui, il se croyait seul, bien seul ! il ignorait que la prison est de verre, que l'inculpé y est comme le misérable insecte sous le microscope de l'entomologiste. Il ne savait pas que les murs ont des oreilles toujours béantes, les guichets des yeux toujours fixes.

Il était si sûr d'être seul que toute sa fierté se fondit en un torrent de larmes, son masque d'impassibilité tomba. Sa colère, si longtemps contenue, éclata violente et terrible, comme un incendie qui, ayant longtemps couvé, a desséché toutes les matières inflammables.

Il s'emporta follement, il cria, il eut des imprécations et des blasphèmes. Il meurtrit ses poings aux murailles dans un accès de rage folle et impuissante comme celle de la bête fauve enfermée après le premier moment de stupeur.

C'est que Prosper Bertomy n'était pas ce qu'il paraissait être.

Ce gentleman hautain et correct, sorte de gandin glacé, avait des passions ardentes et un tempérament de feu.

Mais, un jour, vers vingt-quatre ans, l'ambition l'avait mordu au cœur. Pendant que tous ses désirs souffraient, emprisonnés dans sa médiocrité comme un lycéen dans une tunique trop étroite, regardant autour de lui tous ces riches auxquels l'argent donne la baguette des mille et une nuits, il envia leur sort.

Il rechercha les origines et le point de départ de tous les chefs opulents des grandes entreprises financières, et il reconnut qu'à leurs débuts ils possédaient pour la plupart moins que lui.

Comment donc s'étaient-ils élevés ? À force d'énergie, d'intelligence et d'audace. Pour eux, la pensée féconde avait été comme la lampe merveilleuse aux mains d'Aladin.

Il se jura de les imiter et d'arriver comme eux.

De ce jour, avec une force de volonté beaucoup moins rare qu'on ne croit, il imposa silence à ses instincts. Il réforma, non son caractère, mais les dehors de son caractère.

Et ses efforts n'avaient pas été perdus. On avait foi en son caractère et en ses moyens. Ceux qui le connaissaient disaient : « Il arrivera !... »

Et il était là, en prison, accusé d'un vol, c'est-à-dire perdu.

Car il ne s'abusait pas. Il savait qu'innocent ou coupable, l'homme soupçonné est marqué d'une flétrissure aussi ineffaçable que les lettres jadis imprimées au fer rouge sur l'épaule des forçats. Dès lors à quoi bon lutter ! À quoi bon un triomphe qui ne lave pas la souillure !...

Quand le gardien de service, le soir, lui apporta son repas, il le trouva étendu sur son lit, la tête enfoncée dans son oreiller, pleurant à chaudes larmes.

Ah ! il n'avait plus faim, maintenant qu'il était seul. Un invincible engourdissement l'envahissait ; sa volonté éperdue flottait dans un brouillard opaque.

La nuit vint, longue, terrible, et pour la première fois il n'eut pour mesurer les heures que le pas cadencé des rondes relevant les sentinelles. Il souffrait.

Au matin, cependant, le sommeil lui vint avec le jour, et il dormait encore lorsque la voix du geôlier retentit dans la cellule.

– Allons, monsieur, disait-il, à l'instruction !

D'un bond il fut debout, il allait donc être interrogé.

– Marchons, dit-il, sans songer à réparer le désordre de sa toilette.

Pendant le trajet, son gardien lui dit :

– Vous avez du bonheur, vous allez avoir affaire à un bien brave homme.

Le gardien avait mille fois raison.

Doué d'une pénétration remarquable, ferme, incapable de parti pris, également éloigné d'une fausse pitié et d'une sévérité excessive, M. Patrigent possède, à un degré éminent, toutes les qualités qu'exige la délicate et difficile mission du juge d'instruction.

Peut-être manque-t-il de la fébrile activité, parfois nécessaire pour frapper vite et juste ; mais il possède une de ces patiences robustes que rien ne lasse ni ne décourage. Fort capable, d'ailleurs, de suivre pendant des années une instruction, comme il le fit lors de l'affaire des billets belges, dont il ne réunit les fils qu'après quatre ans d'investigations.

Aussi, était-ce dans son cabinet que venaient s'échouer les affaires éternelles, les enquêtes restées en chemin, les procédures incomplètes.

Tel est, aussi exactement que possible, l'homme vers lequel on conduisait Prosper ; et on le conduisait par un chemin bien difficile.

On lui fit suivre un long corridor, traverser une salle pleine de gendarmes de Paris, descendre un escalier, traverser une manière de souterrain, puis monter un étroit et raide escalier qui n'en finissait pas.

Enfin, il arriva dans une longue et étroite galerie, basse d'étage, sur laquelle ouvraient quantité de portes numérotées.

Le gardien du malheureux caissier l'arrêta devant une de ces portes.

– Nous y sommes, lui dit-il ; c'est ici que va se décider votre sort.

À cette réflexion du gardien, faite d'un ton de commisération profonde, Prosper ne put s'empêcher de frissonner.

C'était vrai pourtant : là, derrière cette porte, se trouvait un homme qui allait l'interroger, et selon ce qu'il répondrait, il serait relâché ou le mandat d'amener qu'on lui avait signifié la veille serait converti en mandat de dépôt.

Cependant, faisant appel à tout son courage, il posait déjà la main sur le bouton de la porte, lorsque son gardien l'arrêta.

– Oh ! pas encore, lui dit-il, on n'entre pas comme cela : asseyez-vous, on vous appellera quand votre tour sera venu.

L'infortuné obéit, et son gardien prit place près de lui. Rien d'affreux, rien de lugubre comme une station dans cette sombre galerie des juges d'instruction.

D'un bout à l'autre est établi contre le mur un grossier banc de chêne, noirci par un usage quotidien. Involontairement on songe que sur ce banc sont venus tour à tour, depuis dix ans, s'asseoir tous les prévenus, tous les voleurs, tous les assassins du département de la Seine.

C'est que tôt ou tard, fatalement, comme l'immondice à l'égout, le crime arrive à cette terrible galerie qui a une porte sur le bagne, l'autre sur la plate-forme de l'échafaud. C'est là, selon la triviale mais énergique expression d'un premier président, le grand lavoir public de tout le linge sale de Paris.

La galerie, à l'heure où Prosper y arriva, était fort animée. Le banc était presque entièrement occupé. À côté de lui, si près qu'il le coudoyait, on avait placé un homme en haillons, à figure sinistre.

Devant chaque porte, qui est celle d'un juge d'instruction, se tenaient des groupes de témoins, où on causait à voix basse. À tout moment, allaient et venaient des gendarmes de Paris, dont les fortes bottes résonnaient sur les dalles, et qui amenaient ou reconduisaient des prisonniers. Parfois, dominant le sourd murmure, on entendait un sanglot, et une femme, la mère ou la sœur de quelque prévenu, passait un mouchoir sur les yeux. À de courts intervalles, une porte s'ouvrait et se refermait, et la voix d'un huissier criait un nom ou un numéro.

À ce spectacle, à ces contacts flétrissants, au milieu de cette atmosphère chaude et chargée d'émanations étranges, le caissier se sentait défaillir, quand un petit vieux, vêtu de noir avec les insignes de sa dignité, la chaîne d'acier en sautoir, cria :

– Prosper Bertomy !

Le malheureux se dressa tout d'une pièce, et, sans savoir comment, se trouva poussé dans le cabinet du juge d'instruction.

Tout d'abord, il fut aveuglé. Il quittait un endroit fort obscur, et la fenêtre de la pièce où il entrait, placée en face de la porte, versait à flots un jour éclatant et criard.

Ce cabinet, comme tous ceux de la galerie, est sans physionomie particulière. On s'y croirait chez n'importe quel homme d'affaires.

Il est tendu d'un papier économique vert foncé, et à terre est un méchant tapis à vulgaires dessins noirs.

Vis-à-vis la porte est un grand bureau, encombré de dossiers, derrière lequel est placé le juge, faisant face à ceux qui entrent, de telle sorte que son visage reste dans l'ombre, pendant que celui des prévenus ou des témoins qu'il interroge est en pleine lumière. À droite, est une petite table où écrit le greffier, cet indispensable auxiliaire du juge.

Mais Prosper ne remarquait pas ces détails. Toute son attention se concentrait sur le magistrat, et, à mesure qu'il l'examinait mieux, il se disait que son gardien ne l'avait pas trompé.

Il est vrai que la figure de M. Patrigent, figure irrégulière, encadrée de courts favoris roux, animée par des yeux vifs et spirituels, respirant la bonté, est de celles qui, au premier abord, rassurent et attirent.

– Prenez une chaise, dit-il à Prosper.

Cette attention fut d'autant plus sensible au prévenu, qu'il s'attendait à être traité avec le dernier mépris. Elle lui parut d'un favorable augure, et lui rendit quelque liberté d'esprit.

Cependant M. Patrigent avait fait un signe à son greffier.

– Nous commençons, Sigault, dit-il, attention.

Et se retournant vers Prosper :

– Comment vous appelez-vous ? demanda-t-il.

– Auguste-Prosper Bertomy, monsieur.

– Quel âge avez-vous ?

– J'aurai trente ans le 5 mai prochain.

– Quelle est votre profession ?

– Je suis, monsieur, c'est-à-dire j'étais le caissier de la maison de banque André Fauvel.

Le magistrat l'interrompit pour consulter un petit agenda placé près de lui. Prosper, qui suivait attentivement tous ses mouvements, se prenait à espérer, se disant que jamais un homme ayant l'air si peu prévenu contre lui ne le retiendrait en prison.

Le renseignement qu'il cherchait trouvé, M. Patrigent reprit l'interrogatoire :

– Où demeurez-vous ? demanda-t-il.

– Rue Chaptal, 39, depuis quatre ans. J'habitais avant, 7, boulevard des Batignolles.

– Où êtes-vous né ?

– À Beaucaire, département du Gard.

– Avez-vous encore vos parents ?

– J'ai perdu ma mère il y a deux ans, monsieur, mais j'ai encore mon père.

– Habite-t-il Paris ?

– Non, monsieur, il habite Beaucaire avec ma sœur qui est mariée à l'un des ingénieurs du canal du Midi.

C'est d'une voix affreusement troublée que Prosper répondit à ces dernières questions. C'est que s'il est des heures dans la vie où le souvenir de la famille encourage et console, il est de ces moments affreux où on voudrait être seul au monde et sortir des Enfants trouvés.

M. Patrigent remarqua fort bien et nota cette émotion de son prévenu lorsqu'il lui avait parlé de ses parents.

– Et, quelle est, continua-t-il, la profession de votre père ?

– Il a été, monsieur, conducteur des ponts et chaussées, puis employé au canal du Midi, comme mon beau-frère ; maintenant il a pris sa retraite.

Il y eut un moment de silence. Le juge d'instruction avait placé son fauteuil de telle sorte que tout en paraissant avoir la tête tournée, il ne perdait rien absolument du jeu de la physionomie de Prosper.

– Eh bien ! fit-il tout à coup, vous êtes accusé d'avoir volé à votre patron trois cent cinquante mille francs.

Depuis vingt-quatre heures, le malheureux jeune homme avait eu le temps de se familiariser avec la terrible idée de cette accusation, et cependant, ainsi formulée et précisée, elle l'atterra, et il lui fut impossible d'articuler une syllabe.

– Qu'avez-vous à répondre ? insista le juge d'instruction.

– Je suis innocent, monsieur, je vous jure, je suis innocent !

– Je le souhaite pour vous, fit M. Patrigent, et vous pouvez compter sur moi pour vous aider de toutes mes forces à faire éclater votre innocence. Avez-vous, du moins, quelques faits à alléguer pour votre défense, quelques preuves à donner ?

– Eh ! monsieur, que puis-je dire, lorsque moi-même je ne comprends pas ce qui a pu se passer ! Je ne puis qu'invoquer ma vie entière...

Le magistrat interrompit Prosper d'un geste.

– Précisons, dit-il ; le vol a été commis dans des circonstances telles que les soupçons ne peuvent, ce semble, atteindre que monsieur Fauvel ou vous. Peut-on soupçonner quelque autre personne ?

– Non, monsieur.

– Vous vous dites innocent, le coupable est donc monsieur Fauvel.

Prosper ne répondit pas.

– Avez-vous, insista M. Patrigent, quelque motif de croire que votre patron s'est volé lui-même ? Si léger qu'il soit, dites-le-moi.

Et comme le prévenu gardait toujours le silence :

– Allons, reprit le juge, vous avez, je le vois, besoin de réfléchir encore. Écoutez la lecture de votre interrogatoire que va vous faire mon greffier, vous signerez ensuite et on vous reconduira en prison.

Le malheureux était anéanti. La dernière lueur qui avait éclairé son désespoir s'éteignait. Il n'entendit rien de ce que lui lut Sigault, c'est sans voir qu'il signa.

Il était si chancelant en sortant du cabinet du juge, que son gardien lui conseilla de s'appuyer sur lui.

– Cela ne va donc pas bien ? lui dit cet homme ; allons, monsieur, il faut du courage.

Du courage ! Prosper n'en avait plus quand il se retrouva dans sa cellule ; mais avec la colère, la haine entrait dans son cœur.

Il s'était promis qu'il parlerait au juge d'instruction, qu'il se défendrait, qu'il établirait son innocence, on ne lui en avait pas laissé le temps. Il se reprochait amèrement d'avoir cru à des apparences de bienveillance.

– Quelle dérision ! disait-il, est-ce donc là un interrogatoire ?

Non, ce n'était pas un interrogatoire, en effet, mais une simple formalité.

En faisant comparaître Prosper, M. Patrigent obéissait à l'article 93 du Code d'instruction criminelle, lequel dit que « tout inculpé sous le coup d'un mandat d'amener sera interrogé dans les vingt-quatre heures au plus tard ».

Mais ce n'est pas en vingt-quatre heures, surtout dans une affaire comme celle-là, en l'absence de tout corps de délit, de toute preuve matérielle, de tout indice même, qu'un juge d'instruction peut réunir les éléments d'un interrogatoire.

Pour triompher de l'opiniâtre défense d'un prévenu qui se renferme dans la négation absolue comme dans une forteresse, il faut des armes. Ces armes, M. Patrigent s'occupait à les préparer.

Si Prosper était resté une heure de plus dans la galerie, il aurait vu le même huissier qui l'avait appelé sortir du cabinet du juge d'instruction et crier :

– Le numéro 3 !

Le témoin qui avait le numéro 3, et qui s'était assis, en attendant son tour, sur le banc de bois, c'était M. André Fauvel.

Le banquier n'était plus le même homme.

Autant, dans ses bureaux, il avait paru animé d'intentions bienveillantes, autant, lorsqu'il entra chez le juge, il semblait irrité contre son caissier. La réflexion qui, d'ordinaire, amène avec le calme le besoin de pardonner, ne lui avait apporté que colère et désirs de vengeance.

Les inévitables questions qui commencent tout interrogatoire lui avaient à peine été adressées que son naturel fougueux l'emportant, il se répandit contre Prosper en récriminations et même en invectives.

Il fallut que M. Patrigent lui imposât silence, lui rappelant ce qu'il se devait à lui-même, quels que fussent d'ailleurs les torts de son employé.

Facile tout à l'heure avec le prévenu, le juge d'instruction devenait attentif et méticuleux. C'est que l'interrogatoire de Prosper n'avait été qu'une formalité, la constatation d'un fait brutal. Il s'agissait maintenant de rechercher les faits accessoires, les particularités, de grouper enfin en faisceau les circonstances, en apparence les plus insignifiantes, pour en tirer une conviction.

– Procédons par ordre, monsieur, dit-il à M. Fauvel, et, pour le moment, bornez-vous, je vous prie, à répondre à mes questions. Doutiez-vous de la probité de votre caissier ?

– Certes, non ! Et cependant, mille raisons auraient dû m'inquiéter.

– Quelles raisons, je vous prie ?

– Monsieur Bertomy, mon caissier, jouait, il passait des nuits au baccarat, à diverses reprises j'ai su qu'il avait perdu de fortes sommes. Il avait de mauvaises connaissances. Une fois, avec un des clients de ma maison, monsieur de Clameran, il s'est trouvé mêlé à une affaire scandaleuse de jeu, qui avait commencé chez une femme, et qui s'est terminée en police correctionnelle.

Et pendant plus d'une minute, le banquier chargea terriblement Prosper. Quand enfin il s'arrêta :

– Avouez, monsieur, fit le juge, que vous êtes bien imprudent, pour ne pas dire bien coupable, d'avoir osé confier votre caisse à un tel homme.

– Eh ! monsieur, répondit M. Fauvel, Prosper n'a pas toujours été ainsi. Jusqu'à l'an passé, il a été le modèle des hommes de son âge. Admis dans ma maison, il faisait presque partie de ma famille, il passait toutes ses soirées avec nous, il était l'ami intime de mon fils aîné, Lucien. Puis, tout à coup, brusquement, du jour au lendemain, il a cessé ses visites et nous ne l'avons plus revu. Cependant, j'avais tout lieu de le croire fort épris de ma nièce Madeleine.

M. Patrigent eut un certain froncement de sourcils qui lui est familier quand il croit avoir saisi quelque indice.

– Ne serait-ce pas précisément cette inclination, demanda-t-il, qui aurait déterminé l'éloignement de monsieur Bertomy ?

– Pourquoi ? fit le banquier de l'air le plus surpris. Je lui aurais le plus volontiers du monde accordé la main de Madeleine, et pour être franc, je supposais qu'il me la demanderait. Ma nièce eût été un beau parti, un parti inespéré pour lui ; elle est très jolie, et elle aura un demi-million de dot.

– Alors, vous ne voyez nul motif à la conduite de votre caissier ?

Le banquier parut chercher.

– Aucun absolument, répondit-il. J'ai toujours supposé que Prosper avait été entraîné hors du droit chemin par un jeune homme dont il fit la connaissance chez moi à cette époque, monsieur Raoul de Lagors.

– Ah !... et quel est ce jeune homme ?

– Un parent de ma femme, un charmant garçon, spirituel, bien élevé, un peu étourdi, mais assez riche pour payer ses étourderies.

Le juge d'instruction n'avait plus l'air d'écouter ; il inscrivait ce nom de Lagors sur son agenda, à la suite d'une liste de noms déjà longue.

– Maintenant, reprit-il, arrivons au fait : vous êtes sûr que le vol n'a pas été commis par personne de votre maison ?

– Matériellement sûr ; oui, monsieur.

– Votre clé ne vous quittait jamais ?

– Rarement, du moins ; et quand je ne la portais pas sur moi, je la déposais dans un des tiroirs du secrétaire de ma chambre à coucher.

– Où était-elle, le soir du vol ?

– Dans mon secrétaire.

– Mais alors...

– Pardon, monsieur, interrompit M. Fauvel, permettez-moi de vous faire remarquer que pour un coffre-fort comme le mien la clé ne signifie rien. Avant tout il faut connaître le mot sur lequel tournent les cinq boutons mobiles. Avec le mot, on peut à la rigueur ouvrir sans clé, mais sans le mot...

– Et ce mot, vous ne l'avez dit à personne ?

– À personne au monde, non monsieur. Et tenez, j'aurais été parfois bien embarrassé de dire sur quel mot ma caisse était fermée. Prosper le changeait quand bon lui semblait, il me prévenait et il m'arrivait de l'oublier.

– L'aviez-vous oublié, le jour du vol ?

– Non, le mot avait été changé l'avant-veille et sa singularité m'avait frappé.

– Quel était-il ?

– Gypsy, G, y, p, s, y, fit le banquier dictant l'orthographe.

Ce mot aussi, M. Patrigent l'écrivit.

– Encore une question, monsieur, dit-il, étiez-vous chez vous la veille du vol ?

– Non, monsieur. Je dînais chez un de mes amis, et j'y ai passé la soirée. Lorsque je suis rentré chez moi, vers une heure, ma femme était couchée, et je me suis moi-même couché immédiatement.

– Et vous ignoriez quelle somme se trouvait dans la caisse ?

– Absolument. D'après mes ordres formels, je devais supposer qu'il ne s'y trouvait qu'une somme insignifiante : je l'ai déclaré à monsieur le commissaire, et monsieur Bertomy l'a reconnu.

– C'est exact, le procès-verbal en fait foi.

M. Patrigent se tut. Pour lui, tout était dans ce fait : le banquier ignorait qu'il y eût trois cent cinquante mille francs en caisse et Prosper avait manqué à son devoir en les faisant retirer de la Banque, donc... La conclusion était facile à tirer.

Voyant qu'on ne l'interrogeait plus, le banquier pensa qu'il pouvait enfin tout dire ce qu'il avait sur le cœur.

– Je me crois au-dessus du soupçon, monsieur, commença-t-il, et cependant je ne dormirai tranquille que lorsque la culpabilité de mon caissier aura été parfaitement établie. La calomnie s'attaque de préférence à l'homme qui a réussi ; je puis être calomnié. Trois cent cinquante mille francs sont une fortune capable de tenter le plus riche. Je vous serai reconnaissant de faire examiner la situation de ma maison, cet examen prouvera que je ne puis avoir nul intérêt à me voler moi-même, la prospérité de mes affaires...

– Il suffit, monsieur.

Il suffisait en effet. Déjà M. Patrigent était renseigné et savait aussi bien que le banquier à quoi s'en tenir sur sa situation.

Il le pria de signer son interrogatoire et le reconduisit jusqu'à la porte de son cabinet, faveur rare de sa part.

M. Fauvel sorti, Sigault, le greffier, se permit une observation.

– Voilà une affaire diablement obscure, dit-il. Si le caissier est adroit et ferme, il me paraît bien difficile de le convaincre.

– Peut-être, répondit le juge ; mais voyons les autres témoins.

Celui qui avait le numéro 4 n'était autre que Lucien, le fils aîné de M. Fauvel.

Ce jeune homme, grand et beau garçon, de vingt-deux ans, répondit qu'il aimait beaucoup Prosper, qu'il avait été fort lié avec lui et qu'il l'avait toujours considéré comme un honnête homme, incapable même d'une indélicatesse.

Il déclara qu'à cette heure encore, il ne pouvait s'expliquer comment et par quelle suite de circonstances fatales Prosper en était venu à commettre un vol. Il s'était aperçu que Prosper jouait, mais non autant qu'on le prétendait. Il n'avait jamais vu qu'il fît des dépenses au-dessus de ses moyens.

Au sujet de sa cousine Madeleine, il répondit :

– J'ai toujours pensé que Prosper était amoureux de Madeleine, et jusqu'à hier j'ai été convaincu qu'il l'épouserait, sachant que mon père ne s'opposerait pas à ce mariage. J'ai toujours attribué la désertion de Prosper à une brouille avec ma cousine, mais j'étais persuadé qu'ils finiraient par se réconcilier.

Ces renseignements, mieux encore que ceux de M. Fauvel, éclairaient le passé du caissier, mais ne révélaient en apparence aucun indice dont on pût tirer parti dans les conjonctures présentes.

Lucien signa sa déposition et se retira.

C'était au jeune Cavaillon à être interrogé.

Le pauvre garçon était, lorsqu'il se présenta devant le juge, dans un état à faire pitié.

Ayant, en grand secret, la veille, raconté à l'un de ses amis, clerc d'avoué, son aventure avec l'agent de la sûreté, ce clerc l'avait outrageusement plaisanté de sa poltronnerie. Il éprouvait d'affreux remords et avait passé la nuit à se reprocher d'avoir perdu Prosper.

Il eut au moins ce mérite de s'efforcer de réparer ce qu'il appelait sa trahison.

Il n'accusa pas précisément M. Fauvel, mais il déclara courageusement qu'il était l'ami du caissier, son obligé, et qu'il était sûr de son innocence comme de la sienne propre.

Malheureusement, outre qu'il n'avait nulles preuves à fournir à l'appui de ses dires, sa profession d'amitié passionnée enlevait beaucoup de valeur à ses déclarations.

Après Cavaillon, six ou huit employés de la maison Fauvel défilèrent successivement dans le cabinet du juge ; mais leurs dépositions furent presque toutes insignifiantes.

L'un d'eux, cependant, donna un détail que nota le juge. Il prétendit savoir que Prosper avait spéculé à la Bourse, par l'entremise de M. Raoul de Lagors, et gagné des sommes importantes.

Cinq heures sonnaient lorsque la liste des témoins cités pour ce jour fut épuisée. Mais la tâche de M. Patrigent n'était pas terminée encore. Il sonna son huissier, qui parut presque aussitôt, et lui dit :

– Allez, au plus vite, me chercher Fanferlot.

L'agent de la sûreté fut long à se rendre aux ordres du juge. Ayant rencontré dans la galerie un de ses collègues, il s'était cru obligé à une politesse, et l'huissier avait été obligé d'aller le relancer au petit estaminet du coin.

– Depuis quand vous faites-vous attendre ? dit sévèrement le juge lorsqu'il entra.

Fanferlot, qui s'était présenté en saluant jusqu'à terre, s'inclina, s'il est possible, plus profondément encore.

C'est qu'en dépit de son visage riant, mille inquiétudes le taquinaient. Pour suivre seul l'affaire Bertomy, il lui fallait jouer un double jeu qu'on pouvait découvrir. À ménager la chèvre de la justice et le chou de son ambition, il courait de gros risques, dont le moindre était de perdre sa place.

– J'ai eu beaucoup à faire, répondit-il pour s'excuser, et je n'ai pas perdu mon temps.

Et tout aussitôt il se mit à rendre compte de ses démarches. Non sans embarras, par exemple, car il ne parlait qu'avec toutes sortes de restrictions, triant ce qu'il devait dire et ce qu'il pouvait taire. Ainsi il livra l'histoire de la lettre de Cavaillon, remit même au juge cette lettre qu'il avait volée à Gypsy, mais il ne souffla mot de Madeleine. En revanche, il donna sur Prosper et sur Mme Gypsy une foule de détails biographiques ramassés un peu partout.

À mesure qu'il avançait dans son récit, les convictions de M. Patrigent s'affermissaient.

– Évidemment, murmura-t-il, ce jeune homme est coupable.

Fanferlot ne releva pas cette réflexion. Cette opinion n'était pas la sienne, mais il était ravi de cette idée que le juge faisait fausse route, se disant qu'il n'en aurait que plus de gloire à saisir le vrai coupable. Le fâcheux est qu'il ne savait encore comment arriver à ce beau résultat.

Tous les renseignements recueillis, le juge congédia son agent en lui donnant diverses missions et en lui assignant rendez-vous pour le lendemain.

– Surtout, dit-il en finissant, ne perdez pas de vue la fille Gypsy ; elle doit savoir où est l'argent et peut nous mettre sur la trace.

Fanferlot eut un sourire malin.

– Monsieur le juge peut être tranquille, dit-il ; la dame est en bonnes mains.

Resté seul, et bien que la soirée fut avancée, M. Patrigent prit encore bon nombre de mesures qui devaient faire affluer chez lui les dépositions.

Cette affaire s'était absolument emparée de son esprit, et l'irritait et l'attirait tout ensemble. Il lui semblait y découvrir certains côtés obscurs et mystérieux qu'il s'était juré de pénétrer.

Le lendemain, bien avant son heure habituelle, il était à son cabinet. Il entendit ce jour-là Mme Gypsy, fit revenir Cavaillon et envoya chercher M. Fauvel. Et cette activité, il la déploya les jours suivants.

Seuls, deux témoins cités firent défaut. Le premier était le garçon de bureau envoyé par Prosper à la Banque, il était gravement malade d'une chute.

Le second était M. Raoul de Lagors.

Mais leur absence n'empêchait pas le dossier de Prosper de grossir, et le lundi suivant, c'est-à-dire six jours après le vol, M. Patrigent croyait avoir entre les mains assez de preuves morales pour écraser son prévenu.

V

Pendant que sa vie entière était l'objet des plus minutieuses investigations, Prosper était en prison, au secret.

Les deux premières journées ne lui avaient pas paru trop longues.

On lui avait, sur ses instances, donné quelques feuilles de papier, numérotées, dont il devait rendre compte, et il écrivait avec une sorte de rage des plans de défense et des mémoires justificatifs.

Le troisième jour, il commença à s'inquiéter de ne voir personne que les condamnés employés au service des « secrets » et le geôlier chargé de lui apporter ses repas.

– Est-ce qu'on ne va pas m'interroger de nouveau ? demandait-il chaque fois.

– Votre tour viendra, allez, répondait invariablement le geôlier.

Et le temps passait, et le malheureux torturé par les angoisses du secret, qui brise les plus énergiques natures, tombait dans le plus sombre désespoir.

– Suis-je donc ici pour toujours ? s'écriait-il.

Non, on ne l'oubliait pas, car le lundi matin, à une heure où les geôliers ne venaient jamais, il entendit grincer les verrous de la cellule.

D'un bond il se dressa et courut vers la porte.

Mais à la vue d'un homme à cheveux blancs debout sur le seuil, il fut comme foudroyé.

– Mon père, balbutia-t-il, mon père !...

– Oui, votre père...

À la stupeur première de Prosper, un sentiment de joie immense avait succédé.

C'est qu'un père, quoi qu'il arrive, est l'ami sur lequel on doit compter. Aux heures terribles, lorsque tout appui manque, on se souvient de cet homme sur lequel on s'appuyait étant enfant, et, alors même qu'il ne peut rien, sa présence rassure comme celle d'un protecteur tout-puissant.

Sans réfléchir, entraîné par un élan d'effusion attendrie, Prosper ouvrit les bras comme pour se jeter au cou de son père.

M. Bertomy le repoussa durement.

– Éloignez-vous, ordonna-t-il.

Il s'avança alors dans la cellule, dont la porte se referma. Le père et le fils étaient seuls en présence. Prosper brisé, anéanti, M. Bertomy irrité, presque menaçant.

Repoussé par ce dernier ami, un père, le malheureux caissier parut se roidir contre une douleur atroce.

– Vous aussi ! s'écria-t-il, vous !... vous me croyez coupable.

– Épargnez-vous une comédie honteuse, interrompit M. Bertomy, je sais tout.

– Mais je suis innocent, mon père, je vous le jure par la mémoire sacrée de ma mère.

– Malheureux !... s'écria M. Bertomy, ne blasphémez pas !...

Un irrésistible attendrissement le gagna, et c'est d'une voix faible presque inintelligible qu'il ajouta :

– Votre mère est morte, Prosper, et je ne savais pas qu'un jour viendrait où je bénirais Dieu de me l'avoir enlevée. Votre crime l'eût tuée !

Il y eut un long silence ; enfin Prosper reprit :

– Vous m'accablez, mon père, et cela au moment où j'ai besoin de tout mon courage, au moment où je suis victime de la plus odieuse machination.

– Victime ! fit M. Bertomy, victime !... C'est-à-dire que vous essayez de flétrir de vos insinuations l'homme honorable et bon qui a pris soin de vous, qui vous a accablé de bienfaits, qui vous avait assuré une position brillante, qui vous préparait un avenir inespéré. C'est assez de l'avoir volé, ne le calomniez pas.

– Par pitié ! mon père, laissez-moi vous dire...

– Quoi ! vous allez nier peut-être les bontés de votre patron ? Vous étiez cependant si sûr de son affection, qu'un jour vous m'avez écrit, me disant de me préparer à faire le voyage de Paris pour demander à monsieur Fauvel la main de sa nièce. Était-ce donc un mensonge ?...

– Non, répondit Prosper d'une voix étouffée, non...

– Il y a un an de cela ; vous aimiez mademoiselle Madeleine, alors, du moins vous me l'écriviez...

– Mais je l'aime, mon père, plus que jamais ; je n'ai jamais cessé de l'aimer.

M. Bertomy eut un geste de méprisante pitié.

– Vraiment ! s'écria-t-il. Et la pensée de la chaste et pure jeune fille que vous aimiez ne vous arrêtait pas au seuil de la débauche. Vous l'aimiez !... Comment donc osiez-vous, sans rougir, vous présenter devant elle en quittant les flétrissantes compagnies qui étaient les vôtres ?

– Au nom du Ciel ! laissez-moi vous expliquer par quelle fatalité Madeleine...

– Assez, monsieur, assez. Je sais tout, je vous l'ai dit. J'ai vu votre patron hier. Ce matin, j'ai vu votre juge, et c'est à sa bonté que je dois d'avoir pu pénétrer jusqu'à vous. Savez-vous que j'ai dû, moi, me laisser fouiller, déshabiller presque, pour entrer ici. On pensait que je vous apportais une arme.

Prosper n'essayait pas de lutter. Il s'était laissé tomber, désespéré, sur le tabouret de sa prison.

– J'ai vu votre appartement et j'ai compris votre crime. J'ai vu des tentures de soie à toutes les portes et des tableaux à cadres dorés le long de tous les murs. Chez mon père, les murs étaient blanchis à la chaux, et il n'y avait qu'un fauteuil dans la maison, celui de ma mère. Notre luxe, c'était notre probité. Vous êtes le premier de la famille qui ayez eu des tapis d'Aubusson ; il est vrai que vous êtes le premier voleur qui se soit trouvé dans notre famille.

À cette dernière insulte, le sang afflua aux joues de Prosper ; cependant il ne bougea pas.

– Mais il faut du luxe maintenant, poursuivait M. Bertomy, s'animant et s'exaltant au bruit de ses paroles ; il faut du luxe à tout prix. On veut l'opulence insolente et le faste du parvenu avant d'être parvenu. On entretient des maîtresses qui portent des mules de satin doublées de cygne, comme celles que j'ai vues au pied de votre lit, et on a des domestiques en livrée. Et on vole ! Et les banquiers en sont venus à n'oser plus confier à personne la clé de leur caisse. Et tous les matins, quelque vol inattendu couvre de boue des familles honorables...

M. Bertomy s'arrêta brusquement ; il venait de s'apercevoir que son fils paraissait hors d'état de l'entendre.

– Brisons là, reprit-il, je ne suis pas venu ici pour vous faire des reproches, je suis venu pour sauver, s'il se peut, quelque chose de notre honneur, pour empêcher qu'on imprime notre nom dans les journaux judiciaires, parmi les noms des voleurs et des assassins. Levez-vous et écoutez-moi.

À la voix impérieuse de son père, Prosper se dressa tout d'une pièce. Tant de coups successifs le réduisaient à cet état d'insensibilité farouche du misérable qui n'a plus rien à redouter.

– Avant tout, commença M. Bertomy, combien vous reste-t-il encore des trois cent cinquante mille francs que vous avez volés ?

– Encore une fois, mon père, répondit l'infortuné avec un accent d'affreuse résignation, encore une fois, je suis innocent.

– Soit, je m'attendais à cette réponse. Ce sera donc notre famille qui réparera le préjudice causé par vous à votre patron.

– Comment ? que voulez-vous dire ?

– Le jour où il nous a appris votre crime, votre beau-frère est venu me rapporter la dot de votre sœur, soixante-dix mille francs. J'ai pu réunir de mon côté cent quarante mille francs. C'est en tout deux cent dix mille francs que j'ai là sur moi, et je vais les aller porter à monsieur Fauvel.

Cette menace tira Prosper de son anéantissement.

– Vous ne ferez pas cela ! s'écria-t-il avec une violence mal contenue.

– Je le ferai avant la fin de la journée. Pour le reste de la somme monsieur Fauvel m'accordera du temps. Ma pension de retraite est de quinze cents francs, je puis vivre avec cinq cents, je suis encore assez fort pour remplir un emploi, de son côté, votre beau-frère...

M. Bertomy s'arrêta court, épouvanté de l'expression de la physionomie de son fils. Une colère si furieuse qu'elle tournait à la folie, contractait ses traits ; ses yeux, tout à l'heure éteints, lançaient des éclairs.

– Vous n'avez pas le droit, mon père ! s'écria-t-il, non, vous n'avez pas le droit d'agir ainsi. Libre à vous de refuser de me croire ; il vous est interdit de tenter une démarche qui serait un aveu et me perdrait. Qui vous assure que je suis coupable ? Quoi ? lorsque la justice hésite, vous, mon père, vous n'hésitez pas, et, plus impitoyable que la justice, vous me condamnez sans m'entendre.

– Je remplirai mon devoir !

– C'est-à-dire que je suis au bord de l'abîme et que vous allez m'y précipiter ! Est-ce là ce que vous appelez votre devoir ? Quoi ! entre des étrangers qui m'accusent et moi qui vous crie que je suis innocent, vous ne balancez pas ? Pourquoi ? Est-ce parce que je suis votre fils ? Notre honneur est en péril, c'est vrai ; raison de plus pour me soutenir, pour m'aider à le défendre et à le sauver.

Prosper avait su trouver de ces accents qui font pénétrer le doute au plus profond des consciences et ébranlent les plus solides convictions. M. Bertomy était ému.

– Cependant, murmura-t-il, tout vous accuse.

– Ah ! mon père ! c'est que vous ne savez pas qu'un jour j'ai dû fuir Madeleine ; il le fallait. J'étais désespéré, j'ai voulu m'étourdir. J'ai cherché l'oubli, j'ai trouvé le dégoût et la honte. Ô Madeleine !...

Il s'attendrissait ; mais bientôt il reprit avec une violence croissante :

– Tout est contre moi, peu importe ! je saurai me justifier ou périr à la tâche. La justice humaine est sujette à l'erreur ; innocent, je puis être condamné ; soit, je subirai ma peine ; mais on sort du bagne...

– Malheureux, que dites-vous ?...

– Je dis, mon père, que je suis maintenant un autre homme. Ma vie a un but, désormais, la vengeance. Je suis victime d'une machination infâme. Tant que j'aurai une goutte de sang dans les veines, j'en poursuivrai l'auteur. Et je le trouverai, il faudra bien qu'il expie mes tortures et mes angoisses. C'est de la maison Fauvel que part le coup, c'est là qu'il faut chercher.

– Prenez garde ! fit M. Bertomy, la colère vous égare !...

– Oui, je comprends, vous allez me vanter la probité de monsieur André Fauvel ; vous allez me dire que toutes les vertus se sont réfugiées au sein de cette famille patriarcale. Qu'en savez-vous ?

Serait-ce la première fois que de beaux semblants d'honnêteté cacheraient les plus honteux secrets ? Pourquoi Madeleine m'a-t-elle un jour, tout à coup, défendu de songer à elle ? Pourquoi m'a-t-elle exilé, alors qu'elle souffre autant que moi de notre séparation, alors qu'elle m'aime encore, m'entendez-vous bien, qu'elle m'aime..., j'en suis sûr, j'en ai eu la preuve.

L'heure accordée à M. Bertomy pour un entretien avec son fils était écoulée, le geôlier vint l'en avertir.

Mille sentiments divers déchiraient le cœur de ce père infortuné, et lui ôtaient toute liberté de réflexion.

Si Prosper disait vrai, pourtant ! Quels ne seraient pas plus tard ses remords d'avoir ajouté à son malheur, déjà si grand ! Et qui prouvait qu'il ne disait pas vrai !

La voix de ce fils dont, si longtemps, il avait été fier, avait réveillé en lui toutes les tendresses paternelles violemment comprimées. Eh ! fût-il coupable, et coupable d'un pire crime, en était-il moins son fils ?

Sa figure avait perdu toute sa sévérité, ses yeux étaient brillants de larmes près de s'échapper.

Il voulait sortir grave et irrité comme il était entré : il n'eut pas ce courage cruel. Son cœur se brisa, il ouvrit les bras et pressa Prosper contre sa poitrine.

– Ô mon fils !... murmurait-il en se retirant, puisses-tu avoir dit vrai !...

Prosper l'emportait, il avait presque convaincu son père de son innocence. Mais il n'eut pas le temps de se réjouir de cette victoire.

La porte de la cellule s'ouvrit presque aussitôt après s'être refermée, et la voix du geôlier, comme la première fois, cria :

– Allons, monsieur, à l'instruction.

Il fallait obéir quand même, il obéit.

Mais sa démarche n'était plus celle des premiers jours, un changement complet venait de s'opérer en lui. Il allait le front haut, d'un pas assuré, et le feu de la résolution éclatait dans ses yeux.

Il connaissait le chemin, maintenant, et il marchait un peu en avant du garde de Paris qui l'accompagnait.

Comme il traversait la petite salle basse où se tiennent les agents et les gardes de service, il croisa cet homme à lunettes d'or, qui, dans la salle du greffe, l'avait fixé si longtemps.

– Du courage ! Monsieur Prosper Bertomy, lui dit ce personnage, si vous êtes innocent, on vous aidera.

Prosper, surpris, s'arrêta ; il cherchait une réponse, mais déjà l'homme était passé.

– Quel est ce monsieur ? demanda-t-il au garde qui le suivait.

– Quoi ! vous ne le connaissez pas ! répondit le garde d'un air de surprise profonde, mais c'est monsieur Lecoq, de la sûreté.

– Qui ça, Lecoq ?

– Vous pourriez bien dire « monsieur », fit le garde de Paris offensé ; ça ne vous écorcherait pas la bouche. Monsieur Lecoq est un homme à qui on n'en conte pas, et qui sait tout ce qu'il veut savoir. Si vous l'aviez eu, au lieu de ce mielleux imbécile de Fanferlot, votre affaire serait depuis longtemps réglée. Avec lui, on ne languit pas. Mais il a l'air d'être de vos connaissances ?

– Je ne l'avais jamais vu avant le jour où on m'a amené ici.

– Il ne faudrait pas en jurer, parce que, voyez-vous, personne ne peut se vanter de connaître la vraie figure de monsieur Lecoq. Il est ceci aujourd'hui et cela demain ; tantôt brun, tantôt blond, parfois tout jeune, d'autres fois si vieux qu'on lui donnerait cent ans. Tenez, moi qui vous parle, il m'enfonce comme il veut. Je cause avec un inconnu, paf ! c'est lui. N'importe qui peut être lui. On m'aurait dit que vous étiez lui, j'aurais répondu : « C'est bien possible. » Ah ! il peut se vanter, celui-là, de faire tout ce qu'il veut de son corps.

Le garde de Paris aurait longtemps encore poursuivi la légende de M. Lecoq, mais il arrivait avec son prévenu à la galerie des juges d'instruction.

Cette fois, Prosper n'eut pas à attendre sur l'humble banc de bois ; le juge, au contraire, l'attendait.

C'était M. Patrigent, en effet, qui, en profond observateur des mouvements de l'âme humaine, avait ménagé cette entrevue de M. Bertomy et de son fils.

Il était sûr qu'entre le père, cet homme à probité raide, et le fils accusé de vol, une scène déchirante, lamentable, aurait lieu, et il comptait que cette scène briserait Prosper.

Il s'était dit qu'il manderait aussitôt près de lui le prévenu, qu'il lui arriverait les nerfs vibrants d'émotions terribles, et qu'il arracherait la vérité à son trouble et à son désespoir.

Il ne fut donc pas médiocrement surpris de l'attitude du caissier, attitude résolue sans froideur, fière et assurée, sans impertinence ni défi.

– Eh bien ! lui demanda-t-il tout d'abord, avez-vous réfléchi ?

– N'étant pas coupable, monsieur, je n'avais pas à réfléchir.

– Ah ! fit le juge, la prison n'a pas été pour vous bonne conseillère. Vous avez oublié qu'il faut surtout sincérité et repentir à qui veut mériter l'indulgence des juges.

– Je n'ai besoin, monsieur, ni d'indulgence ni de grâce.

M. Patrigent ne put retenir un geste de dépit. Il se tut un moment, puis, tout à coup :

– Que me répondriez-vous, fit-il, si je vous disais ce que sont devenus les trois cent cinquante mille francs ?

Prosper secoua tristement la tête.

– Si on le savait, répondit-il simplement, je serais en liberté et non pas ici.

Le vulgaire moyen employé par le juge d'instruction réussit fort souvent. Mais ici avec un prévenu si maître de soi, il n'avait guère de chances de succès. Cependant il l'avait tenté à tout hasard.

– Ainsi, reprit-il, vous vous en tenez à votre premier système. Vous persistez à accuser votre patron.

– Lui, ou tout autre.

– Pardon !... lui seul, puisque seul il avait le mot. Avait-il, à se voler lui-même, un intérêt quelconque ?

– J'ai cherché, monsieur, je ne lui en vois pas.

– Eh bien ! prononça sévèrement le juge, je vais vous dire quel intérêt vous aviez, vous, à le voler.

M. Patrigent parlait en homme sûr de son fait, mais son assurance n'était qu'apparente.

Il s'était préparé à frapper d'un dernier coup de massue un

prévenu qui lui arriverait pantelant, il était dérouté de le voir si calme et si déterminé en sa résistance.

– Voulez-vous me dire, commença-t-il d'un ton qui se ressentait de son dépit, pouvez-vous me dire combien vous avez dépensé depuis un an ?

Prosper n'eut besoin ni de réflexions, ni de calculs.

– Oui, monsieur, répondit-il sans hésiter. Les circonstances étaient telles que j'ai apporté le plus grand ordre à mon désordre ; j'ai dépensé environ cinquante mille francs.

– Et où les avez-vous pris ?

– D'abord, monsieur, je possédais douze mille francs, provenant de la succession de ma mère. J'ai touché chez monsieur Fauvel, pour mes appointements et ma part d'intérêt dans les bénéfices, quatorze mille francs. J'ai gagné à la Bourse environ huit mille francs. J'ai emprunté le reste, je le dois, mais je puis le payer ayant chez monsieur Fauvel quinze mille francs à moi.

Le compte était net, précis, aisé à vérifier, il devait être exact.

– Qui donc vous prêtait ainsi de l'argent ?

– Monsieur Raoul de Lagors.

Ce témoin, parti pour un voyage le jour même du vol, n'avait pu être entendu. Force était à M. Patrigent de s'en rapporter, au moins pour le moment, à la déclaration de Prosper.

– Soit, dit-il, je n'insisterai pas sur ce point. Apprenez-moi pourquoi, malgré les ordres formels de votre patron, vous avez fait prendre l'argent à la Banque la veille et non le jour même du remboursement ?

– C'est que, monsieur, monsieur de Clameran m'avait fait savoir qu'il lui serait agréable, utile même, d'avoir ses fonds dès le matin ; il en témoignera, si vous le faites appeler. D'un autre côté, je présumais que j'arriverais tard à mon bureau.

– Ce monsieur de Clameran est donc de vos amis ?

– Aucunement ; j'ai même ressenti pour lui une sorte de répulsion que rien ne justifie, je le déclare ; mais il est fort lié avec mon ami monsieur de Lagors.

Pendant le temps assez long, indispensable à Sigault, le greffier, pour écrire les réponses du prévenu, M. Patrigent se creusait la tête. Il se demandait quelle scène avait pu avoir lieu entre M. Bertomy et son fils, pour transformer ainsi Prosper.

– Autre chose, reprit le juge d'instruction ; comment avez-vous passé votre soirée, la veille du crime ?

– Au sortir de mon bureau, à cinq heures, j'ai pris le train de Saint-Germain et je me suis rendu au Vésinet, à la maison de campagne de monsieur Raoul de Lagors. Je lui portais mille cinq cents francs qu'il m'avait demandés et qu'en son absence j'ai laissés à son domestique.

– Vous a-t-on dit que monsieur de Lagors dût entreprendre un voyage ?

– Non, monsieur, j'ignore même s'il est absent de Paris.

– Fort bien. Et en sortant de chez votre ami, qu'avez-vous fait ?

– Je suis revenu à Paris, et j'ai dîné dans un des restaurants du boulevard avec un de mes amis.

– Et ensuite ?

Prosper hésita.

– Vous vous taisez, reprit M. Patrigent ; alors je vais vous dire l'emploi de votre temps. Vous êtes rentré chez vous, rue Chaptal, vous vous êtes habillé, et vous vous êtes rendu à une soirée que donnait une de ces femmes qui s'intitulent artistes dramatiques et qui déshonorent les théâtres sur lesquels elles se montrent, qui ont cent écus d'appointements et qui ont des chevaux et des voitures – chez la fille Wilson.

– C'est vrai, monsieur.

– On joue gros jeu chez la fille Wilson ?

– Quelquefois.

– Du reste, vous avez l'habitude de ces sortes de réunions. Ne vous êtes-vous pas trouvé mêlé à une aventure scandaleuse qui avait eu lieu chez une femme de ce genre, nommée Crescenzi ?

– C'est-à-dire que j'ai été appelé à déposer, ayant été témoin d'un vol.

– En effet, le jeu mène au vol. Et chez la fille Wilson, n'avez-vous pas joué au baccarat tournant, et n'avez-vous pas perdu mille huit cents francs ?

– Pardon, monsieur, mille cent seulement.

– Soit. Vous aviez payé dans la matinée un billet de mille francs ?

– Oui, monsieur.

– De plus, il restait cinq cents francs dans votre secrétaire, et quand on vous a arrêté vous aviez dans votre porte-monnaie quatre cents francs. Soit en tout, en vingt-quatre heures, quatre mille cinq cents francs...

Prosper était non pas décontenancé, mais stupéfait. Ne se doutant pas des puissants moyens d'investigations dont dispose le parquet de Paris, il se demandait comment en si peu de temps le juge avait pu être si exactement renseigné.

– Vos informations sont exactes, monsieur, dit-il enfin.

– D'où vous venait donc cet argent, alors que la veille même vous étiez assez à court pour remettre le paiement d'une facture peu importante ?

– Monsieur, ce jour que vous dites, j'ai vendu, par l'intermédiaire d'un agent de change, quelques titres que j'avais, moyennant trois mille francs ; j'ai de plus pris à ma caisse, en avance sur mes appointements, deux mille francs. Je n'ai rien à dissimuler.

Décidément, le prévenu avait réponse à tout. M. Patrigent dut chercher un autre point d'attaque.

– Si vous n'aviez rien à cacher, dit-il, pourquoi ce billet – il le montrait – jeté mystérieusement à un de vos collègues ?

Le coup, cette fois, porta. Les yeux de Prosper vacillaient sous le regard du juge d'instruction.

– Je pensais, balbutia-t-il, je voulais...

– Vous vouliez cacher votre maîtresse.

– Eh bien ! oui, monsieur, c'est vrai. Je savais que lorsqu'un homme est, comme je le suis, accusé d'un crime, toutes les faiblesses, toutes les défaillances de sa vie deviennent des charges terribles.

– C'est-à-dire que vous avez compris que la présence d'une femme chez vous donnait un poids énorme à l'accusation. Car vous vivez avec une femme ?...

– Je suis jeune, monsieur...

– Assez !... la justice peut pardonner à des égarements passagers, elle ne saurait excuser le scandale de ces unions, qui sont un défi permanent à la morale publique. L'homme qui se respecte assez peu pour vivre avec une femme perdue n'élève pas cette femme jusqu'à lui, il descend jusqu'à elle.

– Monsieur !...

– Vous savez, j'imagine, quelle est la femme à laquelle vous laissez donner le nom honorable porté par votre mère ?

– Madame Gypsy, monsieur, était institutrice lorsque je l'ai connue ; elle est née à Porto et est venue en Belgique à la suite d'une famille portugaise.

Le juge d'instruction haussa les épaules.

– Elle ne s'appelle pas Gypsy, dit-il, elle n'a jamais été institutrice, elle n'est pas portugaise.

Prosper voulut protester, mais M. Patrigent lui imposa silence. Il cherchait parmi toutes les pièces contenues dans un énorme dossier placé devant lui.

– Ah ! voilà, fit-il, écoutez. Palmyre Chocareille, née à Paris en 1840, fille de Chocareille, Jacques, employé aux pompes funèbres, et de Caroline Piedlent, sa femme.

Le prévenu eut un geste d'impatience. Il ne comprenait pas que le juge en ce moment tenait surtout à lui prouver que rien n'échappe à la police.

– Palmyre Chocareille, continua-t-il, a été mise à douze ans en apprentissage chez un fabricant de chaussures, et elle y est restée jusqu'à seize ans. Les renseignements font défaut pendant une année. À dix-sept ans, elle entre en qualité de domestique chez les époux Dombas, épiciers, rue Saint-Denis, et y reste trois mois. Elle traverse cette même année – 1857 – huit ou dix places. En 1858, lasse du service, elle entre comme demoiselle chez un marchand d'éventails du passage Choiseul.

Tout en lisant, le juge d'instruction observait Prosper, cherchant sur son visage l'effet produit par ses révélations.

– À la fin de 1858, poursuivit-il, la fille Chocareille entre au service d'une dame Nunès et part avec elle pour Lisbonne. Combien de temps reste-t-elle au Belgique ? qu'y fait-elle ? Mes rapports sont muets à cet égard. Ce qui est certain, c'est qu'en 1861, elle était de retour à Paris, et y était condamnée par le tribunal de la Seine à trois mois de prison pour coups et blessures. Ah ! Elle rapportait du Belgique le nom de Nina Gypsy.

– Mais, monsieur, essaya Prosper, je vous assure...

– Oui, je comprends ; cette histoire est moins romanesque, sans doute, que celle qui vous a été contée ; elle a le mérite d'être vraie. Nous perdons Palmyre Chocareille, dite Gypsy, à sa sortie de prison. Mais nous la retrouvons six mois plus tard, ayant fait connaissance d'un commis voyageur, nommé Caldas, qui s'était épris de sa beauté et lui avait meublé un appartement près de la Bastille. Elle vivait avec lui, et portait son nom, lorsqu'elle l'a quitté pour vous suivre. Avez-vous ouï parler de ce Caldas.

– Jamais, monsieur...

– Cet infortuné aimait tant cette créature, qu'à la nouvelle de son abandon, il faillit devenir fou de douleur. C'était, paraît-il, un homme énergique, et il avait juré publiquement qu'il tuerait celui qui lui avait enlevé sa maîtresse. On a lieu de croire que depuis il s'est suicidé. Ce qui est prouvé, c'est que peu après le départ de la fille Chocareille, il a vendu les meubles de l'appartement et a disparu. Tous les efforts faits pour retrouver ses traces ont été vains.

Le juge d'instruction s'arrêta un moment comme pour bien donner à Prosper le loisir de la réflexion, et c'est en scandant tous ses mots qu'il ajouta :

– Voilà la femme dont vous aviez fait votre compagne, la femme pour laquelle vous avez volé !...

Cette fois encore, mal servi par les renseignements incomplets de Fanferlot, M. Patrigent faisait fausse route.

Il avait espéré arracher un cri à la passion de Prosper, blessée au vif ; point, il restait impassible. De tout ce qu'avait dit le juge, il n'avait retenu que le nom de ce pauvre commis voyageur qui s'était suicidé, Caldas.

– Avouez au moins, insista M. Patrigent, que cette fille a causé votre perte.

– Je ne saurais avouer cela, monsieur, car cela n'est pas.

– Elle a cependant été l'occasion de vos plus fortes dépenses. Et tenez – le juge tira une facture du dossier –, dans le seul mois de décembre dernier, vous avez payé pour elle à un couturier, au sieur Van-Klopen : deux robes de ville, neuf cents francs ; une robe de soirée, sept cents francs, un domino garni de dentelles, quatre cents francs.

– Tout cet argent a été dépensé par moi librement, froidement, sans entraînement.

M. Patrigent haussa les épaules.

– Vous niez l'évidence, fit-il. Soutiendrez-vous aussi que ce n'est pas pour cette fille que vous avez renoncé à des habitudes de plusieurs années et cessé de passer vos soirées chez votre patron ?

– Ce n'est pas pour elle, monsieur, je vous l'affirme.

– Alors, pourquoi, tout à coup, ne plus paraître dans une maison où vous sembliez faire votre cour à une jeune fille dont on vous eût accordé la main, monsieur Fauvel me l'a dit, vous l'avez écrit à votre père.

– J'ai eu des raisons que je ne puis dire, répondit Prosper dont la voix trembla.

Le juge respira. Enfin, il trouvait un défaut à l'armure du prévenu.

– Serait-ce mademoiselle Madeleine qui vous aurait éloigné ? demanda-t-il.

Prosper garda le silence. Il était visiblement très agité.

– Parlez, insista M. Patrigent, je dois vous prévenir que cette circonstance est des plus graves aux yeux de la prévention.

– Quel que soit le péril du silence, je dois me taire.

– Prenez garde, fit le juge, la justice ne saurait se payer de scrupules de conscience.

M. Patrigent se tut. Il attendait une réponse, elle ne vint pas.

– Vous vous obstinez, reprit-il, eh bien ! poursuivons. Vous avez, depuis un an, dépensé, dites-vous, cinquante mille francs. La prévention dit soixante-dix mille ; mais prenons votre chiffre. Vos ressources sont à bout ; votre crédit est épuisé, continuer votre genre de vie est impossible ; que comptiez-vous faire ?

– Je n'avais aucun projet, monsieur, je m'étais dit ça ira tant que ça pourra, et après...

– Et après : je puiserai à la caisse, n'est-ce pas ?

– Eh ! monsieur, s'écria Prosper, je ne serais pas ici, si j'étais coupable ! Je n'aurais pas été si sot de retourner à mon bureau, j'aurais fui...

M. Patrigent ne put dissimuler un sourire de satisfaction.

– Enfin ! dit-il, voilà l'argument que j'attendais. C'est précisément en ne prenant pas la fuite, en restant pour faire tête à l'orage, que vous prouvez votre intelligence. Plusieurs procès récents ont appris aux caissiers infidèles que la fuite à l'étranger est un pitoyable moyen. Le chemin de fer va vite, mais le télégraphe électrique va plus vite encore. La Belgique est à deux pas. À Londres, on retrouve un voleur français en quarante-huit heures par abonnement. L'Amérique même n'est plus un refuge assuré. Prudent et sage, vous êtes resté en vous disant : je puis m'en tirer, et, au pis aller, si je succombe, après trois ou cinq ans de réclusion, je retrouverai une fortune. Bien des gens sacrifieraient cinq ans de leur vie pour trois cent cinquante mille francs.

– Mais, monsieur, si j'avais fait le calcul que vous dites, je ne me serais pas contenté de trois cent cinquante mille francs ; j'aurais attendu une occasion et volé un million.

– Oh ! fit M. Patrigent, on ne peut pas toujours attendre.

Prosper réfléchissait, et la contraction de ces traits disait l'effort de sa pensée.

– Monsieur, dit-il enfin, il est un détail que j'ai oublié dans mon trouble, qui me revient à la mémoire et qui peut aider à ma justification.

– Expliquez-vous.

– Le garçon de bureau qui est allé chercher les fonds à la Banque me les a apportés, lorsque je n'attendais plus que son retour pour partir. Je suis sûr, oui, je suis certain d'avoir serré les billets de banque devant lui. Oh ! s'il l'avait remarqué ! Dans tous les cas, j'ai quitté mon bureau avant lui.

– C'est bien, fit M. Patrigent, ce garçon sera entendu. On va maintenant vous reconduire à votre cellule, et, croyez-moi, réfléchissez.

Si M. Patrigent congédiait ainsi brusquement son prévenu, c'est que ce fait nouveau, qui tout à coup se révélait, l'inquiétait. La déposition du garçon de bureau allait avoir une importance énorme. Que penser, si cet homme venait à affirmer qu'il avait vu le caissier renfermer les billets et sortir ? Était-il impossible qu'il eût été d'avance gagné par Prosper ?

Dès que le prévenu fut sorti :

– Dites-moi, Sigault, demanda-t-il à son greffier, ce garçon de bureau dont parle le prévenu, cet Antonin, est bien celui qui n'est pas venu déposer et qui a été excusé sur un certificat du médecin constatant sa maladie ?

– Précisément, monsieur.

– Où demeure-t-il ?

– Monsieur, répondit Sigault, il n'est plus chez lui, m'a dit Fanferlot. Sa blessure étant grave, et devant le retenir longtemps sur le lit, il s'est fait porter à l'hospice Dubois.

– Eh bien ! je vais aller l'interroger aujourd'hui même, à l'instant. Prenez tout ce qu'il vous faut et envoyez chercher une voiture.

Il y a loin du Palais de Justice à la maison Dubois, mais le cocher de M. Patrigent, aiguillonné par la promesse d'un magnifique pourboire, sut donner à ses maigres rosses le train de chevaux de sang.

Antonin serait-il en état de répondre ? Là était la question. Mais le directeur de la maison de santé eut promptement rassuré le juge d'instruction à cet égard.

Le malheureux garçon de bureau s'était, en tombant, brisé le genou ; il souffrait horriblement, mais il avait toute la lucidité de son esprit.

– Puisqu'il en est ainsi, monsieur, dit le juge, je vous demanderai de me conduire près de cet homme, que je dois interroger ; mais il faut, si faire se peut, que personne ne soit à portée d'entendre sa déposition.

– Oh ! personne n'entrera, répondit le directeur ; il est dans une chambre à quatre lits, c'est vrai, mais il y est seul.

– Très bien ! Allons, alors.

En voyant entrer le juge d'instruction, suivi d'un grand jeune homme maigre portant une serviette d'avocat, Antonin, qui sait son monde, devina ce dont il s'agissait.

– Ah ! dit-il, monsieur vient pour l'affaire de monsieur Bertomy.

– Précisément.

M. Patrigent resta debout près du lit du malade, pendant que Sigault le greffier s'établissait avec ses papiers sur une petite table.

Lorsque le garçon de bureau eut répondu à toutes les questions d'usage, déclaré qu'il se nommait Antonin Poche, âgé de quarante ans, né à Cadaujac (Gironde), célibataire :

– Voyons, mon ami, fit le juge, vous sentez-vous bien en état de me répondre ?

– Parfaitement, monsieur.

– C'est vous qui êtes allé, le 27 février, chercher à la Banque les trois cent cinquante mille francs qui ont été volés ?

– Oui, monsieur.

– À quelle heure êtes-vous rentré ?

– Assez tard ; j'avais eu affaire au Crédit mobilier en sortant de la Banque ; il devait bien être cinq heures lorsque je suis revenu à la maison.

– Vous rappelez-vous ce qu'a fait monsieur Bertomy quand vous lui avez eu remis la somme ? Ne vous pressez pas de répondre, rassemblez bien vos souvenirs.

– Attendez... d'abord il a compté les billets et il en a fait quatre paquets qu'il a serrés dans la caisse, et ensuite... il a fermé la caisse, et après... il me semble bien... mais oui, je ne me trompe pas, oui ! il est sorti.

Il prononça ces derniers mots, si vivement, qu'oubliant son genou il fit un mouvement qui lui arracha un cri.

– Vous êtes bien sûr de ce que vous dites là ? demanda le juge d'instruction.

Le ton solennel de M. Patrigent parut épouvanter Antonin.

– Sûr !... répondit-il avec une hésitation marquée, vous comprenez... je parierais ma tête à couper, mais je n'en suis pas sûr autrement.

Il fut impossible de l'amener à préciser sa déposition. Il avait eu peur, il se voyait déjà compromis, pour un rien il se serait rétracté.

L'effet n'en était pas moins produit, et en sortant M. Patrigent disait à son greffier :

– C'est grave ! très grave !

VI

L'hôtel du *Grand-Archange*, asile de Mme Gypsy, est le plus magnifique du quai Saint-Michel.

Quand on paie d'avance et « recta » sa quinzaine, on y est considéré.

Cette Mme Alexandre, qui a été une belle femme, est maintenant une femme puissante, terriblement sanglée dans ses corsets, toujours trop bien mise, aimant les chaînes d'or roulant en cascades sur les pentes de sa robuste poitrine.

Elle a l'œil vif encore, et la dent blanche ; mais, hélas ! le nez rouge. C'est que de tous ses goûts, et Dieu sait si elle en a eu, en sa vie, et de toutes sortes, un seul a survécu. Elle aime la bonne chère, largement arrosée.

Pardon ! elle adore aussi son mari, et à l'heure où M. Patrigent revenait de la maison de santé, elle s'impatientait fort de ne pas voir son « petit homme » rentrer pour dîner. Elle allait même se mettre à table, quand le garçon de l'hôtel cria :

– Voilà monsieur.

Et Fanferlot en personne parut sur le seuil.

Trois ans auparavant, Fanferlot tenait un petit bureau de renseignements clandestins ; Mme Alexandre, marchande à la toilette sans patente, eut besoin de faire surveiller quelques créances suspectes ; de là leurs premières relations.

S'ils s'épousèrent pour de bon à la mairie et à l'église, c'est qu'il leur sembla qu'un sacrement serait comme un baptême qui laverait leur passé !

De ce jour, Fanferlot céda son cabinet de recherches pour entrer à la préfecture, où il avait déjà été employé, et Mme Alexandre renonça au commerce.

Faisant une seule masse de leurs économies, ils louèrent et meublèrent l'hôtel du *Grand-Archange*, et ils prospérèrent, estimés, ou à peu près, du voisinage, lequel ignorait les relations de Fanferlot et de la préfecture de police.

– Comme tu rentres tard, mon petit homme ! s'écria-t-elle,

lâchant la cuillère à potage pour courir l'embrasser.

Mais c'est d'un air distrait qu'il reçut ses caresses.

– Je suis éreinté, dit-il ; j'ai joué toute la journée au billard avec Évariste, le valet de chambre de monsieur Fauvel, je l'ai laissé me gagner tant qu'il a voulu ; un garçon qui ne sait pas seulement ce que c'est qu'un « massé »... enfin ! J'ai fait sa connaissance avant-hier et je suis maintenant son meilleur ami. Si je veux entrer chez le banquier comme garçon de bureau à la place d'Antonin, je suis sûr de la protection de monsieur Évariste.

– Quoi ! tu serais garçon de bureau, toi !...

– Dame ! s'il le faut absolument, pour y voir tout à fait clair dans la maison Fauvel et étudier mes personnages de plus près.

– Le valet de chambre ne t'a donc rien dit ?

– Rien du moins qui puisse me servir, et cependant je l'ai retourné comme un gant. C'est un homme comme on n'en voit pas, ce banquier. Il n'a pas un vice, me disait Évariste, pas seulement un pauvre petit défaut sur lequel son valet de chambre puisse gagner dix sous. Il ne fume pas, il ne boit pas, il ne joue jamais, il n'a pas de maîtresses ; un saint, quoi ! il est riche à millions, et il vit petitement, chichement, comme un épicier ; il est fou de sa femme, il adore ses enfants, il reçoit souvent mais sort très rarement.

– Sa femme est donc jeune ?

– Elle doit avoir dans les cinquante ans.

Mme Alexandre réfléchit un instant.

– T'es-tu informé, demanda-t-elle, des autres personnes de la famille ?

– Certainement. Un des fils est officier, je ne sais où, n'en parlons pas ; c'est le plus jeune. L'aîné, Lucien, qui vit avec ses parents est, à ce qu'il paraît, une vraie demoiselle pour la sagesse.

– Et la femme, et cette nièce dont tu m'as parlé ?

– Évariste n'a rien pu me dire sur leur compte.

Mme Alexandre haussa les épaules.

– Si tu n'as rien trouvé, fit-elle, c'est qu'il n'y a rien. Et tiens, à ta place, sais-tu ce que je ferais ?

– Parle.

– J'irais consulter monsieur Lecoq.

Fanferlot à ce nom bondit comme si on lui eût tiré un coup de pistolet aux oreilles.

– Joli conseil ! fit-il, tu veux donc que je perde ma place ? Si monsieur Lecoq se doutait seulement de ce que j'ai voulu faire.

– Qui te parle de lui dire ton secret, on lui demande son avis d'un air indifférent, on retient ce qu'il peut avoir imaginé de bien et ensuite on agit à sa guise.

L'agent de la sûreté parut peser les raisons de son épouse.

– Tu as peut-être raison, dit-il, et cependant il est diablement malin, monsieur Lecoq, et fort capable de me deviner.

– Malin... ! riposta Mme Alexandre, piquée, malin !... c'est vous tous à la préfecture qui, à force de répéter ça, avez fait sa réputation.

– Enfin, conclut Fanferlot, je verrai, je réfléchirai, mais en attendant, que dit la petite ?

La petite, c'était Mme Nina Gypsy.

En venant s'installer au *Grand-Archange*, la pauvre fille avait cru suivre un bon conseil, et encore maintenant, Fanferlot ne s'étant pas montré, elle restait convaincue qu'elle avait obéi à un ami de Prosper. Lorsqu'elle avait reçu la citation de M. Patrigent, elle avait admiré l'habileté de la police qui avait su en si peu de temps découvrir sa cachette ; car elle s'était établie à l'hôtel sous un faux nom, c'est-à-dire sous son vrai nom de Palmyre Chocareille.

Habilement questionnée, par l'ancienne marchande à la toilette, elle s'était livrée sans défiance et avait raconté toute son histoire.

Et c'est ainsi, à peu de frais, que Fanferlot avait pu se poser près du juge en agent d'une habileté supérieure.

– La petite, répondit Mme Alexandre, est toujours là-haut. Toujours... et elle ne se doute de rien. Mais la retenir devient de plus en plus difficile. Je ne sais ce que lui a dit le juge, elle m'est revenue hors d'elle-même. Elle voulait aller faire du tapage chez monsieur Fauvel. Ce tantôt, après un accès de colère, elle a écrit une lettre et l'a donnée à Jean pour la mettre à la poste ; mais je m'en suis emparée pour te la montrer.

– Quoi ! interrompit Fanferlot, tu as une lettre et tu ne me le dis pas, et elle renferme peut-être le mot de l'énigme ! Vite, donne-la-moi.

Sur l'ordre de son mari, l'ancienne marchande à la toilette ouvrit une petite chiffonnière et en tira la lettre de Mme Gypsy, qu'elle lui présenta.

– Tiens, lui dit-elle, sois satisfait !

En vérité, pour une ancienne femme de chambre, Palmyre Chocareille, devenue Gypsy, n'avait pas une vilaine écriture.

L'adresse de sa lettre, tracée en belle anglaise, était ainsi conçue :

Monsieur

L. de Clameran, maître de forges

à l'hôtel du Louvre.

Pour remettre à M. RAOUL DE LAGORS.

(Très pressée.)

– Oh ! oh ! fit Fanferlot, accompagnant son exclamation d'un petit sifflement qui lui est habituel, quand il croit avoir fait quelque trouvaille, oh ! oh !...

– Est-ce que tu vas l'ouvrir ? interrogea Mme Alexandre.

– Un peu, répondit Fanferlot, en faisant sauter le cachet avec une merveilleuse dextérité.

Il lut, et Mme Alexandre, penchée sur l'épaule de son « petit homme », lut aussi :

Monsieur Raoul,

Prosper est en prison, accusé d'un vol qu'il n'a pas commis, j'en suis sûre. Déjà, il y a trois jours, je vous ai écrit à ce sujet...

– Hein ! comment !... s'interrompit Fanferlot, cette péronnelle a écrit et je n'ai pas vu sa lettre !...

– Mais, mon bon petit homme, cette malheureuse peut avoir jeté sa lettre à la poste elle-même, lorsqu'elle est sortie pour aller au Palais de Justice.

– C'est possible, en effet, dit Fanferlot un peu calmé. Il reprit sa lecture :

... Je vous ai déjà écrit à ce sujet, et je n'ai pas de nouvelles. Qui donc viendra au secours de Prosper si ses meilleurs amis l'abandonnent ? Si vous laissiez cette lettre-ci sans réponse, je me croirai dégagée de certaine promesse que vous savez, et, sans scrupule, je raconterai à Prosper la conversation surprise par moi entre vous et M. de Clameran. Mais je puis compter sur vous, n'est-ce pas ? Je vous attendrai à l'hôtel du Grand-Archange, après-demain, de midi à quatre heures.

Nina Gypsy.

Cette lettre lue, Fanferlot, sans mot dire, se mit à la recopier.

– Eh bien ! demanda Mme Alexandre, qu'en dis-tu ?

Fanferlot réintégrait délicatement la lettre recopiée dans son enveloppe, lorsque la porte du « bureau de l'hôtel » s'ouvrit brusquement, et le garçon par deux fois siffla : Psitt ! psitt !...

Fanferlot, avec une rapidité merveilleuse, disparut dans un cabinet noir qui ouvrait sur la salle à manger.

Il n'eut pas le temps de refermer la porte ; Mme Gypsy entrait.

Hélas ! elle était cruellement changée, la pauvre fille. Elle avait pâli, ses joues s'étaient creusées, ses lèvres avaient perdu leur provocant éclat, et ses yeux, brillant du feu de la fièvre, rougis par les larmes, étaient entourés d'un large cercle brun.

En la voyant, Mme Alexandre ne put retenir un cri de surprise :

– Comment, chère enfant, vous sortez ?

– Il le faut, madame, et je viens vous prier, si quelqu'un me demandait en mon absence, de bien vouloir faire attendre.

– Mais où voulez-vous aller, bon Dieu ! à cette heure, malade comme vous l'êtes ?

Mme Gypsy hésita un moment.

– Oh ! tenez, dit-elle enfin, je puis vous le confier à vous, si bonne pour moi, lisez ce billet qu'un commissionnaire vient de me monter à l'instant.

– Comment, fit Mme Alexandre abasourdie, un commissionnaire !... chez moi qui est monté chez vous ?

– Qu'y a-t-il de si surprenant ?

– Oh ! rien, rien..., répondit l'ex-revendeuse.

Et très haut, pour bien être entendue du cabinet, elle lut :

Un ami de Prosper, qui ne peut ni vous recevoir ni se présenter chez vous, a absolument besoin de vous parler. Ce soir, lundi, trouvez-vous, neuf heures précises, dans le bureau des omnibus qui est en face de la tour Saint-Jacques, et celui qui vous écrit s'approchera de vous et vous dira ce qu'il a à vous dire.

Je vous indique ce lieu de rendez-vous pour bien éloigner de vous toute crainte.

– Et vous allez à ce rendez-vous ! s'écria Mme Alexandre.

– Certainement.

– Mais c'est une imprudence horrible, une folie ; c'est un piège qu'on vous tend.

– Eh ! qu'importe, madame ! interrompit Gypsy, je suis assez malheureuse désormais pour n'avoir plus rien à redouter.

Et sans vouloir entendre un mot de plus, elle sortit.

Mme Gypsy n'était pas dans la rue, que déjà Fanferlot avait bondi hors de sa cachette.

Le doux agent était blême de fureur et jurait comme un possédé.

– Mille millions de tonnerres ! criait-il, qu'est-ce donc que cette maison du *Grand-Archange* où on se promène aussi librement que sur une place publique !

L'ancienne marchande à la toilette, décontenancée, tremblante, ne savait où se mettre.

– A-t-on jamais vu chose pareille ! poursuivait l'agent ; un commissionnaire est venu, et personne ne l'a vu ! Comment s'y est-il pris pour s'introduire ainsi furtivement ? Ah ! je flaire là quelque gredinerie. Et vous, madame Alexandre, vous une femme intelligente, vous êtes assez simple pour détourner cette petite vipère de ce rendez-vous !

– Mais, mon ami...

– Quoi ! vous n'avez donc pas compris que je vais la suivre et savoir ainsi ce qu'on nous cache. Allons vite, aidez-moi, il faut qu'elle ne puisse pas me reconnaître.

En un tour de main, Fanferlot, affublé d'une perruque et d'une barbe épaisse, ne se ressemblait plus. Il avait endossé une blouse et avait toutes les apparences d'un de ces ouvriers peu honnêtes qui cherchent de l'ouvrage en priant Dieu de n'en pas trouver.

Quand il fut prêt :

– As-tu ta carte et ton « coup de poing » ? demanda Mme Alexandre, toujours pleine de sollicitude.

– Oui, oui ! fais jeter à la poste la lettre de cette malheureuse à monsieur de Clameran et... bonne garde.

Et, sans écouter son épouse, qui lui criait « Bonne chance ! », Fanferlot s'élança dehors.

Mme Gypsy avait bien huit ou dix minutes d'avance, mais il rattrapa lestement sa distance. Il avait pris, au pas de course, la route que la jeune femme devait avoir suivie, et il la rejoignit vers le milieu du pont au Change.

Elle allait d'une allure indécise, tantôt très vite, tantôt à petits pas, en personne qui, impatiente de se rendre à un rendez-vous, est partie trop tôt et cherche à user le temps.

Sur la place du Châtelet, elle fit deux ou trois tours, s'approcha des affiches du théâtre, s'assit un moment sur un banc, et enfin, à neuf heures moins un quart, à peu près, elle alla s'installer sur une des banquettes du bureau des omnibus.

Une minute après elle, Fanferlot entra. Mais, comme en dépit de sa barbe épaisse il redoutait l'œil de Mme Gypsy, il alla se placer de l'autre côté du bureau, dans l'ombre.

Singulier lieu de rencontre ! pensait-il, tout en étudiant la jeune femme. Mais qui peut lui avoir donné ce rendez-vous ? À la curiosité que je lis dans ses yeux, à son inquiétude évidente, je jugerais qu'elle ignore qui elle attend !

Le bureau, cependant, était plein de monde. À toute minute, des employés criaient la destination d'un omnibus qui arrivait. Quantité de gens entraient et sortaient, qui réclamaient des numéros ou changeaient leurs correspondances.

À chaque nouvel arrivant, Gypsy tressaillait, et Fanferlot se disait : est-ce celui-là ?

Enfin, au moment où neuf heures sonnaient à l'Hôtel-de-Ville, un personnage entra, qui, sans demander de numéro au bureau, marcha droit à Mme Gypsy, la salua et s'assit près d'elle.

C'était un homme de taille moyenne, assez gros, portant d'épais favoris, d'un blond ardent sur une figure enluminée. Sa mise, qui était celle de tous les négociants aisés, n'offrait rien de remarquable ; pas plus d'ailleurs que sa personne.

Fanferlot le regardait de tous ses yeux.

Toi, mon bonhomme, pensait-il, quelque part que je te rencontre maintenant, je te reconnaîtrai, et, ce soir même, en te suivant, je saurai qui tu es.

Par malheur, il avait beau prêter l'oreille, il n'entendait rien absolument de ce que se disaient le nouveau venu et Mme Gypsy. Tout ce qu'il pouvait faire, c'était de tâcher de deviner à leur pantomime et au jeu de leur physionomie le sujet de leur conversation.

Tout d'abord, quand le gros homme l'avait saluée, la jeune femme avait eu l'air si surpris qu'il était clair qu'elle le voyait pour la première fois. Lorsque, s'étant assis, il lui eut dit quelques mots, elle se leva à demi avec un geste d'effroi, comme si elle eût voulu s'enfuir. Un regard seul suffit pour la faire se rasseoir. Puis à mesure que parlait le gros monsieur, l'attitude de Gypsy trahissait une certaine appréhension. Elle fit un geste négatif, mais elle sembla se rendre à une très bonne raison qui lui fut donnée. À un moment, elle parut près de pleurer, et presque aussitôt un sourire éclaira son joli visage. Enfin, elle étendit la main, comme si elle eût prêté un serment.

Mais qu'est-ce que cela signifiait ? Fanferlot, sur sa banquette, se rongeait les poings.

Idiot que je suis ! se disait-il, de m'être placé si loin.

Il songeait à exécuter quelque manœuvre habile pour se rapprocher sans éveiller les soupçons lorsque le gros monsieur se leva, offrit son bras à Mme Gypsy qui l'accepta sans façon, et ensemble ils se dirigèrent vers la porte.

Ils avaient l'air si préoccupés l'un et l'autre, que Fanferlot ne vit nul inconvénient à les suivre d'assez près ; sage précaution, car il y avait foule sur le boulevard.

Arrivé sur la porte, il vit le gros homme et Gypsy traverser le trottoir, s'approcher d'un fiacre, non loin du bureau des omnibus, et monter dans ce fiacre.

– Parfait ! grommela Fanferlot, je les tiens, maintenant, inutile de se presser.

Pendant que le cocher rassemblait ses guides, l'agent de la sûreté préparait ses jambes, et lorsque la voiture s'ébranla, en trois sauts il fut derrière, décidé à la suivre jusqu'au bout du monde.

Le fiacre remontait le boulevard de Sébastopol. Il allait bon train, mais ce n'est pas pour rien que Fanferlot a été surnommé l'Écureuil. Les coudes collés au corps, ménageant bien sa respiration, il se maintenait.

Pourtant, en arrivant au boulevard Saint-Denis, il commençait à s'essouffler, et il ressentait une légère douleur au côté, lorsque le fiacre, après avoir traversé la chaussée, s'engagea dans la rue du Faubourg-Saint-Martin.

Mais Fanferlot, qui à huit ans polissonnait librement sur le pavé de Paris, est un homme de ressources. Il s'accrocha aux ressorts de la voiture, se souleva à la force des poignets et se maintint suspendu, les jambes appuyées sur l'essieu des roues de derrière. Il n'était certes pas à son aise, mais il ne courait plus le risque d'être distancé.

– Maintenant, disait-il en riant dans sa fausse barbe, fouette cocher !

Le cocher fouettait, en effet, et c'est au grand trot qu'il monta la rampe assez rude de la rue du Faubourg-Saint-Martin.

Enfin, sur la place de l'ancienne barrière, le fiacre s'arrêta devant un marchand de vin, le cocher descendit de son siège et alla se faire servir un canon.

L'agent de la sûreté, lui, avait quitté son poste incommode, et, blotti dans l'encoignure d'une porte, il attendait à descendre le gros monsieur et Gypsy, prêt à s'élancer sur leurs traces.

Mais, au bout de cinq minutes, ils n'étaient pas encore descendus.

Que font-ils donc ? pensa l'agent.

Il s'approcha, non sans précautions.

Ô déception ! la voiture était vide.

Ce fut comme un seau d'eau glacée tombant sur la tête de Fanferlot ; il restait là, planté sur ses deux pieds, plus cristallisé que la femme de Loth.

Quand il se remit un peu, au bout de quelques secondes, ce fut pour lâcher une douzaine de jurons à faire trembler les vitres du quartier.

– Volé ! disait-il, joué, floué, collé, roulé... Ah ! ils me le paieront !

En un moment, son esprit agile parcourut la gamme des éventualités probables et improbables.

– Évidemment, murmurait-il, cet individu et Gypsy sont entrés par une portière et sortis par l'autre ; la manœuvre est élémentaire. Mais, s'ils l'ont employée, c'est qu'ils craignaient d'être suivis. S'ils craignaient d'être suivis, c'est qu'ils n'ont pas la conscience tranquille, donc...

Il interrompit son monologue, parce que l'idée lui vint d'interroger le cocher, qui pouvait fort bien savoir quelque chose.

Malheureusement, ce cocher, qui était de fort mauvaise humeur, refusa de rien dire, et même agita son fouet d'une façon si peu rassurante, que Fanferlot jugea prudent de battre en retraite.

Ah çà ! se disait-il, est-ce que le cocher en serait, lui aussi !...

Que faire, cependant, à cette heure ? Il n'avait pas une idée. Tristement il reprit le chemin du quai Saint-Michel, et il était onze heures et demie au moins lorsqu'il sonna à sa porte.

– La petite est-elle rentrée ? demanda-t-il tout d'abord.

– Non, mais voici deux gros paquets apportés pour elle.

Lestement, avec une adresse supérieure, Fanferlot défit les

paquets.

Les paquets renfermaient trois robes d'indienne, de gros souliers, des jupons très simples et des bonnets de linge.

L'agent ne put retenir un mouvement de dépit.

– Allons, bon ! fit-il, voici qu'elle va se déguiser, maintenant ; par ma foi ! je m'y perds !

Certes, lorsqu'il descendait tout pensif les hauteurs du faubourg Saint-Martin, Fanferlot s'était bien juré qu'il ne raconterait pas à son épouse sa déconvenue.

Mais une fois chez lui, une fois en présence d'un fait nouveau de nature à dérouter toutes ses conjectures, ses considérations d'amour-propre s'évanouirent.

L'agent de la sûreté avoua tout : ses espérances si près de se réaliser, sa mésaventure incroyable, ses soupçons ! Et longtemps le mari et la femme restèrent à discuter, étudiant l'affaire sous toutes ses faces, cherchant une explication plausible.

C'est qu'ils étaient bien décidés à ne se point coucher avant le retour de Mme Gypsy, dont Mme Alexandre se proposait de tirer quelques éclaircissements.

Mais rentrerait-elle ? Là était la question.

Elle rentra un peu après une heure, et lorsque déjà les époux désespéraient et commençaient à se dire : nous ne la reverrons plus.

Au coup de sonnette, Fanferlot s'était glissé dans le cabinet noir, et Mme Alexandre était restée seule dans le bureau de l'hôtel.

– Enfin ! vous voilà, chère enfant ! s'écria-t-elle, il ne vous est pas arrivé malheur ! Ah ! j'étais dans une inquiétude mortelle.

– Merci de votre intérêt, madame, répondit Gypsy ; mais n'a-t-on rien apporté pour moi ?

Elle revenait tout autre qu'elle était partie, cette pauvre Gypsy : elle était bien triste, mais non plus abattue. À sa prostration des jours précédents, avait succédé une ferme et généreuse résolution que décelaient son maintien et l'éclat de ses yeux.

– On a apporté les paquets que voici, répondit Mme Alexandre... et ainsi vous avez vu l'ami de monsieur Bertomy ?

– Oui, madame, et même ses conseils ont si bien modifié mes

projets, que j'aurai, demain, le regret de vous faire mes adieux, je pars.

– Demain ! fit l'ancienne marchande à la toilette, il y a donc quelque chose ?

– Oh ! rien qui puisse vous intéresser.

Et ayant allumé sa bougie au bec de gaz, Mme Gypsy se retira après un « bonsoir, bonne nuit » des plus significatifs.

– Que penses-tu de cette rentrée, madame Alexandre ? demanda Fanferlot sorti de sa cachette.

– C'est à n'y pas croire ! Cette petite écrit à monsieur de Clameran pour lui donner rendez-vous ici, et elle ne l'attend pas.

– Évidemment elle se méfie de nous, elle sait qui je suis.

– C'est alors cet ami du caissier qui l'a renseignée.

– Qui sait !... Tiens, je finis par croire que j'ai affaire à des voleurs très forts ; ils ont deviné que je suis sur leurs traces, et ils veulent me dépister. On me dirait demain que cette coquine a le magot et qu'elle fuit avec, que je n'en serais pas surpris.

– Ce n'est pas mon avis, répondit Mme Alexandre ; mais, écoute, j'en reviens à mon idée, tu devrais voir monsieur Lecoq.

Fanferlot resta un moment pensif.

– Eh bien ! soit ! s'écria-t-il, j'irai le voir, mais uniquement pour l'acquit de ma conscience, car où je n'ai rien vu, il ne verra rien. Il a beau être terrible, il ne me fait pas peur. S'il s'avisait de me malmener et d'être insolent, je saurais le remettre à sa place.

N'importe, l'agent de la sûreté dormit mal cette nuit, ou, pour mieux dire, il ne dormit pas, plus préoccupé de l'affaire Bertomy qu'un dramaturge de la pièce en germe dans son cerveau.

À six heures et demie, il était debout – il faut se lever matin, si on veut rencontrer M. Lecoq –, et lesté d'une tasse de café au lait, il se dirigea vers la demeure du célèbre policier.

Certainement Fanferlot, dit l'Écureuil, n'a pas peur du patron, comme il l'appelle, et la preuve, c'est qu'il partit du *Grand-Archange* la tête haute, le chapeau posé de côté. Cependant, arrivé à la rue Montmartre, qu'habite M. Lecoq, sa crânerie avait sensiblement diminué. Il eut quelques palpitations en s'engageant dans l'allée de la maison et il fit plusieurs pauses en montant l'escalier.

Arrivé au troisième étage, devant une porte décorée des armes du célèbre agent, - un coq, symbole de la vigilance -, le cœur lui manqua presque et il eut de la peine à se décider à sonner.

La servante de M. Lecoq, une ancienne réclusionnaire taillée en carabinier, plus dévouée à son maître qu'un chien de berger, Janouille enfin, vint lui ouvrir.

- Ah ! fit-elle en l'apercevant, vous tombez bien, monsieur l'Écureuil, le patron vous attend.

À cette annonce, Fanferlot fut saisi d'une violente envie de battre en retraite. Pourquoi, comment, par quel hasard était-il attendu ?...

Mais, pendant qu'il hésitait, Janouille le saisit par le bras, et, l'attirant à elle, le fit entrer dans l'appartement en disant :

- Voulez-vous prendre racine ici ? Allons, arrivez, le patron travaille dans son cabinet.

Au milieu d'une vaste pièce, bizarrement meublée, moitié bibliothèque de lettré, moitié loge d'acteur, assis devant un bureau, écrivait ce même personnage à lunettes d'or, qui dans les couloirs du dépôt avait dit à Prosper Bertomy : « Bon courage ».

C'était M. Lecoq, sous ses apparences officielles.

À l'entrée de Fanferlot, qui s'avançait respectueusement, l'échine en cerceau, il leva légèrement la tête, posa sa plume et dit :

- Ah ! te voilà, enfin ! mon garçon. Eh bien ! ça ne va donc pas, cette affaire Bertomy ?

- Comment, balbutia Fanferlot, vous savez...

- Je sais que tu as si bien embrouillé les choses que tu n'y vois plus rien, que tu es rendu.

- Mais, patron, ce n'est pas moi...

M. Lecoq s'était levé et arpentait son cabinet. Tout à coup il revint sur Fanferlot.

- Que penses-tu, maître l'Écureuil ? demanda-t-il d'un ton dur et ironique, d'un homme qui abuse la confiance de ceux qui l'emploient, qui révèle de ce qu'il découvre juste assez pour égarer la prévention, qui trahit au profit de sa sotte vanité et la cause de la justice et celle d'un malheureux prévenu ?

Fanferlot effrayé avait reculé d'un pas.

– Je dirais, essaya-t-il, je dirais...

– Tu penses qu'on doit punir cet homme et le chasser, et tu as raison. Moins une profession est honorée, plus ceux qui l'exercent doivent être honorables. C'est toi, cependant, qui as trahi ! Ah ! maître l'Écureuil, nous sommes ambitieux, et nous essayons de faire de la police de fantaisie. Nous laissons la justice s'égarer de son côté et nous cherchons d'un autre. Il faut être un limier plus fin que tu n'es, mon garçon, pour chasser sans chasseur et à son compte.

– Mais, patron, je vous jure...

– Tais-toi. Voudrais-tu me prouver que tu as tout dit au juge d'instruction, comme c'était ton devoir ? Allons donc ! Pendant qu'on instruit contre le caissier, tu instruis, toi, contre le banquier, tu l'épies, tu te lies avec son valet de chambre.

M. Lecoq était-il véritablement en colère ? Fanferlot qui le connaît bien en doutait un peu, mais avec ce diable d'homme on ne sait jamais à quoi s'en tenir.

– Si encore tu étais habile, poursuivait-il, mais non. Tu voudrais être maître et tu n'es même pas bon ouvrier.

– Vous avez raison, patron, fit piteusement Fanferlot qui ne songeait plus à nier. Mais comment s'y prendre dans une affaire comme celle-ci, où il n'y avait pas une trace, pas une pièce à conviction, pas un indice, rien de rien !

M. Lecoq haussa les épaules.

– Pauvre garçon ! fit-il. Sache donc que le jour où tu as été mandé avec le commissaire de police pour constater le vol, tu as – je ne dis pas certainement, mais très probablement – tenu entre tes deux grandes mains bêtes le moyen de savoir laquelle des clés, du banquier ou du caissier, avait servi à commettre le vol.

– Par exemple !...

– Tu veux des preuves ? soit. Te souviens-tu de cette éraillure que tu as relevée le long du coffre-fort ? Elle t'a frappé, car tu n'as pu retenir une exclamation en l'apercevant. Tu l'as examinée soigneusement, à la loupe, et tu as pu te convaincre qu'elle était toute fraîche encore, toute récente. Tu t'es dit alors, et avec raison, que cette éraillure datait de l'instant du vol. Or, avec quoi avait-elle été faite ? Avec une clé, évidemment. Cela étant, il fallait demander les clés du banquier et du caissier, et les étudier attentivement. L'une des deux devait avoir gardé à son extrémité quelques atomes au moins de cette peinture verte dont on enduit le fer des coffres-forts.

C'est bouche béante que Fanferlot avait écouté cette explication. Sur les derniers mots, il se frappa violemment le front, en s'écriant :

– Imbécile !

– Tu l'as dit, reprit M. Lecoq, imbécile ! Quoi ! cet indice te saute aux yeux et tu le négliges, et tu n'en tires aucune conclusion ! Là, cependant, est le vrai, le seul point de départ de l'affaire. Si je trouve le coupable, ce sera grâce à cette éraillure, et je le trouverai, je le veux !

De loin, Fanferlot, dit l'Écureuil, médit volontiers de M. Lecoq et le brave courageusement ; mais de près il subit invinciblement l'influence qu'exerce sur tous ceux qui l'approchent cet homme extraordinaire.

Les renseignements si précis, les minutieux détails qui venaient de lui être donnés renversaient toutes ses idées. Où et comment M. Lecoq les avait-il eus ?

– Vous vous êtes donc occupé de cette affaire, patron ? demanda-t-il.

– Probablement. Mais je ne suis pas infaillible, je puis avoir laissé passer quelque précieux indice. Prends une chaise et dis-moi tout ce que tu sais.

On n'équivoque pas avec M. Lecoq, on ne ruse pas. Fanferlot fut complètement vrai, ce qui lui arrive rarement. Pourtant, sur la fin de son récit, pris d'un remords de vanité, il ne raconta pas comment, la veille, il s'était laissé jouer par Mme Gypsy et le gros monsieur.

Le malheur est que M. Lecoq n'est jamais informé à demi.

– Il me semble, maître l'Écureuil, fit-il, que tu oublies quelque chose. Jusqu'où as-tu suivi le fiacre vide ?

Fanferlot, en dépit de son aplomb, rougit jusqu'aux oreilles et baissa les yeux ni plus ni moins qu'une pensionnaire prise en faute.

– Quoi ! patron, balbutia-t-il, cela aussi, vous le savez ? comment avez-vous pu...

Mais une idée subite traversant son cerveau, il s'arrêta court, bondit sur sa chaise et s'écria :

– Oh ! j'y suis... ce gros monsieur à favoris roux, c'était vous.

La surprise de Fanferlot donnait à sa physionomie une si singulière expression, que M. Lecoq ne put s'empêcher de sourire.

– Ainsi, c'était vous, reprit l'agent émerveillé, c'était vous ce gros homme que j'ai dévisagé, et je ne vous ai pas reconnu ! Ah ! patron, quel acteur vous feriez, si vous le vouliez ! moi aussi, je m'étais déguisé !

– Et bien mal, mon pauvre garçon, c'est une justice à te rendre. Penses-tu donc qu'il suffise, pour être méconnaissable, d'une barbe épaisse et d'une blouse ? Et l'œil, malheureux ! et l'œil ! C'est l'œil qu'il faut changer. Là est le secret.

Cette théorie du regard en matière de travestissement explique pourquoi le Lecoq officiel qui rendrait des points au lynx n'a jamais été rencontré dans les couloirs de la préfecture de police, sans ses lunettes à branches d'or.

– Mais alors, patron, disait Fanferlot, poursuivant son idée, vous avez confessé cette petite, dont madame Alexandre n'avait pu venir à bout ? Vous savez pourquoi elle quitte le *Grand-Archange*, pourquoi elle n'attend pas monsieur de Clameran, pourquoi elle s'est acheté des robes d'indienne ?

– Elle n'agit que d'après mes conseils.

– En ce cas, fit l'agent profondément découragé, il ne me reste plus qu'à avouer que je ne suis qu'un sot.

– Non, l'Écureuil, reprit M. Lecoq avec bonté, non, tu n'es pas un sot. Tu as eu simplement le tort de te charger d'une tâche au-dessus de tes forces. As-tu fait faire un pas à l'affaire depuis que tu la suis ? Non. C'est que, vois-tu, incomparable comme lieutenant, tu n'as pas le sang-froid d'un général. Je vais te faire cadeau d'un aphorisme, retiens-le, et qu'il devienne la règle de ta conduite : « Tel brille au second rang qui s'éclipse au premier. »

Jamais, non jamais Fanferlot n'avait vu le patron si causeur et si bon enfant. Se voyant découvert, il s'était attendu à un orage qui le jetterait à terre, et pas du tout, il en était quitte pour une averse qui lui lavait à peine la tête. La colère de M. Lecoq se dissipait comme ces nuages noirs qui par moments menacent à l'horizon et qu'un coup de vent balaie.

Pourtant l'époux de Mme Alexandre était inquiet, il se demandait si cette affabilité surprenante ne dissimulait pas quelque arrière-pensée.

– Comme cela, patron, demanda-t-il, vous connaissez le coupable ?

– Pas plus que toi, mon garçon, et même, pendant que tu as déjà une opinion toute faite, je ne sais encore que penser. Tu m'affirmes que le caissier est innocent et que le banquier est coupable, et j'ignore si tu as tort ou raison. Arrivé après toi, j'en suis encore aux préliminaires de mon enquête. Je ne suis certain que d'une seule chose, c'est qu'il y a une éraillure à la porte du coffre-fort. C'est de là que je pars.

Tout en parlant, M. Lecoq avait pris sur son bureau, déroulé et étalé, une immense feuille de papier à dessin.

Sur cette feuille était photographiée la porte du coffre-fort de M. Fauvel. Tous les détails étaient rendus avec la dernière exactitude. On reconnaissait bien les cinq boutons mobiles avec les lettres gravées et l'étroite serrure à saillie de cuivre. L'éraillure y était indiquée avec une admirable netteté.

– Voici donc, commença M. Lecoq, notre éraillure. Elle va de haut en bas, à partir du trou de la serrure, diagonalement, et, remarque-le bien, de gauche à droite, c'est-à-dire qu'elle se termine du côté de la porte de l'escalier dérobé conduisant aux appartements du banquier. Très profonde près de la serrure, elle finit en rayure à peine distincte.

– Oui, patron, c'est bien cela, je vois.

– Naturellement tu as pensé que cette éraillure doit avoir été faite par l'auteur de la soustraction ? Voyons si tu as eu raison. J'ai, ici, un petit coffret de fer, peint en vert comme la caisse de monsieur Fauvel ; le voici. Prends une clé et essaie de le rayer.

Sans trop deviner le but que se proposait son patron, l'agent de la sûreté fit ce qu'il lui commandait, frottant vigoureusement sur le coffret avec le bout d'une clé.

– Diable ! fit-il, après deux ou trois tentatives, elle est dure à entamer, cette peinture.

– Très dure, en effet, mon garçon, et cependant celle du coffre-fort est plus solide encore, je m'en suis assuré. Donc l'éraillure que tu as relevée n'a pu être faite par la main tremblante d'un voleur laissant glisser la clé !

– Sapristi ! s'exclama Fanferlot, stupéfait, je n'aurais pas trouvé cela. C'est que c'est vrai, il faut, pour rayer le coffre, qu'on ait appuyé très fort.

– Oui, mais pourquoi ? Tel que tu me vois, je me creuse la tête depuis trois jours, et c'est hier seulement que j'ai trouvé. Examinons ensemble si mes conjectures présentent assez de chances de probabilité pour devenir le point de départ de mon enquête.

M. Lecoq avait abandonné la photographie pour s'approcher de la porte qui, de son cabinet, donne dans sa chambre à coucher, et il en avait retiré la clé, qu'il gardait à la main.

– Avance ici, dit-il à Fanferlot, place-toi là, à côté de moi ; très bien. Supposons que je veuille ouvrir cette porte et que tu ne le veuilles pas. Lorsque tu me vois approcher la clé de la serrure, quel est ton mouvement instinctif ?

– J'appuie mes deux mains sur votre bras que je tire à moi vivement, de façon que vous ne puissiez pas introduire la clé.

– Justement. Alors, répétons ce mouvement, marche...

Fanferlot obéit, et la clé que tenait M. Lecoq, détournée de la serrure, glissa le long de la porte et y traça une éraillure parfaitement nette, de haut en bas, diagonalement, reproduction exacte de celle que figurait la photographie.

– Oh ! fit sur trois tons différents l'époux de Mme Alexandre, oh ! oh !

Et il restait en contemplation devant la porte.

– Commences-tu à comprendre ? demanda M. Lecoq.

– Si je comprends ! patron. Mais un enfant devinerait maintenant. Ah ! quel homme vous êtes ! Je vois la scène comme si j'y étais. Il y avait, au moment du vol, deux personnes près de la caisse : l'une voulait s'emparer des billets, l'autre ne voulait pas qu'on y touchât. C'est clair, c'est évident, c'est sûr.

Accoutumé à bien d'autres triomphes, le célèbre policier s'amusait beaucoup de la stupeur et de l'enthousiasme de l'agent.

– Voilà que tu t'emportes encore, lui dit-il doucement ; tu prends pour certaine et comme prouvée une circonstance qui peut être fortuite et tout au plus probable.

– Non, patron ; non ! s'écria Fanferlot, un homme comme vous ne se trompe pas : le doute n'est pas possible.

– À toi, alors, de tirer les conséquences de notre découverte.

– D'abord, ceci prouve que mon flair ne m'avait pas trompé : le caissier est innocent.

– Pourquoi ?

– Parce que libre d'ouvrir et de fermer la caisse quand bon lui semble, il n'aurait pas été chercher un témoin juste au moment de voler.

– Bien raisonné. Seulement, à ce compte, le banquier, lui aussi, est innocent ; réfléchis un peu.

Fanferlot réfléchit et toute son animation tomba.

– C'est vrai, fit-il d'un air désespéré, c'est vrai ! Que faire, après cela ?

– Chercher le troisième larron, c'est-à-dire celui qui a ouvert la caisse et pris les billets, et qui dort bien tranquille pendant qu'on soupçonne les autres.

– Impossible ! patron, impossible ! On ne vous a donc pas dit que monsieur Fauvel et son employé avaient seuls une clé qui ne les quittait jamais ?

– Pardon, la veille du vol, le banquier avait laissé sa clé dans son secrétaire.

– Eh ! la clé ne suffit pas pour ouvrir, il faut encore le mot.

M. Lecoq impatienté haussa les épaules.

– Quel était le mot ? demanda-t-il.

– Gypsy.

– C'est-à-dire le nom de la maîtresse du caissier. Eh bien ! mon garçon, cherche. Le jour où tu auras trouvé un homme assez lié avec Prosper pour se douter de la circonstance du nom, assez familier chez monsieur Fauvel pour arriver jusqu'à la chambre à coucher, ce jour-là tu tiendras le vrai coupable ; le problème sera résolu.

Égoïste comme tous les grands artistes, M. Lecoq n'a jamais fait d'élève et ne cherche pas à en faire. Il travaille seul. Il hait les collaborateurs, ne voulant partager ni les jouissances du triomphe, ni les amertumes de la défaite.

Aussi, Fanferlot, qui sait son patron sur le bout du doigt, était-il confondu de l'entendre donner des conseils, lui, qui jamais ne donne que des ordres.

Même, il était si fort intrigué, qu'en dépit des préoccupations supérieures, il ne put s'empêcher de témoigner sa surprise.

– Il faut, patron, hasarda-t-il, que vous ayez à cette affaire un rude intérêt personnel, pour l'avoir étudiée ainsi.

M. Lecoq eut un tressaillement nerveux qui échappa à son agent, puis, ses sourcils se froncèrent, et c'est d'un ton dur qu'il répondit :

– C'est ton état d'être curieux, maître l'Écureuil ; cependant il ne faudrait pas l'être trop, tu m'entends ?

Fanferlot chercha à s'excuser.

– Bien ! bien ! interrompit M. Lecoq. Si je te donne un coup de main, c'est parce que cela me convient. Il me plaît d'être la tête, pendant que tu seras le bras. Seul, avec tes idées préconçues, tu n'aurais jamais trouvé le coupable ; à nous deux nous le trouverons, ou je ne suis plus monsieur Lecoq.

– Nous réussirons, puisque vous vous en mêlez.

– Oui, je m'en mêle, et depuis quatre jours j'ai appris bien des choses. Seulement, retiens bien ceci : j'ai des raisons pour ne point paraître en cette affaire. Quoi qu'il arrive, je te défends de prononcer mon nom. Si nous réussissons, il faut qu'on ne puisse attribuer le succès qu'à toi seul. Et surtout ne cherche jamais à en savoir plus long, contente-toi des explications qu'il me plaira de te donner.

Ces conditions ne semblèrent nullement fâcher l'agent de la sûreté.

– Je serai discret, patron, prononça-t-il.

– J'y compte, mon garçon. Pour commencer, tu vas prendre cette photographie du coffre-fort et te rendre près du juge d'instruction.

Monsieur Patrigent, je le sais, est aussi perplexe que possible au sujet du prévenu. Tu lui expliqueras, comme venant de toi, ce que je viens de te faire voir, tu lui répéteras mes démonstrations, et ces indices, j'en suis convaincu, le détermineront à faire relâcher le caissier. Il faut que Prosper soit libre, pour que je commence mes opérations.

– C'est entendu, patron. Mais, devrai-je laisser voir que je soupçonne un coupable autre que le patron ou le caissier ?

– Nécessairement. La justice ne doit pas ignorer que tu vas suivre cette affaire. Monsieur Patrigent te chargera de surveiller Prosper ; réponds-lui que tu ne le perdras pas de vue. Je t'affirme, moi, qu'il sera en bonnes mains.

– Et s'il me demande des nouvelles de Gypsy ?

M. Lecoq hésita un moment.

– Tu diras, fit-il enfin, que tu l'as décidée, dans l'intérêt de Prosper, à se placer dans une maison où elle surveille quelqu'un que tu soupçonnes.

Fanferlot, tout joyeux, avait roulé la photographie, pris son chapeau et s'apprêtait à sortir. M. Lecoq le retint d'un geste.

– Je n'ai pas achevé, dit-il. Sais-tu conduire une voiture et soigner un cheval ?

– Quoi ! patron, vous me demandez cela, à moi, un ancien écuyer du cirque Bouthor !

– C'est juste. Puisqu'il en est ainsi, dès que le juge t'aura congédié, tu rentreras chez toi vivement, tu te composeras une tête et un costume de valet de chambre de bonne maison et tu te rendras, avec la lettre que voici, chez le placeur qui fait le coin du passage Delorme.

– Mais, patron...

– Il n'y a pas de mais, mon garçon ; ce placeur te présentera à monsieur de Clameran qui cherche un valet de chambre, le sien l'ayant quitté hier soir.

– Excusez-moi, si j'ose dire que vous vous trompez, mais ce Clameran ne réunit pas les conditions indiquées, il n'est pas l'ami du caissier.

– Voilà que tu m'interromps déjà, dit M. Lecoq, de sa voix la plus impérative ; fais donc ce que je te dis et ne t'inquiète pas du reste. Monsieur de Clameran n'est pas l'ami de Prosper, c'est vrai ; mais il est l'ami, il est le protecteur de Raoul de Lagors. Pourquoi ? D'où vient l'intimité de ces deux hommes d'âges si différents ? Il faut le savoir. Il faut savoir aussi ce que c'est que ce maître de forges qui habite Paris et ne s'occupe nullement de ses hauts-fourneaux. Un gaillard qui a eu cette idée d'aller se loger à l'hôtel du Louvre, au milieu d'une cohue sans cesse renouvelée, est un gaillard difficile à surveiller. Par toi, j'aurai un œil dans sa vie. Il a une voiture, tu le conduiras, en moins de rien, tu connaîtras ses relations et tu pourras me rendre compte de ses moindres démarches.

– Vous serez obéi, patron.

– Encore un mot. Monsieur de Clameran est un gentilhomme fort susceptible et encore plus soupçonneux. Tu lui seras présenté sous le nom de Joseph Dubois. Il te demandera des certificats. En voici trois qui attestent que tu as servi le marquis de Sairmeuse, le comte de Commarin, et qu'en dernier lieu tu sors de la maison du baron de Wortschen, reparti pour l'Allemagne. Et ouvre l'œil, soigne ta tenue, surveille tes mouvements. Sers bien, mais sans excès. Et pas trop d'honnêteté surtout, tu inspirerais des soupçons.

– Soyez tranquille, patron ; mais où irai-je au rapport ?

– J'irai te voir tous les jours. Jusqu'à nouvel ordre, défense de mettre le pied ici : on peut te suivre. Si une circonstance imprévue survient, adresse une dépêche à ta femme ; elle me préviendra. Va... et sois prudent.

La porte refermée sur Fanferlot, M. Lecoq passa vivement dans sa chambre à coucher.

En un clin d'œil il eut dépouillé les apparences du chef de bureau, la cravate empesée et les lunettes d'or, et rendu la liberté à ses épais cheveux noirs. Le Lecoq officiel disparaissait, faisant place au vrai Lecoq, à celui que personne ne connaît, un beau gars, à l'œil clair, à l'air résolu.

Mais il ne resta soi qu'un instant. Assis devant une table de toilette plus chargée de pâtes, d'essences, de couleurs et de postiches que la toilette d'une demoiselle du lac, il se mit à défaire de nouveau l'œuvre du créateur et à se recomposer une physionomie.

Il travaillait lentement, maniant avec un soin extrême ses petits pinceaux ; mais au bout d'une heure, il avait terminé un de ses chefs-d'œuvre quotidiens. Quand il eut fini, il n'était plus Lecoq, il était le gros monsieur à favoris roux que n'avait pas reconnu Fanferlot.

– Allons, disait-il, en jetant à son miroir un dernier coup d'œil, je n'ai rien oublié, je n'ai presque rien laissé au hasard, tous mes fils sont attachés, je puis marcher. Pourvu que l'Écureuil ne perde pas de temps !...

Mais Fanferlot était bien trop joyeux pour gaspiller une minute. Il ne courait pas, il volait sur le chemin du Palais de Justice.

Enfin ! il allait donc pouvoir, à son tour, faire montre d'une perspicacité supérieure.

Quant à se dire qu'il allait triompher avec les idées d'autrui, il n'y songeait pas. C'est presque toujours de la meilleure foi du monde que le geai se pavane avec les plumes du paon.

L'événement, d'ailleurs, ne trompa point ses espérances. Si le juge ne fut pas pleinement et absolument convaincu, il admira tout au moins l'ingéniosité du procédé.

– Voilà qui me décide, dit-il, en congédiant Fanferlot ; je vais présenter à la chambre du conseil des conclusions favorables, et demain, très probablement, le caissier sera relâché.

Et, en effet, il se mit à rédiger une de ces terribles ordonnances de « non-lieu » qui rendent la liberté, mais non l'honneur, à l'homme accusé ; qui disent qu'il n'est pas coupable, mais qui ne disent pas qu'il est innocent.

Attendu qu'il n'existe pas contre le prévenu Prosper Bertomy des charges suffisantes ; vu l'article 128 du Code d'instruction criminelle, déclarons qu'il n'y a lieu de suivre, quant à présent, contre ledit, ordonnons qu'il sera extrait de la maison où il est détenu, et qu'il sera mis en liberté par le gardien, etc.

Lorsqu'il eut achevé :

– Allons, dit-il à son greffier Sigault, voici un de ces crimes encore dont la justice n'a jamais le mot. Encore un dossier à déposer aux archives du greffe.

Et de sa main, sur la couverture, il inscrivit le numéro d'ordre : *Dossier 113.*

VII

Il y avait neuf jours que Prosper Bertomy était en prison, au secret, lorsqu'un matin, un jeudi, le geôlier vint lui signifier l'ordonnance de non-lieu.

On le conduisit au greffe, on lui rendit plusieurs petits objets qui lui avaient été enlevés quand on l'avait fouillé à son arrivée : sa montre, un canif, quelques bijoux et on lui fit signer une grande feuille de papier.

On le poussa alors dans un corridor sombre, très étroit. Une porte s'ouvrit qui se referma sur lui avec un bruit sinistre.

Il se trouvait sur le quai, il était seul, il était libre.

Libre ! c'est-à-dire que la justice se déclarait impuissante à le convaincre du crime dont on l'avait accusé.

Libre ! il pouvait marcher, respirer l'air pur, mais il allait trouver toutes les portes fermées à son approche.

L'acquittement après les débats, c'est la réhabilitation. L'arrêt de non-lieu laisse planer sur celui qui a été arrêté un éternel soupçon.

L'opinion a des rigueurs plus redoutables que les « secrets » !

En ce moment où la liberté lui était rendue, Prosper sentit si cruellement l'horreur de sa situation, qu'il ne put retenir un cri de rage et de haine.

– Mais je suis innocent ! cria-t-il, je suis innocent.

À quoi bon ! Deux passants qui suivaient le quai s'arrêtèrent pour le regarder ; ils le prenaient pour un fou.

La Seine était là, à ses pieds ; la pensée du suicide traversa son esprit.

– Non ! dit-il, non ! je n'ai même pas le droit de me tuer. Non, je ne veux pas mourir avant de m'être réhabilité !

Bien des fois, dans sa cellule du dépôt de la préfecture, Prosper Bertomy avait répété ce mot réhabilitation. Ayant dans le cœur cette haine froidement réfléchie, qui donne la force ou la patience de briser ou d'user tous les obstacles, il se disait : ah ! que ne suis-je libre !

Il était libre, et à cette heure seulement il se rendait compte des immenses difficultés de sa tâche. Pour chaque crime il faut à la justice un criminel, il ne pouvait désormais faire éclater son innocence qu'en livrant un coupable ; comment le trouver et le livrer ?

Désespéré, mais non découragé, il reprit le chemin de son logis. Mille inquiétudes l'assaillaient. Que s'était-il passé depuis neuf jours qu'il était comme rayé du nombre des vivants ? Nul bruit n'était venu jusqu'à lui. Le silence des secrets est aussi terrible que celui de la tombe.

Il allait lentement, le long des rues, la tête baissée, fuyant le regard des gens qu'il croisait. Il allait donc, lui si fier, faire l'apprentissage du mépris. Il allait voir, à son approche, les figures devenir glaciales, les conversations cesser. Toutes les mains se retireraient quand il tendrait la sienne.

Si encore il eût pu compter sur un ami ! Mais quel ami le croirait, quand son père, ce dernier ami des crises suprêmes, avait refusé de le croire.

Au plus fort de ces tortures, les plus poignantes qu'on puisse imaginer, le nom de Nina Gypsy monta à ses lèvres.

Il ne l'avait jamais aimée, la pauvre fille ; par moments il l'avait haïe, mais en ce moment son souvenir avait pour lui des douceurs infinies.

C'est qu'il se sentait aimé par elle, c'est qu'il était sûr qu'elle ne douterait pas, elle, quand il aurait parlé. C'est qu'il savait que la femme reste ferme en ses croyances, fidèle au malheur quand même, elle qui ne l'est pas toujours à la prospérité.

Arrivée rue Chaptal, devant sa maison, au moment de franchir le seuil de la porte, il hésita.

Il souffrait de cette timidité de l'honnête homme soupçonné, il eût voulu ne jamais revoir une figure connue.

Cependant, il ne pouvait rester là, sur le trottoir, il entra.

À sa vue, le concierge eut une exclamation de joie.

– Enfin ! vous voici, monsieur ! s'écria-t-il, je disais bien, moi, que vous sortiriez de là, blanc comme neige. Quand j'ai lu dans les journaux qu'on vous accusait d'avoir volé, j'ai dit à tous ceux qui ont voulu l'entendre : « Mon locataire du troisième, un voleur, allons donc ? »

Les félicitations de cet homme, maladroites, peut-être, mais sincères, à coup sûr, impressionnèrent péniblement Prosper. Il voulut couper court à toute explication.

– Madame est sans doute partie, demanda-t-il, savez-vous où elle est allée ?

– Ma foi ! non, monsieur. Le jour de votre arrestation, elle a envoyé chercher un fiacre, on a chargé dessus toutes ses affaires, et depuis, ni vu, ni connu, nous n'avons plus entendu parler d'elle.

Ce fut pour le malheureux caissier un chagrin ajouté à tous ses chagrins.

– Et que sont devenus mes domestiques ?

– Partis aussi, monsieur. Votre père les a payés et renvoyés.

– Alors, vous avez ma clé ?

– Non monsieur. Quand votre père est sorti, ce matin à huit heures, il m'a dit qu'il laissait dans votre appartement un de ses grands amis que je devais considérer comme le maître jusqu'à votre retour. Vous le connaissez sans doute : c'est un gros, de votre taille à peu près, avec des favoris roux.

Prosper était aussi étonné que possible. Un ami de son père, chez lui, qu'est-ce que cela voulait dire ? Cependant, il ne laissa rien voir de son étonnement.

– Oui, je sais, répondit-il, je sais.

Et gravissant rapidement l'escalier, il sonna chez lui.

L'ami de son père vint lui ouvrir.

Il était bien tel que le concierge le lui avait dépeint, assez gros, rouge de figure, ayant la lèvre sensuelle, l'œil d'une vivacité extraordinaire, l'air bon enfant, la tournure commune. Le caissier ne l'avait jamais vu.

– Charmé de faire votre connaissance, monsieur, dit-il.

Il était chez Prosper comme chez lui ; sur la table du salon était un livre qu'il était allé prendre à la bibliothèque ; encore un peu il eût fait les honneurs de l'appartement.

– Je dois vous avouer, monsieur, commença le caissier...

– Que vous êtes surpris de me trouver ici, n'est-ce pas ? Je conçois cela. Votre père se proposait de me présenter à vous, mais il a été forcé de repartir ce matin pour Beaucaire. J'ajouterai qu'il est reparti convaincu, comme je le suis moi-même, que vous n'avez pas pris un sou à monsieur Fauvel.

À cette nouvelle d'un heureux augure, Prosper ne put retenir une exclamation de joie.

– D'ailleurs, continuait le gros homme, cette lettre de votre père, que je suis chargé de vous remettre, remplacera, je l'espère, une présentation.

Le caissier prit la lettre qu'on lui tendait, l'ouvrit, et, à mesure qu'il lisait, sa figure s'éclairait, le sang remontait à ses joues blêmies.

Sa lecture faite, il tendit la main au gros monsieur.

– Mon père, monsieur, fit-il, me dit que vous êtes son meilleur ami ; il me recommande d'avoir en vous la confiance la plus absolue et de suivre vos conseils.

– C'est cela. Ce matin, votre brave homme de père me dit : « Verduret – c'est mon nom – Verduret, mon fils est dans le pétrin, il faut l'en sortir. » J'ai répondu « Présent », et me voilà. La glace est rompue, n'est-ce pas ? Alors, arrivons à la chose. Que comptez-vous faire ?

Cette question ralluma toutes les colères du caissier, ses yeux lancèrent des éclairs.

– Ce que je compte faire ? répondit-il d'une voix frémissante ; je veux trouver le misérable qui m'a perdu, le livrer à la justice, me venger enfin !

– Naturellement. Et avez-vous quelque moyen d'arriver à ce but ?

– Aucun ; et cependant je réussirai, parce qu'un homme qui donne sa vie entière à une tâche, qui s'éveille chaque matin voulant ce qu'il a voulu la veille est sûr de réussir.

– Bien dit, monsieur Prosper, et tenez, franchement, je m'attendais à vous trouver ces dispositions. Et la preuve, c'est que j'ai réfléchi et cherché pour vous. Je tiens un plan. Pour commencer, vous allez vendre votre mobilier, quitter cette maison et disparaître.

– Disparaître ! s'écria le caissier révolté, disparaître ! Y pensez-vous, monsieur, ce serait m'avouer coupable, ce serait autoriser tout le monde à dire que je me cache pour jouir en paix des trois cent cinquante mille francs volés.

– Eh bien ! après ? dit froidement l'homme aux favoris roux ; ne venez-vous pas de m'affirmer que le sacrifice de votre vie est fait ? Le nageur habile, que des malfaiteurs jettent à l'eau, se garde bien de revenir immédiatement à la surface ; il plonge, au contraire, il nage sous l'eau tant que sa respiration le lui permet, il reparaît le plus loin possible, il prend terre hors de vue, et c'est quand on le croit perdu, noyé, qu'il surgit tout à coup et se venge. Vous avez un ennemi ? Une imprudence seule peut le livrer. Mais tant qu'il vous verra debout, il aura peur.

C'est avec une sorte de soumission ébahie que Prosper écoutait cet homme, qui, tout en étant l'ami de son père, était pour lui un inconnu.

Sans en avoir la conscience, il subissait l'ascendant d'une nature plus énergique que la sienne. Tout lui manquait, il était heureux de trouver un appui.

– Je suivrai votre conseil, répondit Prosper, après quelques instants de réflexion.

– J'en étais sûr, mon cher ami. Donc, nous faisons la lessive aujourd'hui. Et notez que le produit de la vente nous sera diablement utile. Avez-vous de l'argent ? Non. Il en faut cependant. Je savais si bien vous convaincre, que j'ai fait venir un marchand de meubles ; il prend tout ici, en bloc, pour douze mille francs, les tableaux exceptés.

Malgré lui, le caissier eut un haut-le-corps que remarqua M. Verduret.

– Oui, fit-il, c'est dur, je le sais, mais c'est nécessaire. Écoutez, ajouta-t-il d'un ton qui tranchait avec le reste de la conversation : vous êtes le malade, et je suis le médecin chargé de vous guérir. Si je taille dans le vif, criez, mais laissez-moi tailler. Là est le salut.

– Taillez, monsieur, répondit Prosper, subissant de plus en plus l'ascendant.

– Parfait. Et... passons, car le temps presse... Vous êtes l'ami de monsieur de Lagors ?

– De Raoul ? oui, monsieur, l'ami intime.

– Alors, qu'est-ce que ce particulier ?

La qualification de « particulier » sembla blesser Prosper.

– Monsieur de Lagors, monsieur, répondit-il d'un ton piqué, est le neveu de monsieur Fauvel ; c'est un tout jeune homme, riche, distingué, spirituel, et le meilleur et le plus loyal que je sache.

– Hum ! fit M. Verduret, voilà un mortel orné de bien des qualités, et je suis ravi à l'idée que je vais faire sa connaissance. Car, il faut que je vous l'avoue, je lui ai écrit en votre nom un petit billet pour le prier de venir jusqu'ici, et il a fait répondre qu'il viendrait.

– Quoi ! s'écria Prosper étourdi, vous pouvez supposer...

– Oh ! je ne suppose rien. Seulement, il faut que je voie ce jeune homme. Même, j'ai dans la tête, et je vais vous soumettre un petit plan de conversation...

Un coup de sonnette coupa la parole à M. Verduret.

– Sacrebleu ! dit-il, le voici ; adieu mon plan ! Où me cacher pour entendre et pour voir ?

– Là, dans ma chambre, en laissant la porte ouverte et la portière baissée.

Un second coup de sonnette retentit.

– J'y vais ! j'y vais ! cria le caissier.

– Sur votre vie, Prosper, dit M. Verduret d'un ton à faire pénétrer la conviction dans l'esprit le plus rebelle, sur votre vie, pas un mot à cet homme de vos projets ni de moi. Soyez, pour lui, découragé, faible, hésitant...

Et il disparut pendant que Prosper courait ouvrir à Raoul.

Le portrait de M. de Lagors n'avait pas été flatté par son ami. Jamais plus heureuse physionomie ne fut au service d'un noble caractère.

À vingt-quatre ans, qu'il se donnait, Raoul en paraissait vingt à peine. De taille moyenne, il était admirablement pris. D'abondants cheveux châtain clair bouclaient naturellement autour de son front intelligent. La franchise et la fierté éclataient dans ses grands yeux bleus.

Son premier mouvement fut de se jeter au cou du caissier.

– Pauvre cher ami, disait-il en lui serrant les mains, pauvre cher Prosper !...

Cependant, sous ces démonstrations affectueuses, perçait une certaine contrainte qui, si elle échappait au caissier, devait être remarquée par M. Verduret.

Une fois assis dans le salon :

– Ta lettre, mon ami, poursuivit Raoul, m'a fait un mal affreux. J'ai été épouvanté. Je me suis dit : devient-il fou ? Alors, j'ai tout quitté ; j'accours.

Prosper semblait à peine entendre, préoccupé de cette lettre qu'il n'avait pas écrite. Que lui avait-on fait dire ? Qu'était-ce donc que cet homme dont il avait accepté le concours ?

– Manquerais-tu de courage ? continuait M. de Lagors. Pourquoi désespérer ? À notre âge, il est temps encore de recommencer sa vie. Tu as des amis quand même. Si je suis venu, c'est que je voulais te dire : compte sur moi. Je suis riche, la moitié de ma fortune est à ta disposition.

Cette offre généreuse, faite en ce moment avec la plus noble simplicité, toucha profondément Prosper.

– Merci, Raoul, répondit-il d'une voix émue, merci ! Malheureusement tout l'argent de la terre ne me servirait à rien en ce moment.

– Comment cela ? Quels sont donc tes projets ? Te proposerais-tu de rester à Paris ?

– Je ne sais, mon ami, je n'ai pas de projets ; j'ai la tête perdue.

– Je te l'ai dit, reprit vivement Raoul, il faut recommencer ta vie. Excuse ma franchise, c'est celle de l'amitié ; tant que ce vol mystérieux ne sera pas expliqué, rester à Paris est impossible.

– Et si on ne l'explique jamais ?

– Raison de plus pour te faire oublier. Tiens, je causais de toi, il y a une heure, avec Clameran ; tu es injuste envers lui, car il t'aime. À la place de Prosper, me disait-il, je ferais argent de tout, je partirais pour l'Amérique, je ferais fortune et je reviendrais écraser de mes millions ceux qui m'ont soupçonné.

Ce conseil révoltait la fierté de Prosper. Il n'éleva cependant aucune objection. Les paroles de cet inconnu qui écoutait en ce moment même lui revenaient à la mémoire.

– Eh bien ! insista Raoul.

– Je réfléchirai, murmura le caissier, je verrai... je voudrais savoir ce que dit monsieur Fauvel.

– Mon oncle !... Tu sais que depuis que j'ai décliné la proposition qu'il me faisait d'entrer dans ses bureaux nous sommes presque brouillés. Voici un mois au moins que je n'ai mis les pieds chez lui ; mais j'ai eu de ses nouvelles...

– Par qui ?

– Par ton protégé, le jeune Cavaillon. Mon oncle, depuis l'affaire, est, à ce qu'il paraît, plus consterné que toi. C'est à peine si on le voit dans les bureaux, on dirait qu'il relève de quelque terrible maladie.

– Et madame Fauvel, et... – le caissier hésita – et mademoiselle Madeleine.

– Oh ! fit Raoul d'un ton léger, ma tante est toujours dévote ; elle fait dire des messes à l'intention du coupable. Quant à ma belle et glaciale cousine, elle ne saurait s'occuper de détails vulgaires, tout absorbée qu'elle est par les préparatifs du bal travesti que donnent après-demain messieurs Jandidier. Elle a déniché, m'a dit une de ses amies, une couturière de génie, inconnue, qui lui fait un costume de fille d'honneur de Catherine de Médicis, qui est une merveille.

Il est certain que l'excès même de la souffrance, engourdissant la pensée, amène une sorte d'insensibilité. Prosper avait terriblement souffert, cependant ce dernier coup l'atterra.

– Madeleine !... murmura-t-il, Madeleine !...

M. de Lagors ne crut pas devoir remarquer l'exclamation ; il s'était levé.

– Il faut que je te quitte, mon cher Prosper, dit-il ; samedi, je verrai ces dames au bal, et je te donnerai des nouvelles. D'ici là, du courage, et souviens-toi que, quoi qu'il arrive, tu peux compter sur moi.

Une dernière fois, Raoul serra les mains de Prosper avant de se retirer. Il devait être déjà dans la rue que le malheureux caissier restait encore debout à la même place, immobile, anéanti.

Il fallut, pour le tirer de ses sombres méditations, la voix railleuse de l'homme aux favoris roux, qui était venu se placer devant lui.

– Voilà les amis ! disait M. Verduret.

– Oui !... répondit Prosper avec amertume. Et cependant, vous l'avez entendu, il m'a offert la moitié de sa fortune.

M. Verduret haussa les épaules d'un air de compassion.

– C'est mesquin de sa part, dit-il. Que n'offrait-il, pendant qu'il y était, sa fortune entière ? Ces offres-là n'engagent pas. Cependant je suis persuadé que ce joli garçon donnerait bien dix beaux billets de mille francs pour savoir l'Océan entre vous et lui.

– Lui ! monsieur... et pourquoi ?

– Qui sait ? peut-être pour cette même raison qui l'a engagé à vous bien faire remarquer que depuis un mois il n'a pas mis le pied chez son oncle.

– Mais c'est la vérité, monsieur, j'en suis sûr.

– Naturellement ! répondit M. Verduret, d'un air goguenard. Mais, tenez, reprit-il sérieusement, en voici assez sur ce joli garçon ; j'ai sa mesure, c'est tout ce que je voulais. Maintenant, vous allez, s'il vous plaît, changer de costume et nous irons ensemble rendre visite à monsieur Fauvel.

Cette proposition sembla révolter Prosper.

– Jamais ! s'écria-t-il, avec une violence extraordinaire. Non, jamais ! je ne saurais prendre sur moi de subir la vue de ce misérable.

Cette résistance ne surprit pas M. Verduret.

– Je vous comprends, dit-il, et je vous excuse, mais j'espère que vous reviendrez sur ce premier mouvement. De même que j'ai voulu voir monsieur de Lagors, je veux voir monsieur Fauvel ; il le faut, entendez-vous ? Êtes-vous faible à ce point de ne pouvoir vous contraindre cinq minutes ? Je me présenterai comme un de vos parents, vous n'aurez pas un mot à dire.

– S'il le faut absolument, fit Prosper, si vous le voulez...

– Oui, je le veux. Allons, morbleu ! un peu d'assurance, donc, et de la confiance. Vite, allez faire un brin de toilette, il se fait tard, j'ai faim, nous déjeunerons en route, tout en causant.

Le caissier venait à peine de passer dans sa chambre à coucher, quand un nouveau coup de sonnette retentit.

M. Verduret alla ouvrir. C'était le portier ; il tenait à la main un pli assez volumineux.

– Voilà, dit-il, une lettre qu'on a apportée ce matin pour monsieur Bertomy, j'ai été, quand je l'ai revu, tellement saisi, que je n'ai pas songé à la lui remettre. C'est tout de même une drôle de lettre, n'est-ce pas, monsieur ?

Lettre singulière en effet ! L'adresse n'était pas écrite à la main ; les mots qui la composaient étaient formés avec des lettres imprimées, découpées soigneusement sur un livre ou sur un journal, et collées sur l'enveloppe.

– Oh ! fit M. Verduret, qu'est ceci ?

Et s'adressant au concierge :

– Asseyez-vous un instant ici, mon brave, dit-il, je reviens.

Il laissa le concierge dans la salle à manger et passa dans le salon, dont il eut soin de refermer la porte. Prosper s'y trouvait ; il avait entendu la sonnette d'abord, puis un bruit de voix, et il venait savoir ce qu'il se passait.

– Voici ce qu'on a apporté pour vous, fit M. Verduret.

Et sans façon il brisa l'enveloppe.

Des billets de banque s'en échappèrent ; il les compta, il y en avait dix.

Prosper était devenu pourpre.

– Qu'est-ce que cela signifie ? dit-il.

– Nous allons le savoir, répondit M. Verduret, voici un mot joint à l'envoi.

Ce billet, comme l'adresse, était composé de lettres et de mots imprimés, découpés et collés. Il était court, mais explicite :

Mon cher Prosper, un ami qui connaît l'horreur de votre situation vous fait passer ce secours. Il est un cœur, sachez-le, qui a partagé toutes vos angoisses. Partez, quittez la France, vous êtes jeune, l'avenir vous appartient. Partez, et puisse cet argent vous porter bonheur.

À mesure que lisait, à haute voix, l'homme aux favoris roux, la colère de Prosper grandissait. Colère folle, car il ne savait comment s'expliquer les événements qui se succédaient, et il sentait sa raison s'égarer.

– Tout le monde veut donc que je parte ! s'écria-t-il c'est donc une conjuration !

M. Verduret dissimula un sourire de satisfaction.

– Enfin ! fit-il, vous ouvrez les yeux, vous commencez à comprendre. Oui, mon enfant, il est des gens qui vous haïssent pour tout le mal qu'ils vous ont fait ; oui, il est des gens pour qui votre présence à Paris serait une perpétuelle menace, et qui veulent vous éloigner à tout prix.

– Mais quels sont ces gens, monsieur ? dites-le-moi ; dites-moi qui se permet de m'envoyer cet argent.

L'ami de M. Bertomy le père hocha tristement la tête.

– Si je le savais, mon cher Prosper, répondit-il, ma tâche serait remplie, car je saurais alors qui a commis le vol dont vous avez été accusé. Mais nous allons chercher. Je tiens enfin un de ces indices qui deviennent tôt ou tard une charge accablante. Je n'avais que des déductions plus ou moins probables ; j'ai maintenant un fait qui me prouve que je ne me trompais pas. Je marchais dans les ténèbres ; à présent, j'ai une lueur pour me guider.

M. Verduret, cet homme aux apparences triviales, à l'entrain facile du commis voyageur, trouvait, quand bon lui semblait, de ces accents impérieux qui imposent aux âmes faibles et dominent les esprits malades.

Prosper, en l'écoutant, reprenait quelque assurance et sentait, en lui, renaître l'espoir.

– Il s'agit, poursuivait M. Verduret, de tirer parti de cet indice que nous livre l'imprudence de vos ennemis. Commençons par interroger le portier.

Il ouvrit la porte et appela :

– Hé ! mon brave ! avancez un peu s'il vous plaît.

Le concierge, homme fort poli, s'approcha en tortillant sa casquette, fort intrigué de l'autorité que s'arrogeait cet inconnu chez son locataire.

– Qui vous a remis le pli que vous venez de monter ? demanda M. Verduret.

– Un commissionnaire qui m'a dit que la course était payée.

– Le connaissez-vous ?

– Je ne connais que lui : c'est le commissionnaire qui a ses crochets chez le marchand de vin du coin de la rue Pigalle.

– Allez me le chercher.

Pendant que le concierge sortait en courant, M. Verduret avait tiré son calepin de sa poche, et consultait alternativement et les billets de banque épars sur la table, et une page toute couverte de chiffres.

Son examen terminé :

– Ces billets, dit-il d'un ton décidé, ne sont pas envoyés par l'auteur de la soustraction.

– Vous croyez, monsieur ?

– J'en suis persuadé ; à moins, toutefois, que ce voleur ne soit doué d'une pénétration et d'une prévoyance extraordinaires ; ce qui est certain, positif, c'est qu'aucun de ces billets de mille francs ne faisait partie des trois cent cinquante qui ont été volés dans votre caisse.

– Cependant, hasarda Prosper, qui ne s'expliquait pas la certitude de son protecteur, cependant...

– Il n'y a pas de cependant ; j'ai là le numéro d'ordre de tous les billets...

– Quoi ! lorsque moi-même je ne l'avais pas !

– La Banque l'avait, mon jeune ami, et c'est fort heureux. Quand on s'occupe d'une affaire, on doit tout prévoir et ne rien oublier. Ce n'est pas une excuse pour un homme d'esprit, que de dire, quand il est tombé dans quelque bévue : tiens, je n'y avais pas pensé ! J'ai songé à la Banque.

Si Prosper avait eu d'abord quelques répugnances à s'abandonner entièrement à l'ami de son père, ces répugnances, une à une, s'évanouissaient.

Il comprenait que, seul, à peine maître de soi, livré aux inspirations de son inexpérience, jamais il n'aurait eu la patiente perspicacité de ce personnage singulier.

Lui, cependant, poursuivait, se parlant à lui-même, paraissant avoir absolument oublié la présence de Prosper :

– Donc, l'envoi ne venant pas du voleur, ne peut venir, c'est évident, que de l'autre personne, qui était près de la caisse au moment du crime, qui n'a pu l'empêcher, et qui maintenant a des remords. La probabilité de deux personnes lors du vol, probabilité affirmée par l'éraillure, se change maintenant en certitude indiscutable. *Ergo,* j'avais raison.

Le caissier écoutait de toutes ses forces, faisant des efforts d'imagination pour comprendre quelque chose à ce monologue qu'il n'osait troubler.

– Cherchons, continuait le gros homme, cherchons quelle peut être cette seconde personne, que sa conscience taquine, et qui cependant n'a rien osé révéler.

Il prit la lettre, et fort lentement, à trois ou quatre reprises, la lut, en scandant les phrases, en pesant tous les mots.

– Évidemment, murmurait-il, bien évidemment, cette lettre a été composée par une femme. Jamais un homme, voulant rendre service à un autre homme, et lui envoyant de l'argent, n'aurait mis ce mot « secours », blessant s'il en est. Un homme aurait mis « prêt, subside, fonds », ou n'importe quel équivalent, mais « secours », jamais. Seule, une femme, ignorante des sottes susceptibilités masculines, a pu trouver toute naturelle l'idée que représente ce mot. Quant à cette phrase : « Il est un cœur, etc. » ; elle ne peut avoir été pensée que par une femme.

Prosper, cette fois, avait pu suivre le travail d'inductions de son protecteur.

– Vous vous trompez, je crois, monsieur, dit-il, aucune femme ne peut être mêlée à cette affaire.

M. Verduret ne releva pas l'interruption. Peut-être ne l'avait-il pas entendue, peut-être ne lui convenait-il pas de discuter ses opinions.

– Tâchons, à présent, poursuivait-il, de découvrir où ont été découpés les mots qui composent ces trois phrases.

Il s'approcha de la fenêtre et se mit à étudier les caractères collés dessus avec l'attention scrupuleuse d'un savant en *us* qui cherche à déchiffrer un vieux manuscrit à demi effacé.

– Petit caractère, disait-il, très délicat, très net, impression très soignée, papier assez mince et fortement satiné ! Ces mots n'ont été découpés, par conséquent, ni dans un journal, ni même dans un volume de roman, ni même dans un livre de vente courante. Cependant, je les ai vus, ces caractères-là, je les connais, Didot en emploie souvent de pareils, ainsi que Marne, de Tours.

Il s'arrêta, la bouche demi béante, la prunelle dilatée, faisant à sa mémoire un de ces énergiques appels qui concentrent la pensée sur un point unique.

Tout à coup, il se frappa le front.

– J'y suis, disait-il, j'y suis ! Comment, diable ! n'ai-je pas aperçu cela du premier coup d'œil ? Tous ces mots ont été découpés dans un paroissien. Au surplus, nous allons bien voir, il est un moyen de vérification.

Alors, délicatement, du bout de sa langue, il mouilla quelques-uns des mots collés sur le papier, et lorsqu'il vit la colle assez humide, s'aidant d'une épingle il réussit à les détacher. À l'envers d'un de ces mots, un mot latin était imprimé : *Deus*.

– Eh ! eh ! fit-il avec un petit rire de satisfaction, j'avais deviné. Papa Tabaret, s'il était ici, serait content.

Mais qu'est devenu le paroissien mutilé ? L'a-t-on brûlé ? Non, parce qu'un livre relié ne brûle pas comme cela. On l'aura jeté dans quelque coin.

M. Verduret s'interrompit ; le concierge rentrait, ramenant le commissionnaire du coin de la rue Pigalle.

– Ah ! tu arrives à propos, mon garçon, dit le gros homme de son air le plus ouvert.

Et présentant au commissionnaire l'enveloppe de la lettre :

– Te souviens-tu, lui demanda-t-il, d'avoir apporté ce pli ici ce matin ?

– Parfaitement, monsieur, d'autant mieux que j'avais remarqué l'adresse : on n'en voit pas beaucoup de pareilles, n'est-il pas vrai ?

– Je suis de ton avis. Et qui t'a chargé de l'apporter ? Est-ce un homme, est-ce une femme ?

– Non, monsieur, c'est un commissionnaire.

Cette réponse, qui égaya singulièrement le concierge, ne fit même pas sourire M. Verduret.

– Un commissionnaire, poursuivit-il, connais-tu ce collègue ?

– Je ne l'avais jamais tant vu.

– Comment est-il ?

– Ma foi ! monsieur, ni grand ni petit ; il était vêtu d'une veste de velours verdâtre, il avait sa médaille.

– Diable ! mon garçon, le signalement est vague et peut s'appliquer à beaucoup de commissionnaires ; seulement ce collègue t'a peut-être dit qui l'avait chargé de cette commission.

– Non, monsieur. Il m'a seulement dit, en me mettant dix sous dans la main : « Tiens, porte cela rue Chaptal, au 39, c'est un cocher qui me l'a remis sur le boulevard... » Dix sous ! je suis sûr qu'il a gagné sur moi.

Cette réponse sembla un peu déconcerter M. Verduret. Tant de précautions prises pour faire parvenir cette lettre à Prosper l'inquiétaient et dérangeaient ses plans.

– Enfin, reprit-il, reconnaîtrais-tu le commissionnaire de ce matin ?

– Pour cela, oui, monsieur, si je le voyais.

– Alors, attention. Combien ton état te rapporte-t-il par jour ?

– Dame ! monsieur, je ne sais pas au juste, mais j'ai un bon coin, allez ; enfin, mettons entre huit et dix francs par jour.

– Eh bien ! mon garçon, je vais te donner, moi, dix francs par jour, rien que pour te promener, c'est-à-dire pour chercher le commissionnaire de ce matin. Tous les soirs, vers huit heures, tu viendras à l'hôtel du *Grand-Archange,* sur le quai Saint-Michel, me rendre compte de tes promenades et te faire payer. Tu demanderas monsieur Verduret. Si tu trouves notre homme, je te donnerai cinquante francs. Le marché te convient-il ?

- Peste ! je le crois bien, bourgeois.

- Alors, ne perds pas une minute, en route !

Bien qu'ignorant le plan de M. Verduret, Prosper commençait à s'expliquer le sens de ses investigations. Sa vie dépendait pour ainsi dire du succès, et cependant, il l'oubliait presque pour admirer la vivacité de ce singulier aide que lui avait légué son père, son sang-froid goguenard, la sûreté de ses inductions, la fertilité de ses expédients, la rapidité de ses manœuvres.

- Ainsi, monsieur, demanda-t-il, quand le commissionnaire se fut retiré, vous croyez toujours découvrir dans tout ce qui m'arrive la main d'une femme ?

- Plus que jamais, et d'une femme dévote, qui plus est, d'une femme, dans tous les cas, qui possédait au moins deux paroissiens, puisque pour vous écrire elle en a mutilé un.

- Et vous avez quelque espoir de le retrouver ?

- Dites un grand espoir, mon cher Prosper, grâce à des moyens que j'ai de recherches immédiates, moyens que je vais utiliser sur-le-champ.

Il s'assit sur ces derniers mots, et rapidement griffonna au crayon deux ou trois lignes sur une petite bande de papier qu'il roula et glissa dans son gilet.

- Vous êtes prêt, demanda-t-il, pour notre visite à monsieur Fauvel ? Oui ? Alors partons, nous aurons bien gagné notre déjeuner.

VIII

Lorsqu'il avait parlé de l'abattement extraordinaire de M. André Fauvel, Raoul de Lagors n'avait rien exagéré.

Depuis le jour funeste, où, sur sa dénonciation, son caissier avait été arrêté, le banquier, cet homme actif jusqu'à la turbulence, en proie à la plus noire mélancolie, avait absolument cessé de s'occuper de ses affaires.

Lui, l'homme de la famille par excellence, il ne paraissait plus au milieu de sa famille qu'à l'heure des repas ; il mangeait à la hâte quelques bouchées et aussitôt disparaissait.

Enfermé dans son cabinet, il faisait défendre sa porte. Ses traits contractés, son insouciance de toutes choses, ses continuelles distractions trahissaient les préoccupations d'une idée fixe ou l'empire tyrannique de quelque secrète douleur.

Le jour de la mise en liberté de Prosper, sur les trois heures, M. Fauvel était comme de coutume assis à son bureau, les coudes sur la tablette, le front dans les mains, l'œil perdu dans le vide, lorsque son garçon de bureau entra précipitamment, l'air effaré.

– Monsieur, disait cet homme, c'est l'ancien caissier, monsieur Bertomy, qui est là avec un de ses parents ; il veut vous voir absolument, vous parler.

Le banquier, sur ces mots, se dressa d'un bond, plus bouleversé que s'il eût vu la foudre tomber à trois pas de lui.

– Prosper ! s'écria-t-il, d'une voix étranglée par la colère, comment, il ose...

Mais il comprit que devant son garçon de bureau il ne pouvait se laisser aller aux emportements de son caractère : il réussit à se dominer, et c'est d'une voix relativement calme qu'il ajouta :

– Faites entrer ces messieurs.

Si M. Verduret, ce gros homme à l'air jovial, avait compté sur un curieux et émouvant spectacle, son attente ne fut pas trompée.

Rien de terrible comme l'attitude de ces deux hommes mis en présence : le banquier rouge, le visage tuméfié comme s'il allait être frappé d'une attaque d'apoplexie ; Prosper plus livide que le blessé qui vient de perdre sa dernière goutte de sang.

Immobiles, frémissants, séparés par trois pas, à peine, ils échangeaient des regards chargés d'une haine mortelle, prêts à se précipiter l'un sur l'autre.

Pendant une bonne minute, au moins, M. Verduret examina curieusement ces deux ennemis, avec le détachement et le sang-froid d'un philosophe qui, dans les transports les plus violents de la passion humaine, ne voit plus qu'un sujet d'études et de méditations.

À la fin, le silence devenant de plus en plus menaçant, il se décida à prendre la parole, s'adressant au banquier :

– Vous savez sans doute, monsieur, dit-il, que mon jeune parent vient d'être relâché ?

– Oui, répondit M. Fauvel qui faisait, pour ne pas éclater, les plus louables efforts ; oui, faute de preuves suffisantes.

– Précisément, monsieur ; or ce considérant : « faute de preuves », relaté dans l'arrêt de non-lieu, perd si bien l'avenir de mon parent, qu'il est décidé à partir pour l'Amérique.

À cette déclaration, la physionomie de M. Fauvel changea brusquement. Ses traits se détendirent comme s'il eût été soulagé de quelque affreuse angoisse.

– Ah ! il part, répéta-t-il à plusieurs reprises, il part !...

Il n'y avait pas à se méprendre à l'intonation. Le mot : « il part », ainsi prononcé, était une mortelle injure.

M. Verduret voulut ne rien remarquer.

– Il me paraît, reprit-il d'un ton léger, que la détermination de mon parent est raisonnable. J'ai voulu seulement, qu'avant de quitter Paris, il vînt présenter ses respects à son ancien patron.

Un sourire amer plissa les lèvres du banquier.

– Monsieur Bertomy, répliqua-t-il, pouvait s'épargner cette démarche pénible pour nous deux. Je n'avais rien à entendre, je n'ai rien à lui dire.

C'était un congé formel, et M. Verduret le comprenant ainsi, salua M. Fauvel et sortit en entraînant Prosper, qui n'avait pas prononcé une syllabe.

Dans la rue, seulement, le caissier recouvra la parole :

– Vous l'avez voulu, monsieur, fit-il d'une voix sourde, vous l'avez exigé, je vous ai suivi. Êtes-vous content ? En suis-je plus avancé, d'avoir à ajouter cette humiliation sanglante à toutes les autres !

– Vous, non, répondit M. Verduret, moi, oui. Je ne pouvais arriver au banquier sans vous, et à cette heure je sais ce que j'avais intérêt à savoir : j'ai la certitude que monsieur André Fauvel n'est pour rien dans le vol.

– Oh ! monsieur, objecta Prosper, on peut feindre.

– Sans doute, mais pas à ce point. Et ce n'est pas tout : j'avais besoin, pour mon projet ultérieur, de savoir si votre patron serait accessible à certains soupçons. Maintenant, je puis hardiment répondre : oui.

Prosper et son compagnon s'étaient arrêtés pour causer plus à l'aise, au coin de la rue Laffite, au milieu d'un vaste terrain devenu libre depuis de récentes démolitions.

M. Verduret paraissait inquiet, et tout en parlant, il détournait à tout moment la tête comme s'il eût attendu quelqu'un.

Bientôt, il laissa échapper une exclamation de satisfaction.

À l'extrémité de cette place improvisée, venait d'apparaître Cavaillon, il était tête nue, il courait.

Il était, tout à la fois, si pressé et si alarmé qu'il ne songea ni à féliciter son grand ami Prosper, ni même à lui serrer la main. Il s'adressa immédiatement à M. Verduret.

– Elles sont parties, dit-il.

– Depuis longtemps ?

– Non, depuis un quart d'heure à peu près.

– Diable ! fit M. Verduret, nous n'avons pas une minute à perdre, cela étant.

Et remettant à Cavaillon le billet qu'il avait écrit quelques heures plus tôt chez Prosper :

– Tenez, dit-il, faites-lui passer ceci et rentrez vite, qu'on ne s'aperçoive pas de votre absence ; sortir sans chapeau est une imprudence qui peut donner l'éveil.

Le petit Cavaillon ne se le fit pas répéter deux fois, et il partit en courant, comme il était venu. Prosper était stupéfait.

– Quoi ! fit-il, vous connaissez Cavaillon ?

– Il paraît, répondit M. Verduret avec un sourire. Mais ce n'est pas le moment de causer, arrivez, hâtons-nous !

– Où allons-nous encore ?

– Vous le saurez ; allons, des jambes, des jambes !...

Lui-même donnait l'exemple, et c'est presque au pas de gymnastique qu'il remontait la rue Lafayette. Tout en marchant, tout en courant, plutôt, il parlait, s'inquiétant assez peu d'être ou non entendu de Prosper.

– Ah ! voilà ! disait-il, ce n'est pas en restant les deux pieds dans le même soulier qu'on gagne des prix à la course. Une piste trouvée, on ne doit plus prendre une minute de repos. Le sauvage qui dans ses forêts vierges a relevé le pied d'un ennemi le suit sans désemparer, sachant que le vent qui souffle ou la pluie qui tombe suffisent pour effacer l'empreinte. De même pour nous, le moindre événement peut faire disparaître les traces que nous suivons.

Arrivé devant le numéro 81, M. Verduret s'interrompit et s'arrêta du même coup.

– C'est ici, dit-il à Prosper ; entrons.

Ils montèrent et s'arrêtèrent au second étage, devant une porte ornée d'un écusson de cuivre sur lequel on lisait : *Modes et confections*.

Le long de l'huisserie pendait un cordon de sonnette superbe, mais M. Verduret n'y toucha pas. Du bout du doigt il frappa très légèrement d'une certaine façon, et aussitôt, comme s'il y eût eu quelqu'un à guetter ce signal, la porte s'ouvrit.

C'était une femme qui ouvrait. Elle pouvait avoir une quarantaine d'années, sa mise était simple, mais très convenable. Sans bruit, elle fit passer Prosper et son compagnon dans une petite salle à manger fort propre, sur laquelle ouvraient plusieurs portes.

Devant M. Verduret, cette femme s'était inclinée très bas, comme une protégée devant son protecteur.

Il répondit à peine au salut. Des yeux il interrogeait la femme.

Son regard disait : « Eh bien ? »

La femme inclina affirmativement la tête.

- Oui.

- Là, n'est-ce pas ? fit M. Verduret à voix basse, en montrant une des portes.

- Non, répondit la femme sur le même ton, de l'autre côté, dans le petit salon.

M. Verduret, aussitôt, ouvrit la porte qui lui était indiquée, et doucement il poussa Prosper dans le petit salon, en murmurant à son oreille :

- Entrez... et du sang-froid.

Mais à quoi bon des recommandations. Au premier regard jeté dans cette pièce où on le poussait malgré lui, sans l'avoir averti de rien, Prosper jeta un grand cri :

- Madeleine !...

C'était bien la nièce de M. Fauvel, en effet, belle, plus que jamais, de cette beauté calme et sereine qui impose l'admiration et commande le respect.

Debout, au milieu du salon, près d'une table couverte d'étoffes, elle disposait les plis d'une jupe de velours rouge lamé d'or, sans doute la jupe de son costume de fille d'honneur de Catherine de Médicis.

À la vue de Prosper, tout son sang afflua à son visage, ses beaux yeux se fermèrent à demi, comme si elle eût été près de s'évanouir, et les forces lui manquèrent à ce point qu'elle fut obligée de s'appuyer à la table pour ne pas tomber.

Madeleine n'était pas, et Prosper ne pouvait l'ignorer, de ces femmes fortes dont le cœur glacé laisse l'esprit toujours libre, qui ont des sensations, jamais un sentiment vrai, héroïnes de romans qui trouvent un expédient pour toutes les circonstances.

Âme tendre et rêveuse, elle devait aux particularités de sa vie une sensibilité exquise, presque maladive. Mais elle était fière, mais elle était incapable d'une transaction de conscience. Quand le devoir avait parlé, elle obéissait.

Sa défaillance ne dura qu'un moment, et bientôt ses yeux si

tendres n'exprimèrent plus que la hauteur et le ressentiment. C'est d'une voix offensée qu'elle dit :

- Qui vous a fait si hardi, monsieur, d'oser épier mes démarches ? Comment vous êtes-vous permis de me suivre, de pénétrer dans cette maison ?

Certes, Prosper n'était pas coupable. Il eût voulu d'un mot expliquer tout ce qui s'était passé. L'impuissance où il était d'exprimer sa pensée lui fit garder le silence.

- Vous m'aviez juré, poursuivit Madeleine, sur l'honneur, de ne jamais chercher à me revoir. Est-ce ainsi que vous tenez votre parole ?

- Je l'avais juré, mademoiselle, mais...

Il s'arrêta.

- Oh ! parlez !

- Tant d'événements sont survenus depuis ce jour que j'ai pu croire oublié, ne fût-ce que pour une heure, ce serment arraché à ma faiblesse. C'est au hasard, c'est, du moins, à une volonté qui n'est pas la mienne, que je dois le bonheur de me trouver une fois encore près de vous. Hélas ! en vous voyant, mon cœur a tressailli de joie intérieure. Je ne pensais pas, non, je ne pouvais penser qu'impitoyable, autant et plus que le monde, vous me repousseriez, lorsque je suis si malheureux.

Jeté moins violemment hors du prévu, Prosper eût pu suivre dans les yeux de Madeleine, ces beaux yeux si longtemps arbitres de sa destinée, la trace des combats qui se livraient en elle.

C'est pourtant d'une voix assez ferme qu'elle reprit :

- Vous me connaissez assez, Prosper, pour savoir que nul coup ne peut vous frapper sans m'atteindre moi-même. Vous souffrez... je vous plains comme une sœur plaint un frère tendrement aimé.

- Une sœur ! fit amèrement Prosper, oui, c'est bien là le mot prononcé le jour où vous m'avez banni de votre présence. Une sœur ! Alors pourquoi durant trois années m'avoir bercé des plus décevantes illusions ? Étais-je donc un frère pour vous ce jour où nous allions ensemble en pèlerinage à Notre-Dame-de-Fourvières, ce jour où, après nous être juré au pied de l'autel de nous aimer éternellement, vous me passiez au cou une relique bénie, en me disant : « Pour l'amour de moi, gardez-la toujours, elle vous portera bonheur. »

Madeleine essaya de l'interrompre d'un geste doux et suppliant ; il ne la vit pas.

– Il y a un an de cela, poursuivait-il, et moins d'un mois après vous me rendiez ma parole et vous m'arrachiez la promesse de ne vous revoir jamais. Si je savais encore par quelle action, par quelle pensée j'ai pu vous déplaire ? Mais vous n'avez rien daigné m'expliquer. Vous me chassiez, et pour vous obéir j'ai laissé croire que c'était moi qui volontairement m'éloignais. Vous m'avez dit qu'un invincible obstacle s'élevait entre nous, et je vous ai crue. Fou que j'étais ! L'obstacle, c'est votre cœur, Madeleine. Pourtant, j'ai toujours conservé pieusement la médaille bénie... Elle ne m'a pas porté bonheur.

Plus immobile et plus blanche qu'une statue, Madeleine courbait le front sous cet orage d'une passion immense. De grosses larmes roulaient silencieuses le long de ses joues.

– Je vous avais dit d'oublier, murmura-t-elle.

– Oublier ! reprit Prosper, révolté comme s'il eût entendu un blasphème, oublier ! Eh ! le puis-je ? Est-ce qu'il est en mon pouvoir d'arrêter, par le seul effort de ma volonté, la circulation de mon sang ? Ah ! vous n'avez jamais aimé. Pour oublier, comme pour arrêter les battements de mon cœur, il n'est qu'un moyen... mourir.

Ce mot, ainsi prononcé, avec l'accent d'une résolution farouche, bouleversa Madeleine.

– Malheureux ! s'écria-t-elle.

– Oui, malheureux ! Plus malheureux mille fois que vous ne sauriez l'imaginer ! Vous ne comprendrez jamais mes tortures, depuis un an que chaque matin il me faut pour ainsi dire apprendre mon malheur, et me dire : c'en est fait, elle ne m'aime plus ! Que parlez-vous d'oubli ! Je l'ai cherché au fond des coupes empoisonnées, je ne l'ai pas trouvé. J'ai essayé d'éteindre ce souvenir du passé qui brûlait en moi d'une flamme dévorante ; en vain. Quand le corps succombait, la pensée implacable veillait encore. Vous voyez bien que j'ai dû songer au repos, c'est-à-dire au suicide.

– Je vous défends de prononcer ce mot.

– On n'a rien à défendre à celui qu'on n'aime plus, Madeleine, ne le savez-vous pas ?

D'un geste impérieux, Madeleine l'interrompit, comme si elle eût voulu parler, et, qui sait ? tout expliquer, se disculper.

Mais une réflexion soudaine l'arrêta ; elle eut un mouvement désespéré et s'écria :

– Mon Dieu ! c'est trop souffrir !

Prosper parut se méprendre au sens de cette exclamation.

– Votre pitié vient trop tard, reprit-il avec une déchirante résignation. Il n'est plus de bonheur possible pour celui qui, comme moi, a entrevu des félicités divines. Rien ne saurait m'attacher à la vie. Vous avez tué en moi les plus saintes croyances ; je sors de prison déshonoré par mes ennemis ; que devenir ? Vainement j'interroge l'avenir ; il n'y a plus, pour moi, ni espérances, ni promesses, ni sourires. Je regarde autour de moi, et je ne vois qu'abandon, ignominie et désespoir.

– Prosper, mon ami, mon frère, si vous saviez...

– Je ne sais qu'une chose, Madeleine, c'est que vous m'avez aimé, c'est que vous ne m'aimez plus, c'est que moi je vous aime !

Il se tut. Il espérait une réponse. Elle ne vint pas.

Mais tout à coup le silence fut troublé par un sanglot étouffé.

C'était la femme de chambre de Madeleine qui, assise près de la cheminée du petit salon, pleurait.

Madeleine l'avait oubliée ; Prosper en entrant, ébloui, stupéfié, ne l'avait pas aperçue.

Il la regarda.

Cette jeune fille, vêtue comme les femmes de chambre des maisons aisées, c'était, il n'y avait pas à s'y tromper, c'était Nina Gypsy.

Si violente fut la commotion que ressentit Prosper, qu'il n'eut ni une exclamation, ni même une parole.

L'horreur de la situation l'épouvanta. Il était là, entre les deux femmes qui avaient décidé de sa vie, entre Madeleine, la fière héritière qu'il adorait et qui le repoussait, et Nina Gypsy, la pauvre fille qui l'aimait et qu'il dédaignait.

Et elle avait tout entendu, cette malheureuse Gypsy, elle avait vu la passion de son amant pour une autre déborder en affreux regrets et en menaces insensées.

Par ce qu'il souffrait, Prosper comprit ce qu'elle avait dû souffrir. Car elle était atteinte, non seulement dans le présent, mais encore dans le passé. Quelles ne devaient pas être son humiliation et sa colère, en apprenant le rôle misérable que l'amour de Prosper lui avait imposé.

Et il s'étonnait que Gypsy – la violence même – restât là à pleurer et ne se levât pas pour protester, pour le maudire.

Madeleine, cependant, depuis que Prosper gardait le silence, avait réussi, à force d'énergie, à reprendre les apparences du calme.

Lentement, avec des mouvements dont elle paraissait à peine avoir conscience, elle avait repris son manteau déposé sur le canapé.

Lorsqu'elle fut prête à se retirer, elle s'approcha de Prosper.

– Pourquoi êtes-vous venu ? dit-elle. Vous et moi nous avons besoin de tout notre courage. Vous êtes malheureux, Prosper, je suis plus malheureuse que vous. Vous avez le droit de vous plaindre ; je n'ai pas, moi, le droit de laisser voir une larme, et quand mon cœur est déchiré, je dois encore sourire. Vous pouvez demander des consolations à un ami, je ne puis, moi, avoir d'autre confident que Dieu.

Prosper essaya de balbutier une réponse ; les paroles expirèrent sur ses lèvres ; il étouffait.

– Je veux bien vous le dire, poursuivit Madeleine, je n'ai rien oublié. Oh ! que cette certitude ne vous rende aucune espérance ; il n'est pas d'avenir pour nous. Si vous m'aimez, vous vivrez. Vous n'aurez pas la barbarie d'ajouter à mes tortures la douleur de votre mort. Un jour viendra peut-être où il me sera permis de me justifier... et maintenant, ô mon frère, ô mon unique ami, adieu, adieu !...

Elle se pencha en même temps vers Prosper, de ses lèvres elle effleura le front du malheureux jeune homme et sortit précipitamment, suivie de Nina Gypsy. Prosper était seul ; il lui sembla qu'il s'éveillait. Alors seulement, il s'efforça de se rendre compte de ce qui venait de se passer, se demandant s'il n'était pas le jouet d'un songe, si sa raison ne l'égarait pas.

Il ne pouvait méconnaître l'influence souveraine de cet homme qui, le matin même, lui était apparu pour la première fois.

De quelle mystérieuse puissance disposait donc cet inconnu, pour préparer ainsi, à son gré, les événements ?

Il semblait tout prévoir et tout deviner ; il connaissait Cavaillon, il savait les démarches de Madeleine, il avait pu obliger à l'obéissance l'indépendante Gypsy.

Il arriva rapidement à un tel degré d'exaspération qu'au moment où M. Verduret entra dans le petit salon, il marcha sur lui comme un furieux, pâle, menaçant, et d'une voix brève et dure, lui dit :

– Qui êtes-vous ?

Le gros homme ne parut que très modérément surpris de cet accès de violence.

– Un ami de votre père, dit-il, ne le savez-vous pas ?

– Ce n'est pas une réponse, monsieur. J'ai pu dans un moment de surprise abdiquer ma volonté entre les mains d'un inconnu, mais à cette heure...

– Quoi ? Est-ce ma biographie que vous demandez ? Ce que je suis, ce que j'ai été, ce que je pourrais être ?... Que vous importe ? Je vous ai dit : je vous sauverai ; l'essentiel est que je vous sauve.

– Encore ai-je le droit de vous demander par quels moyens.

– À quoi bon ?

– Afin d'accepter vos moyens, monsieur, ou de les rejeter.

– Et si je vous réponds du succès !...

– Cela ne suffit pas, monsieur, et il ne saurait me convenir d'être plus longtemps privé de mon libre arbitre, d'être exposé, sans être prévenu, à des épreuves comme celles d'aujourd'hui. Un homme de mon âge doit savoir ce qu'il fait.

– Un homme de votre âge, Prosper, quand il est aveugle, prend un guide, et il se garde de la prétention d'enseigner le chemin à celui qui le conduit.

Le ton de M. Verduret, moitié de raillerie, moitié de commisération, n'était pas fait pour calmer l'irritation croissante de Prosper.

– Puisqu'il en est ainsi ! s'écria-t-il, merci de vos services, monsieur, je n'en ai que faire. Si je combattais pour défendre mon honneur et ma vie, c'est que j'espérais, quand même, que Madeleine me reviendrait. Je sais aujourd'hui qu'entre elle et moi tout est fini ; je me retire de la lutte.

Si évidente était la résolution de Prosper, qu'un instant M. Verduret parut alarmé.

– Vous devenez fou, prononça-t-il.

– Non, malheureusement. Madeleine ne m'aime plus, que m'importe le reste.

Son accent était à ce point désespéré que M. Verduret fut ému.

– Ainsi, reprit-il, vous ne soupçonnez rien ? Vous n'avez pas su démêler le sens de ses paroles ?

Prosper eut un geste terrible.

– Vous écoutiez ! s'écria-t-il.

– Je l'avoue.

– Monsieur !...

– Oui ! ce n'est pas fort délicat peut-être ; mais qui veut la fin veut les moyens. J'ai écouté et je m'en applaudis, puisque je puis, à présent, vous dire : reprenez courage, Prosper, Madeleine vous aime ; elle n'a jamais cessé de vous aimer.

Alors même qu'il le sait, qu'il se sent perdu, près de mourir, le malade prête l'oreille aux promesses du médecin. L'affirmation si précise de M. Verduret éclaira d'une lueur d'espoir la douleur de Prosper.

– Oh ! murmura-t-il, soudainement calmé, si je pouvais croire...

– Croyez-moi, car je ne saurais me tromper. Ah ! vous n'avez pas deviné comme moi les tortures de cette généreuse jeune fille, se débattant entre son amour et ce qu'elle croit son devoir. Votre cœur n'a donc pas battu à ses paroles d'adieu ?...

– Elle m'aime, elle est libre, et elle me fuit...

– Libre !... Non, elle ne l'est pas. En vous rendant sa parole, elle obéissait à une volonté supérieure et irrésistible. Elle se dévouait... Pour qui ? Nous le saurons bientôt, et le secret de son dévouement nous apprendra le secret de la machination dont vous êtes victime.

À mesure que parlait M. Verduret, Prosper sentait se fondre ses résolutions de révolte, l'espoir et la confiance lui revenaient.

- Si vous disiez vrai, pourtant, murmurait-il, si vous disiez vrai !...

- Malheureux jeune homme ! pourquoi vous obstiner à fermer les yeux à l'évidence ! Vous ne comprenez donc pas que Madeleine sait le nom du voleur.

- C'est impossible.

- C'est vrai. Mais ce nom, croyez-le bien, il n'est pas de puissance humaine capable de le lui arracher. Oui, elle vous sacrifie, mais elle en a presque le droit, puisqu'elle s'est d'abord sacrifiée elle-même.

Prosper était vaincu, mais il ne pouvait, sans que son cœur se brisât, quitter ce salon où Madeleine lui était apparue.

- Hélas ! s'écria-t-il en serrant la main de M. Verduret, je dois vous paraître insensé, ridicule... C'est que vous ne savez pas, non, vous ne pouvez savoir ce que je souffre...

L'homme aux favoris roux hocha tristement la tête ; en un moment, sa physionomie changea, ses yeux si brillants se voilèrent, sa voix trembla.

- Ce que vous souffrez, répondit-il, je l'ai souffert. Comme vous, j'ai aimé, non une noble et pure jeune fille, mais une fille. Pendant trois ans, j'ai été à ses pieds. Puis, un jour, tout à coup, elle m'a quitté, moi qui l'adorais, pour se jeter dans les bras d'un homme qui la méprisait. Alors, comme vous, j'ai voulu mourir. Malheureuse ! Ni les larmes, ni les prières n'ont pu la ramener à moi. La passion ne se raisonne pas, elle aimait cet autre.

- Et vous le connaissiez, cet autre ?

- Je le connaissais.

- Et vous ne vous êtes pas vengé !...

- Non, répondit M. Verduret.

Et d'un ton singulier, il ajouta :

- Le hasard s'est chargé de ma vengeance.

Pendant plus d'une minute, Prosper garda le silence.

– Je suis décidé, monsieur, prononça-t-il enfin, mon honneur est un dépôt sacré dont je dois compte à ma famille, je suis prêt à vous suivre jusqu'au bout, disposez de moi.

Ce jour-là même, Prosper, fidèle à sa parole, vendait son mobilier et adressait à ses amis une lettre où il annonçait son prochain départ pour San Francisco.

Et le soir il s'installait, ainsi que M. Verduret, à l'hôtel du *Grand-Archange.*

Mme Alexandre lui avait donné sa plus jolie chambre, bien laide si on la comparait au salon si coquet de la rue Chaptal. Mais il n'était pas en état de faire cette différence. Étendu sur un méchant canapé, il repassait les événements de la journée, trouvant une acre jouissance à son isolement.

Vers onze heures, se sentant la tête lourde, il voulut ouvrir la fenêtre ; le vent le contraignit à la refermer bien vite.

Mais une bouffée de tempête était entrée dans la chambre, les rideaux tremblaient, et au milieu de la pièce un léger débris de papier tourbillonnait.

Machinalement, Prosper ramassa ce papier et l'examina.

Il était couvert d'une écriture fine, l'écriture de Nina Gypsy, il n'y avait pas à s'y tromper.

C'était un fragment d'une lettre déchirée, et si les phrases tronquées ne présentaient à l'esprit aucun sens satisfaisant, elles suffisaient pour égarer l'imagination dans le champ sans limites des possibilités.

Voici exactement ce fragment :

de M. Raoul, j'ai été bien imp...

... tramé contre lui, dont jamais...

... avertir Prosper et alors...

... meilleur ami, lui...

... main de Mlle Ma...

Prosper ne dormit pas cette nuit-là.

IX

Non loin du Palais-Royal, dans la rue Saint-Honoré, à l'enseigne de la *Bonne Foi*, est un petit établissement, moitié café moitié débit de prunes, très fréquenté par les employés du quartier.

C'est dans une des salles de cet estaminet modeste que le lendemain de sa mise en liberté, le vendredi, Prosper attendait M. Verduret, qui lui avait donné rendez-vous vers quatre heures.

Quatre heures sonnèrent ; M. Verduret, qui est la ponctualité même, parut. Il était plus rouge encore que la veille, et comme la veille il avait cet air admirable de parfait contentement de soi.

Dès que le garçon auquel il avait demandé une chope se fut éloigné :

– Eh bien ! demanda-t-il à Prosper, toutes nos commissions sont-elles faites ?

– Oui, monsieur.

– Vous avez vu le costumier ?

– Je lui ai remis votre lettre. Tout ce que vous demandez vous sera apporté demain au *Grand-Archange*.

– Alors tout va bien, car je n'ai pas perdu mon temps, et j'apporte de grandes nouvelles.

Le débit de la *Bonne Foi* est à peu près désert vers quatre heures. Le coup de feu du café du matin est passé, le moment de l'absinthe n'est pas arrivé encore : M. Verduret et Prosper pouvaient causer à l'aise, sans redouter l'oreille indiscrète des voisins.

M. Verduret avait sorti son calepin, ce calepin précieux qui, pareil aux livres enchantés des féeries, a une réponse pour toutes les questions.

– En attendant ceux de nos émissaires auxquels j'ai donné rendez-vous ici, dit-il, occupons-nous un peu de monsieur de Lagors.

À ce nom, Prosper ne protesta pas comme il l'avait fait la veille. Pareil à ces insectes imperceptibles qui, une fois qu'ils se sont glissés dans un tronc d'arbre, le dévorent en une nuit, le soupçon, quand il a pénétré dans notre esprit, s'y développe et bientôt y détruit les plus fortes croyances.

La visite de Lagors, le fragment de lettre de Gypsy avaient inspiré à Prosper des doutes qui, d'heure en heure, pour ainsi dire, avaient grandi et s'étaient fortifiés.

– Savez-vous, mon cher ami, poursuivit M. Verduret, de quel pays, au juste, est le jeune monsieur qui se porte si fort votre ami ?

– Il est, monsieur, du pays de madame Fauvel, de Saint-Rémy.

– En êtes-vous certain ?

– Oh ! parfaitement, monsieur. Non seulement il me l'a dit bien souvent, mais je l'ai encore entendu dire à monsieur Fauvel, je l'ai entendu répéter cent fois à madame Fauvel lorsqu'elle parlait de sa parente, la mère de Lagors, qu'elle aime beaucoup.

– Ainsi, il n'y a, à cet égard, ni doute ni erreur possible ?

– Non, monsieur.

– Eh ! eh ! fit M. Verduret, voilà qui commence à être pour le moins singulier.

Et il sifflotait entre ses dents, ce qui, chez lui, est un signe manifeste d'une satisfaction intime et supérieure.

– Qu'est-ce qui est singulier, monsieur ? demanda Prosper, intrigué.

– Ce qui arrive, parbleu ! répondit le gros homme, ce que j'avais flairé. Peste ! continua-t-il – imitant le débit des montreurs de curiosités en foire –, c'est une ville charmante, Saint-Rémy, six mille habitants, boulevards délicieux sur l'emplacement des fortifications, hôtel de ville très beau, fontaines abondantes, grand commerce de charbons, filatures de soie, maison de santé très renommée, etc.

Prosper était comme sur des charbons ardents.

– De grâce, monsieur, commença-t-il.

– On y connaît, poursuivait M. Verduret, un arc de triomphe romain qui n'a pas son pareil et un mausolée grec, mais pas le moindre Lagors. Saint-Rémy est la patrie de Nostradamus, mais non celle de votre ami.

– Cependant, monsieur, j'ai eu des preuves...

– Naturellement. Mais les preuves, voyez-vous, cela se fabrique ;

les parentés, cela s'improvise. Vos dépositions sont suspectes, mes témoignages sont irrécusables. Pendant que vous vous désoliez en prison, je dressais les batteries et je récoltais des munitions pour ouvrir le feu. J'ai écrit à Saint-Rémy et j'ai des réponses.

– Ne me les communiquerez-vous pas, monsieur ?

– Un peu de patience, dit M. Verduret en feuilletant son calepin. Ah ! voici la première, le numéro un. Saluez le style, c'est officiel.

Il lut :

– LAGORS. *Très ancienne famille, originaire de Maillane, fixée à Saint-Rémy depuis un siècle...*

– Vous voyez bien ! s'écria Prosper.

– Si vous me laissiez finir, hein ? dit M. Verduret. Et il poursuivit :

– *Le dernier des Lagors (Jules-René-Henri), portant, sans droits bien constatés, le titre de comte, épousa, en 1829, la demoiselle Rosalie-Clarisse Fontanet, de Tarascon ; est décédé en décembre 1848, sans héritier mâle, laissant seulement deux filles. Les registres de l'état civil consultés ne font mention d'aucune personne, dans l'arrondissement, portant le nom de Lagors.*

» Eh bien ! demanda le gros homme, que dites-vous du renseignement ?

Prosper était abasourdi.

– Comment alors monsieur Fauvel traite-t-il Raoul comme son neveu ?

– Comme le neveu de sa femme, vous voulez dire. Mais examinons la notice numéro deux. Elle n'est pas officielle, mais elle éclaire d'un jour précieux les vingt mille livres de rentes de votre ami :

» *Jules-René-Henri de Lagors, dernier de son nom, est mort à Saint-Rémy le 29 décembre 1848, dans un état voisin de la misère. Il avait eu une certaine fortune, l'entreprise d'une magnanerie modèle le ruina. Il n'a pas laissé de garçon, mais seulement deux filles, dont l'une est institutrice à Aix, et l'autre mariée à un petit négociant d'Orgon. Sa veuve, qui habite le mas de la Montagnette, ne vit exactement que des libéralités d'une de ses parentes, femme d'un riche banquier de la capitale. On ne connaît personne du nom de Lagors dans l'arrondissement d'Arles.*

» Voilà tout ! fit M. Verduret, pensez-vous que ce soit assez ?

– C'est-à-dire, monsieur, que je me demande si je suis bien éveillé.

– Je conçois cela. Cependant, j'ai une remarque à vous faire. Des gens attentifs objecteront peut-être que madame veuve de Lagors a pu, après la mort de son mari, avoir un enfant naturel non avoué et portant son nom. Cette objection est détruite par l'âge de votre ami. Raoul a vingt-quatre ans, et il y a moins de vingt ans que monsieur de Lagors est mort.

Il n'y avait rien à répliquer, et Prosper le comprit bien.

– Mais alors, fit-il, devenu pensif, qui serait donc Raoul ?

– Je l'ignore. Franchement, il est plus malaisé de découvrir qui il est que de savoir qui il n'est pas. Un seul homme, sur ce point, pourrait nous renseigner, mais il se garderait bien de rien dire.

– Monsieur de Clameran, n'est-ce pas ?

– Juste.

– Toujours il m'a inspiré une inexplicable répulsion, dit Prosper. Ah ! si on pouvait avoir son dossier, à celui-là !

– J'ai déjà quelques petites notes, répondit M. Verduret, qui m'ont été fournies par votre père, lequel connaît bien la famille Clameran ; elles sont fort succinctes, mais j'en attends d'autres.

– Que vous a dit mon père ?

– Rien de favorable, rassurez-vous. Voici au surplus, pour votre édification, le résumé de ses renseignements :

» Louis de Clameran est né au château de Clameran, près de Tarascon. Il avait un frère aîné nommé Gaston. En 1842, à la suite d'une rixe où il avait eu le malheur de tuer un homme et d'en blesser grièvement un autre, Gaston fut obligé de s'expatrier. C'était un garçon loyal, franc, honnête, que tout le monde aimait. Louis, au contraire, avait les plus détestables instincts et était haï.

» À la mort de son père, Louis vint à Paris, et, en moins de deux ans, dévora, non seulement sa part de l'héritage paternel, mais aussi la part de son frère exilé.

» Ruiné, criblé de dettes, Louis de Clameran se fit soldat, et se conduisit si mal au régiment qu'il fut envoyé aux compagnies de discipline.

» À sa sortie du service, on le perd totalement de vue ; tout ce qu'on sait, c'est qu'il habita successivement l'Angleterre et l'Allemagne, où il eut une horrible affaire dans une ville de jeux.

» En 1865, nous le retrouvons à Paris. Il était dans la dernière des misères et fréquentait les pires sociétés, vivant uniquement dans le monde des escrocs et des filles.

» Il avait usé les plus honteux expédients lorsque, tout à coup, il apprit le retour de son frère en France. Gaston avait fait fortune au Mexique. Mais, jeune encore, habitué à une vie active, il venait d'acheter, près d'Oloron, une usine de fer, quand, il y a six mois, il est mort entre les bras de son frère Louis. Cette mort a donné à notre Clameran et une grande fortune et le titre de marquis.

Prosper réfléchissait. Depuis vingt-quatre heures que M. Verduret travaillait devant lui, il commençait à se pénétrer de sa méthode d'induction. Comme lui, il essayait de grouper les faits, d'ajuster les circonstances à des soupçons plus ou moins probables.

– De ce que vous m'apprenez, fit-il enfin, il résulte que monsieur de Clameran, le nôtre, bien entendu, était dans une profonde misère, lorsque je l'ai aperçu pour la première fois chez monsieur Fauvel.

– Évidemment.

– Et c'est peu après que Lagors est arrivé de sa province ?

– Justement.

– Et c'est un mois environ après son arrivée que Madeleine, tout à coup, m'a banni.

– Allons donc !... s'écria M. Verduret, vous commencez à vous former et à comprendre la signification des faits.

Il s'interrompit à la vue d'un nouveau consommateur qui entrait à la *Bonne Foi*.

C'était un domestique de bonne maison, bien peigné, mieux rasé, portant dignement ses favoris noirs à la Bergami ; il avait de belles bottes plissées à revers, la culotte jaune, et le gilet à manches, à raies rouges et noires.

Après un coup d'œil rapide, mais sûr, jeté autour de la salle, il marcha rapidement vers la table de M. Verduret.

– Eh bien ! maître Joseph Dubois ? interrogea le gros homme.

– Ah ! patron, ne m'en parlez pas, répondit le domestique, ça chauffe, voyez-vous, ça chauffe ferme.

Toute l'attention dont Prosper était capable, il la concentrait sur le superbe domestique.

Il lui semblait qu'il connaissait cette physionomie. Il se disait que très certainement il avait déjà vu quelque part ce front fuyant et ces yeux d'une agaçante mobilité.

Mais où, mais en quelles circonstances ? Il cherchait et ne trouvait pas.

Cependant, maître Joseph s'était assis, non à la table de M. Verduret, mais à la table voisine, et il avait demandé un verre d'absinthe qu'il préparait lentement, laissant l'eau tomber goutte à goutte de très haut, selon la formule.

– Parle ! lui dit M. Verduret.

– Pour commencer, patron, je dois vous avouer que tout n'est pas rose dans le métier de valet de chambre-cocher de monsieur de Clameran.

– Au fait au fait ! tu te plaindras demain.

– Bon, j'y suis. Donc, hier, mon bourgeois est sorti à pied sur les deux heures. Comme de juste, je l'ai suivi. Savez-vous où il allait ? La bonne farce ! Il se rendait au *Grand-Archange,* au rendez-vous de la petite dame.

– Va donc ; on lui a dit qu'elle était partie. Après ?

– Après ! Ah ! il n'était pas content du tout, je vous assure. Il est rentré tout courant à l'hôtel, où l'autre, monsieur Raoul de Lagors, l'attendait. Non, vrai, cet homme-là n'a pas son pareil pour jurer. Le Raoul lui a demandé ce qu'il y avait de nouveau qui le mettait si fort en colère. « Il n'y a rien, a répondu mon bourgeois ; rien, sinon que la coquine a décampé, qu'on ne sait où elle est, qu'elle nous glisse entre les doigts. » Alors, ils ont paru très vexés et très inquiets tous les deux. « Sait-elle donc quelque chose de sérieux ? a demandé Lagors. – Elle ne sait rien que ce que je t'ai dit, a fait Clameran, mais ce rien tombant dans l'oreille d'un homme ayant du flair peut mettre sur la trace de la vérité. »

M. Verduret sourit, en homme qui avait ses raisons pour

apprécier à leur juste valeur les craintes de M. de Clameran.

- Eh ! fit-il, sais-tu qu'il n'est pas absolument dépourvu d'intelligence, ton bourgeois ? Et ensuite ?

- Là-dessus, patron, voilà le Lagors qui devient vert, et qui s'écrie : « Si c'est grave, il faut se défaire de cette gueuse ! » Il va bien, le petit ! Mais mon bourgeois s'est mis à rire et à hausser les épaules. « Tu n'es qu'un niais, a-t-il répondu, quand on est importuné par une femme du genre de celle-là, on prend des mesures pour s'en faire débarrasser administrativement. » Cette idée les a fait beaucoup rire.

- Je crois bien ! approuva M. Verduret ; elle est excellente, l'idée ; le malheur est qu'il est trop tard pour l'exécuter. Le rien, que redoutait Clameran, est déjà tombé dans une oreille intelligente. Cependant, comme je ne veux pas que ces gaillards-là brouillent les cartes, il faut aviser le bureau des mœurs.

- C'est fait, patron, répondit joyeusement maître Joseph.

C'est avec une curiosité fiévreuse, haletante, que Prosper écoutait ce rapport, dont chaque mot, pour ainsi dire, éclairait d'un jour nouveau les événements. Il s'expliquait, maintenant, croyait-il, le fragment de lettre de Gypsy. Ce Raoul, qui avait eu toute sa confiance, ne pouvait être, il le comprenait, qu'un misérable. Mille circonstances inaperçues jadis lui revenaient, et il se demandait comment il avait pu si longtemps être frappé d'aveuglement.

Maître Joseph, cependant, poursuivait :

- Hier, après son dîner, mon bourgeois s'est fait beau comme un fiancé. Je l'ai rasé, frisé, parfumé, adonisé, après quoi il est monté en voiture, et je l'ai conduit rue de Provence, chez monsieur Fauvel.

- Comment ! s'écria Prosper, après ses paroles insultantes, le jour du vol, il a été assez hardi pour s'y représenter.

- Oui, mon jeune monsieur, il a eu cette audace, et même il a osé y rester toute la soirée, jusqu'à près de minuit, à mon grand détriment, car j'ai été, sur mon siège, trempé comme une soupe.

- Quel air avait-il en sortant ? demanda M. Verduret.

- L'air moins content qu'en arrivant, c'est positif. Quand, mon cheval bouchonné et ma voiture remisée, je suis allé lui demander s'il n'avait besoin de rien, j'ai trouvé sa porte fermée, et il m'a crié des injures au travers.

Et pour s'aider à digérer cette humiliation, maître Joseph avala une gorgée d'absinthe.

– C'est là tout ? demanda M. Verduret.

– Pour hier, oui patron. Ce matin, le bourgeois s'est levé tard, et toujours d'une humeur de dogue. À midi, l'autre, le Raoul, est arrivé, furibond, lui aussi. Aussitôt ils ont commencé à se disputer, mais à se disputer... tenez, des crocheteurs auraient rougi de les voir. À un moment, mon grand escogriffe de bourgeois avait empoigné le petit à la gorge, et il le secouait comme un prunier ; j'ai bien cru qu'il allait l'étrangler. Mais le Raoul, pas bête, vous a tiré de sa poche un joli couteau pointu, et ma foi l'autre a eu peur, il a lâché prise et s'est calmé.

– Mais, que disaient-ils ?

– Ah ! voilà le *hic*, patron, fit piteusement maître Joseph ; ils parlaient anglais, les canailles, de telle sorte que je n'ai rien compris. Ce dont je suis sûr, par exemple, c'est qu'ils se disputaient à propos d'argent.

– Comment le sais-tu ?

– Par la raison qu'en vue de l'Exposition universelle, j'ai appris comment on dit « argent » dans toutes les langues de l'Europe, et que ce mot revenait à chaque instant dans leur conversation.

M. Verduret, les sourcils froncés, marmottait un monologue inintelligible, et Prosper, qui l'observait, se demandait si par hasard il avait la prétention de reconstruire, par la seule force de la réflexion, la dispute dont le sens précis avait échappé au domestique.

– Pour finir, reprit maître Joseph, quand mes coquins ont été calmés, ils se sont remis à parler français. Mais, bast ! ils n'ont plus causé que de choses insignifiantes, d'un bal travesti qui a lieu demain chez des banquiers. Seulement, en reconduisant le petit, mon bourgeois lui a dit : « Puisque cette scène est inévitable, autant qu'elle ait lieu aujourd'hui même, ainsi reste chez toi, au Vésinet, ce soir. » Raoul a répondu : « C'est entendu. »

La nuit venait. L'estaminet, peu à peu, s'emplissait de consommateurs qui, tous à la fois, criaient pour avoir de l'absinthe ou du bitter.

Les garçons, montés sur des tabourets, approchaient des allumettes des becs de gaz qui s'enflammaient avec de sourdes détonations.

– Il faut filer, dit M. Verduret à Joseph, ton maître peut avoir besoin de toi, et, de plus, voici quelqu'un qui veut me parler. À demain.

Ce quelqu'un n'était autre que Cavaillon, plus troublé et plus tremblant que jamais. Il promenait de tous côtés des regards inquiets, plus tressaillant qu'un filou qui sait à ses trousses toute la police de Paris.

Lui non plus, il ne s'assit pas à la table de M. Verduret. C'est furtivement qu'il donna une poignée de main à Prosper, et ce n'est qu'après s'être assuré que personne ne l'observait, qu'il se risqua à remettre à M. Verduret un petit paquet en disant :

– Voici ce qu'elle a trouvé dans un placard.

C'était un paroissien richement relié. M. Verduret le feuilleta rapidement, et il eut bientôt trouvé les pages où avaient été découpés les mots collés sur la lettre reçue la veille par Prosper.

– J'avais des preuves morales, dit-il en tendant le livre au jeune homme, voici une preuve matérielle qui à elle seule peut vous sauver.

À la vue de ce livre, Prosper avait pâli. C'est qu'il le reconnaissait. Ce paroissien, c'est lui qui l'avait donné à Madeleine en échange de la médaille bénie.

Et, en effet, sur la première page, Madeleine avait écrit : *Souvenir de Notre-Dame-de-Fourvières, 17 janvier 1866.*

– Mais ce livre est à Madeleine ! s'écria-t-il.

M. Verduret ne répondit pas. Il venait de se lever pour aller à un jeune homme vêtu comme les garçons marchands de vins, qui venait d'entrer.

À peine eut-il jeté les yeux sur un billet que ce garçon lui remit, qu'il revint vers la table dans un état d'agitation extraordinaire.

– Nous les tenons peut-être ! s'écria-t-il.

Et jetant sur la table une pièce de cinq francs, sans adresser un mot à Cavaillon, il entraîna Prosper, stupéfait.

– Quelle fatalité, disait-il, tout en courant le long du trottoir, nous allons peut-être les manquer. À coup sûr, nous arriverons à la gare Saint-Lazare trop tard pour le train de Saint-Germain.

– Mais de quoi s'agit-il, au nom du Ciel ? demandait Prosper.

– Venez, venez, nous causerons en route.

Arrivé à la place du Palais-Royal, M. Verduret s'arrêta devant un des fiacres de la station, dont il avait, d'un regard, évalué les chevaux.

– Combien veux-tu pour nous conduire au Vésinet ? demanda-t-il au cocher.

– C'est que je ne connais pas bien le chemin, par là-bas...

Mais ce nom du Vésinet disait tout à Prosper.

– Je vous indiquerai la route, fit-il vivement.

– Alors, reprit le cocher, à cette heure, par le temps de chien qu'il fait, ce sera... vingt-cinq francs.

– Et pour aller vite, combien demandes-tu de plus ?

– Dame ! bourgeois, ce sera à votre générosité ; mais si vous mettiez trente-cinq francs, je crois...

– Tu en auras cent, interrompit M. Verduret, si tu rattrapes une voiture qui a sur nous une demi-heure d'avance.

– Tonnerre de Brest ! s'écria le cocher transporté, montez donc, vous me faites perdre une minute.

Et, enveloppant ses maigres rosses d'un triple coup de fouet, il lança sa voiture au grand galop dans la rue de Valois.

X

Quand on quitte la petite gare du Vésinet, on trouve devant soi deux routes. L'une à gauche, macadamisée, soigneusement entretenue, mène au village, dont on aperçoit, à travers les arbres, l'église neuve ; l'autre, à droite, nouvellement tracée et à peine sablée, conduit en plein bois.

Le long de cette dernière qui, avant cinq ans, sera une rue, on ne rencontre encore que de rares maisons, bâtisses d'un goût déplorable, pour la plupart, s'élevant de loin en loin, au milieu d'éclaircies d'arbres, retraites champêtres de négociants parisiens, inhabitées pendant l'hiver.

C'est au point de rencontre de ces deux routes que, sur les neuf heures du soir, Prosper fit arrêter le fiacre où il était monté, place du Palais-Royal, avec M. Verduret.

Le cocher avait gagné ses cent francs. Les chevaux étaient exténués, mais il y avait cinq minutes que M. Verduret et Prosper distinguaient la lueur des lanternes d'une voiture de place comme la leur, trottant à une cinquantaine de mètres en avant.

Descendu le premier du fiacre, M. Verduret tendit au cocher un billet de banque.

- Voici, lui dit-il, ce que je t'ai promis. Tu vas aller à la première auberge que tu trouveras à main droite en entrant dans le village. Si dans une heure nous ne t'avons pas rejoint, tu seras libre de rentrer à Paris.

Le cocher se confondit en remerciements ; mais ni Prosper ni son compagnon ne les entendirent.

Ils s'étaient élancés au pas de course sur le chemin désert. Le temps, si détestable au départ qu'il avait fait hésiter le cocher, était plus mauvais encore. La pluie tombait à torrents et un vent furieux secouait à les briser les branches noires des arbres, qui s'entrechoquaient avec des bruits funèbres.

L'obscurité était profonde, épaisse, rendue plus lugubre par le scintillement des réverbères de la gare, qu'on découvrait au loin, vacillants et près de s'éteindre, sous le souffle de la rafale.

Depuis cinq minutes M. Verduret et Prosper couraient au milieu du chemin détrempé et transformé en bourbier, quand tout à coup le caissier s'arrêta.

– Nous y sommes, dit-il, voici l'habitation de Raoul.

Devant la grille de fer d'une maison isolée, un fiacre, celui que M. Verduret et son compagnon avaient vu devant eux, était arrêté.

Renversé sur son siège, enveloppé tant bien que mal dans son manteau, en dépit du vent et de la pluie, le cocher dormait déjà, attendant le retour de la pratique qu'il venait de conduire.

M. Verduret s'approcha de la voiture, et tirant le cocher par son manteau, l'appela :

– Eh ! mon brave !

Le cocher s'éveilla en sursaut, rassemblant machinalement ses guides en balbutiant :

– Voilà, bourgeois, voilà !...

Mais quand, à la clarté de ses lanternes, il aperçut ces deux hommes en cet endroit perdu, il s'imagina qu'ils en voulaient peut-être à sa bourse, et, qui sait ? à sa vie, et il eut une peur affreuse.

– Je suis pris ! fit-il en agitant son fouet ; je suis retenu.

– Je le sais bien, imbécile ! dit M. Verduret, et je ne veux de toi qu'un renseignement que je te paierai cent sous. Ne viens-tu pas d'amener ici une dame d'un certain âge ?

Cette question, cette promesse de cinq francs, loin de rassurer le cocher, changèrent sa frayeur en épouvante.

– Je vous ai déjà dit de passer votre chemin, répondit-il ; filez, sinon j'appelle au secours.

M. Verduret se recula vivement.

– Éloignons-nous, murmura-t-il à l'oreille de Prosper. Cet animal ferait comme il le dit, et une fois l'éveil donné, adieu nos projets. Il s'agit d'entrer autrement que par la grille.

Tous deux, alors, longèrent le mur qui entoure le jardin, cherchant un endroit propice à l'escalade.

Cet endroit n'était pas facile à trouver dans l'obscurité, le mur ayant bien dix ou douze pieds d'élévation. Heureusement, M. Verduret est leste. Le point le plus faible reconnu et choisi, il se recula, prit du champ, et, d'un bond prodigieux de la part d'un homme si gros, il réussit à s'accrocher à l'angle des pierres du sommet. S'aidant ensuite des pieds, à la force du poignet, il s'enleva et fut bientôt à cheval sur le chaperon du mur.

C'était au tour de Prosper de passer, mais, bien que plus jeune que son compagnon, il n'avait pas ses jarrets, et M. Verduret fut obligé de l'aider non seulement à se hisser, mais encore à redescendre de l'autre côté.

Une fois dans le jardin, M. Verduret s'occupa d'étudier le terrain.

La maison qu'habitait M. de Lagors est construite au milieu d'un jardin très vaste. Elle est étroite, et relativement haute, ayant deux étages et encore des greniers au-dessus.

Une seule fenêtre, au second étage, était éclairée.

– Vous qui connaissez la maison pour y être venu vingt fois, demanda M. Verduret, sauriez-vous me dire quelle est la pièce où nous voyons de la lumière ?

– C'est la chambre à coucher de Raoul.

– Très bien. Passons à la distribution : qu'y a-t-il au rez-de-chaussée ?

– La cuisine, l'office, une salle de billard et la salle à manger.

– Et au premier ?

– Deux salons séparés par une cloison volante et un cabinet de travail.

– Où se tiennent les domestiques ?

– Raoul n'en a pas, à cette heure. Il est servi par des gens du Vésinet, le mari et la femme, qui viennent le matin et se retirent le soir après dîner.

M. Verduret se frotta joyeusement les mains.

– Alors, tout va bien ! fit-il ; ce sera le diable si nous ne parvenons pas à surprendre quelque chose de ce que disent Raoul et la personne venue de Paris à cette heure et par ce temps... Entrons.

Prosper eut un geste de protestation ; la proposition lui semblait vive.

– Y pensez-vous, monsieur ? fit-il.

– Ah çà ! répondit le gros homme d'un ton goguenard, pourquoi donc croyez-vous que nous sommes venus ici ? Espériez-vous une partie de plaisir ?

– Nous pouvons être découverts.

– Et après ?... Au moindre bruit révélant notre présence, vous vous avancez hardiment comme un ami venu pour visiter son ami et qui a trouvé toutes les portes ouvertes.

Le malheur est que la porte – une porte de chêne plein, – était fermée, et que M. Verduret la secoua vainement.

– Quelle imprudence ! murmurait-il d'un ton de dépit, on devrait toujours avoir ses instruments sur soi. Une serrure de rien, qu'on ouvrirait avec un clou, et pas un crochet, pas un morceau de fil de fer !

Reconnaissant l'inutilité de ses efforts, il quitta la porte pour courir successivement à toutes les fenêtres du rez-de-chaussée. Hélas ! toutes les persiennes étaient tirées et solidement assujetties.

M. Verduret semblait exaspéré. Il tournait autour de la maison, comme un renard autour d'un poulailler, furieux, cherchant une issue, n'en trouvant pas.

En désespoir de cause, il revint se placer à l'endroit du jardin d'où on découvrait le mieux la fenêtre éclairée.

– Si seulement on pouvait voir ! s'écria-t-il. Dire que là, là – et il montrait le poing à la fenêtre – est le mot de l'énigme, et que nous n'en sommes séparés que par les trente ou quarante pieds de ces deux étages !...

Jamais encore Prosper n'avait été si fort surpris par les allures de son étrange compagnon. Il semblait comme chez lui dans ce jardin où il venait de s'introduire par escalade ; il allait et venait sans précautions ; on eût dit qu'habitué à de pareilles expéditions, il trouvait cette situation toute naturelle, parlant de crocheter la porte d'une maison habitée comme un bourgeois d'ouvrir sa tabatière. Insensible, d'ailleurs, au mauvais temps, au vent, à la pluie qui tombait toujours, à la boue où il pataugeait.

Il s'était rapproché de la maison, et il calculait, il prenait des mesures, comme s'il eût eu l'espérance folle de se hisser le long de cette muraille lisse.

– Je veux voir, répétait-il, je verrai.

Tout à coup un souvenir du temps passé traversa l'esprit de Prosper.

– Mais il y a une échelle, ici ! s'écria-t-il.

– Et vous ne me le dites pas !... Où est-elle !

– Au fond du jardin, sous les arbres.

Ils y coururent, et non sans peine la trouvèrent, couchée le long du mur. L'enlever, la porter près de la maison, fut l'affaire d'un instant.

Mais, quand ils l'eurent dressée, ils reconnurent que même en la tenant bien plus verticalement que ne le voulait la prudence, il s'en fallait de six bons pieds qu'elle atteignît la fenêtre éclairée.

– Nous n'arriverons pas ! dit Prosper découragé.

– Nous arriverons ! s'écria M. Verduret triomphant.

Aussitôt, se plaçant à un mètre de la maison, et lui faisant face, il saisit l'échelle, la souleva avec précaution, et en appuya le dernier échelon sur ses épaules, soutenant les montants aussi haut que possible. L'obstacle était vaincu.

– Maintenant, dit-il à son compagnon, montez.

Pour Prosper, la situation était poignante, extrême ; il n'hésita pas. L'enthousiasme de la difficulté vaincue, l'espoir du triomphe lui donnaient une force et une agilité qu'il ne se connaissait pas. Il s'enleva sans secousse, jusqu'aux échelons inférieurs, et se lança sur l'échelle qui tremblait et vacillait sous son poids.

Mais sa tête avait à peine dépassé l'appui de la fenêtre, qu'il poussa un grand cri, un cri terrible, qui se perdit au milieu des mugissements de la tempête, et qu'il se laissa glisser ou plutôt tomber sur la terre détrempée, en criant :

– Misérable !... Misérable !...

Avec une promptitude et une vigueur extraordinaires, M. Verduret reposa sur le sol la lourde échelle et se précipita vers Prosper, craignant qu'il ne fût dangereusement blessé.

– Qu'avez-vous vu ? demandait-il, qu'y a-t-il ?

Mais déjà Prosper était debout.

Si la chute avait été rude, il était dans une de ces crises où l'âme souveraine domine si absolument la bête, que le corps est insensible à la douleur.

– Il y a, répondit-il, d'une voix rauque et brève, que c'est Madeleine, entendez-vous bien, Madeleine, qui est là, dans cette chambre, seule avec Raoul !

M. Verduret était confondu. Lui, l'homme infaillible, ses déductions l'avaient égaré !

Il savait bien que c'était une femme qui était chez M. de Lagors ; mais, d'après ses conjectures, d'après le billet que Gypsy lui avait fait tenir à l'estaminet, il croyait que cette femme était Mme Fauvel.

– Ne vous seriez-vous pas trompé ? demanda-t-il.

– Non, monsieur, non ! Je ne saurais, moi, prendre une autre femme pour Madeleine. Ah ! vous qui l'avez entendue hier, répondez-moi ; devais-je m'attendre à cette trahison infâme ? Elle vous aime, me disiez-vous, elle vous aime !

M. Verduret ne répondit pas. Étourdi d'abord de son erreur, il en recherchait les causes, et déjà son esprit pénétrant commençait à les discerner.

– Le voilà donc, poursuivait Prosper, ce secret surpris par Nina. Madeleine, cette noble et pure Madeleine, en qui j'avais foi comme en ma mère, est la maîtresse de ce faussaire, qui a volé jusqu'au nom qu'il porte. Et moi, imbécile d'honnête homme, j'avais fait de ce misérable mon meilleur ami. C'est à lui que je disais mes angoisses et mes espérances... et il était son amant !... Et moi, j'étais sans doute le divertissement de leurs rendez-vous, ils riaient de mon amour ridicule, de ma stupide confiance !...

Il s'interrompit, il succombait à la violence de ses émotions. Le déchirement de l'amour-propre ajoute une souffrance aiguë aux plus atroces douleurs. Cette certitude d'avoir été si indignement trahi et joué le transportait jusqu'au délire.

– Mais c'est assez d'humiliations comme cela, reprit-il avec un accent de rage inouï ; il ne sera pas dit que lâchement j'aurai courbé la tête sous les plus sanglants affronts.

Il allait s'élancer vers la maison ; M. Verduret, qui, autant que le lui permettait l'obscurité, surveillait ses mouvements, l'arrêta.

– Que voulez-vous faire ?

– Me venger. Ah ! je saurai bien briser la porte, maintenant que je ne redoute plus ni le scandale ni le bruit et que je n'ai plus rien à perdre. Je ne cherche plus à me glisser dans la maison furtivement, comme un voleur, j'y veux entrer en maître, en homme qui mortellement offensé vient demander raison de l'offense.

– Vous ne ferez pas cela, Prosper.

– Qui donc m'en empêchera !

– Moi !

– Vous ?... Non, ne l'espérez pas. Paraître, les confondre, les tuer, mourir après, voilà ce que je veux, voilà ce que je vais faire.

Si M. Verduret n'avait pas eu des poignets de fer, Prosper lui échappait. Il y eut entre eux une courte lutte, mais M. Verduret l'emporta.

– Si vous faites du bruit, dit-il, si vous donnez l'éveil, c'en est fait de nos espérances.

– Je n'ai plus d'espérance.

– Raoul, mis sur ses gardes, nous échappe, et vous restez à jamais déshonoré.

– Que m'importe !

– Mais il m'importe à moi, malheureux ! à moi qui ai juré de faire éclater votre innocence. À votre âge, on retrouve toujours une maîtresse, on ne retrouve jamais son honneur perdu.

Pour la passion vraie, il n'est pas de circonstances extérieures. M. Verduret et Prosper étaient là, sous la pluie, mouillés jusqu'aux os, les pieds dans la boue, et ils discutaient !

– Je veux me venger, répétait Prosper, avec cette persistance idiote de l'idée fixe, je veux me venger.

– Vengez-vous, soit ! s'écria M. Verduret, que la colère gagnait, mais comme un homme alors et non comme un enfant.

– Monsieur !

– Oui, comme un enfant. Que ferez-vous, une fois dans la maison ? Avez-vous des armes ? Non. Vous vous précipitez donc sur Raoul, vous lutterez donc corps à corps avec lui ? Pendant ce temps, Madeleine regagnera sa voiture, et après ? Serez-vous seulement le plus fort ?

Accablé par le sentiment de son impuissance évidente, Prosper se taisait.

– À quoi bon des armes ! poursuivait M. Verduret, il faut être insensé pour tuer un homme qu'on peut envoyer au bagne.

– Que faire, alors ?

– Attendre. La vengeance est un fruit délicieux qu'il faut laisser mûrir.

Prosper était ébranlé ; M. Verduret le comprit, et il lança son dernier argument, le plus sûr, celui qu'il tenait en réserve.

– D'ailleurs, ajouta-t-il, qui nous assure que mademoiselle Madeleine est ici pour son compte ? Ne sommes-nous pas arrivés à cette conviction qu'elle se sacrifie ? La volonté supérieure qui lui a imposé votre bannissement peut fort bien l'avoir obligée à cette démarche de ce soir.

Toujours la voix qui parlera dans le sens de nos plus chers désirs sera écoutée. Cette supposition, si peu probable en apparence, frappa Prosper.

– En effet, murmura-t-il, qui sait !...

– Je saurais bien, moi, fit Verduret, si je pouvais voir.

Prosper resta un moment sans répondre.

– Me promettez-vous, monsieur, prononça-t-il enfin, de me dire votre pensée entière, la vérité, si pénible qu'elle pût être pour moi ?

– Je vous le jure sur ma parole d'honneur.

Aussitôt, avec une force dont il ne se serait pas cru capable quelques instants avant, Prosper enleva l'échelle et en plaça le dernier échelon sur ses épaules, ainsi que son compagnon l'avait fait.

– Montez ! dit-il alors.

En une seconde, si légèrement, si adroitement qu'il n'imprima pas à l'échelle une seule secousse, M. Verduret fut à hauteur de la fenêtre.

Prosper n'avait que trop bien vu. C'était Madeleine qui était là, à cette heure, seule chez Raoul de Lagors.

Elle avait conservé, M. Verduret le remarqua fort bien, ses vêtements du dehors, son chapeau et son pardessus de drap.

Debout au milieu de la chambre, elle parlait avec une grande animation. Son attitude, ses gestes, sa physionomie trahissaient une vive indignation difficilement contenue, et un certain mépris mal déguisé.

Raoul, lui, était assis sur une chaise basse, près de la cheminée, tisonnant le feu avec les pincettes. Par moments, il levait les bras en haussant les épaules, ce qui est le mouvement d'un homme résigné à tout entendre, et qui, à tout, répond : « Je n'y puis rien. »

Certes, M. Verduret aurait donné la jolie bague qu'il porte à son maître doigt pour entendre quelque chose, ne fut-ce que dix mots de la conversation ; mais, avec le vent qu'il faisait, il n'arrivait pas à son oreille le plus vague murmure et il n'osait approcher son oreille des vitres, dans la crainte d'être aperçu.

Évidemment, pensait-il, c'est une dispute, mais il est clair que ce n'est pas une dispute d'amoureux.

Madeleine cependant continuait, et c'est en étudiant la figure de Lagors qu'il distinguait fort bien, éclairée qu'elle était par la lampe placée sur la cheminée, qu'il espérait trouver le sens de cette scène. Par moments, il tressaillait en dépit de son indifférence apparente, ou bien il frappait plus fort dans le foyer avec ses pincettes ; sans doute quelque reproche plus direct l'atteignait.

Désespérée, Madeleine en était venue à la prière ; elle joignait les mains, elle s'inclinait, elle était presque à genoux. Il détourna la tête. Il ne répondait, d'ailleurs, que par monosyllabes.

Deux ou trois fois, Madeleine parut vouloir se retirer, toujours elle revenait, comme si, demandant une grâce, elle n'eût pu se résigner à sortir sans l'avoir obtenue.

À la dernière fois, elle trouva sans doute quelque raison décisive, car Raoul tout à coup se leva, ouvrit un petit meuble placé près de la cheminée et en sortit une liasse de papiers qu'il lui tendit.

Ah çà ! pensait M. Verduret, quel diable de jeu jouent-ils ? Est-ce une correspondance compromettante qu'est venue réclamer cette jeune demoiselle ?

Madeleine, qui avait pris la liasse, ne paraissait pas encore satisfaite. Elle parlait et insistait de nouveau comme pour se faire remettre autre chose. Raoul refusant, elle jeta la liasse sur la table.

Ces papiers intriguaient singulièrement M. Verduret. Ils s'étaient éparpillés sur la table et il les apercevait assez bien. Il y en avait de plusieurs couleurs, de gris, de verts, de rouges.

Mais je ne m'abuse pas, pensait M. Verduret, je ne suis pas aveugle, ce sont là des reconnaissances du Mont-de-Piété !

Parmi toutes les feuilles étalées sur la table, Madeleine cherchait. Elle en prit trois, qu'elle plia et mit dans sa poche, et repoussa les autres avec un dédain bien manifeste.

Elle était, cette fois, résolue à se retirer, car sur un mot qu'elle dit, Raoul prit la lampe pour l'éclairer.

M. Verduret n'avait plus rien à voir. Tout en redescendant avec mille précautions, il murmurait :

– Des reconnaissances du Mont-de-Piété !... Quel mystère d'infamie cache donc cette affaire !...

Avant tout, il s'agissait de dissimuler l'échelle.

Raoul, en reconduisant Madeleine, pouvait avoir l'idée de faire quelques pas dans le jardin, et, malgré l'obscurité, la découvrir, cette échelle qui, ainsi dressée, se détachait en noir sur la muraille.

En toute hâte, M. Verduret et Prosper la couchèrent à terre, sans souci des arbustes qu'ils brisaient, et allèrent se poster où l'ombre était plus épaisse, dans un endroit d'où ils surveillaient à la fois et la porte de la maison et la grille.

Presqu'au même moment, Raoul et Madeleine parurent sur le perron. Raoul avait posé sa lampe sur la première marche, il offrit la main à la jeune fille, mais elle le repoussa d'un geste empreint d'une insultante hauteur qui, vu par Prosper, lui versa du baume dans le sang.

Ce mépris ne parut ni émouvoir, ni surprendre Raoul ; il répondit simplement par ce geste ironique qui signifie : « Comme vous voudrez ! »

Il alla jusqu'à la grille, l'ouvrit et la referma lui-même, puis rentra bien vite, pendant que la voiture de Madeleine s'éloignait au grand trot.

– Maintenant, monsieur, interrogea Prosper, que le doute torturait, souvenez-vous que vous m'avez promis la vérité quelle qu'elle soit. Parlez, ne craignez rien, je suis fort.

– C'est contre la joie alors qu'il vous faut être fort, mon ami. Avant un mois, vous regretterez amèrement vos flétrissants soupçons de ce soir. Vous rougirez en songeant que vous avez pu croire Madeleine la maîtresse d'un Lagors.

– Cependant, monsieur, les apparences !...

– Eh ! c'est des apparences qu'il faut se défier. Pardieu ! un soupçon, faux ou juste, est toujours basé sur quelque chose. Mais nous ne pouvons pas nous éterniser ici, votre gredin de Raoul a refermé la grille, je l'ai vu ; il faut nous retirer par le chemin de tout à l'heure.

– Mais l'échelle !...

– Qu'elle reste où elle est ; comme nous ne saurions effacer nos traces, le tout sera mis sur le compte des voleurs.

De nouveau ils franchirent le mur. Ils n'avaient pas fait cinquante pas sur la route, qu'ils entendirent le bruit d'une grille qui se refermait. Ils distinguèrent des pas, et bientôt un homme les dépassa qui gagnait la station. Quand il fut à quelque distance :

– C'est Raoul, fit M. Verduret, notre domestique de tantôt, Joseph, nous apprendra qu'il est allé rendre compte à Clameran de la scène. Si seulement ils avaient l'amabilité de parler français...

Il marcha un moment sans mot dire, cherchant à renouer le fil rompu de ses déductions.

– Comment diable, reprit-il tout à coup, ce Lagors qui ne doit chercher que le monde, le plaisir et le jeu, est-il venu choisir une maison isolée au Vésinet ?

– Sans doute, répondit Prosper, parce que la maison de campagne de monsieur Fauvel est à un quart d'heure d'ici au bord de la Seine.

– C'est une explication, cela, pour l'été ; mais l'hiver ?

– Oh ! l'hiver, il a une chambre à l'hôtel du Louvre, et, en toute saison, il dispose d'un appartement à Paris.

Tout cela n'éclairait pas M. Verduret ; il se mit à marcher plus vite.

– Pourvu, murmura-t-il, que notre cocher ne soit pas parti. Nous ne pouvons songer à prendre le train qui va passer : nous rencontrerions Raoul à la station.

Bien qu'il se fût écoulé plus d'une heure depuis que Prosper et son compagnon étaient descendus à l'embranchement des deux routes, le fiacre qui les avait amenés stationnait encore devant l'auberge indiquée par M. Verduret.

Le cocher n'avait pu résister au désir d'écorner le billet de cent francs gagné par ses chevaux ; il s'était fait servir à dîner ; le vin était de son goût, il restait.

La vue de ses bourgeois l'enchanta. Il ne retournerait donc pas à vide à Paris. Seulement, l'état dans lequel il les revoyait le surprit étrangement.

– Comme vous voilà faits ! s'écria-t-il.

Prosper répondit simplement qu'allant visiter un de leurs amis ils s'étaient égarés et étaient tombés dans une fondrière – comme s'il y avait des fondrières dans le bois du Vésinet.

– C'est donc cela ! fit le cocher.

En apparence, il se contentait de l'explication. Au fond, il n'était pas fort éloigné de croire que ses deux pratiques venaient de tenter de commettre quelque mauvais coup.

Cette dernière opinion dut être celle de quelques personnes présentes, car il y eut des regards singuliers d'échangés.

Mais M. Verduret coupa court à tous les commentaires.

– Partons-nous ? demanda-t-il de sa voix la plus impérieuse.

– Voilà ! bourgeois, répondit le cocher ; le temps de régler, et je suis à vous. Montez toujours.

La route, au retour, fut mortellement longue et silencieuse.

Prosper avait d'abord essayé de faire causer son étrange compagnon, mais comme il ne répondait que par monosyllabes, il mit son amour-propre à se taire. Il était irrité de l'empire de plus en plus absolu que cet homme exerçait sur lui.

Les circonstances physiques augmentaient encore son ennui. Il était transi, glacé jusqu'à la moelle des os, et il se sentait gagné par un irrésistible engourdissement qui enveloppait sa pensée d'un brouillard opaque.

C'est que s'il n'est pas de limites à la puissance de l'imagination, les forces physiques ont des bornes. Après l'effort vient la réaction.

Enfoncé dans un coin, les pieds sur la banquette de devant, M. Verduret semblait dormir, et cependant jamais il n'avait été plus éveillé.

Il était aussi mécontent que possible. Cette expédition qui devait, dans sa pensée, fixer ses hésitations, aboutissait à une complication.

Tous les fils qu'il avait cru tenir se brisaient dans sa main. Certes, pour lui les faits restaient les mêmes, mais les circonstances changeaient. Il ne découvrait plus quel mobile commun, quelle complicité morale ou matérielle, quelles influences poussaient à agir dans le même sens les quatre acteurs de son drame, Mme Fauvel et Madeleine, Raoul et Clameran.

Et il cherchait en son esprit fertile, encyclopédie de ruses, quelque combinaison qui pût faire jaillir la lumière.

Minuit sonnait quand le fiacre arriva devant l'hôtel du *Grand-Archange,* et alors seulement M. Verduret, arraché à ses méditations, s'aperçut qu'il n'avait pas dîné.

Par bonheur, Mme Alexandre l'attendait et, en un clin d'œil un souper fut improvisé. C'était plus que des prévenances, plus que du respect qu'elle avait pour son hôte. Prosper le remarqua fort bien, elle considérait son compagnon avec une sorte d'admiration ébahie.

Ayant fini de manger, M. Verduret se leva.

- Vous ne me verrez pas demain de la journée, dit-il à Prosper, mais le soir, vers cette heure, je serai ici. Peut-être aurai-je eu la chance de trouver ce que je cherche au bal de messieurs Jandidier.

Prosper faillit tomber de son haut. Quoi ! M. Verduret songeait à se présenter à une fête donnée par des financiers des plus opulents de la capitale ! C'était donc pour cela qu'il l'avait envoyé chez le costumier.

- Vous êtes donc invité ? demanda-t-il.

Un fin sourire passa dans les yeux si expressifs de M. Verduret.

- Pas encore, répondit-il, mais je le serai.

Ô contradiction de l'esprit humain ! Les plus poignantes préoccupations tenaillaient la pensée de Prosper, et maintenant, en regardant tristement sa chambre, songeant aux projets de M. Verduret, il murmurait :

– Ah ! il est heureux, lui, demain, il verra Madeleine, plus belle que jamais, avec son costume de fille d'honneur.

XI

C'est vers le milieu de la rue Saint-Lazare que s'élèvent les hôtels jumeaux de messieurs Jandidier, deux financiers célèbres qui, dépouillés du prestige de leurs millions, seraient encore des hommes remarquables. Que n'en peut-on dire autant de tous !

Ces deux hôtels, qui lors de leur achèvement, il y a quelques années, firent pousser à la presse des cris d'admiration, sont absolument distincts l'un de l'autre, mais disposés habilement de façon à n'en faire qu'un au besoin.

Quand messieurs Jandidier donnent une fête, ils font enlever les épaisses cloisons mobiles, et leurs salons sont alors des plus beaux qu'il y ait à Paris.

Magnificence princière, merveilleuse entente du confort, hospitalité pleine de prévenances, tout contribue à rendre ces fêtes des plus courues et des plus recherchées qu'il soit.

C'est dire que le samedi, la rue Saint-Lazare était encombrée de voitures prenant la file en attendant leur tour.

À dix heures, on dansait déjà dans deux salons.

C'était un bal travesti. Presque tous les costumes étaient d'une grande richesse, beaucoup du meilleur goût, quelques-uns vraiment originaux.

Parmi ces derniers, on remarquait surtout un Paillasse, oh ! mais un vrai, ayant l'admirable physionomie de l'emploi, œil insolent, bouche gourmande et gouailleuse, pommettes allumées, et une barbe si rouge qu'elle semblait flamber au feu des lustres.

Le costume était exact comme la tradition : les bottes étaient à revers, le chapeau était suffisamment bosselé, la dentelle du jabot s'effiloquait.

Il tenait de la main gauche la hampe d'une sorte de bannière de toile sur laquelle six ou huit tableaux étaient figurés, grossièrement peints comme les tableaux des baraques foraines. De la main droite, il agitait une petite badine, dont il frappait sa toile, par moments, à la façon des saltimbanques débitant leur boniment.

On entourait ce Paillasse, on attendait de lui quelques quolibets spirituels, mais lui, obstinément, se tenait près de la porte d'entrée.

Ce n'est guère que sur les dix heures et demie qu'il quitta son poste.

M. et Mme Fauvel, suivis de leur nièce, Madeleine, venaient d'entrer.

Un groupe compact se forma presque aussitôt près de la porte.

Depuis dix jours, l'affaire du banquier de la rue de Provence avait été l'aliment le plus vif de toutes les conversations, et, amis et ennemis étaient bien aises de l'approcher ; les uns pour l'assurer de leur sympathie, les autres pour lui offrir ces équivoques compliments de condoléances, qui sont ce qu'il y a au monde de plus blessant et de plus irritant.

Enrôlé dans le bataillon des hommes sérieux, M. Fauvel ne s'était pas travesti ; il avait simplement jeté sur ses épaules un court manteau de soie.

À son bras, Mme Fauvel, née Valentine de La Verberie, s'inclinait et saluait, avec la plus gracieuse affabilité.

Sa beauté avait été remarquable autrefois, et ce soir, la magie du costume y prêtant, l'illusion des lumières aidant, elle avait retrouvé la fraîcheur et l'éclat de sa jeunesse. Jamais on ne lui eût donné les quarante-huit ans qu'elle venait d'avoir.

Elle avait choisi une toilette de cour des dernières années du règne de Louis XIV, magnifique et sévère, toute de satin broché de velours, sans un diamant, sans un bijou.

Et elle le portait avec une noblesse aisée, ayant grand air, sous sa poudre, comme il convient – disaient quelques âmes charitables – à une La Verberie qui a eu le tort d'épouser un homme d'argent.

Mais c'est à Madeleine qu'allaient tous les regards. Elle semblait vraiment une reine sous ce costume de fille d'honneur, inventé comme à plaisir pour faire valoir les richesses de sa taille.

Aux tièdes parfums des salons, sous le rayonnement des lustres, sa beauté s'épanouissait. Jamais ses cheveux n'avaient été si noirs, jamais son teint n'avait paru si blanc, jamais ses grands yeux n'avaient eu ces lueurs.

Une fois entrée, Madeleine prit le bras de sa tante, pendant que M. Fauvel se perdait dans la foule, cherchant à gagner un des salons de jeu, refuges des hommes graves.

Le bal était alors à l'apogée de ses splendeurs.

Deux orchestres, sous la baguette de Strauss et d'un de ses lieutenants, remplissaient les deux hôtels de leurs fanfares. La foule bigarrée se mêlait et tourbillonnait, et c'était un merveilleux fouillis d'étoffes d'or et de satins, de velours et de dentelles.

Les diamants étincelaient sur les têtes et sur les poitrines, les joues les plus pâles rougissaient, les yeux brillaient, et les épaules des femmes resplendissaient, plus blanches, comme les neiges aux premiers rayons du soleil d'avril.

Oublié, lui et sa bannière, le Paillasse s'était réfugié dans l'embrasure d'une fenêtre, et il s'y tenait debout, le coude appuyé à la poignée ciselée de l'espagnolette.

Il semblait quelque peu ému de tant de magnificences, et quelque chose de ces enivrements lui montait à la tête. Pourtant il ne perdait pas de vue un couple qui dansait à une faible distance de lui.

C'était Madeleine, s'appuyant sur le bras d'un doge plus doré qu'un sequin ; et ce doge n'était autre que le marquis de Clameran. Il paraissait radieux, rajeuni, ses empressements avaient des apparences de triomphe. À un repos de quadrille, il se penchait vers sa danseuse et lui parlait avec une admiration contenue. Elle semblait l'écouter, sinon avec plaisir, du moins sans colère, hochant la tête par moments et d'autres fois souriant.

– Évidemment, murmurait le Paillasse, ce noble gredin fait sa cour à la nièce du banquier ; donc j'avais raison hier. Mais, d'un autre côté, comment mademoiselle Madeleine se résigne-t-elle à entendre d'un air si gracieux ses fadeurs et ses déclarations ? Heureusement Prosper n'est pas ici...

Il s'interrompit. Devant lui s'arrêtait un homme âgé déjà, portant avec une distinction suprême le manteau vénitien.

– Vous savez, monsieur... Verduret, dit-il, moitié sérieux, moitié railleur, ce que vous m'avez promis ?

Le Paillasse s'inclina respectueusement, profondément, mais sans apparence de bassesse ni d'humilité.

– Je me souviens ! répondit-il.

– Pas d'imprudence, surtout.

– Monsieur le comte peut être tranquille, il a ma parole.

– C'est bien, monsieur, je sais ce qu'elle vaut.

Le comte s'éloigna, mais pendant ce court colloque le quadrille finissait, et le Paillasse n'aperçut plus ni M. de Clameran ni Madeleine.

Je les retrouverai auprès de madame Fauvel, pensa-t-il.

Et aussitôt, il se lança dans la foule, à la recherche de la femme du banquier.

Incommodée par la chaleur qui devenait suffocante, Mme Fauvel était venue chercher un peu de fraîcheur dans la grande galerie des hôtels Jandidier, transformée pour la nuit, grâce à ce talisman qui s'appelle l'or, en un féerique jardin, plein d'orangers, de lauriers-roses en fleur et de lilas blancs dont les grappes délicates s'inclinaient déjà.

Le Paillasse l'aperçut, assise près d'un bosquet, non loin de la porte d'un des salons de jeu. À droite était Madeleine ; à sa gauche se tenait Raoul de Lagors costumé en mignon de Henri III.

Il faut avouer, pensait le Paillasse, tout en cherchant un poste d'observation, qu'on n'est pas plus beau que ce jeune bandit.

Madeleine, maintenant, était triste. Elle avait arraché un camélia à l'arbuste voisin, et elle l'effeuillait machinalement, le regard perdu dans le vide.

Raoul et Mme Fauvel, penchés l'un vers l'autre, causaient. Leurs visages paraissaient tranquilles, mais les gestes de l'un, les tressaillements de l'autre trahissaient clairement des préoccupations supérieures et une conversation des plus graves.

Dans le salon de jeu, on apercevait le doge, M. de Clameran, placé de façon à voir Mme Fauvel et Madeleine sans être vu.

C'est la scène d'hier qui se continue, pensa le Paillasse, si je pouvais surprendre quelques mots ! Si j'étais derrière ces camélias, je suis sûr que j'entendrais.

Il manœuvra aussitôt en conséquence, mais s'approcher n'était pas aisé, il lui fallait tourner des groupes. Quand il arriva à la place désirée, Madeleine se levait et prenait le bras d'un Persan constellé de pierreries.

Au même moment, Raoul se leva et passa dans le salon de jeu où il dit quelques mots à l'oreille de Clameran.

Et voilà !... se dit le Paillasse, ces deux misérables tiennent ces deux pauvres femmes, et c'est en vain qu'elles se débattent entre leurs serres. Mais comment les tiennent-ils ?

Il réfléchissait quand tout à coup se fit un grand mouvement dans la galerie. C'est qu'on annonçait un menuet merveilleux dans le grand salon ; puis la comtesse de Commarin venait d'arriver en Aurore ; puis encore, il fallait aller admirer les émeraudes de la princesse Korasoff, les plus belles de l'univers.

En un instant la galerie fut presque vide. Il n'y restait plus que quelques pauvres isolés, des maris grincheux dont les femmes dansaient, et quelques jeunes hommes timides et gênés dans leurs costumes.

Le Paillasse pensa que l'heure favorable à ses desseins était venue.

Brusquement il quitta sa place, brandissant sa bannière, frappant avec sa badine sur la toile, toussant avec affectation, en homme qui va parler. Il avait traversé la galerie et s'était placé entre le fauteuil occupé par Mme Fauvel et la porte du salon.

Aussitôt, accoururent autour de lui, faisant cercle, tous les invités restés dans la galerie.

Déjà il s'était posé dans la fière attitude de la tradition, le chapeau prodigieusement incliné sur l'oreille, le corps penché du même côté que le chapeau.

C'est avec une incroyable volubilité et du ton le plus emphatiquement bouffon qu'il commença :

– Mesdames et messieurs... Ce matin même je sollicitais une autorisation de l'autorité – il saluait – de cette ville. Eh ! pourquoi ? Afin, messieurs, d'avoir l'honneur de vous soumettre un spectacle qui a déjà conquis les suffrages des cinq parties du monde et de plusieurs autres académies. C'est dans l'intérieur de cette loge, mesdames, que va commencer la représentation d'un drame inouï joué pour la première fois à Pékin, et traduit par nos plus fameux auteurs. Déjà, messieurs, on peut prendre ses places ; les quinquets sont allumés et les acteurs s'habillent.

Il s'interrompit, et, avec une perfection humiliante pour les instruments de cuivre et les grosses caisses, il imita les ritournelles déchirantes des musiques de saltimbanques.

– Mais, mesdames et messieurs, reprit-il, vous allez me dire : si c'est dans la loge qu'on joue la pièce, que fais-tu ici ? Ce que j'y fais, messieurs, j'y suis pour vous donner un avant-goût des agitations, sensations, émotions, palpitations et autres distractions que vous pouvez vous payer moyennant le faible déboursé de cinquante centimes, dix sous !... Vous voyez ce superbe tableau ? Eh bien, il représente les huit scènes les plus terribles du drame. Ah ! je le vois, vous frémissez. Cependant ce n'est rien. Ce magnifique tableau ne nous donne pas plus l'idée exacte de la représentation qu'une goutte d'eau ne donne idée de la mer, ou une étincelle l'idée du soleil. Mon tableau, messieurs, c'est la bagatelle de la porte, comme qui dirait la fumée qu'on aspire aux soupiraux des restaurants...

– Est-ce que vous connaissez ce Paillasse ? demandait un énorme Turc à un mélancolique Polichinelle.

– Non, mais il imite supérieurement la trompette.

– Oh ! supérieurement. Mais où veut-il en venir ?

Ce qu'il voulait, le Paillasse, c'était avant tout et surtout attirer l'attention de Mme Fauvel, qui, depuis que Raoul et Madeleine s'étaient éloignés, s'était abandonnée à une rêverie profonde et sans doute douloureuse.

Il réussit.

Les éclats de cette voix stridente ramenèrent la femme du banquier au sentiment de la réalité ; elle tressaillit et regarda vivement autour d'elle, comme si on l'eût brusquement éveillée, puis elle se pencha du côté du Paillasse.

Lui cependant continuait :

– Donc, messieurs, nous sommes en Chine. Le premier des huit tableaux de ma toile, ici, en haut, à gauche – il montrait du bout de sa badine – vous représente le célèbre mandarin Li-Fô, au sein de sa famille. Cette jolie jeune dame qui s'appuie sur son épaule n'est autre que son épouse, et les enfants qui se roulent sur le tapis sont le fruit de la plus fortunée des unions. Ne respirez-vous pas, messieurs, le parfum de satisfaction et d'honnêteté qui s'exhale de cette superbe peinture ! C'est que madame Li-Fô est la plus vertueuse des femmes, adorant son mari et idolâtrant ses enfants. Étant vertueuse, elle est heureuse, car, ainsi que le dit si bien Confucius, la vertu a bien plus d'agréments que le vice !...

Insensiblement, Mme Fauvel s'était rapprochée, même elle avait quitté son fauteuil pour venir en occuper un autre, tout près du Paillasse.

– Voyez-vous, demandait à son voisin le mélancolique Polichinelle, ce qu'il dit être sur sa toile ?

– Ma foi ! non ; et vous ?

Le fait est que la toile, furieusement enluminée, ne représentait guère plus cela que n'importe quelle autre chose.

Le Paillasse, cependant, après avoir imité un roulement de tambour, reprenait en accélérant encore son débit :

– Tableau numéro deux ! ! Cette vieille dame assise devant une armoire à glace et qui de désespoir s'arrache les cheveux, particulièrement les blancs, la reconnaissez-vous ? Non. Eh bien ! c'est cependant la belle mandarine du premier tableau. Je vois des pleurs dans vos yeux, mesdames et messieurs. Ah ! pleurez, car si elle n'est plus belle elle n'est plus vertueuse, et son bonheur a disparu comme sa vertu. Ah ! c'est une lamentable histoire ! Un jour, on ne sait où, dans une rue de Pékin, elle a rencontré un jeune bandit beau comme un ange, et elle l'aime, la malheureuse, elle l'aime !...

C'est de la voix la plus tragique, et avec une physionomie à l'avenant, que le Paillasse prononça ces derniers mots.

Pendant cette tirade, il avait opéré une demi-conversion. Il se trouvait maintenant presque en face de la femme du banquier, et ne perdait pas un des mouvements de son visage.

– Vous êtes surpris, messieurs, poursuivait-il, je ne le suis pas. Le grand Bilboquet, mon maître, nous l'a révélé, le cœur n'a pas d'âge, et c'est sur les ruines que fleurissent les plus vigoureuses ravenelles. La malheureuse !... elle a cinquante ans et elle aime un adolescent ! De là cette scène navrante et épilatoire qui est un grand enseignement !

– Vrai ! murmurait un cuisinier de satin blanc, qui avait passé la soirée à débiter, sans succès, quantité de *menus* ; vrai, je le supposais plus amusant.

– Mais c'est dans l'intérieur de la loge, disait le Paillasse, qu'il faut voir les surprenants effets des fautes de la mandarine. Par moments, une lueur de raison éclaire son cerveau malade, et les manifestations de ses angoisses attendrissent les plus impitoyables. Entrez, et pour dix sous vous entendrez des sanglots tels que l'Odéon n'en ouït jamais en ses beaux jours. C'est qu'elle comprend l'inanité, la folie, le ridicule de sa passion, elle s'avoue qu'elle s'acharne à la poursuite d'un fantôme, elle sait trop que lui, radieux de jeunesse, ne peut l'aimer, elle, déjà vieille, cherchant en vain à retenir les restes d'une beauté flétrie. Elle sent que si parfois il murmure à son oreille d'amoureuses paroles, il ment. Elle devine qu'un jour ou l'autre son manteau lui restera dans la main.

Tout en débitant avec une volubilité extrême ce boniment, adressé en apparence au groupe qui l'entourait, le Paillasse ne quittait pas des yeux la femme du banquier.

Mais rien de ce qu'il avait dit n'avait semblé l'atteindre. À demi renversée sur son fauteuil, elle restait calme, son œil gardait sa clarté, même elle souriait doucement.

Ah çà ! pensait le Paillasse un peu inquiet, aurais-je fait fausse route !

Si préoccupé qu'il fût, il aperçut cependant un nouvel auditeur, le doge M. de Clameran, qui, lui aussi, venait faire cercle.

– Au troisième tableau, continuait-il en faisant rouler les *r*, la vieille mandarine a donné congé à ses remords qui sont des locataires gênants. Elle s'est dit qu'à défaut d'amour l'intérêt fixerait près d'elle le trop séduisant jouvenceau. C'est dans ce but que, l'ayant affublé d'une fausse dignité, elle le présente chez les principaux mandarins de la capitale du Fils du Ciel ; puis, comme il faut qu'un joli garçon fasse figure, elle se dépouille à son profit de tout ce qu'elle possède : bracelets, bagues, colliers, perles et diamants ; tout y passe. C'est aux maisons de prêt de la rue Tien-Tsi que le monstre porte tous ces joyaux, et il refuse, par-dessus le marché, d'en rendre les reconnaissances.

Le Paillasse avait lieu d'en être satisfait.

Depuis un instant déjà, Mme Fauvel donnait des signes, bien manifestes pour lui, de malaise et d'agitation.

Une fois, elle avait essayé de se lever, de s'éloigner ; mais ses forces la trahissant, elle restait clouée à son fauteuil, forcée d'entendre.

– Cependant, mesdames et messieurs, continuait le Paillasse, les plus riches écrins s'épuisent. Un jour vint où la mandarine n'eut plus rien à donner. C'est alors que le jeune bandit conçut le fallacieux projet de s'emparer du bouton de jaspe du mandarin Li-Fô, ce splendide bijou d'une valeur incalculable, insigne de sa dignité, déposé dans une cachette de granit, gardée nuit et jour par trois soldats. Ah ! la mandarine résista longtemps. Elle savait qu'on accuserait certainement les soldats innocents et qu'ils seraient mis en croix, comme c'est la mode à Pékin, et cette pensée la gênait. Mais l'autre parla d'une voix si tendre, que, ma foi ! vous comprenez... le bouton de jaspe fut enlevé. Le quatrième tableau vous représente les deux coupables descendant à pas de loup l'escalier dérobé ; voyez leurs transes, voyez...

Il s'interrompit. Trois ou quatre de ses auditeurs avaient vu que Mme Fauvel était près de se trouver mal, et ils s'empressaient pour lui porter secours.

D'ailleurs on lui serrait énergiquement le bras.

Il se retourna vivement et se trouva en face de M. de Clameran et de Raoul de Lagors, aussi pâles, aussi menaçants l'un que l'autre.

– Vous désirez, messieurs ?... demanda-t-il de son air le plus gracieux.

– Vous parler, répondirent-ils ensemble.

– À vos ordres.

Et il les suivit de l'autre côté de la galerie, dans l'embrasure d'une porte-fenêtre donnant sur un balcon.

Là, nul ne devait songer à les observer, et personne ne les observait, en effet, sauf ce personnage à manteau vénitien que le Paillasse avait salué si bas en l'appelant : « Monsieur le comte ».

D'ailleurs le menuet venait de finir, les orchestres prenaient une demi-heure de repos, la foule affluait dans la galerie, devenue en un moment trop étroite.

Même le soudain malaise de Mme Fauvel avait passé absolument inaperçu ; ceux qui l'avaient remarqué, le voyant aussitôt dissipé, l'avaient mis sur le compte de la chaleur. M. Fauvel avait bien été prévenu ; il était accouru, mais ayant trouvé sa femme causant tranquillement avec Madeleine, il était allé reprendre sa partie.

Moins maître de soi que Raoul, M. de Clameran avait pris la parole :

– Tout d'abord, monsieur, commença-t-il d'un ton rude, j'aime à savoir à qui je m'adresse.

Mais le Paillasse s'était bien promis de s'obstiner à croire à une plaisanterie de bal travesti, tant qu'on ne lui mettrait pas les points sur les *i*.

C'est dans l'esprit et le ton de son costume qu'il répondit :

– Ce sont mes papiers que vous me demandez, seigneur doge, et vous, mon mignon ? J'en ai, des papiers, mais ils sont entre les mains des autorités de cette cité, avec mes noms, prénoms, âge, profession, domicile, signes particuliers.

D'un geste furibond, M. de Clameran l'arrêta.

– Vous venez, dit-il, de vous permettre la plus infâme des perfidies !

– Moi ? seigneur doge !

– Vous !... Qu'est-ce que cette abominable histoire que vous débitiez ?

– Abominable !... cela vous plaît à dire, mais moi qui l'ai composée !...

– Assez, monsieur, assez, ayez au moins le courage de vos actes, et avouez que ce n'est qu'une longue et misérable insinuation à l'adresse de madame Fauvel.

Le Paillasse, la tête renversée, comme s'il eût demandé des idées au plafond, écoutait, la bouche béante, de l'air ahuri d'un homme qui, moralement, tombe des nues.

Qui l'eût connu, il est vrai, eût vu, dans son œil noir, pétiller la satisfaction d'une diabolique malice.

– Par exemple ! disait-il, semblant bien moins répondre que se parler à soi-même, par exemple ! voilà qui est fort. Où se trouve dans mon drame de la mandarine Li-Fô une allusion à madame Fauvel que je ne connais ni d'Ève ni d'Adam ? J'ai beau chercher, fouiller, scruter, d'honneur ! je ne vois pas. À moins que... mais non, c'est impossible.

– Prétendrez-vous donc, interrompit M. de Clameran, soutiendrez-vous donc que vous ignorez le malheur qui vient de frapper monsieur Fauvel ?

Mais le Paillasse était bien décidé à laisser préciser les faits.

– Un malheur ? interrogea-t-il.

– Je veux parler, monsieur, du vol dont monsieur Fauvel a été victime, et qui a fait assez de bruit, ce me semble.

– Ah ! oui, je sais. Son caissier a décampé en lui emportant trois cent cinquante mille francs. Pardieu ! l'accident est vulgaire et je dirai presque quotidien. Quant à découvrir entre ce vol et mon récit le moindre rapport, c'est une autre affaire...

M. de Clameran tardait à répondre. Un violent coup de coude de Lagors l'avait calmé comme par enchantement.

Devenu plus froid que marbre, il toisait le Paillasse d'un regard soupçonneux et paraissait regretter amèrement les paroles significatives arrachées à son emportement.

– Soit ! fit-il de ce ton hautain qui lui était familier, soit, j'ai pu me tromper ; après vos explications, je veux bien l'admettre et le croire.

Mais voilà que le Paillasse, si niaisement humble l'instant d'avant, sur ce mot « explications », se rebiffa. Il se campa fièrement, le poing sur la hanche, exagérant l'attitude du défi.

– Je ne vous ai donné, je n'avais à vous donner aucune explication.

– Monsieur !...

– Laissez-moi finir, s'il vous plaît. Si, sans le vouloir, j'ai blessé en quelque chose la femme d'un homme que j'estime, c'est à lui, ce me semble, seul juge et arbitre de ce qui intéresse son honneur, de me le faire savoir. Il n'est plus d'un âge, me direz-vous, à venir demander raison d'une offense, c'est possible ; mais il a des fils, et l'un d'eux est ici, je viens de le voir. Vous m'avez demandé qui je suis, à mon tour je vous dirai : qui êtes-vous, vous, qui de votre autorité privée vous constituez le champion de madame Fauvel ? Êtes-vous son parent, son ami, son allié ? De quel droit l'insultez-vous en prétendant découvrir une allusion où il n'y a qu'une histoire inventée à plaisir ?

Il n'y avait rien à dire à cette réponse si ferme et si logique. M. de

Clameran chercha un biais.

– Je suis l'ami de monsieur Fauvel, dit-il, et, à ce titre, j'ai le droit d'être jaloux de sa considération comme de la mienne propre. Et si cette raison ne vous suffit pas, sachez qu'avant peu sa famille sera la mienne.

– Ah !

– C'est ainsi, monsieur, et avant huit jours mon mariage avec mademoiselle Madeleine sera officiellement annoncé.

La nouvelle était à ce point imprévue, elle était si bizarre, qu'un moment le Paillasse resta absolument décontenancé, et pour tout de bon, cette fois.

Mais ce fut l'affaire d'une seconde. Il s'inclina bien bas avec un sourire juste assez ironique pour qu'on ne pût le relever, en disant :

– Recevez toutes mes félicitations, monsieur. Outre qu'elle est, ce soir, la reine du bal, mademoiselle Madeleine a, dit-on, un demi-million de dot.

C'est avec une impatience visible, et en jetant de tous côtés des regards anxieux, que Raoul de Lagors avait écouté cette discussion.

– En voici trop, fit-il, d'un ton bref et dédaigneux ; je ne vous dirai, moi, qu'une chose, maître Paillasse, vous avez la langue trop longue.

– Peut-être, mon joli mignon, peut-être ! Mais j'ai le bras plus long encore.

Clameran, lui aussi, avait hâte d'en finir.

– Assez, ajouta-t-il en frappant du pied, on n'a pas d'explication avec un homme qui cache sa personnalité sous les oripeaux de son costume.

– Libre à vous, seigneur doge, d'aller demander qui je suis au maître de la maison... si vous l'osez.

– Vous êtes ! s'écria Clameran, vous êtes...

Un geste rapide de Raoul arrêta sur les lèvres du noble maître de forges une injure qui allait peut-être amener des voies de fait, et à tout le moins une provocation, du scandale, du bruit.

Le Paillasse attendit un moment, un sourire gouailleur aux lèvres, et l'injure ne venant pas, il chercha des yeux les yeux de M.

de Clameran et lentement prononça :

– Je suis, monsieur, le meilleur ami qu'ait eu de son vivant votre frère Gaston. J'étais son conseiller, j'ai été le confident de ses dernières espérances.

Ces simples mots tombèrent comme autant de coups de massue sur la tête de Clameran.

Il pâlit affreusement et recula d'un pas, les mains en avant, comme si là, au milieu de ce bal, il eût vu devant lui se dresser un spectre.

Il voulut répondre, protester, dire quelque chose, l'épouvante glaça les mots dans sa gorge.

– Allons, viens, lui dit Lagors, qui avait gardé son sang-froid.

Et il l'entraîna en le soutenant, car il chancelait comme un homme ivre, il se tenait aux murs.

– Oh ! fit le Paillasse, sur trois tons différents, oh ! ! oh ! ! !

C'est qu'il était presque aussi étourdi que le maître de forges, et il restait là, dans son embrasure, planté sur ses jambes.

Cette phrase, mystérieusement menaçante, c'est à tout hasard qu'il l'avait prononcée, sans but, sans intention arrêtée, uniquement pour ne pas rester court, guidé à son insu par cet instinct merveilleux du policier, qui est sa force, comme le flair du limier.

– Qu'est-ce que cela signifie ? murmurait-il. Pourquoi l'effroi de ce misérable ? Quel souvenir terrible ai-je remué dans son âme de boue ? Qu'on vienne donc encore vanter la pénétration de mon esprit, la subtilité de mes combinaisons ! Il est un maître qui, sans peine, nous dame le pion à tous, qui d'un brusque caprice dérange toutes nos chimères, ce maître, c'est le hasard.

Il était à cent lieues de la situation présente, de la galerie, du bal de messieurs Jandidier. Un léger coup, frappé sur son épaule par le personnage au manteau vénitien, le rappela brusquement à la réalité.

– Êtes-vous content, monsieur Verduret ? demanda-t-il.

– Oui et non, monsieur le comte. Non, parce que je n'ai pas atteint complètement le but que je me proposais quand je vous ai prié de me faire admettre ici ; oui, parce que nos deux coquins se sont livrés de telle façon que le doute n'est plus possible.

– Et vous vous plaignez ?...

– Je ne me plains pas, monsieur le comte ; je bénis au contraire le hasard, je devrais dire la Providence, qui vient de me révéler l'existence d'un secret dont je ne me doutais pas.

Cinq ou six invités qui, ayant aperçu le comte, s'approchaient de lui, interrompirent cette conversation. Le comte s'éloigna, mais non sans adresser au Paillasse un salut plus amical encore que protecteur.

Lui, aussitôt, déposant sa bannière, se lança dans la foule venue si pressée qu'on ne circulait qu'avec les plus grandes difficultés. Il cherchait Mme Fauvel. Elle avait quitté la galerie, et il la trouva établie sur une banquette du grand salon, causant avec Madeleine. Elles étaient, l'une et l'autre, fort animées.

Bon ! pensa le Paillasse, elles s'entretiennent de la scène ; mais que sont donc devenus Lagors et Clameran ?

Il ne tarda pas à les apercevoir. Ils allaient et venaient, traversant les groupes, saluant, adressant la parole à une foule de personnes.

– Je parierais, murmura le Paillasse, qu'il est question de moi. Ces honorables messieurs cherchent à savoir qui je suis. Cherchez, mes bons amis, cherchez...

Bientôt ils y renoncèrent. Ils étaient si préoccupés, ils éprouvaient un tel besoin de se trouver seuls pour réfléchir et délibérer, que sans attendre le souper, ils allèrent prendre congé de Mme Fauvel et de sa nièce, annonçant qu'ils se retiraient.

Ils disaient vrai. Le Paillasse les vit gagner le vestiaire, prendre leurs manteaux, descendre le grand escalier et disparaître sous le porche.

– Tout est dit, pour ce soir, murmura-t-il, je n'ai plus rien à faire ici.

Et à son tour, il sortit, après avoir passé un immense pardessus qui cachait presque entièrement son costume.

Il y avait à la porte bien des voitures libres, mais le temps était beau, bien que froid, le pavé était sec ; le Paillasse décida qu'il rentrerait à pied, se disant que le grand air, le mouvement, la marche tasseraient ses idées, encore confuses.

Allumant un cigare, il remonta la rue Saint-Lazare et tourna Notre-Dame-de-Lorette pour gagner le faubourg Montmartre.

Tout à coup, au moment où il s'engageait dans la rue Ollivier, un homme, sortant de l'ombre où il se tenait caché, bondit jusqu'à lui, le bras levé, et, de toutes ses forces, le frappa.

Le Paillasse, heureusement pour lui, avait cet instinct merveilleux du chat, qui se dédouble, pour ainsi dire, qui peut, tout à la fois, guetter et veiller à sa sûreté, regarder d'un côté et voir de l'autre.

Il vit, ou plutôt il devina l'homme tapi dans l'ombre, et le sentit, en quelque sorte, se précipiter sur lui, et il put se renverser à demi sur ses jarrets robustes, en essayant de parer avec ses mains.

Ce mouvement lui sauva certainement la vie, et c'est dans le bras qu'il reçut le furieux coup de poignard qui devait le tuer.

La colère, encore plus que la douleur, lui arracha une exclamation.

– Ah ! canaille ! s'écria-t-il.

Et aussitôt, bondissant d'un mètre en arrière, il tomba en garde.

Mais la précaution était inutile.

Voyant son coup manqué, l'assassin ne revint pas à la charge. Il poursuivit sa course et bientôt disparut dans le faubourg Montmartre.

– C'est Lagors, certainement, murmurait le Paillasse, et le Clameran ne doit pas être loin. Pendant que je tournais l'église d'un côté, ils l'ont tournée de l'autre et sont venus m'attendre ici.

Sa blessure, cependant, le faisait cruellement souffrir.

Il alla se placer sous un réverbère pour l'examiner. Elle ne présentait sans doute aucune gravité, mais elle était fort large et le bras était traversé de part en part.

Il déchira aussitôt son mouchoir de poche, en fit quatre bandes et s'entortilla le bras avec la dextérité d'un interne des hôpitaux.

Il faut, pensait-il, que je sois sur la piste de choses bien graves, pour que ces misérables se soient résolus à un meurtre. Des gens habiles comme eux, quand ils n'ont à redouter que la police correctionnelle, ne risquent pas bénévolement la cour d'assises.

Cependant, rester là, sur cette place, n'était pas possible. Il s'assura qu'à la condition de braver une douleur très vive, il pouvait encore se servir de son bras, et il poursuivit son ennemi, ayant bien soin de tenir le milieu de la chaussée et évitant les coins sombres.

Il ne voyait personne, à la vérité, mais il était persuadé qu'on le suivait.

Il ne se trompait pas. Lorsque arrivé au boulevard Montmartre il traversa la chaussée, il distingua deux ombres qu'il reconnut, et qui la traversèrent presque en même temps que lui, un peu plus haut.

– J'ai affaire, murmura-t-il, à des gredins déterminés, ils ne se cachent même pas pour me suivre. Ils sont fins, ils doivent être rompus à des aventures comme celle-ci, j'aurai du mal à leur faire perdre ma piste. Ce n'est pas avec ces gaillards-là que réussirait le tour de la voiture, qui a si bien mis Fanferlot dedans. Il faut ajouter de plus que mon diable de chapeau gris est comme un phare dans la nuit et se voit d'une lieue.

Il remontait alors le boulevard, et sans avoir besoin de détourner la tête, il devinait ses ennemis, à trente pas à peu près en arrière.

– Et cependant, disait-il, poursuivant à demi-voix son monologue, il faut à tout prix que je les dépiste. Je ne puis rentrer, les ayant sur mes talons, ni chez moi, ni au *Grand-Archange.* Ce n'est plus pour m'assassiner qu'ils me suivent maintenant, mais pour savoir qui je suis. Or, s'ils viennent à se douter que ce Paillasse recouvre monsieur Verduret et que monsieur Verduret lui-même dissimule monsieur Lecoq, c'en est fait de mes projets. Ils s'envoleront à l'étranger, car ce n'est pas l'argent qui leur manque, et j'en serai pour mes frais et pour mon coup de couteau.

Cette idée, que peut-être Raoul et Clameran lui échapperaient, l'exaspéra si fort, qu'un instant il songea à les faire prendre.

C'était chose facile, en somme. Il n'avait qu'à se précipiter sur eux, en criant au secours, on viendrait, on les arrêterait tous les trois et on les consignerait au poste à la disposition du commissaire de police.

C'est ce moyen aussi simple qu'ingénieux qu'emploient les agents du service de la sûreté lorsque, rencontrant à l'improviste quelque malfaiteur qui leur est signalé, ils ne peuvent, faute d'un mandat, lui mettre la main dessus.

Le lendemain, on s'explique.

Or le Paillasse avait en mains bien assez de preuves pour faire maintenir l'arrestation de Lagors. Il pouvait montrer la lettre et le paroissien mutilé, il pouvait révéler l'existence des reconnaissances du Mont-de-Piété déposées au Vésinet, il montrerait son bras. Au pis aller, Raoul aurait à expliquer pourquoi et comment il avait volé ce nom de Lagors, et dans quel but il se faisait passer pour le parent de M. Fauvel.

D'un autre côté, en agissant avec cette précipitation, on assurait peut-être le salut du principal coupable, de M. de Clameran. Quel témoignage décisif s'élevait contre lui ? Aucun. On avait les présomptions les plus fortes, mais pas un fait.

Tout bien réfléchi, le Paillasse décida qu'il agirait seul, comme il l'avait toujours fait jusqu'ici, et que seul il arriverait à la découverte des vérités soupçonnées.

Ce parti arrêté, il n'avait plus qu'à donner le change à ceux qui le suivaient.

Il avait pris le boulevard de Sébastopol, et, quittant l'allure indécise qui trahissait ses hésitations, il se mit à marcher d'un bon pas.

Arrivé devant le square des Arts-et-Métiers, il s'arrêta brusquement. Deux sergents de ville le croisèrent, il les arrêta pour leur demander quelques renseignements insignifiants.

Cette manœuvre eut le résultat qu'il prévoyait, Raoul et Clameran se tinrent cois à vingt pas environ, n'osant avancer.

Vingt pas !... c'était tout ce qu'il fallait d'avance au Paillasse. Tout en causant avec les sergents de ville, il avait sonné à la maison devant laquelle ils se trouvaient. Le bruit sec du cordon lui ayant appris que la porte était ouverte, il salua et entra vivement.

Une minute plus tard, les sergents de ville s'étant éloignés, Clameran et Lagors sonnaient à leur tour à cette porte.

On leur ouvrit, et ils firent lever le concierge pour lui demander quel était cet individu qui venait de rentrer, déguisé en Paillasse.

Il n'avait pas vu, leur dit-il, rentrer le moindre masque, et, qui plus est, il n'était pas à sa connaissance qu'aucun de ses locataires fût sorti déguisé.

– Après cela, ajouta-t-il, je ne puis être sûr de rien, la maison ayant une autre issue sur la rue Saint-Denis.

– Nous sommes volés ! interrompit Lagors, nous ne saurons jamais qui est ce Paillasse.

– À moins que nous ne l'apprenions trop tôt à nos dépens, murmura Clameran devenu pensif.

En ce moment même où Raoul et le maître de forges se retiraient pleins d'inquiétude, le Paillasse, rapide comme une flèche, arrivait à l'hôtel du *Grand-Archange* comme trois heures sonnaient.

Accoudé à sa fenêtre, Prosper le vit venir de loin.

C'est que depuis minuit, Prosper attendait avec la fiévreuse impatience d'un accusé qui attend la décision de ses juges.

C'est dire avec quel empressement il courut au-devant de M. Verduret jusqu'au milieu de l'escalier.

– Que savez-vous ? disait-il ; qu'avez-vous appris ? Avez-vous vu Madeleine ? Raoul et Clameran étaient-ils au bal ?

Mais M. Verduret n'a pas l'habitude de causer dans les endroits où on peut l'entendre.

– Avant tout, répondit-il, entrons chez vous, et commencez par me donner un peu d'eau pour laver ce bobo qui me cuit comme le feu.

– Ciel ! vous êtes blessé !

– Oui, c'est un souvenir de votre ami Raoul. Ah ! il apprendra ce qu'il en coûte pour entamer la peau que voilà.

La colère froide de M. Verduret-Paillasse avait quelque chose de si menaçant que Prosper en restait interdit. Lui, cependant, avait fini de panser son bras.

– Maintenant, dit-il à Prosper, causons. Nos ennemis sont prévenus, il s'agit de les frapper avec la rapidité de la foudre.

M. Verduret s'exprimait d'un ton bref et impérieux, que Prosper ne lui connaissait pas.

– Je me suis trompé, disait-il, j'ai fait fausse route ; c'est un accident qui arrive aux plus malins. J'ai pris l'effet pour la cause, il faut bien que je le confesse. Le jour où j'ai cru être assuré que des relations coupables existaient entre Raoul et madame Fauvel, j'ai cru tenir le bout du fil qui devait nous conduire à la vérité. J'aurais dû me méfier, c'était trop simple, trop naturel.

– Supposez-vous madame Fauvel innocente ?

– Non, certes, mais elle n'est pas coupable dans le sens que je croyais. Quelles étaient mes suppositions ? Je m'étais dit : éprise d'un jeune et séduisant aventurier, madame Fauvel lui a fait cadeau du nom d'une de ses parentes et l'a présenté à son mari comme son neveu. Le stratagème était adroit pour ouvrir à l'adultère les portes de la maison. Elle a commencé par lui donner tout l'argent dont elle pouvait disposer ; plus tard elle lui a confié ses bijoux, qu'il portait au Mont-de-Piété ; enfin, ne possédant plus rien, elle l'a laissé puiser à la caisse de son mari. Voilà ce que je pensais.

– Et de cette façon, tout s'expliquait.

– Non, tout ne s'expliquait pas, je le savais, et c'est en cela que j'ai agi avec une déplorable légèreté. Comment, avec mon premier système, expliquer l'empire de Clameran ?

– Clameran est simplement le complice de Lagors.

– Ah ! voilà où est l'erreur. Moi aussi, j'ai cru longtemps que Raoul était tout, la vérité est qu'il n'est rien. Hier, dans une discussion qui s'était élevée entre eux, le maître de forges a dit à son ancien ami : « Et, surtout, mon petit, ne t'avise pas de me résister, je te briserais comme verre. » Tout est là. Le fantastique Lagors est, non la créature de madame Fauvel, mais l'âme damnée de Clameran.

» Et encore, reprit-il, est-ce que nos suppositions premières nous donnaient la raison de l'obéissance résignée de Madeleine ? C'est à Clameran et non à Lagors qu'obéit Madeleine.

Prosper essaya de protester.

M. Verduret haussa imperceptiblement les épaules. Pour convaincre Prosper, il n'avait à prononcer qu'un mot ; il avait simplement à dire que trois heures auparavant Clameran lui avait annoncé son mariage avec Madeleine.

Ce mot, il commit la faute de ne le point prononcer.

Persuadé qu'il arriverait à temps pour rompre ce mariage, il ne voulait pas ajouter cette inquiétude aux soucis de son jeune protégé.

– Clameran, poursuivit-il, Clameran seul tient madame Fauvel.

Or, comment la tient-il, quelle arme terrible assure son mystérieux pouvoir ? Il résulte de renseignements positifs qu'ils se sont vus il y a quinze mois pour la première fois depuis leur jeunesse, et la réputation de madame Fauvel a toujours été au-dessus de la médisance. C'est donc dans le passé qu'il faut chercher le secret de cette domination d'une part, de cette résignation de l'autre.

– Nous ne saurons rien, murmura Prosper.

– Nous saurons tout, au contraire, quand nous connaîtrons le passé de Clameran. Ah ! quand ce soir j'ai prononcé le nom de son frère Gaston, Clameran a pâli et reculé comme à la vue d'un fantôme. Et moi, je me suis souvenu que Gaston est mort subitement, lors d'une visite de son frère.

– Croyez-vous donc à un meurtre !...

– Je puis tout croire de gens qui ont voulu m'assassiner. Le vol, mon cher enfant, n'est plus en ce moment qu'un détail secondaire. Il est aisé à expliquer, ce vol, et si ce n'était que cela, je vous dirais : ma tâche est finie, allons trouver le juge d'instruction et lui demander un mandat.

Prosper s'était levé, la poitrine gonflée, l'œil brillant d'espoir.

– Oh ! vous savez... Est-ce possible !...

– Oui, je sais qui a donné la clé, je sais qui a donné le mot.

– La clé !... peut-être c'était celle de monsieur Fauvel. Mais le mot...

– Le mot ! malheureux, c'est vous qui l'avez livré. Vous avez oublié, n'est-ce pas ? Votre maîtresse, heureusement, a eu de la mémoire pour deux. Vous souvient-il d'avoir, deux jours avant le vol, soupé avec madame Gypsy, Lagors et deux autres de vos amis ? Nina était triste. Vers la fin du souper, elle vous fit une querelle de femme délaissée.

– En effet, j'ai ce souvenir bien présent.

– Alors, vous savez ce que vous avez répondu ?

Prosper chercha un moment et répondit :

– Non.

– Eh bien ! pauvre imprudent, vous avez dit à Nina : « Tu as bien tort de me reprocher de ne pas penser à toi, car, à cette heure, c'est ton nom aimé qui garde la caisse de mon patron. »

Prosper eut un geste fou : la vérité, comme un obus, éclatait dans son cerveau.

- Oui ! s'écria-t-il, oui, je me souviens.

- Alors, vous comprenez le reste. Un des deux est allé trouver madame Fauvel et l'a contrainte de lui remettre la clé de son mari. À tout hasard, le misérable a placé les boutons mobiles sur le nom de Gypsy. Les trois cent cinquante mille francs ont été pris. Et sachez bien que madame Fauvel n'a obéi qu'à des menaces terribles. Elle était mourante, le lendemain du vol, la pauvre femme, et c'est elle qui, au risque de se perdre, vous a envoyé dix mille francs.

- Mais qui a volé ? Est-ce Raoul ? est-ce Clameran ? Quels sont sur madame Fauvel leurs moyens d'action ? Comment Madeleine est-elle mêlée à ces infamies ?

- À ces questions, mon cher Prosper, je ne sais encore que répondre, et c'est pour cela que nous n'allons pas encore trouver le juge. Je vous demande dix jours. Si dans dix jours je n'ai rien surpris, je reviendrai, et nous irons conter à monsieur Patrigent ce que nous savons.

- Comment, vous partez donc ?

- Dans une heure, je serai sur la route de Beaucaire. N'est-ce pas des environs que sont Clameran et madame Fauvel, qui est une demoiselle de La Verberie.

- Oui, je connais leurs familles.

- Eh bien ! c'est là que je vais les étudier. Ni Raoul ni Clameran ne nous échapperont, la police les surveille. Mais vous, Prosper, mon ami, soyez prudent. Jurez-moi de rester prisonnier ici tant que durera mon absence.

Tout ce que demandait M. Verduret, Prosper le jura du meilleur cœur. Mais il ne pouvait le laisser s'éloigner ainsi.

- Ne saurai-je donc pas, monsieur, demanda-t-il, qui vous êtes, quelles raisons m'ont valu votre tout-puissant appui ?

L'homme extraordinaire eut un sourire triste.

- Je vous le dirai, répondit-il, devant Nina, la veille du jour où vous épouserez Madeleine.

C'est une fois abandonné à ses réflexions que Prosper comprit vraiment et réellement de quelle utilité lui avait été l'intervention toute-puissante de M. Verduret.

Examinant le champ des investigations de ce mystérieux protecteur, il était surpris et comme épouvanté de son étendue.

Que de découvertes en moins de huit jours, et avec quelle précision - bien qu'il prétendît avoir fait fausse route. Avec quelle sûreté, il en était venu d'inductions en déductions, de faits prouvés en faits probables, à reconstituer, sinon la vérité, au moins une histoire si vraisemblable qu'elle semblait indiscutable.

Prosper devait bien s'avouer que, parti de rien, jamais il ne serait arrivé seul à ce résultat qui confondait sa raison.

Outre qu'il n'avait ni la pénétration surprenante, ni la subtilité de conception de M. Verduret, il n'avait ni son flair ni son audace ; il ne possédait pas cet art, cette science de se faire obéir, de se créer des agents et des complices, de faire concourir à un résultat commun les événements aussi bien que les hommes.

N'ayant plus près de lui cet ami de l'adversité, il le regrettait. Il regrettait cette voix tantôt rude et tantôt bienveillante qui l'encourageait ou le consolait.

Il se trouvait maintenant isolé jusqu'à l'effroi, n'osant pour ainsi dire ni agir ni penser seul, plus timide que l'enfant abandonné par sa bonne.

Au moins eut-il le bon esprit de suivre les recommandations de son mentor. Il se renferma obstinément au *Grand-Archange,* ne mettant même pas le nez à la fenêtre.

Deux fois il eut des nouvelles de M. Verduret. La première fois il reçut une lettre où cet ami lui disait avoir vu son père, lequel lui avait donné un bon coup de main. La seconde fois, Dubois, le valet de chambre de M. de Clameran, vint, de la part de celui qu'il appelait « son patron », annoncer que tout allait bien.

Tout allait pour le mieux, en effet, lorsque le neuvième jour de sa réclusion volontaire, sur les dix heures du soir, Prosper eut l'idée de sortir. Il avait un violent mal de tête, depuis plusieurs nuits il dormait mal, il pensa que le grand air lui ferait du bien.

Mme Alexandre, qui semblait avoir été mise quelque peu dans le secret par Verduret, lui présenta certaines objections, il n'en tint compte.

- Qu'est-ce que je risque, à cette heure, dans ce quartier ? dit-il. Je longerai le quai jusqu'au Jardin des Plantes, et certes je ne rencontrerai personne.

Le malheur est qu'il ne suivit pas strictement ce programme, et qu'arrivé près de la gare du chemin de fer d'Orléans, ayant soif, il entra dans un café et se fit servir un verre de bière.

Tout en buvant à petits coups, machinalement il prit un journal parisien, le *Soleil*, et à l'article : « Bruits du jour », sous la signature de Jacques Durand, il lut :

On annonce le mariage de la nièce d'un de nos plus honorables financiers, M. André Fauvel, avec un gentilhomme provençal, M. le marquis Louis de Clameran.

La foudre tombant sur la table même de Prosper ne lui eût point causé une si épouvantable impression.

Cette nouvelle affreuse, qui lui arrivait là, à l'improviste, apportée par ce messager indifférent de la joie ou de la douleur qui s'appelle le journal, lui prouvait la justesse des appréciations de M. Verduret.

Hélas ! pourquoi cette certitude ne lui donna-t-elle pas la foi absolue, c'est-à-dire le courage d'attendre, la force de ne pas agir ?

Égaré par la douleur, perdant la tête, il vit déjà Madeleine indissolublement liée à ce misérable, il se dit que M. Verduret arriverait peut-être trop tard, et qu'à tout prix il fallait créer un obstacle.

Il demanda au garçon une plume et du papier, et oubliant qu'il n'est pas de situation qui excuse cette lâcheté abominable qui s'appelle une lettre anonyme, déguisant son écriture de son mieux, il écrivit à son ancien patron :

Cher monsieur,

Vous avez livré à la justice votre caissier, vous avez bien fait, puisque vous êtes certain qu'il a été infidèle.

Mais si c'est lui qui a pris à votre caisse trois cent cinquante mille francs, est-ce aussi lui qui a volé les diamants de Mme *Fauvel pour les porter au Mont-de-Piété, où ils sont actuellement ?*

À votre place, prévenu comme vous l'êtes, je ne ferais pas d'esclandre. Je surveillerais ma femme, et je découvrirais qu'il faut toujours se défier des petits-cousins.

De plus, avant de signer le contrat de Mlle Madeleine, je passerais à la préfecture de police m'édifier sur le compte du noble marquis de Clameran.

Un de vos amis.

Sa lettre écrite, Prosper se hâta de payer et de sortir. Puis, comme s'il eût craint que sa dénonciation n'arrivât pas assez à temps, il se fit indiquer un grand bureau, et c'est rue du Cardinal-Lemoine qu'il la jeta à la poste.

Jusque-là il n'avait même pas douté de la légitimité de son action.

Mais, au dernier moment, lorsque ayant avancé la main dans la boîte, il lâcha la lettre, lorsqu'il entendit le bruit sourd qu'elle fit en tombant parmi les dépêches, mille scrupules lui vinrent.

N'avait-il pas eu tort d'agir avec cette précipitation ? Cette lettre n'allait-elle pas déranger tous les plans de M. Verduret ?...

Arrivé à l'hôtel, ses scrupules se changèrent en regrets amers.

Joseph Dubois était venu en son absence ; il était venu au reçu d'une dépêche du patron annonçant que tout était terminé, et qu'il arriverait le lendemain soir, à neuf heures, à la gare de Lyon.

Prosper eut un moment d'affreux désespoir. Il eût donné tout au monde pour rentrer en possession de la lettre anonyme.

Et certes, il avait raison de se désoler.

À cette heure même, M. Verduret prenait le chemin de fer à Tarascon, ruminant tout un plan, pour tirer de ses découvertes le parti le plus avantageux.

Car il avait tout découvert.

Combinant avec ce qu'il savait déjà le récit d'une ancienne servante de Mlle de La Verberie et les déclarations d'un vieux domestique des Clameran, utilisant les dépositions des gens du Vésinet au service de Lagors, dépositions recueillies et expédiées par Dubois-Fanferlot, s'aidant de notes émanant de la préfecture de police, il était arrivé, grâce à son prodigieux génie d'investigation et de calcul, à rétablir entièrement et dans ses moindres détails le drame désolant qu'il avait entrevu.

Ainsi qu'il l'avait deviné et dit, c'est loin, bien loin dans le passé qu'il fallait rechercher les causes du crime dont Prosper avait été la victime.

Et ce drame, le voici, tel qu'il l'avait rédigé à l'intention du juge d'instruction, non sans se dire que sans doute son récit servirait à dresser l'acte d'accusation.

XII

À deux lieues de Tarascon, sur la rive gauche du Rhône, non loin des merveilleux jardins de messieurs Audibert, on aperçoit, noirci par le temps, négligé, délabré, mais solide encore, le château de Clameran.

Là, vivaient, en 1841, le vieux marquis de Clameran et ses deux fils, Gaston et Louis.

C'était un personnage au moins singulier, ce vieux marquis. Il était de cette race, aujourd'hui presque disparue, d'entêtés gentilshommes dont la montre s'est arrêtée en 1789 et qui ont l'heure d'un autre siècle.

Attaché à ses illusions plus qu'à sa vie même, le vieux marquis s'obstinait à considérer les événements survenus depuis 89 comme une série de déplorables plaisanteries, tentatives ridicules d'une poignée de bourgeois factieux.

Émigré des premiers à la suite du comte d'Artois, il n'était rentré en France qu'en 1815, à la suite des alliés.

Il eût dû bénir le ciel de retrouver une partie des immenses domaines de sa famille, faible, il est vrai, mais très suffisante pour le faire vivre honorablement ; il ne pensait pas, disait-il, devoir au bon Dieu de la reconnaissance pour si peu.

Tout d'abord, il s'était fort remué pour obtenir quelque charge à la cour. À la longue, voyant ses démarches vaines, il avait pris le parti de se retirer en son château, plaignant et maudissant tout ensemble son roi qu'il adorait, et qu'au fond du cœur il traitait de jacobin.

De ce moment, il s'était habitué sans peine à la vie large et facile des gentilshommes campagnards.

Possédant quinze mille livres de rentes environ, il en dépensait tous les ans vingt-cinq ou trente mille, puisant à même le sac, prétendant qu'il en aurait toujours assez pour attendre une vraie

Restauration qui ne manquerait pas de lui rendre tous ses domaines.

À son exemple, ses deux fils vivaient largement. Le plus jeune, Louis, toujours en quête d'une aventure, toujours en partie de plaisir aux environs, buvant, jouant gros jeu ; l'aîné, Gaston, cherchant à s'initier au mouvement de son époque, travaillant, recevant en cachette certains journaux, dont le titre seul eût paru à son père un pendable blasphème.

En somme, pelotonné dans son égoïste insouciance, le vieux marquis était le plus heureux des mortels, mangeant bien, buvant mieux, chassant beaucoup, assez aimé des paysans, exécré des bourgeois des villes voisines, qu'il accablait de railleries parfois spirituelles.

Les heures ne lui semblaient guère lourdes que l'été, par les chaleurs terribles de la vallée du Rhône, ou quand le mistral soufflait par trop fort.

Cependant, même en ce cas, il avait sous la main un moyen de distraction infaillible, toujours neuf bien que toujours le même, toujours vif, toujours piquant.

Il disait du mal de sa voisine, la comtesse de La Verberie.

La comtesse de La Verberie, la « bête noire » du marquis, comme il le disait peu galamment, était une grande et sèche femme, anguleuse de structure et de caractère, hautaine, méprisante, glaciale avec ceux qu'elle jugeait ses égaux et dure pour le petit monde.

À l'exemple de son noble voisin, elle avait émigré avec son mari, tué depuis à Lutzen, non dans les rangs français, malheureusement pour sa mémoire.

En 1815 également, la comtesse était rentrée en France.

Mais, pendant que le marquis de Clameran recouvrait une aisance relative, elle ne put, elle, obtenir de ses protecteurs et de la munificence royale que le petit domaine et le château de La Verberie, et sur le milliard d'indemnité deux mille cinq cents francs de rente, dont elle vivait.

Il est vrai que le château de La Verberie eût suffi à bien des ambitions.

Plus modeste que le manoir de Clameran, le joli castel de La

Verberie a de moins fières apparences et de moins hautes prétentions.

Mais il est de dimensions raisonnables, commode, bien aménagé, discret, et facile pour le service comme la petite maison d'un grand seigneur.

C'est d'ailleurs au milieu d'un vaste parc qu'il ouvre au soleil levant ses fenêtres sculptées.

Une merveille pour le pays, que ce parc, qui s'étend de la route de Beaucaire jusqu'au bord du fleuve ; une merveille, avec ses grands arbres, ses charmilles, ses bosquets, sa prairie et son clair ruisseau qui la traverse d'un bout à l'autre.

Là vivait, toujours se plaignant et maudissant la vie, la comtesse de La Verberie.

Elle n'avait qu'une fille unique, alors âgée de dix-huit ans, nommée Valentine, blonde, frêle, avec de grands yeux tremblants, belle à faire tressaillir dans leur niche les saints de pierre de la chapelle du village où elle allait tous les matins entendre la messe.

Même, le renom de sa beauté, porté sur les eaux rapides du Rhône, s'était étendu au loin.

Souvent les mariniers, souvent les robustes haleurs qui poussent leurs puissants chevaux moitié dans l'eau, moitié sur le chemin de halage, avaient aperçu Valentine, assise, un livre à la main, à l'ombre des grands arbres, au bord de l'eau.

De loin, avec sa robe blanche, avec ses beaux cheveux demi-flottants, elle semblait à l'imagination de ces rudes et braves gens comme une apparition mystérieuse et de bon augure. Et souvent, entre Arles et Valence il avait été parlé de la jolie petite fée de La Verberie.

Si M. de Clameran détestait la comtesse, Mme de La Verberie exécrait le marquis. S'il l'avait surnommée « la sorcière », elle ne l'appelait jamais que « le vieil étourneau ».

Et cependant, ils étaient nés pour se comprendre, ayant sur le fond même des faits une opinion pareille, avec des façons différentes de les envisager, c'est-à-dire se trouvant dans d'admirables conditions pour discuter éternellement sans s'entendre ni se fâcher jamais.

Lui, se faisant une philosophie, se moquait de tout et digérait bien. Elle, gardant sur le cœur des rancunes terribles, maigrissait de rage et verdissait de jalousie.

Peu importe ! Ils eussent passé ensemble des délicieuses soirées. Car enfin, ils étaient voisins, très proches voisins.

De Clameran, on voyait très bien le lévrier noir de Valentine courir dans les allées du parc de La Verberie ; et de La Verberie, on voyait, tous les soirs, s'illuminer les fenêtres de la salle à manger de Clameran.

Entre les deux châteaux, il n'y avait que le fleuve, le Rhône, un peu encaissé en cet endroit, roulant à pleins bords ses flots rapides.

Oui, mais entre les deux familles, une haine existait, plus profonde que le Rhône, plus difficile à détourner ou à combler.

D'où venait cette haine ?

La comtesse et le marquis auraient été bien embarrassés de le dire avec quelque exactitude.

C'est pourquoi il advint ce qui devait advenir, ce qui arrive toujours dans la vie réelle et souvent dans les romans, qui, après tout, si exagérés qu'ils soient, gardent toujours un reflet de la vérité qui les a inspirés.

Il arriva que Gaston, ayant vu Valentine à une fête, la trouva belle et l'aima.

Il advint que Valentine remarqua Gaston et ne put, désormais, se défendre de penser à lui.

Mais tant d'obstacles les séparaient !... Chacun d'eux, pendant près d'une année, garda religieusement son secret, enfoui comme un trésor, au plus profond de son cœur.

Gaston et Valentine, après ne s'être vus qu'une fois, étaient déjà tant l'un pour l'autre, quand la fatalité qui avait présidé à leur première rencontre les rapprocha de nouveau.

Ils se trouvèrent passer une journée entière chez la vieille duchesse d'Arlange, venue dans le pays pour vendre ce qu'elle y avait encore de propriétés.

Cette fois, ils se parlèrent, et comme de vieux amis, surpris de trouver en eux un écho des mêmes pensées.

Puis de nouveau, ils furent séparés des mois. Mais déjà, sans s'être entendus, ils se trouvaient, à de certaines heures, au bord du Rhône, et, d'un côté à l'autre du fleuve, ils s'apercevaient.

Enfin, un soir du mois de mai, comme Mme de La Verberie était à Beaucaire, Gaston osa pénétrer dans le parc et se présenter à Valentine.

Elle fut à peine surprise et ne fut pas indignée. L'innocence véritable n'a pas les façons et les pudeurs effarouchées dont s'affuble l'innocence de convention. Valentine n'eut même pas l'idée d'ordonner à Gaston de se retirer.

Longtemps, elle appuyée sur son bras, ils marchèrent à petits pas, le long de la grande avenue.

Ils ne se dirent pas qu'ils s'aimaient, ils le savaient ; ils se dirent, les larmes aux yeux, qu'ils s'aimaient sans espoir.

Ils reconnaissaient que jamais ils ne triompheraient des haines absurdes de leurs familles ; ils s'avouaient que toute tentative serait une folie. Ils se jurèrent de ne s'oublier de leur vie, et se promirent de ne se revoir jamais, non, plus jamais... qu'une seule fois encore.

Aussi le second rendez-vous ne fut pas le dernier.

Et pourtant, que d'obstacles à ces entrevues ! Gaston ne voulait se confier à aucun batelier, et, pour trouver un pont, il fallait faire plus d'une lieue.

C'est alors qu'il pensa que franchir le fleuve à la nage serait bien plus court ; mais il était médiocre nageur, et traverser le fleuve à cet endroit est considéré par les plus habiles comme une grande témérité.

Peu importe ! il s'exerça en secret, et un soir, Valentine, épouvantée, le vit sortir de l'eau presque à ses pieds.

Elle lui fit jurer de ne plus renouveler cet exploit. Il jura, et recommença le lendemain et jours suivants.

Seulement, comme Valentine croyait toujours le voir entraîné par le courant furieux, ils convinrent d'un signal qui devait abréger ses angoisses.

Au moment de partir, Gaston faisait briller une lumière à l'une des fenêtres du château de Clameran, et, un quart d'heure après, il était aux genoux de son amie.

Valentine et Gaston se croyaient seuls maîtres du secret de leurs amours.

Ils avaient pris, ils prenaient tant et de si minutieuses précautions ! Ils se surveillaient si attentivement ! Ils étaient si bien persuadés que leur conduite était un chef-d'œuvre de dissimulation et de prudence !

Pauvres amoureux naïfs !... Comme si on pouvait dissimuler quelque chose à la perspicacité désœuvrée des campagnes, à la curiosité médisante et toujours en éveil d'esprits vides et oisifs, incessamment en quête d'une sensation bonne ou mauvaise, d'un cancan inoffensif ou mortel.

Ils croyaient tenir leur secret, et depuis longtemps déjà il avait pris sa volée, depuis longtemps déjà l'histoire de leurs amours, de leurs rendez-vous, défrayait les causeries des veillées.

Quelquefois, le soir, ils avaient aperçu une ombre, une barque glissant sur le fleuve, non loin du bord, et ils se disaient : c'est quelque pêcheur attardé qui rentre.

Ils se trompaient. Dans cette barque se tenaient cachés des curieux, des espions, qui, ravis de les avoir entrevus, allaient, en toute hâte, raconter avec mille détails mensongers leur honteuse expédition.

C'est un soir du commencement de novembre que Gaston connut enfin la funeste vérité.

De longues pluies avaient grossi le Rhône, le Gardon donnait : on le voyait à la couleur des eaux ; on craignait une inondation.

Essayer de traverser à la nage ce torrent énorme, impétueux, c'eût été tenter Dieu.

Gaston de Clameran s'était donc rendu à Tarascon, comptant y passer le pont et remonter ensuite la rive droite du fleuve, jusqu'à La Verberie. Valentine l'attendait vers onze heures.

Par une fatalité inouïe, lui qui toujours, lorsqu'il venait à Tarascon, dînait chez un de ses parents qui demeurait au coin de la place de la Charité, il dîna avec un de ses amis à l'hôtel des *Trois-Empereurs*.

Après le dîner, ils se rendirent, non au café *Simon*, où ils allaient habituellement, mais au petit café situé sur le champ de foire.

La salle, assez petite, de cet établissement était, lorsqu'ils y entrèrent, pleine de jeunes gens de la ville. Le billard étant libre, Gaston et son ami demandèrent une bouteille de bière et se mirent à jouer au billard.

Ils étaient au milieu de leur partie, lorsque l'attention de Gaston fut attirée par des éclats de rire forcés, qui partaient d'une table du fond.

De ce moment, préoccupé de ces rires qui, bien évidemment, avaient une intention malveillante, Gaston poussa ses billes tout de travers. Si évidente devint sa préoccupation, que son ami, tout surpris, lui dit :

– Qu'as-tu donc ? tu n'es plus au jeu, tu manques des carambolages tout faits.

– Je n'ai rien.

La partie continua une minute encore, mais tout à coup Gaston devint plus blanc que sa chemise, lança violemment sa queue sur le billard et s'élança vers la table du fond.

Ils étaient là cinq jeunes gens qui jouaient aux dominos en vidant un bol de vin chaud.

C'est à celui qui paraissait l'aîné, un beau garçon de vingt-six ans, aux grands yeux brillants, à la moustache noire fièrement retroussée, nommé Jules Lazet, que Gaston de Clameran s'adressa.

– Répétez donc, lui dit-il d'une voix que la colère faisait trembler, osez donc répéter ce que vous venez de dire !

– Qui donc m'en empêcherait ? répondit Lazet, du ton le plus calme. J'ai dit et je répète que les filles nobles ne valent pas mieux que les artisanes, et que ce n'est pas la particule qui fait la vertu.

– Vous avez prononcé un nom.

Lazet se leva comme s'il eût prévu que sa réponse exaspérerait le jeune Clameran, et que, des paroles, on en viendrait aux voies de fait.

– J'ai, dit-il, avec le plus insolent sourire, prononcé le nom de la jolie petite fée de La Verberie.

Tous les consommateurs du café, et même deux commis voyageurs qui dînaient à une table près du billard, s'étaient levés et entouraient les deux interlocuteurs.

Aux regards provocants qu'on lui lançait, aux murmures - aux huées plutôt - qui l'avaient accueilli quand il avait marché sur Lazet, Gaston devait comprendre, et il comprenait qu'il était entouré d'ennemis.

Les méchancetés gratuites, les continuelles railleries du vieux marquis portaient leurs fruits. La rancune fermente vite et terriblement dans les cœurs et dans les têtes de la Provence.

Mais Gaston de Clameran n'était pas homme à reculer d'une semelle, eût-il eu cent, eût-il eu mille ennemis au lieu de quinze ou vingt.

- Il n'y a qu'un lâche, reprit-il d'une voix vibrante et que le silence rendait presque solennelle, il n'y a qu'un misérable lâche pour avoir l'infamie et la bassesse d'insulter, de calomnier une jeune fille dont la mère est veuve et qui n'a ni père ni frère pour défendre son honneur.

- Si elle n'a ni père, ni frère, ricana Lazet, elle a ses amants, et cela suffit.

Ces mots affreux : « ses amants... » portèrent à leur comble la fureur à grand-peine maîtrisée de Gaston, il leva le bras, et sa main retomba, avec un bruit mat, sur la joue de Lazet.

Il n'y eut qu'un cri, dans le café, un cri de terreur. Tout le monde connaissait la violence du caractère de Lazet, sa force herculéenne, son aveugle courage.

D'un bond, il franchit la table qui le séparait de Gaston, et tombant sur lui, il le saisit à la gorge.

Ce fut un moment d'affreuse confusion. L'ami de Clameran voulut venir à son secours, il fut entouré, renversé à coups de queues de billards, foulé aux pieds et poussé sur une table.

Également vigoureux, jeunes et adroits l'un et l'autre, Gaston et Lazet luttaient sans qu'aucun d'eux obtînt d'avantage marqué.

Lazet, brave garçon, aussi loyal que courageux, ne voulait pas d'intervention. Les témoignages sur ce point sont unanimes. Il ne cessait de crier à ses amis :

- Retirez-vous, écartez-vous, laissez-moi faire seul !

Mais les autres étaient bien trop animés déjà pour rester simples spectateurs du combat.

– Une couverture ! cria l'un d'eux, vite une couverture pour faire sauter le marquis !

En même temps, cinq ou six jeunes gens se ruant sur Gaston le séparaient de Lazet et le repoussaient jusqu'au billard. Les uns cherchaient à le terrasser, les autres, avec une courroie, s'efforçaient de paralyser les mouvements de ses jambes.

Lui se défendait avec l'énergie du désespoir, puisant dans le sentiment de son bon droit une force dont jamais on ne l'aurait cru capable. Et tout en se défendant furieusement, il accablait d'injures ses adversaires, les traitant de lâches, de misérables bandits, qui se mettaient douze contre un homme de cœur.

Il tournait autour du billard, cherchant à gagner la porte, la gagnant peu à peu, quand une clameur de joie emplit la salle :

– Voici la couverture ! criait-on.

– Dans la couverture, l'amant de la petite fée !...

Ces cris, Gaston les devina, plutôt qu'il ne les entendit. Il se vit vaincu, aux mains de ces forcenés, subissant le plus ignoble des outrages.

D'un mouvement terrible de côté, il fit lâcher prise aux trois assaillants qui le tenaient ; un formidable coup de poing le débarrassa d'un quatrième.

Il avait les bras libres ; mais tous les ennemis revenaient à la charge.

Alors il perdit la tête. À côté de lui, sur la table où avaient dîné les commis voyageurs, il saisit un couteau, et par deux fois il l'enfonça dans la poitrine du premier qui se précipita sur lui.

Ce malheureux était Jules Lazet. Il tomba.

Il y eut une seconde de stupeur. Quatre ou cinq des assaillants se précipitèrent sur Lazet pour lui porter secours. La maîtresse du café poussait des cris horribles. Quelques-uns des plus jeunes sortirent en criant : « À l'assassin ! »

Mais tous les autres, encore dix au moins, se ruèrent sur Gaston, avec des cris de mort.

Il se sentait perdu, ses ennemis se faisaient arme de tout, il avait reçu trois ou quatre blessures, quand une résolution désespérée lui vint. Il monta sur le billard et, prenant un formidable élan, il se lança dans la devanture du café. Elle était solide, cette devanture, pourtant il la brisa ; les éclats de verre et de bois le meurtrirent et le déchirèrent en vingt endroits, mais il passa.

Gaston de Clameran était dehors, mais il n'était pas sauvé. Surpris d'abord et presque déconcertés de son audace, ses adversaires, vite remis de leur stupeur, s'étaient jetés sur ses traces.

Lui, courait à travers le champ de foire, ne sachant quelle direction prendre.

Enfin, il se décida à gagner Clameran, s'il le pouvait.

Il cessa donc ses feintes, et avec une incroyable rapidité, il traversa diagonalement le champ de foire, se dirigeant vers la levée, la *levade*, comme on dit dans le pays, qui met la vallée de Tarascon à l'abri des inondations.

Malheureusement, en arrivant à cette levée, plantée d'arbres magnifiques, une des plus délicieuses promenades de la Provence, Gaston oublia que l'entrée en est fermée par une de ces barrières à trois montants qu'on place devant les endroits réservés aux seuls piétons.

Lancé à toute vitesse, il alla se heurter contre, et fut renversé en arrière, non sans se faire un mal affreux à la hanche.

Il se releva promptement, mais les autres étaient sur lui.

Il fallait se dégager ou mourir.

Le malheureux ! Il avait gardé à la main son couteau sanglant, il frappa ; un homme encore tomba en poussant un gémissement terrible.

Ce second coup lui donna un moment de répit, fugitif comme l'éclair, mais qui lui permit de tourner la barrière et de s'élancer sur la levée.

Deux des poursuivants s'étaient agenouillés près du blessé, cinq reprirent la chasse avec une ardeur plus endiablée.

Mais Gaston était leste, mais l'horreur de la situation triplait son énergie ; échauffé par la lutte, il ne sentait aucune de ses blessures, il allait, les coudes au corps, ménageant son haleine, rapide comme un cheval de course.

Bientôt il distança ceux qui le poursuivaient : le souffle de leur respiration haletante s'éloignait, le bruit de leurs pas arrivait moins distinct ; enfin, on n'entendit plus rien.

Cependant Gaston courut pendant plus d'un quart de lieue encore, il avait pris les champs, franchissant les haies, sautant les fossés, et c'est lorsqu'il fut bien convaincu que le rejoindre était impossible, qu'il se laissa tomber au pied d'un arbre.

Cependant, il ne pouvait rester étendu là. Nul doute que la force armée ne fût prévenue. On le cherchait déjà. On était sur ses traces. On allait à tout hasard venir au château de Clameran, et avant de s'éloigner, peut-être pour toujours, il voulait voir son père, il voulait, une fois encore, serrer Valentine entre ses bras.

Quand, après une route affreusement pénible, il sonna à la grille du château, il était plus de dix heures.

À sa vue, le vieux valet qui était venu lui ouvrir recula, terrifié.

– Grands dieux ! monsieur le comte, que vous est-il arrivé ?

– Silence ! fit Gaston, de cette voix rauque et brève que donne la conscience d'un danger imminent, silence ! Où est mon père ?

– Monsieur le marquis est dans sa chambre avec monsieur Louis ; monsieur le marquis a été pris de sa goutte, ce tantôt, il ne peut bouger ; mais vous, monsieur...

Gaston ne l'entendait plus. Il avait gravi rapidement le grand escalier et entrait dans la chambre où son père et son frère jouaient au trictrac.

Son aspect impressionna le vieux marquis à ce point qu'il lâcha le cornet qu'il tenait.

Et, certes, cette impression s'expliquait. Le visage, les mains, les vêtements de Gaston étaient couverts de sang.

– Qu'y a-t-il ? demanda le marquis.

– Il y a, mon père, que je viens vous embrasser une dernière fois et vous demander les moyens de fuir, de passer à l'étranger.

– Vous voulez fuir ?

– Il le faut, mon père, et sur-le-champ, à l'instant ; on me poursuit, on me traque, dans un moment la gendarmerie peut être ici. J'ai tué deux hommes.

Le choc reçu par le marquis fut tel que, oubliant sa goutte, il essaya de se dresser. La douleur le recoucha sur son fauteuil.

– Où ? quand ? interrogea-t-il d'une voix affreusement altérée.

– À Tarascon, dans un café, il y a une heure, ils étaient quinze, j'étais seul, j'ai pris un couteau !

– Toujours les gentillesses de 93, murmura le marquis. On vous avait insulté, comte ?

– On insultait devant moi une noble jeune fille.

– Et vous avez châtié les drôles ? Jarnibleu ! vous avez bien fait. Où a-t-on vu jamais qu'un gentilhomme laissât en sa présence des faquins manquer à une personne de qualité ! Mais de qui avez-vous pris la défense ?

– De mademoiselle Valentine de La Verberie.

– Oh ! fit le marquis, oh !... de la fille de cette vieille sorcière. Jarnitonnerre ! Ces La Verberie, que Dieu les écrase, nous ont toujours porté malheur.

Certes, il abominait la comtesse, mais en lui le respect de la race parlait plus haut que le ressentiment. Il ajouta donc :

– N'importe ! comte, vous avez fait votre devoir.

Gaston n'était pas aussi abîmé qu'il le croyait. À l'exception d'un coup de couteau, un peu au-dessous de l'épaule gauche, ses autres blessures étaient légères.

Après avoir reçu les soins que réclamait son état, Gaston se sentit un autre homme, prêt à braver de nouveaux périls ; une énergie nouvelle étincelait dans ses yeux.

D'un signe, le marquis fit retirer les domestiques.

– Et, maintenant, demanda-t-il à Gaston, vous croyez devoir passer à l'étranger ?

– Oui, mon père.

– Et il n'y a pas un instant à perdre, fit observer Louis.

– C'est vrai, répondit le marquis ; mais, pour fuir, pour passer à l'étranger, il faut de l'argent, et je n'en ai pas à lui donner, là, sur-le-champ.

– Mon père !...

– Non, je n'en ai pas ! Ah ! vieux fou prodigue que je suis, vieil enfant imprévoyant !... Ai-je seulement cent louis ici !...

Sur ses indications, son second fils, Louis, ouvrit le secrétaire.

Le tiroir servant de caisse renfermait neuf cent vingt francs en or.

– Neuf cent vingt francs !... s'écria le marquis ; ce n'est pas assez. L'aîné de notre maison ne peut fuir avec cette misérable somme, il ne le peut...

Visiblement désespéré, le vieux marquis resta un moment abîmé dans ses réflexions. À la fin, prenant un parti, il ordonna à Louis de lui apporter une petite cassette de fer ciselé placée sur la tablette inférieure du secrétaire.

Le marquis de Clameran portait au cou, suspendue à un ruban noir, la clé de la cassette.

Il l'ouvrit, non sans une violente émotion, que remarquèrent ses enfants, et en tira lentement un collier, une croix, des bagues et divers autres bijoux.

Sa physionomie avait pris une expression solennelle.

– Gaston, mon fils bien-aimé, dit-il, votre vie, à cette heure, peut dépendre d'une récompense donnée à propos à qui vous aidera.

– Je suis jeune, mon père, j'ai du courage.

– Écoutez-moi. Ces bijoux que je tiens là sont ceux de la marquise votre mère, une sainte et noble femme, Gaston, qui du Ciel veille sur nous. Ces bijoux ne m'ont jamais quitté. En mes jours de misère, pendant l'émigration, à Londres, quand je donnais pour vivre des leçons de clavecin, je les conservais pieusement. Jamais l'idée de les vendre ne m'est venue, les engager même m'eût paru un sacrilège. Mais aujourd'hui... prenez ces parures, mon fils, vous les vendrez, elles valent une vingtaine de mille livres...

– Non, mon père, non !...

– Prenez, mon fils. Votre mère, si elle était encore de ce monde, vous dirait comme moi. J'ordonne. Il ne faut pas que le salut, que l'honneur de l'aîné de la maison de Clameran soit en danger faute d'un peu d'or.

Ému, les larmes aux yeux, Gaston s'était laissé glisser aux

genoux du vieux marquis ; il lui prit la main, qu'il porta à ses lèvres.

– Merci, mon père, murmura-t-il, merci !... Il est arrivé qu'en ma présomptueuse témérité de jeune homme, je me suis permis de vous juger, je ne vous connaissais pas, pardonnez-moi !... J'accepte, oui j'accepte ces bijoux portés par ma mère ; mais je les prends comme un dépôt confié à mon honneur, et dans quelque jour je vous rendrai compte...

L'attendrissement gagnait le marquis de Clameran et Gaston, ils oubliaient. Mais l'âme de Louis n'était pas de celles que touchent de tels spectacles.

– L'heure vole, interrompit-il, le temps presse.

– Il dit vrai ! s'écria le marquis, partez, comte, partez, mon fils, Dieu protège l'aîné des Clameran !

Gaston s'était relevé lentement.

– Avant de vous quitter, mon père, commença-t-il, j'ai à remplir un devoir sacré. Je ne vous ai pas tout dit : cette jeune fille, dont j'ai pris la défense ce soir, Valentine, je l'aime...

– Oh ! fit M. de Clameran stupéfait, oh ! oh...

– Et je viens vous prier, mon père, vous conjurer à genoux, de demander pour moi à madame de La Verberie la main de sa fille. Valentine, je le sais, n'hésitera pas à partager mon exil, elle me rejoindra à l'étranger...

Gaston s'arrêta, effrayé de l'effet que produisaient ses paroles. Le vieux marquis était devenu rouge, ou plutôt violet, comme s'il eût été près d'être frappé d'une attaque d'apoplexie.

– Mais c'est monstrueux, répétait-il, bégayant de colère, c'est de la folie !...

– Je l'aime, mon père ; je lui ai juré que je n'aurais pas d'autre femme qu'elle.

– Vous resterez garçon.

– Je l'épouserai ! s'écria Gaston qui s'animait peu à peu, je l'épouserai parce que j'ai juré et qu'il y va de notre honneur...

– Chansons !

– Mademoiselle de La Verberie sera ma femme, vous dis-je, parce qu'il est trop tard pour reprendre ma parole, parce que même ne l'aimant plus je l'épouserais encore, parce qu'elle s'est donnée à moi, parce qu'enfin, entendez-vous, ce qu'on disait au café, ce soir, est vrai, Valentine est ma maîtresse.

L'aîné des Clameran avait compté sur l'impression de cet aveu, que lui arrachaient les circonstances ; il se trompait. Le marquis, si irrité, sembla soulagé d'un poids énorme. Une joie méchante étincela dans ses yeux.

– Ah ! ah ! fit-il, elle est votre maîtresse. Jarnibleu ! j'en suis charmé. Mes compliments, comte ; on la dit agréable, cette petite.

– Monsieur, interrompit Gaston presque menaçant, je l'aime, je vous l'ai dit, vous l'oubliez. J'ai juré.

– Ta ! ta ! ta ! s'écria le marquis, je trouve vos scrupules singuliers. Est-ce qu'un de ses aïeux, à elle, n'a pas détourné du bon chemin une de nos aïeules à nous ? Maintenant, nous sommes quittes. Ah ! elle est votre maîtresse...

– Sur la mémoire de ma mère et de notre nom, je le jure, elle sera ma femme !

– Vraiment ! s'écria le marquis exaspéré, vous osez le prendre sur ce ton !... Jamais, entendez-vous bien ? jamais vous n'aurez mon consentement. Vous savez si l'honneur de notre maison m'est cher ? Eh bien, j'aimerais mieux vous voir pris, jugé, condamné, j'aimerais mieux vous savoir au bagne que le mari de cette péronnelle.

Ce dernier mot transporta Gaston.

– Que votre volonté soit donc faite, mon père, dit-il ; je reste, on m'arrêtera, on fera de moi ce qu'on voudra, peu m'importe !... Je ne veux pas d'une vie sans espoir. Reprenez ces bijoux, ils me sont inutiles désormais.

Une scène terrible allait certainement éclater entre le père et le fils, quand la porte de la chambre s'ouvrit avec fracas.

Tous les domestiques du château se pressaient dans le couloir.

– Les gendarmes ! disaient-ils, voici les gendarmes !...

À cette nouvelle, le vieux marquis se dressa et réussit à rester debout. Tant d'émotions l'agitaient depuis une heure que la goutte cédait.

– Des gendarmes ! s'écria-t-il, chez moi, à Clameran ! Nous

allons leur faire payer cher leur audace ! Vous m'aiderez, vous autres !...

– Oui ! oui ! répondirent les domestiques, à bas les gendarmes !

Par bonheur, en ce moment où tout le monde perdait la tête, Louis conservait tout son sang-froid.

– Résister serait folie, prononça-t-il ; nous repousserons peut-être les gendarmes ce soir, mais demain ils reviendront plus nombreux.

– C'est vrai, dit amèrement le vieux marquis, Louis a raison...

– Où sont-ils ? interrogea Louis.

– À la grille, répondit La Verdure, un des palefreniers. Monsieur le vicomte n'entend-il pas le bruit affreux qu'ils font avec leurs sabres ?

– Alors Gaston va fuir par la porte du potager.

– Gardée ! monsieur ! s'écria La Verdure, désespéré, elle est gardée, et la petite porte du parc aussi. Ils sont tout un régiment. Même, quelques-uns sont en faction le long des murs du parc.

Ce n'était que trop vrai. Le bruit de la mort de Lazet, aussitôt répandu, avait mis Tarascon sens dessus dessous. On avait fait monter à cheval, pour arrêter le meurtrier, non seulement les gendarmes, mais encore un peloton des hussards de la garnison.

Une vingtaine de jeunes gens de la ville, au moins, guidaient la force armée.

– Ainsi, fit le marquis, recouvrant à l'heure du péril toute sa présence d'esprit, ainsi, nous sommes cernés.

– Pas une chance d'évasion ne reste, gémit Saint-Jean.

– C'est ce que nous allons voir, jarnibleu ! s'écria M. de Clameran. Ah ! nous ne sommes pas les plus forts. Eh bien ! nous serons les plus adroits. Attention tous ! Toi, Louis, mon fils, tu vas descendre aux écuries avec La Verdure ; vous monterez les deux meilleurs chevaux, vous en prendrez chacun un en main, et vous irez vous placer en faisant le moins de bruit possible, toi, Louis, à la porte du parc, toi, La Verdure, à la grille. Vous autres, vous irez vous poster chacun à une porte, prêts à ouvrir. Au signal que je donnerai, en tirant un coup de pistolet, toutes les portes seront ouvertes à la fois, Louis et La Verdure lâcheront leur cheval de main et feront tout au monde pour s'élancer dehors et attirer les gendarmes sur leurs traces.

– Je me charge de les faire courir, affirma La Verdure.

– Attendez. Pendant ce temps, le comte, aidé de Saint-Jean, franchira le mur du parc et remontera, le long de l'eau, jusqu'à la cabane de Pilorel, le pêcheur. C'est un vieux matelot de la République, un brave qui nous est dévoué, il prendra le comte dans sa barque, et une fois sur le Rhône, ils n'auront plus à craindre que Dieu !... Vous m'avez entendu, allez...

Resté seul avec son fils, le vieux marquis glissa dans une bourse de soie les bijoux que Gaston avait replacés sur la table, et ouvrant les bras :

– Venez, mon fils, dit-il d'une voix qu'il s'efforçait de rendre ferme, venez que je vous bénisse.

Gaston hésitait.

– Venez, insista le marquis, je veux vous embrasser une dernière fois. Sauvez-vous, sauvez votre nom, Gaston, et après... vous savez bien que je vous aime. Reprenez ces bijoux...

Pendant près d'une minute, le père et le fils, aussi émus l'un que l'autre, se tinrent embrassés.

Mais le bruit qui redoublait à la grille leur arrivait distinctement.

– Allons ! fit M. de Clameran.

Et, prenant à sa panoplie une paire de petits pistolets, il les remit au comte en détournant la tête et en murmurant :

– Il ne faut pas qu'on vous ait vivant, Gaston.

Malheureusement, Gaston, en quittant son père, ne descendit pas immédiatement.

Plus que jamais il voulait revoir Valentine, et il entrevoyait la possibilité de lui adresser ses derniers adieux. Il se disait que Pilorel pourrait arrêter son bateau le long du parc de La Verberie.

Il prit donc, sur les quelques minutes de répit que lui laissait la destinée, une minute pour monter à sa chambre et faire briller à la fenêtre le signal qui annonçait sa venue à son amie. Il fit plus : il attendit une réponse.

– Mais venez donc, monsieur le comte, répétait Saint-Jean, qui ne comprenait rien à sa conduite, venez, au nom du Ciel !... vous vous perdez.

Enfin, il descendit en courant.

Il n'était encore que dans le vestibule, quand un coup de feu – le signal donné par le vieux marquis – retentit.

Aussitôt, et presque simultanément, on entendit le bruit de la grande grille qui s'ouvrait, le cliquetis des sabres des gendarmes et des hussards, le galop effrayé de plusieurs chevaux, et de tous les côtés, dans le parc et dans la grande cour, des cris terribles et des jurements.

Appuyé à la fenêtre de sa chambre, la sueur au front, le marquis de Clameran attendait, si oppressé qu'il pouvait à peine respirer, l'issue de cette partie dont l'enjeu était la vie de l'aîné de ses fils.

Ses mesures étaient excellentes.

Ainsi qu'il l'avait prévu, Louis et La Verdure réussirent à se faire jour et se lancèrent à fond de train dans la campagne, l'un à droite, l'autre à gauche, chacun entraînant à sa suite une douzaine de cavaliers. Montés supérieurement, ils devaient faire voir du pays à ceux qui les poursuivaient.

Gaston était sauvé, quand la fatalité – ne fut-ce que la fatalité ? – s'en mêla.

À cent mètres du château, le cheval de Louis butta et abattit, engageant sous lui son cavalier. Aussitôt, entouré par des gendarmes et par des volontaires à pied, le second fils de M. de Clameran fut reconnu.

– Ce n'est pas l'assassin ! s'écria un des jeunes gens de la ville ; vite, revenons sur nos pas, on veut nous tromper !...

Ils revinrent en effet, et assez à temps précisément, pour voir, aux clartés indécises de la lune, dégagée pour un moment des nuages, Gaston qui franchissait le mur du potager.

– Voilà notre homme ! fit le brigadier de gendarmerie ; ouvrez l'œil, vous autres, et en avant, au galop !

Et tous, rendant la main à leurs chevaux, s'élancèrent vers l'endroit où ils avaient vu Gaston sauter.

Sur un terrain boisé, ou seulement accidenté, il est facile à un homme à pied, s'il est leste, s'il garde sa présence d'esprit, d'échapper à plusieurs cavaliers.

Or le terrain, de ce côté du parc, était des plus favorables au jeune comte de Clameran. Il se trouvait dans d'immenses champs de garance, et chacun sait que la culture de cette précieuse racine, destinée à rester trois ans en terre, nécessite des sillons qui atteignent jusqu'à soixante et soixante-dix centimètres de profondeur.

Les chevaux, non seulement ne pouvaient courir, mais à grand-peine ils se tenaient debout.

Cette circonstance arrêta net les gendarmes qui tenaient leurs bêtes. Seuls, quatre hussards se risquèrent. Mais leurs efforts furent inutiles. Sautant de sillon en sillon, Gaston eut vite gagné un espace très vaste, encore mal défriché, et coupé des maigres plants de châtaigniers.

La poursuite offrait alors d'autant plus d'intérêt qu'évidemment le fugitif avait des chances. Aussi tous les cavaliers se passionnaient-ils, s'encourageant, poussant des cris pour s'avertir quand Gaston quittait un bouquet d'arbres pour courir à un autre.

Pour lui, connaissant admirablement le pays, il ne désespérait pas. Il savait qu'après les châtaigniers, il rencontrerait des champs de chardons, et il se souvenait que les deux cultures étaient séparées par un large et profond fossé.

Il pensait que se jetant dans ce fossé, il y serait caché, et qu'il pourrait le remonter fort loin, pendant qu'on le chercherait encore parmi les arbres.

C'est qu'il ne songeait pas à la crue du fleuve. En arrivant près du fossé, il vit qu'il était plein d'eau.

Découragé, mais non déconcerté, il prenait son élan pour le franchir, quand, de l'autre côté, il aperçut trois cavaliers.

C'étaient des gendarmes qui avaient tourné les garancières et les châtaigniers, se disant que sur le terrain uni des champs de chardons, ils reprendraient l'avantage.

À leur vue, Gaston s'arrêta court.

Que faire ?... Il sentait autour de lui se rétrécir le cercle dont il était le centre.

Fallait-il donc avoir recours au pistolet, et là, au milieu des champs, traqué par les gendarmes comme une bête fauve, se faire sauter la cervelle ? Quelle mort pour un Clameran !

Non. Il se dit qu'une chance encore de salut lui restait, faible, il est vrai, chétive, misérable, désespérée, mais enfin une chance. Il lui restait le fleuve.

Il y courut rapidement, tenant toujours ses pistolets armés, et alla se placer à l'extrémité d'un petit promontoire qui s'avançait de trois bons mètres dans le Rhône.

Ce cap de refuge était formé d'un tronc d'arbre renversé, le long duquel mille débris, fagots et meules de paille, qu'entraînaient les eaux, s'arrêtaient.

L'arbre, sous le poids de Gaston, s'enfonçait, vacillait et craquait terriblement.

De là, il distinguait fort bien tous ceux qui le poursuivaient, hussards et gendarmes ; ils étaient douze à quinze, tant à droite qu'à gauche, et poussaient des exclamations de joie.

– Rendez-vous ! cria le brigadier de gendarmerie.

Gaston ne répondit pas. Il pesait, il évaluait ses chances de salut. Il était bien au-dessus du parc de La Verberie, pourrait-il y aborder, s'il n'était pas du premier coup roulé, entraîné et noyé ? Il songeait qu'en ce moment même, Valentine éperdue errait au bord de l'eau, de l'autre côté, l'attendant et priant.

– Une seconde fois, cria le brigadier, voulez-vous vous rendre ?

Le malheureux n'entendait pas. La voix imposante du torrent, mugissant et tourbillonnant autour de lui, l'assourdissait.

D'un geste violent il lança ses pistolets du côté des gendarmes, il était prêt.

Ayant trouvé pour son pied un point d'appui, solide, il fit le signe de la croix, et la tête la première, les bras en avant, il se lança dans le Rhône.

La violence de l'élan avait détaché les dernières racines de l'arbre ; il oscilla un moment, tourna sur lui-même et partit à la dérive.

L'horreur et la pitié, bien plus que le dépit, avaient arraché un cri à tous les cavaliers.

– Il est perdu, murmura un des gendarmes, c'est fini ; on ne lutte pas contre le Rhône ; on recueillera son corps demain, à Arles.

Vrais soldats français, ils étaient maintenant de tout cœur du côté du vaincu, et il n'en est pas un qui n'eût été prêt à tout tenter pour le sauver et faciliter son évasion.

– Fichue besogne ! grommela le vieux maréchal des logis qui commandait les hussards.

– Bast ! fit le brigadier, un philosophe, autant le Rhône que la cour d'assises ! Nous autres, demi-tour. Ce qui me peine, c'est l'idée de ce pauvre vieux qui attend des nouvelles de son fils... Lui dira la vérité qui voudra, je ne m'en charge pas.

XIII

Valentine, ce soir-là, savait que Gaston avait dû se rendre à Tarascon, pour y passer le Rhône sur le pont de fil de fer qui unit Tarascon à Beaucaire, et elle l'attendait de ce côté, à l'heure convenue la veille, à onze heures.

Mais voici que bien avant l'instant fixé, ayant par hasard jeté un coup d'œil du côté de Clameran, il lui sembla voir des lumières promenées dans les appartements d'une façon tout à fait insolite.

Un pressentiment sinistre glaça tout son sang dans ses veines, arrêtant les palpitations de son cœur.

Une voix secrète et impérieuse, au-dedans d'elle-même, lui criait qu'il se passait quelque chose d'extraordinaire et de terrible au château de Clameran.

Quoi ? elle ne pouvait se l'imaginer, mais elle était sûre ; elle eût juré qu'un grand malheur venait d'arriver.

Son inquiétude allait grandissant, plus poignante et plus aiguë de minute en minute, quand tout à coup, à la fenêtre de Gaston, elle aperçut ce signal cher et si connu qui lui annonçait que son ami allait passer le Rhône.

Elle n'en pouvait croire ses yeux, elle voulait douter du témoignage de ses sens, et c'est seulement quand le signal eut été répété trois fois qu'elle y répondit.

Alors, plus morte que vive, sentant ses jambes se dérober sous elle, se tenant aux murs, elle descendit dans le parc et gagna le bord de l'eau.

Grands dieux !... il lui semblait que jamais elle n'avait vu le Rhône si furieux. Était-il possible que Gaston essayât de le traverser ? Plus de doute, un événement affreux devait être survenu.

Pendant que les hussards et les gendarmes regagnaient tristement le château de Clameran, Gaston réalisait un de ces prodiges dont on serait tenté de douter si les plus indiscutables témoignages ne venaient l'affirmer.

Tout d'abord, lorsqu'il avait plongé, il avait été roulé cinq ou six fois et entraîné vers le fond. C'est que, dans un fleuve débordé, le courant n'est pas égal à toutes les profondeurs ; là est surtout l'immense danger. Mais ce danger, Gaston le connaissait, il l'avait prévu. Loin d'user ses forces à une lutte vaine, il s'abandonna, ne songeant qu'à économiser son haleine.

Ce n'est guère qu'à une vingtaine de mètres de l'endroit où il s'était jeté qu'un vigoureux coup de reins le ramena à la surface.

Près de lui, avec la rapidité d'une flèche, filait le tronc d'arbre sur lequel tout à l'heure il était debout.

Durant quelques secondes, il se trouva empêtré au milieu de débris de toutes sortes ; un remous le dégagea.

Il ne songeait pas à gagner la rive opposée. Il se disait qu'il aborderait où il pourrait. Gardant sa présence d'esprit autant que s'il se fût trouvé dans des conditions ordinaires, il employait toute sa force et toute son adresse à obliquer lentement, sans cesser de rester dans le fil de l'eau, sachant bien que c'en serait fait de lui si le courant le prenait de travers.

Ce courant épouvantable est d'ailleurs aussi capricieux que terrible ; de là les bizarres effets des inondations. Selon les méandres du fleuve, il se porte tantôt à droite, tantôt à gauche, épargnant une rive, ravageant l'autre.

Gaston, qui avait une connaissance très exacte de son fleuve, savait qu'un peu au-dessous de Clameran il y avait un coude brusque, et il comptait sur le remous de ce coude pour le porter sur La Verberie.

Ses prévisions ne furent pas déçues. Un courant oblique tout à coup l'emporta sur la rive droite, et s'il ne se fût pas tenu sur ses gardes, il était roulé et coulé.

Mais le remous n'allait pas aussi loin que le supposait Gaston, et il était encore loin du bord, quand, avec la foudroyante rapidité du boulet, il passa devant le parc de La Verberie.

Il eut le temps, cependant, d'entrevoir, sous les arbres, comme une ombre blanche : Valentine l'attendait.

Ce n'est que beaucoup plus bas que, s'étant insensiblement rapproché du bord, il essaya de prendre terre.

Sentant qu'il avait pied, deux fois il se dressa, deux fois la violence du courant le renversa. Il allait être entraîné quand il réussit à saisir quelques branches de saule, qui l'aidèrent à se hisser sur la berge.

Il était sauvé.

Aussitôt, sans prendre le temps de respirer, il s'élança dans la direction de La Verberie, et bientôt fut dans le parc.

Il était temps qu'il arrivât. Brisée par l'intensité de ses angoisses, l'infortunée Valentine gisait affaissée sur elle-même, sentant la vie se retirer d'elle.

Les embrassements de Gaston la tirèrent de cette morne stupeur.

– Toi ! s'écria-t-elle d'une voix où éclatait toute la folie de sa passion, toi ! Dieu a donc eu pitié de nous ? il a donc entendu mes prières ?

– Non, murmura-t-il, non, Valentine, Dieu n'a pas eu pitié.

Ses pressentiments ne la trompaient pas, elle le comprenait à l'accent de Gaston.

– Quel malheur nouveau nous frappe ! s'écria-t-elle, pourquoi êtes-vous venu ainsi, risquant votre vie qui est la mienne ; que se passe-t-il ?

– Il y a, Valentine, que notre secret n'est plus à nous, que nos amours sont, à cette heure, la risée du pays.

Elle recula comme foudroyée, se voilant la figure de ses mains, laissant échapper un long gémissement.

– Tout se sait, balbutia Valentine, tout se sait...

Au milieu du déchaînement des éléments, Gaston avait gardé son sang-froid, mais aux accents de cette voix aimée, son esprit s'exaltait jusqu'au délire.

– Et je n'ai pu, s'écriait-il, écraser, anéantir les infâmes qui ont osé prononcer ton nom adoré. Ah ! pourquoi n'ai-je tué que deux de ces misérables !...

– Vous avez tué !... Gaston.

L'accent de profonde horreur de Valentine rendit à son ami une lueur de raison.

– Oui, répondit-il, essayant de se maîtriser, oui j'ai frappé... C'est pour cela que j'ai traversé le Rhône. Il y allait de l'honneur de mon nom. Il n'y a qu'un moment, tous les gendarmes du pays me traquaient comme une bête malfaisante. Je leur ai échappé, et maintenant je me cache, je fuis...

Il fallait à Valentine, une force d'âme peu commune pour ne pas succomber sous tant de coups inattendus.

– Où espérez-vous fuir ? demanda-t-elle.

– Eh ! le sais-je moi-même ! où je vais, ce que je deviendrai, quel avenir m'attend ?... Puis-je le prévoir ! Je fuis... je vais m'efforcer de gagner l'étranger, prendre un faux nom, un déguisement. Et j'irai, jusqu'à ce que je trouve un de ces pays sans lois, qui donnent asile aux meurtriers.

Gaston se tut. Il attendait, il espérait une réponse. Cette réponse ne venant pas, il reprit avec une véhémence extraordinaire :

– Si, avant de disparaître, j'ai voulu vous revoir, Valentine, c'est qu'en ce moment où tout m'abandonne, j'ai compté sur vous, j'ai eu foi en votre amour. Un lien nous unit, ô ma bien-aimée, plus fort et plus indissoluble que tous les liens terrestres : je t'aime. Devant Dieu, tu es ma femme, je suis à toi comme tu es à moi, pour la vie. Me laisserez-vous fuir seul, Valentine ? Aux douleurs de l'exil, aux regrets cuisants de ma vie perdue, ajouterez-vous les tortures de notre séparation ?

– Gaston, je vous en conjure...

– Ah ! je le savais bien, interrompit-il, se méprenant au sens de l'exclamation de son amie ; je savais bien que je ne fuirais pas seul. Je connaissais assez votre cœur pour savoir que vous voudriez la moitié du fardeau de mes misères. Ce moment efface tout. Partons !... Ayant notre bonheur à défendre, je ne crains plus rien, je puis tout braver, tout vaincre. Venez, ô ma Valentine, nous périrons ou nous nous sauverons ensemble. C'est l'avenir entrevu et rêvé qui commence, avenir d'amour et de liberté !

Il était fou, il délirait ; il avait saisi Valentine par la taille, il l'attirait, il l'emportait.

À mesure que croissait l'exaltation de Gaston, et que de plus il oubliait tout ménagement, Valentine parvenait à dominer son émotion.

Doucement, mais avec une énergie qu'il ne lui soupçonnait pas, elle se débarrassa de son étreinte et le repoussa.

– Ce que vous voulez, dit-elle du ton le plus triste et cependant le plus ferme, ce que vous espérez est impossible.

Cette froide résistance, inexplicable pour lui, sembla confondre Gaston.

– Impossible ! balbutia-t-il.

– Vous me connaissez assez, continuait Valentine, pour savoir que partager avec vous la pire des destinées serait pour moi le comble des félicités humaines. Mais au-dessus de votre voix qui m'attire, au-dessus de la voix de mon cœur, qui m'entraîne, il en est une plus puissante et plus impérieuse qui me défend de vous suivre, quand même, c'est la voix sublime du devoir.

– Quoi ! vous pouvez songer à rester, après l'horrible scène de ce soir, après un scandale qui demain sera public.

– Que voulez-vous dire ? Que je suis perdue, déshonorée ? Le suis-je plus aujourd'hui que je ne l'étais hier ? Pensez-vous donc que l'ironie ou les mépris du monde me feront autant souffrir que les révoltes de ma conscience ! Je me suis toujours jugée, Gaston, et si votre présence, le son de votre voix, la sensation de votre main touchant la mienne me faisaient tout oublier, loin de vous je me souvenais et je pleurais.

Gaston écoutait, immobile, stupéfait, il lui semblait qu'une Valentine nouvelle se dressait devant lui, et qu'il découvrait en son âme, qu'il croyait si bien posséder, des profondeurs qui lui avaient échappé.

– Et votre mère ? murmura-t-il.

– C'est elle, ne le comprenez-vous pas, dont le souvenir m'enchaîne ici. Voulez-vous donc que, fille dénaturée, je l'abandonne pour suivre mon amant, à l'heure où, pauvre, isolée, sans amis, elle n'a plus que moi.

– Mais on la préviendra, Valentine, nous avons des ennemis, elle saura tout.

– Qu'importe ! La conscience parle, il suffit. Ah ! que ne puis-je, au prix de ma vie, lui épargner d'apprendre que sa fille, sa Valentine, a failli à toutes les lois de l'honneur ! Il se peut qu'elle soit dure pour moi, terrible, impitoyable. Eh bien ! ne l'ai-je pas mérité. Ô mon unique ami, nous nous étions endormis dans un rêve trop beau pour qu'il pût durer. Ce réveil affreux, je l'attendais. Misérables fous, pauvres imprudents, qui avons pu croire qu'il est hors du devoir des félicités durables ! Tôt ou tard, le bonheur volé se paie. Courbons le front et humilions-nous.

Cette froide raison, cette résignation douloureuse rallumèrent la colère de Gaston.

– Ne parlez pas ainsi ! s'écria-t-il. Ne sentez-vous pas que la seule idée d'une humiliation pour vous me rend fou ?

– Hélas ! je dois pourtant m'attendre à bien d'autres outrages.

– Vous !... Que voulez-vous dire ?

– Sachez donc, Gaston...

Elle s'interrompit, hésita un moment, et finit par dire :

– Rien, il n'y a rien, je suis folle.

Moins abandonné aux violences de la situation, le comte de Clameran eût deviné sous les réticences de Valentine quelque nouveau malheur ; mais il poursuivait son idée.

– Tout espoir n'est pas perdu, reprit-il. Mon amour et mon désespoir ont, je le crois, touché mon père, qui est bon. Peut-être mes lettres, quand je serai hors de danger, peut-être, les instances de mon frère Louis le décideront-elles à demander pour moi votre main à madame de La Verberie.

Cette supposition sembla épouvanter Valentine.

– Fasse le ciel ! s'écria-t-elle, que jamais le marquis ne tente cette démarche !

– Pourquoi ?

– Parce que ma mère repousserait sa demande ; parce que ma mère, il faut bien que je l'avoue, en cette extrémité, a juré que je serais la femme d'un homme ayant une grande fortune, et que votre père n'est pas riche.

– Oh ! fit Gaston révolté, oh !... Et c'est à une telle mère que vous me sacrifiez !

– Elle est ma mère, et c'est assez. Je n'ai pas le droit de la juger. Mon devoir est de rester, je reste.

L'accent de Valentine annonçait une résolution inébranlable, et

Gaston comprit bien que toutes ses prières seraient vaines.

- Ah ! s'écria-t-il se tordant les mains de désespoir, vous ne m'avez jamais aimé !

- Malheureux !... ce que vous dites, vous ne le pensez pas !

- Non, continua-t-il, vous ne m'aimez pas, vous qui en ce moment où nous allons être séparés avez l'affreux courage de raisonner froidement et de calculer. Ah ! ce n'est pas ainsi que je vous aime, moi. Hors vous, que me fait la terre entière ? Vous perdre, c'est mourir. Que le Rhône reprenne donc cette vie qu'il m'a miraculeusement rendue et qui maintenant m'est à charge.

Déjà il s'avançait vers le Rhône, décidé à mourir ; Valentine le retint.

- Est-ce donc là ce que vous appelez aimer ? Gaston était absolument découragé, anéanti.

- À quoi bon vivre ? murmura-t-il ; que me reste-t-il désormais ?

- Il nous reste Dieu, Gaston, qui tient entre ses mains notre avenir.

La moindre planche semble le salut au naufragé ; ce seul mot « avenir » éclaira d'une lueur d'espérance les ténèbres de Gaston.

- Vous l'ordonnez ! s'écria-t-il soudain ranimé, j'obéis. Assez de faiblesse. Oui, je veux vivre pour lutter et triompher. Il faut de l'or à madame de La Verberie, eh bien ! dans trois ans, j'aurai fait fortune ou je serai mort.

Valentine avait joint les mains, et remerciait le Ciel de cette détermination subite, qu'elle n'avait osé espérer.

- Mais avant de m'enfuir, continuait Gaston, je veux vous confier un dépôt sacré.

Il sortit de sa poche la bourse de soie qui renfermait les parures de la marquise de Clameran et la remit entre les mains de son amie.

- Ce sont les bijoux de ma pauvre mère, dit-il, seule vous êtes digne de les porter ; dans ma pensée, je vous les destinais.

Et comme elle refusait, comme elle hésitait :

- Prenez-les, insista-t-il, comme un gage de mon retour. Si dans trois ans je ne suis pas venu vous les réclamer, c'est que je serai mort, et alors vous les garderez comme un souvenir de celui qui vous a tant aimée.

Elle fondait en larmes, elle accepta...

– Maintenant, poursuivait Gaston, j'ai une dernière prière à vous adresser : tout le monde me croit mort, et c'est là ce qui assure mon salut. Mais je ne puis laisser ce désespoir à mon vieux père. Jurez-moi que vous-même, demain matin, vous irez lui apprendre que je suis sauvé.

– J'irai, je vous le jure, répondit-elle.

Le parti de Gaston était pris ; il sentait qu'il fallait profiter de ce moment de courage, il se pencha vers son amie pour l'embrasser une dernière fois. Doucement, d'un geste triste, elle l'éloigna.

– Où comptez-vous aller ? demanda-t-elle.

– Je vais gagner Marseille, où un ami me cachera et me cherchera un passage.

– Vous ne pouvez partir ainsi ; il vous faut un compagnon, un guide, et je vais vous en donner un en qui vous pouvez avoir la plus grande confiance, le père Menoul, notre voisin, qui a été longtemps patron d'un bateau sur le Rhône.

Ils sortirent par la petite porte du parc, dont Gaston avait la clé, et bientôt ils arrivèrent chez le vieux marinier.

Il sommeillait au coin de son feu, dans son fauteuil de bois blanc. En voyant entrer chez lui Valentine, accompagnée de M. de Clameran, il se dressa brusquement, se frottant les yeux, croyant rêver.

– Père Menoul, dit Valentine, monsieur le comte que voici est obligé de se cacher ; il voudrait gagner la mer et s'embarquer secrètement. Pouvez-vous le conduire, dans votre bateau, jusqu'à l'embouchure du Rhône ?...

Le bonhomme hocha la tête.

– Avec l'état de l'eau, répondit-il, la nuit ce n'est guère possible.

– C'est à moi, père Menoul, que vous rendrez un immense service.

– À vous ! mademoiselle Valentine, alors, c'est fait, nous allons partir.

À ce moment seulement, il se crut permis de faire observer à

Gaston que ses vêtements étaient trempés et souillés de boue et qu'il était tête nue.

– Je vais, lui dit-il, vous prêter des habits de défunt mon fils ; ce sera toujours un déguisement, passez ici avec moi.

Bientôt le père Menoul et Gaston, presque méconnaissable, reparurent, et Valentine les suivit au bord de l'eau, à l'endroit où était amarré le bateau.

Une dernière fois, pendant que le bonhomme préparait ses agrès, les deux amants s'embrassèrent, échangeant leur âme en ce suprême adieu.

– Dans trois ans ! criait Gaston, dans trois ans !...

– Adieu, mam'selle, dit le vieux patron, et vous, mon jeune monsieur, tenez-vous bien.

Et d'un vigoureux coup de gaffe, il lança le bateau au milieu du courant.

Trois jours plus tard, grâce aux soins du père Menoul, Gaston était caché dans la cale du trois-mâts américain *Tom-Jones,* capitaine Warth, qui le lendemain appareillait pour Valparaiso.

XIV

Immobile sur la berge, plus froide et plus blanche qu'une statue, Valentine regardait s'enfuir cette frêle embarcation qui emportait celui qu'elle aimait. Elle glissait au gré du courant, rapide comme l'oiseau qu'entraîne la tempête, et, après quelques secondes, elle n'était plus qu'un point noir à peine visible au milieu du brouillard qui se balançait au-dessus du fleuve.

Gaston parti, sauvé, Valentine pouvait, sans crainte, laisser éclater son désespoir. Il lui était inutile, désormais, de comprimer les sanglots qui l'étouffaient.

À sa noble vaillance de tout à l'heure, un affaissement mortel succédait. Elle se sentait anéantie, brisée, comme si quelque chose en elle se fût déchiré, comme si cette barque, maintenant disparue, eût emporté la meilleure part d'elle-même, l'âme et la pensée.

C'est que pendant que Gaston gardait au fond du cœur un rayon d'espérance, elle ne conservait, elle, aucun espoir.

Écrasée par les faits, elle reconnaissait que tout était fini. Et, en interrogeant l'avenir, elle était prise de frissons et de terreur.

Il lui fallait rentrer, cependant.

Lentement elle regagna le château, passant par cette petite porte qui, tant de fois, s'était ouverte mystérieusement pour Gaston et, en la refermant, il lui semblait qu'entre elle et le bonheur, elle poussait une barrière infranchissable.

Heureusement, elle put sans encombre gagner sa chambre et s'y enfermer.

Elle avait soif de solitude, elle voulait réfléchir, elle sentait la nécessité de s'affermir contre les coups terribles qui allaient la frapper.

Assise devant sa petite table de travail, elle avait retiré de sa poche la bourse qui lui avait été donnée par Gaston, et machinalement elle examinait les bijoux qu'elle contenait.

Le jour venait ; elle s'habilla.

Peu après, lorsque sonna l'Angélus matinal à l'église du village, elle se dit qu'il était temps de se mettre en route, et descendit.

Déjà, depuis longtemps, les servantes du château étaient levées. L'une d'elles, du nom de Mihonne, attachée particulièrement au service de Valentine, était occupée à passer au sable les dalles du vestibule.

– Si ma mère me demande, lui dit la jeune fille, tu lui répondras que je suis allée à la première messe.

Souvent elle se rendait à l'église à cette heure, elle n'avait donc rien à redouter de ce côté ; Mihonne ne fit aucune observation.

La grande difficulté, pour Valentine, était d'être de retour à l'heure du déjeuner. Elle devait faire plus d'une lieue avant de trouver un pont, et autant pour se rendre de ce pont à Clameran. En tout, plus de cinq lieues.

Aussi, en sortant de La Verberie, se mit-elle à marcher aussi vite que possible. La conscience d'accomplir une action extraordinaire, l'inquiétude, la fièvre du péril bravé lui donnaient des ailes. Elle oubliait la lassitude ; elle ne s'apercevait plus qu'elle avait passé la nuit à pleurer.

Pourtant, malgré ses efforts, il était plus de huit heures quand elle arriva à la longue allée d'azeroliers qui, de la route conduit à la grande grille du château de Clameran.

Elle allait s'y engager, quand devant elle, à quelques pas, elle aperçut Saint-Jean, le valet de chambre du marquis, qu'elle connaissait bien.

Elle s'arrêta pour l'attendre, et lui, l'ayant vue, hâta le pas. Sa physionomie était bouleversée, ses yeux étaient rouges : on voyait qu'il avait pleuré.

À la grande surprise de Valentine, il n'ôta pas sa casquette en arrivant près d'elle, et c'est du ton le plus grossier qu'il lui demanda :

– Vous allez au château, mademoiselle ?

– Oui.

– Si c'est pour monsieur Gaston, répondit le domestique, soulignant son odieuse méchanceté, vous avez pris une peine inutile. Monsieur le comte est mort, mademoiselle, pour une maîtresse qu'il avait.

Valentine pâlit sous l'insulte, mais ne la releva pas. Quant à

Saint-Jean, qui pensait l'atterrer, il fut stupéfait de son sang-froid et indigné.

– Je viens au château, reprit la jeune fille, pour parler à monsieur le marquis.

Saint-Jean eut comme un sanglot.

– Alors, fit-il, ce n'est pas la peine d'aller plus loin.

– Pourquoi ?

– Parce que le marquis de Clameran est mort ce matin à cinq heures, mademoiselle.

Pour ne pas tomber, Valentine fut obligée de s'appuyer à l'arbre près duquel elle était debout.

– Mort !... balbutia-t-elle.

– Oui, répondit Saint-Jean avec des regards terribles ; oui, mort.

Véritable serviteur de l'ancien régime, Saint-Jean avait toutes les passions de ses maîtres, leurs faiblesses, leurs amitiés, leurs haines. Il avait les La Verberie en horreur. Et pour comble, il voyait en Valentine la femme qui avait causé la mort du marquis qu'il servait depuis quarante ans, et de Gaston qu'il adorait.

– Donc, reprit-il, s'efforçant de faire de chaque mot un coup de poignard, c'est hier soir que monsieur le comte a péri. Quand on est venu annoncer au marquis que son fils aîné n'était plus, lui, robuste comme un chêne, il a été foudroyé. J'étais là. Il a battu l'air de ses mains et est tombé à la renverse sans un cri. Nous l'avons porté sur son lit, pendant que monsieur Louis montait à cheval pour aller quérir un médecin à Tarascon. Mais le coup était porté. Quand monsieur Raget est arrivé, il n'y avait plus rien à faire. Cependant au petit jour, monsieur le marquis a repris connaissance, et il a demandé à rester seul avec monsieur Louis. Peu après, il est entré en agonie ; ses derniers mots ont été : « Le père et le fils le même jour, on peut se réjouir à La Verberie. »

D'un mot, Valentine pouvait calmer la douleur immense du fidèle domestique ; elle n'avait qu'à lui dire que Gaston vivait, elle eut le tort de redouter une indiscrétion qui pouvait être fatale.

– Eh bien ! reprit-elle, il faut que je parle à monsieur Louis.

Cette déclaration parut transporter Saint-Jean.

– Vous ! s'écria-t-il, vous !... Ah ! vous n'y songez pas, mademoiselle de La Verberie. Quoi ! après ce qui s'est passé, vous oseriez vous présenter devant lui ! Je ne le souffrirai pas, m'entendez-vous. Et même, tenez, si j'ai un conseil à vous donner, rentrez chez vous. Je ne répondrais pas de la langue des domestiques s'ils vous voyaient.

Et sans attendre une réponse, il s'éloigna à grands pas.

Que pouvait faire Valentine ? Accablée, humiliée, elle reprit, se traînant à grand-peine, le chemin si rapidement parcouru le matin. À cette heure, beaucoup de cultivateurs revenaient de la ville ; ils avaient appris les événements de la veille, et, partout, sur son passage, l'infortunée jeune fille recueillait des saluts ironiques et les regards les plus insultants.

Arrivée près de La Verberie, Valentine trouva Mihonne qui la guettait :

– Ah ! mademoiselle, lui dit cette fille, arrivez bien vite. Madame a reçu une visite ce matin, et depuis elle vous demande à grands cris ; venez, mais prenez garde à vous, madame est dans un état effrayant.

– Malheureuse ! s'écriait, avec une énergie furieuse, la comtesse plus rouge qu'une pivoine, c'est donc ainsi que vous respectez les nobles traditions de notre maison. Jamais on n'avait eu besoin encore de surveiller les La Verberie, elles savaient, seules, garder leur honneur. Il vous appartenait d'abuser de votre liberté pour descendre au rang de ces dévergondées qui sont la honte de leur sexe.

Cette scène affreuse, Valentine l'avait prévue, elle l'avait attendue dans un horrible serrement de cœur. Elle la subissait, comme l'expiation juste, méritée, de coupables amours. S'avouant que l'indignation de sa mère était légitime, elle courbait la tête, comme l'accusé repentant devant ses juges.

Mais ce silence était précisément ce qui pouvait le plus exaspérer la comtesse.

– Me répondrez-vous ? reprit-elle avec un geste menaçant.

– Que puis-je vous répondre, ma mère ?...

– Vous pouvez me dire, malheureuse, que ceux-là en ont menti qui prétendent qu'une La Verberie a failli. Allons, défendez-vous, parlez.

Sans répondre, Valentine hocha tristement la tête.

– C'est donc vrai ! s'écria la comtesse hors d'elle-même, c'est donc vrai !

– Pardon !... ma mère, balbutia la jeune fille, pardon !...

– Comment ! pardon !... On ne m'a donc pas trompée. Pardon !... c'est-à-dire que vous avouez, impudente ! Jour de Dieu ! quel sang coule donc dans vos veines ? Vous ignorez donc qu'il est de ces fautes qu'on nie, même quand l'évidence éclate ! Et vous êtes ma fille ! Vous ne sentez donc pas qu'il est de ces aveux ignominieux que nulle puissance humaine ne doit pouvoir arracher à une femme ! Mais non, elle a des amants et elle l'avoue sans rougir. Faites-vous-en gloire, ce sera plus nouveau.

– Ah ! vous êtes sans pitié, ma mère !

– Avez-vous donc eu pitié de moi, ma fille ! Avez-vous songé que votre honte pouvait me tuer ? Ah ! bien des fois, sans doute, avec votre amant, vous avez ri de mon aveugle confiance. C'est que j'avais foi en vous comme en moi-même, c'est que je vous croyais chaste et pure comme au temps où je veillais près de votre berceau. Je croyais... et cependant, les hommes, après boire, dans les cabarets, prononcent votre nom au milieu des risées, et ensuite se battent et se tuent pour vous. J'avais remis en vos mains l'honneur de notre maison, qu'en avez-vous fait ? Vous l'avez livré au premier venu.

C'en était trop. Ces mots « le premier venu » révoltèrent l'orgueil de Valentine. Elle ne méritait pas, non, elle ne pouvait mériter un pareil traitement. Elle essaya de protester.

– Je me trompe, reprit la comtesse, vous avez raison, votre amant n'était même pas le premier venu. Entre tous, vous êtes allée choisir l'héritier de nos ennemis légendaires, Gaston de Clameran. C'est celui-là qu'il vous fallait, entre tous ; un lâche, qui allait publiquement se vanter de vos faveurs ; un misérable qui se vengeait de l'héroïsme de nos aïeux sur vous et sur moi, sur une femme et sur une enfant.

– Non, ma mère, non, cela est faux, il m'aimait, et s'il eût pu espérer votre consentement...

– Il vous eût épousée ? Ah ! jamais. Plutôt vous voir, de chute en chute, rouler jusqu'au ruisseau que vous savoir la femme d'un tel homme.

Ainsi, la haine de la comtesse s'exprimait précisément comme la colère du marquis de Clameran.

– D'ailleurs, reprit-elle, avec cette férocité dont une femme seule est capable, d'ailleurs il est noyé, votre amant, et le vieux marquis est mort, à ce qu'on assure. Dieu est juste, nous sommes vengées.

Les paroles de Saint-Jean, « qu'on se réjouirait à La Verberie », se représentèrent aussitôt à l'esprit de Valentine ; une joie odieuse éclatait dans les yeux de la comtesse.

Ce fut, pour l'infortunée jeune fille, le coup de grâce. Depuis une demi-heure elle faisait pour résister à ces atroces violences des efforts surhumains, ses forces trahissant son énergique volonté. Elle devint plus pâle, s'il est possible, ferma les yeux, avança les bras comme pour chercher un point d'appui et tomba, heurtant l'angle d'une console qui lui fit au front une blessure profonde.

C'est d'un œil sec que la comtesse vit sa fille étendue à ses pieds. En elle, toutes les vanités saignaient, l'amour maternel n'avait pas tressailli. Elle était de ces âmes qu'emplissent si bien la colère et la haine que nul sentiment tendre n'y peut trouver place.

Voyant que Valentine restait sans mouvement, elle sonna, et les servantes du château qui tremblaient dans le vestibule, aux éclats de cette voix redoutée, accoururent.

– Portez mademoiselle dans sa chambre, leur dit-elle, vous l'y enfermerez et vous m'apporterez la clé.

La comtesse se proposait alors de tenir pendant longtemps Valentine prisonnière et de l'empêcher de sortir.

C'est qu'elle avait de l'opinion une peur folle. C'est qu'elle savait la méchanceté – faut-il dire inconsciente et naïve ? – des campagnes, où le désœuvrement de l'esprit vit des mois entiers sur le même cancan.

Cependant, Mme de La Verberie raisonnait mal. Mieux vaut l'explosion terrible et rapide d'un scandale que les rumeurs sourdes et continues de la médisance.

Mais tous les plans de la comtesse devaient être déconcertés.

Bientôt ses femmes revinrent lui dire que Valentine avait repris connaissance, mais qu'elle leur semblait bien mal.

Elle commença par dire que c'étaient là « des simagrées » ; mais, Mihonne insistant, elle se résigna à monter à la chambre de sa fille, et là, elle dut se rendre à l'évidence : Valentine était en péril.

Nulle appréhension ne parut sur son visage, mais elle envoya chercher à Tarascon le docteur Raget, qui était alors l'oracle du pays, le même qui, dans la nuit, avait été mandé à Clameran pour le marquis.

Il était, celui-là, de ces hommes dont le souvenir vit longtemps encore, après qu'ils ne sont plus. Noble cœur, vaste intelligence, il avait donné sa vie à son art. Riche, il ne réclama jamais le prix d'une visite. Nuit et jour, on rencontrait par les chemins, attelé d'une jument grise, son vieux cabriolet dont le coffre renfermait toujours pour les pauvres du bouillon et du vin.

C'était alors un petit homme de plus de cinquante ans, chauve, à l'œil vif, à la lèvre spirituelle, gai, causeur, bien que zézayant un peu, et facile et bon jusqu'à l'excès.

Le commissionnaire avait eu le bonheur de le trouver, et il le ramenait.

En apercevant Valentine, le docteur Raget fronça le sourcil.

Doué d'une perspicacité profonde, aiguisée par la pratique, il étudiait alternativement Valentine et sa mère, jetant sur la vieille dame des regards si pénétrants, que son assurance en était ébranlée et qu'elle sentait le rouge monter à ses joues ridées.

– Cette enfant est bien malade ! prononça-t-il enfin.

Et comme Mme la Verberie ne répondait pas ;

– Je désire, ajouta-t-il, rester quelques instants seul avec elle.

Le docteur Raget, par sa réputation et par son caractère, imposait trop à la comtesse pour qu'elle osât résister. Elle sortit, non sans une répugnance visible, et alla attendre dans une pièce voisine, calme en apparence, en réalité remuant les plus sombres pensées.

Ce n'est guère qu'au bout d'une demi-heure – un siècle – que le docteur reparut. Lui qui avait vu tant de misères, consolé tant de douleurs, il semblait très ému.

– Eh bien ? lui demanda la comtesse.

– Vous êtes mère, madame, répondit-il tristement, c'est-à-dire que votre cœur a des trésors d'indulgence et de pardon, n'est-ce pas ? Armez-vous de courage. Mademoiselle Valentine est enceinte.

– La misérable ! je l'avais deviné.

L'œil de la comtesse eut une si épouvantable expression que le docteur en fut frappé. Il posa sa main sur le bras de la vieille dame, et, la fixant jusqu'à la faire frissonner, il ajouta, appuyant sur chaque mot :

– Et il faut que l'enfant vienne bien.

La pénétration du docteur n'était pas en défaut.

En effet, une idée abominable avait traversé l'esprit de Mme de La Verberie, l'idée de supprimer cet enfant, qui serait le vivant témoignage de la faute de Valentine.

Se sentant devinée, cette femme si dure et si hautaine baissa les yeux sous le regard obstiné du vieux médecin.

– Je ne vous comprends pas, docteur, murmurait-elle.

– Mais je m'entends, moi, madame la comtesse ; j'ai voulu dire simplement qu'un crime n'efface pas une faute.

– Docteur !...

– Je vous dis ce que je pense, madame. Si je me suis trompé, tant mieux pour vous. En ce moment, l'état de mademoiselle Valentine est grave, mais pas inquiétant. Des émotions trop violentes ont ébranlé sa jeune organisation, et elle est en proie à une fièvre violente, que nous calmerons vite, je l'espère.

La comtesse comprenait si bien que les soupçons du vieux médecin n'étaient pas dissipés, qu'elle essaya de l'attendrissement.

– Au moins, docteur, fit-elle, vous m'assurez qu'il n'y a aucun danger ?

– Aucun, madame, répondit M. Raget avec une fine pointe d'ironie ; que votre tendresse maternelle se rassure. Ce qu'il faut avant tout à la pauvre enfant, c'est un repos d'esprit que seule vous pouvez lui donner. Quelques bonnes et douces paroles de vous feront plus et mieux que toutes mes prescriptions. Mais, sachez-le bien, la moindre secousse, le plus léger ébranlement cérébral, auraient des suites funestes.

– Il est vrai, dit hypocritement la comtesse, que sur le premier moment, en apprenant que ma bien-aimée Valentine était victime d'un lâche séducteur, je n'ai pas été maîtresse de ma colère.

– Mais le premier moment est passé, madame, vous êtes mère, vous êtes chrétienne, vous savez ce qu'il vous reste à faire. Mon devoir, à moi, est de sauver votre fille et son enfant, et je les sauverai. Je reviendrai demain...

Mme de La Verberie ne pouvait laisser le docteur s'éloigner ainsi. Elle l'arrêta d'un geste, et sans réfléchir qu'elle se trahissait, qu'elle avouait, elle s'écria :

– Quoi ! monsieur, prétendez-vous donc m'empêcher de faire tout au monde pour tenir secret l'affreux malheur qui me frappe ! Faut-il que notre honte devienne publique, voulez-vous nous condamner à être la fable et la risée du pays !

Le docteur fut un moment sans répondre, il réfléchissait, la situation était grave.

– Non, madame, dit-il enfin, je ne saurais vous empêcher de quitter La Verberie, ce serait outrepasser mes droits. Mais il est de mon devoir de vous demander compte de l'enfant. Vous êtes libre, mais il vous faudra me donner des preuves qu'il vit, ou que du moins rien n'a été tenté contre lui.

Il sortit sur ces mots menaçants, et il était vraiment temps, la comtesse suffoquait de rage et de contrainte.

– L'insolent ! s'écria-t-elle, l'impertinent ! Oser faire la leçon à une femme de mon rang. Ah ! si je n'étais pas à sa merci !

Mais elle y était et elle comprenait que cette fois, sans retour il lui fallait donner congé à ses chimères.

Plus de luxe à espérer désormais, plus de gendre millionnaire, plus de fortune pour la vieillesse, plus de voitures, de robes magnifiques, de fêtes où l'on joue gros jeu.

Elle mourrait ainsi qu'elle avait vécu, pauvre, besogneuse, condamnée à une médiocrité d'autant plus écœurante qu'elle n'aurait plus, pour l'aider à la subir, les perspectives d'un avenir meilleur.

Et c'était Valentine, qui la réduisait à cette extrémité. À cette idée, elle sentait s'allumer en elle contre sa fille une de ces haines qui ne pardonnent pas, que le temps avive au lieu de calmer. Elle souhaitait la voir morte, ainsi que cet enfant maudit.

Mais le regard écrasant du docteur était trop présent à sa mémoire pour penser seulement à rien tenter. Même, se décidant à monter près de sa fille, elle se contraignit à sourire, à prononcer quelques paroles affectueuses, puis la laissa à la garde de la dévouée Mihonne.

Pauvre Valentine ! Elle avait été si rudement atteinte qu'il lui semblait sentir se tarir en elle les sources de la vie.

Cependant sa souffrance diminuait un peu. Aux grandes crises physiques ou morales, un engourdissement profond succède toujours, qui est presque exempt de douleurs. Quand elle avait la force de réfléchir, elle se disait : c'est fini, ma mère sait tout ; je n'ai plus rien à redouter de sa colère ; je ne puis qu'espérer et attendre mon pardon.

C'était là ce secret que Valentine n'avait pas voulu révéler à Gaston, comprenant bien que, le sachant, jamais il n'aurait consenti à s'éloigner d'elle. Or, elle voulait qu'il se sauvât, et la voix du devoir, en même temps, lui criait de rester. Et, à cette heure encore, elle ne se repentait pas d'être restée.

Son plus cruel souci était le souvenir de Gaston. Avait-il ou non réussi à s'embarquer ? Comment le savoir ? Depuis deux jours le docteur lui permettait de se lever, mais elle ne pouvait songer à sortir, à courir jusqu'à la cabane du père Menoul.

Par bonheur, le vieux patron fut intelligent, comme sait l'être le dévouement véritable.

Apprenant que la demoiselle du château était bien malade, il ne songea plus qu'au moyen de la rassurer sur le sort du fugitif. Il trouva plusieurs prétextes pour venir à La Verberie, et enfin réussit à voir Valentine. Ils n'étaient pas seuls, mais d'un regard le bonhomme fit entendre que Gaston n'avait plus rien à redouter.

Cette certitude fit plus pour la convalescence de Valentine que tous les remèdes, et peu après, le docteur, qui venait tous les jours depuis un mois et demi, déclara que la malade était en état de supporter les fatigues du voyage.

Ce moment, la comtesse l'attendait avec une indicible

impatience. Déjà, pour que rien ne retardât le départ, elle avait vendu la moitié de ses rentes, et se disait qu'avec vingt-cinq mille francs, qui en étaient le prix, elle pouvait parer à toutes les éventualités. Depuis une quinzaine, elle allait répétant partout que, dès que sa fille irait mieux, elle partirait pour l'Angleterre, où la demandait un de ses parents, très vieux et encore plus riche.

Ce voyage, Valentine ne l'envisageait qu'avec terreur, et elle frissonna quand, le soir de la déclaration du docteur, sa mère lui dit :

– Nous partirons après-demain.

Après-demain !... Et Valentine n'avait trouvé nul moyen encore de faire savoir à Louis de Clameran que son frère n'était pas mort.

En cette extrémité, elle n'hésita pas à se confier à Mihonne, et la chargea d'une lettre pour Louis.

Mais la fidèle servante fit une course inutile. Le château de Clameran était désert ; tous les domestiques avaient été congédiés, et M. Louis, qu'on appelait maintenant le marquis, avait quitté le pays.

Enfin on partit. Mme de La Verberie, se croyant sûre de Mihonne, se décidait à l'emmener, non sans lui avoir fait jurer sur l'Évangile, pendant la messe, au moment de l'élévation, un éternel secret.

C'est dans un petit village au-dessus de Londres que la comtesse alla s'installer avec sa fille et sa domestique, sous le nom de Mme Wilson.

Si elle avait choisi l'Angleterre, c'est qu'elle l'avait habitée longtemps, qu'elle en connaissait bien l'esprit et les mœurs, et qu'elle en parlait la langue comme la sienne.

Même, elle avait conservé des relations dans l'aristocratie, et souvent, le soir, elle sortait, dînait en ville ou allait au théâtre, prenant, en ces occasions, les précautions les plus humiliantes contre Valentine, qu'elle enfermait à double tour.

C'est dans cette triste et solitaire maison, qu'une nuit du mois de mai, Valentine de La Verberie mit au monde un fils. Il fut présenté au révérend de la paroisse, et inscrit sous les noms de Valentin-Raoul Wilson.

La comtesse avait d'ailleurs tout prévu, tout combiné.

Dans les environs du village, après bien des recherches, elle avait découvert une bonne grosse fermière qui, moyennant cinq cents livres (douze mille francs) consentait à se charger de l'enfant, promettant de l'élever comme les siens, de lui faire apprendre un état, et même de le pousser dans le monde s'il se conduisait bien.

Le petit Raoul lui fut donc livré quelques heures après sa naissance.

Cette femme ignorait le vrai nom de la comtesse, elle devait croire et elle croyait avoir affaire à une Anglaise. Il était donc plus que probable, il était certain que jamais l'enfant, devenu homme, ne parviendrait à découvrir le secret de sa naissance.

Revenue à elle, Valentine avait demandé son enfant. En elle, tressaillait et s'éveillait ce sublime amour maternel dont Dieu a déposé le germe dans le cœur de toutes les femmes.

C'est en cette circonstance que la cruelle comtesse fut vraiment impitoyable.

- Votre enfant ! s'écria-t-elle, je ne sais en vérité ce que vous voulez dire, vous rêvez, j'imagine, vous êtes folle !

Et comme Valentine insistait :

- Votre enfant est en sûreté, répondit-elle, et rien ne lui manquera. Que cela vous suffise. Ce qui est arrivé, vous devez l'oublier comme on oublie un mauvais rêve. Le passé doit être comme s'il n'était pas. Vous me connaissez : je le veux.

Le moment était venu où Valentine devait, dans de certaines limites, résister au despotisme de plus en plus envahissant de la comtesse.

L'idée lui en était venue, mais non le courage.

Tant de souffrances, de regrets, de combats intérieurs devaient retarder et retardèrent, en effet, son rétablissement.

Cependant, vers la fin du mois de juin, elle était assez bien pour revenir, avec sa mère, à La Verberie.

La méchanceté, cette fois, n'avait pas eu sa lucidité accoutumée. La comtesse, qui allait partout, se plaignant de l'insuccès de son voyage, put constater que, dans le pays, personne n'avait pénétré les raisons de son absence.

Un seul homme, le docteur Raget, savait la vérité. Mais Mme de La Verberie, tout en le haïssant de tout son cœur, rendait assez justice à son caractère pour être sûre de n'avoir pas à redouter de lui une indiscrétion.

C'est pour lui, qu'en arrivant, avait été sa première visite.

Elle le surprit un matin comme il sortait de table, lui demanda un moment d'entretien, et brusquement mit sous ses yeux les pièces officielles dont elle s'était munie à son intention.

– Vous le voyez, monsieur, dit-elle, l'enfant est bien vivant, et, moyennant une grosse somme, une bonne femme s'en est chargée.

– C'est bien, madame, répondit-il après un examen attentif, et si votre conscience ne vous reproche rien, je n'ai, pour ma part, rien à vous dire.

– Ma conscience, monsieur, ne me reproche rien.

Le vieux médecin hocha la tête, et arrêtant sur la comtesse un de ses regards qui font tressaillir la vérité aux plus profonds replis de l'âme :

– Jureriez-vous, prononça-t-il, que vous n'avez pas été sévère jusqu'à la barbarie.

Elle détourna les yeux, et, prenant son plus grand air, répondit :

– J'ai agi comme le devait faire une femme de mon rang, et je suis surprise, je l'avoue, de trouver en vous un avocat de l'inconduite.

– Eh ! madame, s'écria le docteur, c'est de vous que devrait venir l'indulgence ; quelle pitié voulez-vous qu'espère des étrangers votre malheureuse enfant, si vous, sa mère, vous êtes impitoyable ?...

La comtesse ne voulut pas en entendre davantage, cette voix de la franchise offensait son orgueil, elle se leva.

– C'est tout ce que vous avez à me dire, docteur ? demanda-t-elle d'un ton hautain.

– Tout... oui, madame, et je n'ai jamais eu qu'une pensée, celle de vous épargner d'éternels remords.

Ici, le noble et bon docteur se trompait ; il ne pouvait s'imaginer qu'il rencontrait une exception. Mme de La Verberie était inaccessible aux remords. Mais cette âme, insensible à tout ce qui n'était pas jouissance ou satisfaction de la vanité, devait souffrir et souffrait cruellement.

Elle avait repris son train de vie ordinaire, mais ayant perdu une partie de ses revenus, elle ne pouvait plus arriver à joindre les deux bouts.

C'était là, pour elle, un texte inépuisable de récriminations, dont, sans cesse, à chaque repas, à propos de tout et de rien, elle sacrifiait sa fille.

Car tout en ayant déclaré que le passé n'existait pas, elle y revenait continuellement comme pour y puiser de nouveaux aliments à ses colères.

– Votre faute nous a ruinées, répétait-elle à tout propos.

Si bien qu'un jour Valentine exaspérée ne put s'empêcher de répondre :

– Vous me pardonneriez donc si elle nous eût enrichies !

Mais ces révoltes de Valentine étaient rares, bien que son existence ne fût plus qu'une longue suite de tortures, ménagées avec un art infini.

La pensée même de Gaston, cet élu de son âme, était devenue une souffrance. Peut-être, découvrant l'inutilité de son courage et de son dévouement à ce qu'elle avait cru le devoir, se repentait-elle de ne l'avoir pas suivi. Qu'était-il devenu ? Comment n'avait-il pas imaginé un expédient pour lui faire tenir une lettre, un souvenir, un mot ? Peut-être était-il mort. Peut-être l'avait-il oubliée. Il avait juré qu'avant trois ans, il reviendrait riche ; reviendrait-il jamais ?

Et même lui était-il possible de revenir ? Sa disparition n'avait pas éteint l'horrible affaire de Tarascon. On le supposait noyé, mais comme on n'avait, de sa mort, aucune preuve positive, force avait été à la justice de donner satisfaction à l'opinion publique soulevée.

L'affaire avait été en cour d'assises, et Gaston de Clameran avait été condamné, par contumace, à plusieurs années de prison.

Quant à Louis de Clameran, on ne savait au juste ce qu'il était devenu. D'aucuns prétendaient qu'il habitait Paris où il menait joyeuse vie.

Informée de ces dernières circonstances par sa fidèle Mihonne, Valentine se prenait à désespérer. Vainement elle interrogeait le morne avenir, pas une lueur n'éclairait le sombre horizon de sa vie.

En elle, tous les ressorts de l'âme et de la volonté étaient brisés, et à la longue elle en était venue à cette résignation passive des êtres sans cesse maltraités, à cette insouciance, à cette abnégation de soi qui trahissent le sacrifice raisonné de la vie.

Et le temps passait, et quatre ans s'étaient écoulés depuis cette soirée fatale où Gaston dans la barque du père Menoul s'était abandonné au courant du Rhône.

Ces quatre années, Mme de La Verberie les avait employées on ne peut plus mal.

Voyant que décidément elle ne pouvait vivre de ses revenus, trop niaisement fière pour vendre des terres, qui, mal administrées, ne rendaient pas deux du cent, elle s'était résignée à emprunter et à manger le capital avec les revenus.

Or, comme dans cette voie il n'y a que le premier pas qui coûte, la comtesse avait marché rapidement.

Se disant : après moi le déluge, ni plus ni moins que feu M. le marquis de Clameran, la comtesse ne songeait plus qu'à se donner ses aises.

Elle reçut beaucoup, se permit de fréquents voyages dans les villes voisines, à Nîmes, à Avignon ; elle fit venir de Paris des toilettes superbes, et donna carrière à son goût pour la bonne chère. Tout ce qu'elle avait si longtemps attendu de la munificence d'un gendre amoureux, elle se l'accorda. Il faut des consolations aux grandes douleurs !...

Le malheur est que ce semblant de luxe coûtait cher, très cher.

Après avoir vendu le reste de ses rentes, la comtesse emprunta sur le domaine de La Verberie d'abord, puis sur le château lui-même.

Et, en moins de quatre ans, elle en était arrivée à devoir plus de quarante mille francs et à ne plus pouvoir payer les intérêts de sa dette.

Elle commençait à ne plus trop savoir où donner de la tête, le fantôme de l'expropriation se tenait, la nuit, au pied de son lit, quand le hasard daigna venir à son secours.

Depuis un mois environ un jeune ingénieur, chargé d'études de rectification sur le Rhône, avait fait du village qui touche La Verberie son centre d'opérations.

Comme il était jeune, spirituel, fort bien de sa personne, il avait été d'emblée accepté par la société des environs, et souvent la comtesse le rencontrait dans les maisons où elle allait le soir faire sa partie.

Ce jeune ingénieur se nommait André Fauvel.

Ayant remarqué Valentine, il l'étudia attentivement, et, peu à peu, il s'éprit de cette jeune fille au maintien réservé, aux grands yeux tristes et doux, qui, dans cette galerie d'ancêtres, resplendissait comme un rosier en fleur au milieu d'un paysage d'hiver.

Il ne lui avait pas encore adressé la parole, que déjà il l'aimait.

Il était relativement riche ; une carrière magnifique s'ouvrait devant lui, il se sentait l'initiative qui fait les millionnaires, il était libre... Il se jura que Valentine serait sa femme.

C'est à une vieille amie de La Verberie, noble, autant qu'une Montmorency, et pauvre, plus que Job, qu'il confia tout d'abord ses intentions matrimoniales.

Avec la précision d'un ancien élève de l'École polytechnique, il avait énuméré tous les avantages qui faisaient de lui un gendre phénix.

Longtemps la vieille dame l'écouta, sans l'interrompre. Mais, lorsqu'il eut fini, elle ne lui cacha pas combien ses prétentions lui semblaient outrecuidantes.

Quoi ! lui, un garçon qui n'était pas né, un... Fauvel, géomètre ou arpenteur de son état, il se permettait d'aspirer à la main d'une La Verberie !

Avec une véhémence particulière, elle insista sur ces considérations d'un ordre supérieur. Heureusement, ce chapitre épuisé, elle en vint au positif.

- Cependant, ajouta-t-elle, il se peut que vous ne soyez pas éconduit. La situation de la comtesse est des plus embarrassées, elle doit à Dieu et à ses saints, la chère dame, les huissiers la visitent souvent, de sorte que... vous comprenez, si un jeune homme se présentait, animé d'intentions honnêtes et ayant du bien... eh ! eh ! je ne sais ce qui arriverait.

André Fauvel était jeune, les insinuations de la vieille dame lui semblèrent monstrueuses.

À la réflexion, cependant, lorsqu'il eut consulté, lorsqu'il se fut, surtout, donné la peine d'étudier l'esprit de la noblesse des environs, riche exclusivement de préjugés, il comprit que des considérations pécuniaires seraient seules assez fortes pour décider haute et puissante dame de La Verberie à lui accorder la main de sa fille.

Cette certitude dissipant ses hésitations, il ne songea plus qu'à se ménager un moyen de poser adroitement sa candidature.

Ce n'est pas que la chose lui parût aisée. S'en aller chercher femme son argent à la main répugnait fort à sa délicatesse et renversait toutes ses idées. Mais il ne connaissait dans le pays personne à qui se fier et son amour était assez grand pour le faire passer, les yeux fermés, sur toutes les répugnances.

L'occasion qu'il attendait de s'expliquer, sinon catégoriquement, au moins d'une façon claire et transparente, se présenta elle-même.

Comme il entrait, un soir, dans un hôtel de Beaucaire, pour dîner, il aperçut Mme de La Verberie qui allait se mettre à table. Tout en rougissant jusqu'aux oreilles, il lui demanda la permission de s'asseoir près d'elle, permission qui lui fut accordée avec un sourire des plus encourageants.

La comtesse soupçonnait-elle l'amour du jeune ingénieur ? avait-elle été prévenue par son amie ? Il est permis d'en douter.

Toujours est-il que, sans laisser à André la peine d'arriver, de transitions en transitions, jusqu'au sujet qui lui tenait si fort au cœur, elle commença dès le potage à se plaindre de la dureté des temps, de la rareté de l'argent et de l'insolence et de l'âpreté au gain des gens d'affaires.

La vérité est qu'elle était venue à Beaucaire pour un emprunt, qu'elle avait trouvé toutes les caisses cadenassées, et que son notaire lui conseillait une vente amiable de ses terres.

La colère, ce secret instant des situations qui est le sixième sens des femmes de tout âge, lui déliant la langue, elle fut, avec ce jeune homme presque inconnu, plus expansive qu'avec les gens de sa société la plus intime. Elle dit l'horreur de sa situation, sa gêne, les inquiétudes de l'avenir, et par-dessus tout, la douleur qu'elle éprouvait de ne savoir comment marier sa chère fille.

Lui, écoutait ces doléances infinies avec une figure de circonstance, mais intérieurement il était ravi.

Aussi, sans laisser finir la vieille dame, se mit-il à exposer ce qu'il appela sa façon d'envisager la position.

Après avoir plaint considérablement la comtesse, il avoua qu'il ne s'expliquait aucunement ses inquiétudes.

Quoi ! elle était tourmentée de l'idée de n'avoir pas de dot à donner à sa fille ! Mais Mlle Valentine était de celles dont la noblesse et la beauté sont un apport des plus enviables.

Il connaissait, pour sa part, plus d'un homme qui s'estimerait trop heureux que Valentine voulût bien accepter son nom, et qui se ferait un devoir - devoir bien doux - d'enlever à sa mère tout sujet de souci.

En définitive, la situation de la comtesse ne lui semblait pas si mauvaise qu'elle voulait bien dire. Que faudrait-il, pour la libérer, pour dégrever absolument le domaine de La Verberie ? Une quarantaine de mille francs, peut-être ? En vérité, ce ne serait pas une somme.

D'ailleurs, ce ne serait pas un cadeau que ferait là ce gendre, mais une avance. Est-ce que le domaine et le château de La Verberie ne lui reviendraient pas, tôt ou tard, augmentés par la constante plus-value des terres ?

Et ce n'est pas tout. Jamais un homme aimant Valentine ne laisserait la mère de sa femme privée du bien-être dû à son âge, à sa noblesse et à ses malheurs.

Il s'empresserait donc d'ajouter à des revenus insuffisants de quoi se procurer, non seulement le nécessaire, mais encore le superflu.

À mesure que parlait André, avec une conviction trop accentuée pour être feinte, il semblait à la comtesse qu'une rosée céleste tombait sur toutes ses plaies d'argent. Elle s'épanouissait, son petit œil fauve avait des regards plus doux que velours, un provocant et amical sourire voltigeait sur ses lèvres minces, plus pincées d'ordinaire que les bords d'une cassette d'avare.

Un seul point inquiétait le jeune ingénieur. M'entend-elle, se demandait-il ; me prend-elle au sérieux ?

Certes oui ; elle perçait la transparence des allusions, et ses réflexions le prouvèrent.

– Hélas ! fit-elle non sans un soupir, ce n'est pas avec quarante mille francs qu'on sauverait La Verberie ; intérêts et frais compris, il en faudrait bien soixante mille.

– Oh ! quarante ou soixante, ce n'est pas une affaire.

– Puis, mon gendre – cet homme rare de nos suppositions – comprendrait-il les nécessités de mon existence ?

– Il se ferait, j'imagine, un bonheur d'ajouter tous les ans quatre mille francs aux revenus de votre domaine.

La comtesse ne répondit pas immédiatement, elle calculait.

– Quatre mille francs... dit-elle enfin, ce ne serait guère. Tout est hors de prix en ce pays. Mais avec six mille livres !... oh ! avec six mille livres...

L'exigence parut bien un peu forte au jeune ingénieur ; pourtant, avec l'insouciante générosité d'un amoureux, il répondit :

– Le gendre dont nous parlons aimerait peu mademoiselle Valentine, si une misérable question de deux mille francs l'arrêtait.

– Vous m'en direz tant !... murmura la comtesse.

Mais une soudaine objection lui venait à l'esprit :

– Encore faudrait-il, remarqua-t-elle, que ce gendre honnête que nous supposons eût assez de bien pour remplir ses engagements. Je tiens trop au bonheur de ma fille pour la donner à un homme qui ne m'offrirait pas – comment dit-on cela ? – une caution, des garanties...

Décidément, pensait Fauvel un peu honteux, c'est un marché que nous débattons.

Et, tout haut, il poursuivit :

– Il est clair que votre gendre s'engagerait par le contrat de mariage...

– Jamais ! monsieur, jamais ! Et les bienséances ! Que dirait-on de moi ?

– Permettez... il serait spécifié que votre pension serait l'intérêt d'une somme qu'il reconnaîtrait avoir reçue.

– Comme cela, oui, en effet...

À toute force, ce soir-là, Mme de La Verberie voulut ramener André dans sa calèche. Pas un mot direct ne fut échangé entre eux le long du chemin, mais ils s'étaient compris, ils étaient fixés l'un sur l'autre.

Ils s'entendaient si bien, qu'en déposant à sa porte le jeune ingénieur, la comtesse lui tendit sa maigre main, qu'il baisa dévotement en songeant aux jolis yeux de Valentine, et l'invita à dîner pour le lendemain.

Certes, il y avait des années que Mme de La Verberie n'avait été si joyeuse, et ses servantes admirèrent sa belle humeur.

C'est que tout à coup, brusquement, d'une situation désespérée elle passait à une position presque brillante. Et elle qui affichait de si fiers sentiments, elle n'apercevait ni les hontes de cette transaction, ni l'infamie de sa conduite.

Six mille francs de pension ! se disait-elle. Ce jeune géomètre est un honnête homme ! et mille écus du domaine, c'est en tout neuf mille livres de rentes. Ce garçon habitera Paris avec ma fille, je les irai voir, ces chers enfants, sans trop de frais.

Jour de Dieu !... à ce prix elle eût donné non une fille, mais trois, si elle les eût eues.

Mais voilà que tout à coup une idée lui vint qui la glaça : Valentine consentira-t-elle ?

Si poignante fut son anxiété que, pour en avoir le cœur net à l'instant, elle monta dans la chambre de sa fille, qu'elle trouva lisant à la lueur d'une mince chandelle.

– Ma fille, lui dit-elle brusquement, un jeune homme, qui me convient, m'a demandé ta main et je la lui ai accordée.

À cette déclaration inattendue, stupéfiante, Valentine se dressa.

– Ce n'est pas possible, balbutia-t-elle.

– Pourquoi, s'il te plaît ?

– Avez-vous donc dit qui je suis, ma mère, avez-vous avoué ?

– Les folies passées ? Dieu m'en préserve ! Et tu seras, je l'espère, assez raisonnable pour imiter mon silence.

Si annihilée que fût la volonté de Valentine par l'écrasant

despotisme de sa mère, son honnêteté se révolta.

– Vous voulez m'éprouver, ma mère ! s'écria-t-elle, épouser un homme sans lui tout avouer serait la plus lâche et la plus infâme des trahisons...

La comtesse avait une terrible envie de se fâcher. Mais elle comprit que cette fois ses menaces se briseraient contre une résistance encouragée par la conscience. Au lieu d'ordonner, elle pria.

– Pauvre enfant, disait-elle, pauvre chère Valentine, si tu connaissais l'horreur de notre situation, tu ne parlerais pas ainsi. Ta folie a commencé notre ruine ; elle est aujourd'hui consommée. Sais-tu où nous en sommes ? Nos créanciers me menacent de me chasser de La Verberie. Que deviendrons-nous après, ô ma fille ? Faudra-t-il qu'à mon âge j'aille de porte en porte tendre la main ? Nous sommes perdues, et ce mariage est le salut.

Et, après les prières, les raisonnements venaient.

Elle avait à son service, cette chère comtesse, des théories subtiles et étranges. Ce qu'autrefois elle appelait un crime monstrueux n'était plus qu'une peccadille. À l'entendre, la situation de Valentine se présentait tous les jours.

Elle eût compris, disait-elle, les scrupules de sa fille, si on eût pu craindre quelque révélation du passé. Mais de telles précautions avaient été prises, qu'il n'y avait rien à redouter.

En aimerait-elle moins son mari ? Non. En serait-il moins heureux ? Non. Dès lors, pourquoi hésiter ?

Étourdie, frappée de vertige, Valentine se demandait si c'était bien sa mère, cette femme si hautaine, si intraitable, jadis, dès qu'il était question d'honneur ou du devoir, qui s'exprimait ainsi, démentant en une fois les paroles de sa vie entière.

Hélas ! oui, c'était elle.

Les subtils arguments, les sophismes honteux de la comtesse ne devaient ni la toucher ni l'ébranler, mais elle ne se sentait ni la force ni le courage de résister aux larmes de cette mère, qui, voyant qu'elle n'obtenait rien, se traînait à genoux, l'adjurant à mains jointes de la sauver.

Plus émue qu'elle ne l'avait jamais été, déchirée par mille

sentiments contraires, n'osant ni refuser ni promettre, redoutant les conséquences d'une décision ainsi arrachée, l'infortunée supplia sa mère de lui laisser au moins quelques heures de répit.

Ces instants de réflexions, Mme de La Verberie n'osa plus les refuser. Le coup frappé, elle se dit qu'insister serait imprudent.

– Vous le voulez, dit-elle à sa fille, je me retire. Mieux que votre esprit, votre cœur vous dira comment choisir entre un aveu inutile et le salut de votre mère.

Et sur ces mots elle sortit, indignée, mais pleine d'espoir.

Elle n'avait que trop de motifs d'espérer.

Placée entre deux obligations également impérieuses, également sacrées, mais absolument opposées, la raison troublée de Valentine ne discernait plus clairement où était le devoir.

Réduirait-elle sa mère à la plus affreuse des misères ?

Abuserait-elle indignement la confiance et l'amour d'un honnête homme ?

Quelle que fut sa décision, il en résultait, pour elle, une vie affreuse et d'épouvantables remords.

Autrefois, le souvenir de Gaston de Clameran eût parlé haut et dicté sa conduite, mais ce souvenir lointain n'était plus qu'un vague murmure.

Dans les romans, il est vrai, on trouve de ces héroïnes dont la vertu n'a rien d'égale que la constance ; la vie réelle n'a guère de ces miracles.

Longtemps, dans la pensée de Valentine, Gaston était resté éblouissant et radieux, comme le héros de ses rêves ; mais les brumes du temps, peu à peu, avaient obscurci les rayons de l'idole, et il n'était plus maintenant, au fond de son cœur, qu'une froide relique.

Cependant, lorsqu'elle se leva le matin, pâle et souffrante des angoisses d'une longue nuit sans sommeil, elle était presque résolue à parler.

Mais quand vint le soir, quand elle se trouva près d'André Fauvel, sous l'œil tour à tour menaçant et suppliant de sa mère, le courage lui manqua.

Elle se disait encore : je parlerai ; mais elle se disait : ce sera demain, un autre jour, plus tard.

Aucune de ces luttes n'échappait à la comtesse, mais elle n'était plus guère inquiète.

La vieille dame le savait peut-être par expérience : quand on remet à accomplir une action difficile et pénible, on est perdu, on ne l'accomplit jamais.

Peut-être Valentine avait-elle une excuse dans l'horreur de sa situation. Peut-être, à son insu, un espoir irraisonné s'agitait en elle. Un mariage, même malheureux, lui offrait les perspectives d'un changement, d'une vie nouvelle, d'un allégement à d'insupportables souffrances.

Parfois, dans son ignorance de toutes choses, elle se disait qu'avec le temps, avec une intimité plus grande, l'horrible aveu viendrait presque naturellement, et qu'André pardonnerait, et qu'il l'épouserait quand même, puisqu'il l'aimait.

Car il l'aimait vraiment, elle ne pouvait pas ne pas s'en apercevoir. Certes, ce n'était plus la passion impétueuse de Gaston, avec ses terreurs, ses emportements, ses ivresses, mais c'était un amour calme, réfléchi, plus profond peut-être, puisant une sorte de recueillement dans le sentiment de sa légitimité et de sa durée.

Et Valentine, doucement, s'accoutumait à la présence d'André, toute surprise de ce bonheur inconnu, de ces attentions délicates de tous les instants, de ces prévenances qui allaient au-devant de ses pensées. Elle n'aimait pas encore André, mais une séparation lui eût été douloureuse, cruelle.

Pendant ce temps où le jeune ingénieur avait été admis à faire sa cour, la conduite de la vieille comtesse avait été un chef-d'œuvre.

Calculant fort juste, elle avait tout à coup renoncé aux obsessions, ne discutant plus, affirmant avec une résignation larmoyante qu'elle ne voulait pas influencer les résolutions de sa fille.

Mais elle criait misère, mais elle geignait comme si elle eût été à la veille de manquer de pain ; mais elle avait pris ses mesures pour être harcelée par les huissiers. Saisies et significations pleuvaient à La Verberie, et tous ces papiers timbrés, elle les montrait à Valentine, en disant :

– Dieu veuille que nous ne soyons pas chassées de la maison de nos pères avant ton mariage, ma bien-aimée !

D'ailleurs, se sentant assez d'influence pour glacer une révélation sur les lèvres de sa fille, jamais elle ne la laissa seule une minute avec André.

Une fois mariés, pensait-elle, ils s'arrangeront.

Puis, tout autant que l'impatient André, elle pressait les préparatifs de la noce. Elle ne laissait à Valentine ni le temps de se reconnaître, ni un moment pour réfléchir. Elle l'occupait, l'envahissait, l'étourdissait de mille et mille détails. C'était une robe à acheter, quelque objet du trousseau à changer, une visite à faire, une pièce à se procurer.

Si bien qu'elle gagna ainsi la veille du grand jour, haletante d'espoir, oppressée d'anxiété, comme le joueur au moment décisif d'une grosse partie.

Ce soir-là, pour la première fois, Valentine se trouva seule avec cet homme qui allait être son mari.

La nuit tombait, elle s'était réfugiée dans le salon, tourmentée d'angoisses plus poignantes que d'ordinaire. Il entra.

La voyant en larmes, affreusement troublée, doucement il lui prit la main, et lui demanda ce qu'elle avait.

– Ne suis-je pas votre meilleur ami, disait-il, ne dois-je pas être le confident de vos chagrins, si vous en avez ? Pourquoi ces larmes, mon amie ?

En ce moment, elle faillit tout avouer. Mais tout à coup, elle entrevit le scandale, la douleur d'André, les colères de sa mère, elle vit son existence perdue ; elle se dit qu'il était trop tard, et avec une explosion de sanglots elle s'écria, comme toutes les jeunes filles quand le dernier moment est proche :

– J'ai peur !...

Lui, aussitôt, s'expliquant ce trouble, ces craintes vagues, l'horreur de l'inconnu, les révoltes de la pudeur, s'efforça de la consoler, de la rassurer, tout surpris de voir que ses bonnes paroles, loin de la calmer, semblaient redoubler sa douleur.

Mais déjà Mme de La Verberie accourait, on allait signer le contrat. André Fauvel ne devait rien savoir.

Enfin, le lendemain, par un beau jour de printemps, eut lieu à l'église du village le mariage d'André Fauvel et de Valentine de La Verberie.

Dès le matin, le château s'était empli des amies de la jeune mariée qui venaient, suivant l'usage, présider aux derniers apprêts de sa toilette.

Elle s'efforçait de rester calme, souriante même ; cependant elle était plus pâle que son voile, d'affreux remords la déchiraient. Il lui semblait qu'on devait lire la vérité sur son visage, et que cette blanche toilette n'était qu'une amère ironie, une suprême humiliation.

Elle frémit quand sa meilleure amie s'approcha pour placer sur sa tête la couronne de fleurs d'oranger. Il lui paraissait que cette couronne allait la brûler. Elle ne la brûla pas, mais une des tiges de fil de fer mal recouverte lui fit au front une légère écorchure qui saigna beaucoup, et même une goutte de sang tomba sur sa robe.

Quel présage ! Valentine faillit se trouver mal.

Mais les présages sont menteurs, et la preuve, c'est qu'un an après son mariage, Valentine était, assurait-on, la plus heureuse des femmes.

Heureuse !... oui, elle l'eût été complètement si elle eût pu oublier.

André l'adorait. Il s'était lancé dans les affaires et tout lui réussissait. Mais il voulait être très riche, immensément riche, non pour lui, mais pour la femme aimée, qu'il voulait entourer de toutes les jouissances du luxe. La trouvant la plus belle, il la souhaitait la plus parée.

Dix-huit mois après son mariage, Mme Fauvel avait eu un fils. Hélas ! ni cet enfant, ni un second venu un an après, ne purent lui faire oublier l'autre, le délaissé, celui que, pour une somme d'argent, une étrangère avait pris.

Aimant passionnément ses fils, les élevant comme des fils de prince, elle se disait : qui sait si l'abandonné a seulement du pain ?

Si elle eût su où il était, si elle eût osé !... Mais elle n'osait pas. Parfois même elle avait été inquiète du dépôt laissé par Gaston, de ces parures de la marquise de Clameran, qu'elle craignait de ne jamais assez bien cacher.

Parfois, elle se disait : allons, le malheur m'a oubliée !

Pauvre femme ! Le malheur est un visiteur qui parfois se fait attendre, mais qui toujours vient.

XV

Louis de Clameran, le second fils du marquis, était de ces natures concentrées qui, sous des dehors froids ou nonchalants, dissimulent un tempérament de feu, d'exorbitantes passions et les plus furieuses convoitises.

Toutes sortes d'extravagantes pensées et de levains mauvais fermentaient en son cerveau malade, longtemps avant les événements qui décidèrent des destinées de la maison de Clameran.

Occupé, en apparence, de futiles plaisirs, ce précoce hypocrite souhaitait pour ses passions un théâtre plus vaste, maudissant les nécessités qui l'enchaînaient au pays, à ce vieux château qui lui semblait plus triste qu'une prison et froid comme une tombe.

Il s'ennuyait.

Il n'aimait pas son père, il haïssait jusqu'à la frénésie son frère Gaston.

Le vieux marquis lui-même, dans son imprévoyance coupable, avait allumé cette envie dévorante dans le cœur de son second fils.

Observateur de traditions qu'il prétendait les seules bonnes, il avait déclaré cent fois que l'aîné d'une maison noble doit hériter de tous les biens, et que Gaston recueillerait seul ce qu'il laisserait de fortune à sa mort.

Cette flagrante injustice des préférences non dissimulées désolait l'âme jalouse de Louis.

Souvent Gaston lui avait affirmé que jamais il ne consentirait à profiter des préjugés paternels, qu'ils partageraient tout en bons frères. Louis n'avait pas été touché de ce que, jugeant les autres d'après lui, il appelait la ridicule ostentation d'un faux désintéressement.

Cette haine dont jamais ne s'étaient doutés ni le marquis ni Gaston, s'était trahie par des actes assez significatifs pour avoir frappé les domestiques.

Ils la connaissaient à ce point, que ce soir funeste où la chute du cheval de Louis livrait Gaston à ses ennemis, ils refusèrent de croire à un accident, et tout bas murmurèrent ce mot : fratricide.

Même une scène déplorable eut lieu entre Louis et Saint-Jean, à qui cinquante ans de services fidèles donnaient une liberté dont il abusait quelquefois, et son franc-parler souvent rude et désagréable.

– Il est malheureux, avait dit le vieux serviteur, qu'un cavalier aussi habile que vous soit tombé juste au moment où le salut de votre frère dépendait de votre manière de conduire votre cheval. La Verdure, lui, n'est pas tombé.

L'allusion avait si bien atteint le jeune homme, qu'il avait pâli, et d'une voix terrible s'était écrié :

– Misérable ! Que veux-tu dire ?

– Vous le savez bien, monsieur le vicomte, avait insisté Saint-Jean.

– Non !... parle, explique-toi.

Le domestique n'avait répondu que par un regard, mais il était si cruellement significatif que Louis s'était précipité, la cravache levée, sur Saint-Jean, et qu'il l'eût roué de coups sans l'intervention des autres serviteurs du château.

Cette scène se passait au moment où Gaston, au milieu des garancières et des champs de châtaigniers, s'efforçait de dépister ceux qui le poursuivaient.

Bientôt les gendarmes et les hussards reparurent tristes, émus, annonçant que Gaston de Clameran venait de se précipiter dans le Rhône et que certainement il y avait péri.

Un douloureux murmure accueillit cette désolante déclaration. Seul, entre tous, Louis resta impassible, pas un des muscles de son visage ne tressaillit.

Même ses yeux eurent un éclair, l'éclair du triomphe. Une voix secrète lui criait : « Te voici maintenant assuré de la fortune paternelle et de la couronne de marquis ! »

Désormais, il n'était plus le pauvre cadet, le fils dépouillé au profit d'un aîné, il était le seul héritier des Clameran.

Le brigadier de gendarmerie avait dit : « Ce n'est pas moi qui annoncerai à ce pauvre vieux que son fils est noyé !... » Louis n'eut ni les scrupules ni l'attendrissement du vieux soldat. Il monta sans hésitation chez son père, et c'est d'une voix ferme qu'il lui dit : « Entre la vie et l'honneur, mon frère a choisi... il est mort. »

Comme le chêne frappé de la foudre, le marquis, à ces mots avait chancelé et était tombé. Le médecin qu'on était allé chercher ne put, hélas ! qu'avouer l'impuissance de la science. Vers le matin, Louis recueillit d'un œil sec le dernier soupir de son père.

Louis était le maître désormais.

C'est que les injustes précautions prises par le marquis, pour éluder la loi et assurer, sans conteste, toute sa fortune à son fils aîné, tournèrent contre lui.

Grâce à la coupable complaisance de ses hommes d'affaires, au moyen de fidéicommis entachés de fraude, M. de Clameran avait tout disposé de façon qu'au lendemain de sa mort Gaston pût recueillir tout son héritage ; ce fut Louis qui le recueillit, et sans même qu'il fût besoin de l'acte de décès de son frère.

Il était marquis de Clameran, il était libre, il était riche aussi, relativement. Lui, qui jamais ne s'était vu vingt-cinq écus en poche, il se trouvait possesseur de bien près de deux cent mille francs.

Cette richesse subite, absolument inespérée, lui tourna si bien la tête qu'il oublia sa savante dissimulation. On remarqua sa contenance, aux funérailles du marquis. La tête baissée, son mouchoir sur la bouche, il suivait le cercueil porté par douze paysans, mais ses regards démentaient son attitude, son front rayonnait, on devinait le sourire sous les grimaces de sa feinte douleur.

La vibration des dernières pelletées de terre sur le cercueil n'était pas éteinte, que déjà Louis vendait, au château, tout ce qui se pouvait vendre : les chevaux, les harnais, les voitures.

Dès le lendemain, il renvoya tous les domestiques, pauvres gens qui s'étaient imaginés finir leurs jours sous le toit hospitalier de Clameran. Plusieurs, les larmes aux yeux, le prirent à part pour le conjurer d'utiliser leurs services, même sans rétribution ; il les congédia brutalement.

Il était tout au calcul en ce moment. Le notaire de son père, qu'il avait mandé, parut. Il lui signa une procuration pour vendre toutes les terres et en reçut une somme de vingt mille francs, un premier emprunt.

Puis, à la fin de la semaine, un soir, il ferma toutes les portes du château où il se jurait de ne revenir jamais, et il en remettait toutes les clés à Saint-Jean, qui ayant une certaine aisance, possédant une petite maison près de Clameran, devait continuer à habiter le pays.

Enfin, il partit ! La lourde diligence s'ébranla, et bientôt fut emportée au galop de ses six chevaux, creusant à chaque tour de roue un abîme entre le passé et l'avenir.

Enfoncé dans un des coins du coupé, Louis de Clameran savourait par avance les délices dont il allait épuiser les réalités. Au bout du chemin, Paris se levait dans la pourpre, radieux comme le soleil, éblouissant comme lui.

Car il allait à Paris... N'est-ce pas la terre promise, la cité des merveilles où chaque Aladin trouve une lampe ? Là, toutes les ambitions sont couronnées, tous les rêves se matérialisent, toutes les passions s'épanouissent, il est des assouvissements pour toutes les convoitises.

Partout le bruit, la foule, le luxe, le plaisir.

Quel rêve ! Et le cœur de Louis de Clameran se gonflait de désirs, et il lui semblait que les chevaux marchaient plus lentement que des tortues.

Et quand le soir, à l'heure où le gaz s'allume, il sauta de la diligence sur le pavé boueux de Paris, il lui sembla qu'il prenait possession de la grande ville, qu'elle était à lui, qu'il pouvait l'acheter.

Pénétré de son importance, habitué à la déférence des gens des environs, le jeune marquis avait quitté son pays en se disant qu'à Paris, tant par son nom que par sa fortune, il serait un personnage.

L'événement trompa singulièrement son attente. À sa grande surprise il découvrit qu'il n'y avait rien de ce qui, dans la ville immense, constitue une personnalité. Il reconnut qu'au milieu de cette foule indifférente et affairée, il passait aussi perdu, aussi inaperçu qu'une goutte d'eau au milieu d'un torrent.

Mais la peu flatteuse réalité ne pouvait décourager un garçon résolu surtout à donner coûte que coûte satisfaction à ses passions.

Le nom de ses pères n'eut qu'un privilège, désastreux pour son avenir ; il lui ouvrit les portes du faubourg Saint-Germain.

Là, il connut un assez bon nombre d'hommes de son âge, tout aussi nobles que lui, dont les revenus égalaient la moitié ou même la totalité de son capital. Presque tous avouaient qu'ils ne se soutenaient que par des prodiges d'habileté et d'économie, et en réglant leurs vices et leurs folies aussi sagement qu'un bonnetier les sorties qu'il fait le dimanche avec sa famille.

Ces propos, et bien d'autres, qui stupéfiaient le nouveau débarqué, ne lui ouvrirent pas les yeux. De ces jeunes gens économiquement prodigues, il s'efforça de copier les dehors brillants, sans songer à imiter leur prudence. Il apprit à dépenser, mais non à compter comme eux.

Il était marquis de Clameran, il s'annonçait comme ayant une grande fortune, il fut bien accueilli ; s'il n'eut pas un ami, il eut du moins quantité de connaissances. Au cercle où il fut présenté et reçu dès les premiers jours de son arrivée, il trouva dix complaisants qui se firent un plaisir de l'initier aux secrets de la vie élégante et de corriger ce qu'il pouvait y avoir d'un peu provincial en ses façons d'être ou de penser.

Il profita vite et bien des leçons. Après trois mois, il était lancé, sa réputation de beau joueur était établie, et il s'était fait noblement et glorieusement compromettre par une fille à la mode.

Descendu à l'hôtel tout d'abord, il avait loué près de la Madeleine un confortable entresol, avec une remise et une écurie pour trois chevaux.

Il ne garnit cette « garçonnière » que du strict nécessaire ; malheureusement le nécessaire est hors de prix.

Si bien que, le jour où il fut installé, ayant essayé de faire ses comptes, il découvrit, non sans effroi, que ce court apprentissage de Paris lui coûtait cinquante mille francs, le quart de son avoir.

Et encore, il restait, vis-à-vis de ses brillants amis, dans un état d'infériorité désolant pour sa vanité, à peu près comme un bon propriétaire qui crèverait son bidet à vouloir suivre une course de chevaux anglais.

Cinquante mille francs !... Louis eut comme une velléité de quitter la partie. Mais, quoi ! il abdiquerait donc ! D'ailleurs ses vices s'épanouissaient à l'aise, dans ce milieu charmant. Il s'était cru prodigieusement fort, autrefois, et mille corruptions nouvelles se révélaient à lui.

Puis, la vue de fortunes subites, l'exemple de succès aussi

surprenants et aussi inouïs que certains revers, enflammaient son imagination.

Il pensa que dans cette grande ville, où les millions se promènent sur le boulevard, il parviendrait infailliblement, lui aussi, à saisir son million.

Comment ? il n'en avait pas l'idée, et même il ne la cherchait pas. Il se persuadait simplement qu'aussi bien que beaucoup d'autres, il aurait son jour de hasard heureux.

Encore une de ces erreurs qu'il serait temps de détruire.

Il n'est pas de hasard, au service des sots.

Dans cette course furieuse des intérêts, il faut une prodigieuse dextérité pour enfourcher, le premier, cette cavale capricieuse qui a nom l'occasion, et la conduire au but.

Mais Louis n'en pensait pas si long. Aussi absurde que cet homme qui espérait gagner à la loterie sans y avoir mis, il se disait : bast ! l'occasion, le hasard, un beau mariage me tireront de là.

Il ne se présenta pas de beau mariage, mais le tour du dernier billet de banque arriva.

À une pressante demande d'argent, son notaire répondit par un refus.

Il ne vous reste rien à vendre, M. le marquis, lui écrivait-il, plus rien que le château. Il a certainement une grande valeur, mais il est malaisé, sinon impossible, de trouver un acquéreur pour un immeuble de cette importance, situé comme il l'est maintenant. Soyez sûr que je chercherai activement cet acquéreur, et croyez, etc.

Absolument comme s'il n'eût pas prévu cette catastrophe finale, Louis fut atterré. Que faire ?

Ruiné, n'ayant plus rien à espérer, il était de sa dignité d'imiter les pauvres fous qui, chaque année, surgissent, brillent un moment et disparaissent soudain.

Mais Louis ne pouvait renoncer à cette vie de plaisirs faciles qu'il menait depuis trois ans. Il était dit qu'après avoir laissé sa fortune sur le champ de bataille, il y laisserait son honneur.

Il s'obstina, pareil au joueur décavé qui rôde autour des tables de jeu qui lui sont fermées, s'intéressant à une partie qui n'est plus la sienne, toujours prêt à tendre la main à ceux que favorise le sort.

Louis, tout d'abord, vécut du renom de sa fortune dissipée, de ce crédit qui reste à l'homme qui a dépensé beaucoup en peu de temps.

Cette ressource, rapidement, s'épuisa.

Un jour vint où les créanciers se levèrent en masse, et le marquis ruiné dut laisser entre les mains les derniers débris de son opulence, son mobilier, ses voitures, ses chevaux.

Réfugié dans un hôtel plus que modeste, il ne pouvait prendre sur lui de rompre avec ces jeunes gens riches qu'un moment il avait pu croire ses amis.

Il vivait d'eux, maintenant, comme autrefois de ses fournisseurs. Empruntant de-ci et de-là, depuis un louis jusqu'à vingt-cinq, ne rendant jamais. Il pariait, et, s'il perdait, ne payait pas. Il pilotait les jeunes et utilisait en mille services honteux une expérience qui lui coûtait deux cent mille francs ; moitié courtisan, moitié chevalier d'industrie.

On ne le chassait pas, mais on lui faisait expier cruellement cette faveur d'être encore toléré. On ne se gênait pas avec lui, et ce qu'on pensait de sa conduite, on le disait tout haut.

Aussi, quand il se retrouvait seul, dans son taudis, s'abandonnait-il à des accès de rage folle. Il pouvait bien subir toutes les humiliations, mais non encore ne les plus sentir.

Il y avait d'ailleurs longtemps que l'envie qui le rongeait, que les convoitises qui le torturaient, avaient étouffé en lui jusqu'aux racines des sentiments honnêtes. Pour quelques années d'opulence, il se sentait prêt à tout hasarder, disposé à tenter même un crime.

Il ne commit pas de crime, cependant, mais il se trouva compromis dans une affaire malpropre d'escroquerie et de chantage.

Un vieil ami de sa famille, le comte de Commarin, le sauva, étouffa l'affaire et lui fournit les moyens de passer en Angleterre.

Quels furent, à Londres, ses moyens d'existence ?

Seuls les détectives de la capitale la plus corrompue de l'univers sauraient le dire.

Descendant les derniers échelons du vice, le marquis de Clameran vécut dans un monde d'escrocs et de filles perdues, dont il partageait les chances et les honteux profits.

Forcé de quitter Londres, il parcourut successivement toute l'Europe, sans autre capital que son audace, sa corruption profonde et son adresse à tous les jeux.

Enfin, en 1865, ayant eu à Hambourg une veine heureuse, il revint à Paris, où il se disait que sans doute on l'avait oublié.

Il y avait dix-huit ans qu'il avait quitté la France.

La première pensée de Louis de Clameran, en arrivant à Paris, avant de s'y installer, avant même d'y chercher les ressources qu'il savait trouver ailleurs, fut pour son pays natal.

Ce n'est pas qu'il y eût aucun parent, aucun ami, même de qui attendre un secours, mais il se rappelait le vieux manoir pour lequel, autrefois, le notaire désespérait trouver un acquéreur.

Il se disait que peut-être cet acquéreur s'était présenté, et il était décidé à aller s'en assurer, pendant qu'une fois dans le pays, il tirerait toujours quelque chose de ce château qui, certes, dans le temps, avait coûté à bâtir plus de cent mille livres.

Trois jours plus tard, par une belle soirée d'octobre, il arrivait à Tarascon, où il s'assurait que le château était encore sa propriété, et le lendemain, de très bonne heure, il prenait, à pied, la route de Clameran.

Bientôt, à travers les arbres, il distingua le clocher du village de Clameran, puis le village lui-même, assis sur la pente douce d'un coteau couronné d'oliviers.

Il reconnut les premières maisons : le hangar du maréchal-ferrant avec sa vigne courant le long du toit, le presbytère, et plus loin l'auberge où, autrefois avec son frère Gaston, il venait pousser les billes sur l'immense billard à blouses larges comme des hottes.

En dépit de ce qu'il nommait son dédain des préjugés vulgaires, une émotion indéfinissable lui serrait le cœur. Il n'était pas maître d'un triste retour sur lui-même, et malgré lui sa pensée s'égarait dans le passé.

La porte de la maison de Saint-Jean était ouverte, il entra, et ne trouvant personne dans l'immense cuisine à cheminée monumentale, il appela.

– On y va ? répondit une voix.

Presque aussitôt, à la porte du fond, un homme d'une quarantaine d'années, à la figure honnête et souriante, apparut, surpris de trouver un étranger chez lui.

– Il y a quelque chose pour votre service, monsieur ? demanda-t-il.

– N'est-ce pas ici que demeure Saint-Jean, l'ancien valet de chambre du marquis de Clameran ?

– Mon père est mort depuis bientôt cinq ans, monsieur, répondit l'homme, d'une voix triste.

Cette nouvelle affecta péniblement Louis, comme si le vieillard qu'il pensait retrouver eût pu lui rendre quelque chose de sa jeunesse. Il eut un soupir, et dit :

– Je suis le marquis de Clameran.

L'homme, à ces mots, poussa un grand cri de joie.

– Vous ! monsieur le marquis ! s'écria-t-il, vous !

Il prit les mains de Louis, et les serrant avec un affectueux respect :

– Ah ! si mon pauvre père était encore de ce monde, poursuivait-il, quel ne serait pas son contentement ! Ses dernières paroles ont été pour ses anciens maîtres, monsieur le marquis. Que de fois il a gémi de ne point recevoir de vos nouvelles ! Il est en terre, le pauvre homme ; mais moi, Joseph, son fils, je vous appartiens comme lui-même. Vous, chez moi, quel bonheur ! Ah ! ma femme à qui j'ai tant parlé des Clameran va être bien heureuse !...

Il s'élança dehors en même temps criant à pleins poumons :

– Toinette ! Hé ! Antoinette, écoute un peu ici, voir !...

Cet accueil si empressé, si cordial, remuait délicieusement Louis. Il y avait tant d'années qu'il n'avait entendu l'expression d'une affection sincère, d'un dévouement désintéressé, qu'une main vraiment amie n'avait serré la sienne !

Mais déjà, rougissante et confuse, une belle jeune femme au teint brun, aux grands yeux noirs, entrait, à moitié traînée par Joseph.

– Voilà ma femme, monsieur le marquis, disait-il. Ah ! dame ! je ne lui ai pas laissé le temps d'aller se faire brave ; c'est monsieur le marquis, Antoinette.

La belle jeune femme s'inclinait, tout intimidée, et ne trouvant rien à dire, elle tendit son front, où Louis déposa un baiser.

– Tout à l'heure, disait Joseph, monsieur le marquis verra les enfants, ils sont à l'école, je viens de les envoyer chercher.

En même temps, le mari et la femme s'empressaient autour du marquis.

Il devait avoir, disaient-ils, besoin de prendre quelque chose, étant venu à pied, il allait bien accepter un verre de vin, en attendant le déjeuner, car il leur ferait l'honneur de déjeuner chez eux, n'est-il pas vrai ?

Et Joseph descendait à la cave, pendant que Toinette, dans la cour, donnait la chasse au plus gras de ses poulets.

En moins de rien, tout fut prêt, et Louis s'assit, au milieu de la cuisine, devant une table chargée de tout ce qu'on avait pu se procurer de meilleur, servi par Joseph et sa femme, qui se tenaient devant lui, l'examinant avec une sorte de curiosité attendrie.

La grande nouvelle s'était répandue dans le village, et la porte restant ouverte, à tout moment des gens se présentaient qui venaient saluer le marquis de Clameran.

– Je suis untel, monsieur le marquis, ne me reconnaissez-vous pas ? Ah ! je vous ai bien reconnu, moi, allez. Le défunt marquis m'aimait bien, affirmait un vieux.

– Vous souvenez-vous, disait un autre, du temps où vous me prêtiez vos fusils pour aller à la chasse ?

C'est avec un ravissement intime que Louis recueillait toutes ces protestations, ces marques d'un dévouement que n'avaient pas affaibli les années.

À la voix de ces braves gens, mille souvenirs oubliés s'éveillaient en lui, et il retrouvait les fraîches sensations de sa jeunesse.

Lui, l'aventurier, chassé de partout, le héros des maisons de jeu, le spadassin, l'abject complice des escrocs de Londres, il se délectait à ces témoignages de vénération accordée à la famille de Clameran, et il lui semblait qu'ils lui rendaient quelque chose de sa considération et de son estime.

Ah ! si à cette heure il eût possédé le quart seulement de cet héritage jeté au vent d'absurdes fantaisies, avec quelle satisfaction il se serait fixé dans ce village pour finir ses jours en paix !

Mais ce repos après tant d'agitations vaines, ce port après tant de naufrages, lui étaient interdits. Il ne possédait rien ; comment vivre ?

Ce sentiment désolant de sa détresse passée lui donna seul le courage de demander à Joseph les clés du château qu'il se proposait de visiter.

– Il n'y a besoin que de la clé de la grille, monsieur le marquis, répondit Joseph, et encore... !

C'était vrai. Le temps avait fait son œuvre, et l'héroïque manoir de Clameran n'était plus qu'une ruine. La pluie et le soleil, le mistral aidant, avaient émietté les portes et emporté les contrevents en poussière.

Au-dedans, la désolation était plus grande encore.

Tout le mobilier que Louis n'avait osé vendre était encore en place, mais en quel état ! À peine restait-il quelques lambeaux d'étoffe des débris de la garniture des lits ; les bois seuls avaient résisté.

C'est à peine si Louis, suivi de Joseph, osait pénétrer dans ces grandes salles où le bruit de ses pas sonnait lugubrement.

Il lui semblait que tout à coup le terrible marquis de Clameran allait se dresser en pied pour lui jeter sa malédiction, pour lui crier : « Qu'as-tu fait de notre honneur ? »

Peut-être sa terreur avait-elle une autre cause, peut-être avait-il trop de raison de se souvenir de cette chute, si fatale à Gaston.

Ce n'est qu'en se trouvant en plein soleil, dans le jardin, qu'il reprit son assurance et se souvint de l'objet de sa visite.

– Ce pauvre Saint-Jean, dit-il, a eu bien tort de ne pas utiliser le mobilier laissé au château, il se trouve détruit sans avoir servi à personne.

– Mon père, monsieur le marquis, n'aurait rien osé déranger sans un ordre.

– Et il avait bien tort. Quant au château, si on n'y prend garde, il sera bientôt perdu comme le mobilier. Ma fortune, à mon grand regret, ne me permet pas de le restaurer : je suis donc décidé à le vendre pendant qu'il est encore debout. Sera-t-il bien difficile, poursuivait Louis, de vendre cette masure ?

– Cela dépend du prix, monsieur le marquis ; je connais un homme des environs qui en ferait son affaire, si on le lui cédait à bon marché.

– Et quel est cet homme ?

– Un certain Fougeroux, qui demeure de l'autre côté du Rhône, au mas de la Montagnette. C'est un gars de Beaucaire, qui a épousé, il y a une douzaine d'années, une servante de la défunte comtesse de La Verberie, dont monsieur le comte se souvient peut-être, une grosse, très brune, nommée Mihonne.

Louis ne se souvenait pas de Mihonne.

– Quand pourrons-nous voir ce Fougeroux ? demanda-t-il.

– Aujourd'hui même, là, en traversant le Rhône dans le bateau du passeur.

– Eh bien ! allons... je suis pressé.

Une génération entière avait disparu, depuis que Louis avait quitté sa province.

Ce n'était plus le vieux matelot de la République, Pilorel, qui « passait le monde », c'était son fils.

Pendant que Pilorel fils ramait de toutes ses forces, Joseph s'efforçait de mettre le marquis en garde contre les ruses de Fougeroux.

– C'est un fin renard, disait-il, trop fin même. Je n'ai jamais eu bonne idée de lui, depuis son mariage, qui n'a pas été une belle action. La Mihonne avait bien cinquante ans sonnés, quand il s'est avisé de lui faire la cour, et il n'en avait pas vingt-cinq. Vous comprenez bien qu'il en voulait à l'argent et non à la femme. La pauvre sotte a cru que le gars l'aimait et dame ! elle a donné sa main et ses écus.

– Et ils ont profité, oui, interrompit Pilorel.

– Ça, c'est vrai. Fougeroux n'a pas son pareil pour faire suer l'argent. Il est riche aujourd'hui, mais il devrait bien savoir gré à

Mihonne de sa richesse. Qu'il ne l'aime pas, on comprend ça, elle a l'air de sa grand-mère ; mais qu'il la prive de tout et qu'il la batte comme plâtre, c'est honteux.

– Il la voudrait à six pieds sous terre, quoi ! fit le passeur.

– Et il l'y mettra avant longtemps. Elle est comme expirante, la pauvre vieille, depuis que Fougeroux a installé chez lui une gourgandine dont elle est devenue la servante.

On abordait. Joseph et le marquis, après avoir prié le passeur d'attendre leur retour, prirent le chemin du mas de la Montagnette.

C'était une ferme de bonne apparence, bien tenue, entourée de cultures intelligentes.

Joseph ayant demandé le maître, un jeune garçon lui répondit que « monsieur Fougeroux » était dans les champs tout près, qu'on allait le prévenir.

Il ne tarda pas à paraître. C'était un très petit homme à barbe rouge, à l'œil inquiet et fuyant.

Bien que M. Fougeroux fît profession de détester les nobles et les prêtres, l'espoir de faire un bon marché le rendit obséquieux jusqu'à la servilité.

Il s'empressa de faire passer Louis dans « sa salle », avec force révérences et des « monsieur le marquis » à n'en plus finir.

En entrant, il s'était adressé à une vieille femme qui tremblait de fièvre au coin de l'âtre éteint et lui avait brutalement ordonné de descendre quérir du vin pour M. le marquis de Clameran.

La vieille, à ce nom, se dressa comme au contact d'une pile électrique. Elle sembla vouloir parler ; un regard de son tyran renfonça les mots dans sa gorge. C'est d'un air égaré qu'elle obéit, et revint avec une bouteille et trois verres, qu'elle déposa sur la table.

Puis, elle reprit sa place près du foyer, oubliant d'écouter pour regarder le marquis.

Le marché, cependant, se débattait entre Joseph et Fougeroux. Le marchand de biens offrait un prix dérisoire, n'achetant, disait-il, que pour démolir et revendre les matériaux. Joseph, lui, énumérait les poutres et les solives, les moellons, ferrures, sans compter le terrain...

Pour Mihonne, la présence du marquis était un de ces événements qui changent l'existence.

Si jusqu'alors, la fidèle servante n'avait pas dit un mot des secrets confiés à sa probité, ils ne lui en avaient pas moins semblé lourds à porter.

N'ayant pas d'enfant, après en avoir ardemment désiré, elle se persuadait que Dieu l'avait frappée de stérilité pour la punir d'avoir prêté les mains à l'abandon d'un pauvre petit innocent.

Souvent elle avait pensé qu'en révélant tout, elle apaiserait la colère céleste et ramènerait le bonheur à son foyer. Son attachement pour Valentine lui avait donné la force de résister à d'incessantes tentations.

Mais, aujourd'hui, la présence de Louis la décidait. Réfléchissant, elle ne voyait nul danger à se confier au frère de Gaston.

L'affaire, pendant ce temps, se concluait. Il était convenu que Fougeroux donnerait cinq mille deux cent quatre-vingts francs comptant du château et du terrain, et que les débris du mobilier reviendraient à Joseph.

Le marchand de biens et le marquis échangèrent une bruyante poignée de main en prononçant les mots sacramentels : « C'est dit. »

Et aussitôt Fougeroux sortit pour aller chercher, lui-même, dans le bon coin connu de lui seul, la bouteille du marché.

L'occasion pour Mihonne était favorable. Se levant, elle alla droit au marquis, et d'une voix sourde et précipitée :

– Il faut, monsieur le marquis, dit-elle, que je vous parle sans témoins.

– À moi, ma bonne femme ?

– À vous. C'est un secret de vie ou de mort. Ce soir, à la tombée de la nuit, venez sous les noyers, là-bas, j'y serai, je vous dirai tout.

Elle regagna sa place, son mari rentrait.

Gaiement Fougeroux remplit les verres et but à la santé de Clameran.

Tout en regagnant le bateau, Louis se demandait s'il viendrait à ce rendez-vous singulier.

– Que diable peut me vouloir cette vieille sorcière ? disait-il à

Joseph.

– Qui sait ! Elle a été au service d'une femme qui fut, m'a dit mon père, la maîtresse de feu monsieur Gaston... À votre place, monsieur le marquis, j'irais. Vous dînerez chez nous, et après dîner Pilorel vous passera.

La curiosité décida Louis, et, vers les sept heures, il arrivait sous les noyers. Depuis longtemps déjà la vieille Mihonne l'attendait.

– Vous voilà donc, cher bon monsieur, fit-elle avec un accent de joie, déjà je me désespérais...

– Oui, c'est moi, ma brave femme, voyons, qu'avez-vous à me dire ?

– Ah ! bien des choses, monsieur le marquis, mais, avant tout, avez-vous des nouvelles de votre frère ?

Louis regretta presque d'être venu, pensant que la vieille radotait.

– Vous savez bien, répondit-il, que mon pauvre frère s'est jeté dans le Rhône et qu'il y a péri.

– Quoi ! s'écria Mihonne, quoi ! vous aussi vous ignorez qu'il s'est sauvé ! Oui, il a fait ce que personne plus ne fera ; il a traversé en nageant le Rhône débordé. Le lendemain mademoiselle Valentine est allée à Clameran pour dire la nouvelle, Saint-Jean l'a empêchée d'arriver jusqu'à vous. Plus tard, je suis allée vous porter une lettre, vous étiez parti.

Ces révélations, après vingt ans, confondaient Louis.

– Ne prenez-vous pas vos rêves pour des réalités, ma bonne mère ? dit-il doucement.

Mihonne secoua tristement la tête.

– Non, continua-t-elle, non. Et si le père Menoul était de ce monde encore, il vous dirait comment il a conduit monsieur Gaston jusqu'à la Camargue, et comment de là votre frère a gagné Marseille et s'y est embarqué. Mais ceci n'est rien encore : monsieur Gaston a un fils.

– Mon frère, un fils ?... Décidément, ma bonne vieille, vous perdez la tête.

– Hélas ! non, pour mon malheur dans ce monde et dans l'autre, il a eu un fils de mademoiselle Valentine, un pauvre innocent que j'ai reçu dans mes bras à l'étranger, et que j'ai porté à la femme qui l'a pris pour de l'argent.

Alors Mihonne raconta tout, les colères de la comtesse, le voyage à Londres, l'abandon du petit Raoul.

Avec cette sûreté de mémoire des gens qui, ne sachant ni lire ni écrire, ne peuvent se confier au papier, elle révéla les moindres circonstances, donnant les détails les plus précis, le nom du village et celui de la fermière, les noms et prénoms de l'enfant, la date exacte des événements.

Puis elle dit les misères de Valentine après sa faute, la ruine de la comtesse, et enfin le mariage de la pauvre fille avec un monsieur de Paris, riche, si riche qu'il ne connaissait pas sa fortune, un banquier nommé Fauvel.

Un cri aigu et prolongé l'interrompit.

- Ciel ! fit-elle d'une voix épouvantée, mon mari m'appelle.

Et de toute la vitesse de ses vieilles jambes, elle regagna la ferme.

Elle était partie depuis un bon moment, que Louis restait encore immobile à la même place.

Au récit de Mihonne, une idée infâme, si détestable qu'elle faisait reculer son esprit prêt à tout, lui était venue, et cette idée devenait grandissante comme les vagues successives de la marée montante.

Il connaissait de réputation le riche banquier, et il songeait au parti qu'il pouvait tirer de ce qu'il venait d'entendre. Il est de ces secrets qui, bien exploités, valent une ferme en Brie.

Les terreurs d'une vieillesse misérable chassèrent ses derniers scrupules.

Avant tout, pensait-il, je dois m'assurer de la réalité des dires de cette vieille ; après, je ferai mon plan.

C'est pourquoi, le surlendemain, ayant reçu les cinq mille deux cent quatre-vingts francs de Fougeroux, Louis de Clameran partait pour Londres.

XVI

Après plus de vingt années de mariage, Valentine de La Verberie, devenue Mme Fauvel, n'avait éprouvé qu'une douleur réelle, encore était-ce une de ces douleurs qui fatalement nous atteignent en nos plus chères affections.

En 1859, elle avait perdu sa mère, prise d'une fluxion de poitrine pendant un de ses fréquents voyages à Paris.

Depuis, Mme Fauvel se plaisait à le répéter, elle n'avait plus eu un sujet sérieux de chagrin, elle n'avait pas eu une occasion de verser une larme.

Qu'avait-elle à souhaiter ? Après tant d'années, André restait pour elle ce qu'il était aux premiers jours de leur union. À l'amour qui n'avait pas diminué se joignait cette intimité délicieuse qui résulte d'une longue conformité de pensées et une confiance sans bornes.

Tout avait réussi au gré de ce fortuné ménage. André avait voulu être riche, il l'était bien au-delà de ses espérances ; bien au-delà, surtout, de ses désirs et de ceux de Valentine.

Leurs deux fils, Lucien et Abel, beaux comme leur mère, nobles cœurs, vaillantes intelligences, étaient de ces élus qui sont la glorification de leur famille et portent au-dehors comme un reflet du bonheur domestique.

Il était dit qu'il ne manquerait rien aux félicités de Valentine. Pour les heures de solitude, quand par hasard son mari et ses fils s'éloignaient une soirée, elle avait une compagne, une jeune fille accomplie, Madeleine, élevée par elle, qu'elle aimait comme ses propres enfants, qui avait pour elle les tendresses attentives d'une fille dévouée.

Madeleine était une nièce de M. Fauvel, qui avait perdu ses parents, de pauvres honnêtes gens, quand elle était encore au berceau, et que Valentine avait voulu recueillir, peut-être en souvenir du pauvre abandonné de Londres.

Il lui semblait que Dieu, pour cette bonne œuvre, la bénirait, et que Madeleine serait l'ange gardien de la maison.

Le jour de l'arrivée de l'orpheline, M. Fauvel avait déclaré qu'il voulait lui ouvrir un compte, et en effet, il avait fait inscrire dix mille francs pour la dot de Madeleine.

Ces dix mille francs, le riche banquier s'était amusé à les faire valoir d'une façon extraordinaire. Lui qui, pour son compte, n'avait jamais risqué une spéculation douteuse, il prenait plaisir à jouer sur les valeurs les plus invraisemblables, avec l'argent de sa nièce. Ce n'était qu'un jeu, aussi y gagnait-il toujours, si bien qu'en quinze ans, les dix mille francs étaient devenus un demi-million.

Ils avaient donc raison, ceux qui enviaient la famille Fauvel.

Même à la longue, les cuisants remords et les soucis de Valentine faisaient trêve. À la bienfaisante influence de cette atmosphère de bonheur, elle avait presque trouvé l'oubli et la paix de la conscience. Elle avait si cruellement expié sa faute, elle avait tant souffert d'avoir trompé André, qu'elle se croyait comme quitte avec le sort.

Elle osait maintenant envisager l'avenir, sa jeunesse perdue dans un brouillard opaque n'était plus pour elle que le souvenir d'un songe pénible.

Oui, elle se croyait sauvée, quand, pendant une absence de son mari, appelé en province par des intérêts graves, un jour du mois de novembre, dans l'après-midi, un des domestiques lui apporta une lettre remise chez le concierge par un inconnu qui avait refusé de dire son nom.

Sans que le plus vague pressentiment fît trembler ou hésiter sa main, elle brisa l'enveloppe et lut :

Madame,

Est-ce trop compter sur la mémoire de votre cœur que d'espérer une demi-heure d'entretien ?

Demain, entre deux et trois heures, j'aurai l'honneur de me présenter à votre hôtel.

Marquis de Clameran.

Par bonheur, Mme Fauvel était seule.

Une angoisse aussi affreuse que celle qui précède la mort éteignit le cœur de la pauvre femme à l'instant où, d'un coup d'œil, elle parcourut le billet.

Dix fois elle le relut à demi-voix, comme pour se bien pénétrer de l'épouvantable réalité, pour se prouver qu'elle n'était pas victime d'une hallucination.

Ce n'est qu'après bien du temps qu'elle put recueillir ses idées plus éparpillées que les feuilles d'automne après l'ouragan, qu'elle put réfléchir.

Alors elle commença à se dire qu'elle s'était alarmée trop tôt et inutilement. De qui était cette lettre ? De Gaston, sans doute. Eh bien ! quelle raison de trembler ?

Gaston, revenu en France, voulait la revoir. Elle comprenait ce désir ; mais elle connaissait assez cet homme, jadis tant aimé, pour savoir qu'elle n'avait rien à redouter de lui. Il viendrait, il la trouverait mariée à un autre, vieillie, mère de famille, ils échangeraient un souvenir, un regret peut-être, elle lui rendrait le dépôt qu'il lui avait confié, et ce serait tout.

Mais elle était assaillie de doutes affreux. Révélerait-elle à Gaston qu'elle avait eu un fils de lui ?

Avouer ? C'était se livrer. C'était mettre à la merci d'un homme – le plus loyal et le plus honnête certainement, mais enfin d'un homme – non seulement son honneur et son bonheur à elle, mais l'honneur et le bonheur de son mari et de ses enfants.

Se taire ? C'était commettre un crime. C'était, après avoir abandonné son enfant, après l'avoir privé des soins et des caresses d'une mère, lui voler le nom et la fortune de son père.

Elle se demandait quelle décision prendre, quand on vint la prévenir que le dîner était servi.

Mais elle ne se sentait pas le courage de descendre. Affronter les regards de ses fils était au-dessus de ses forces. Elle se dit très souffrante et gagna sa chambre, heureuse, pour la première fois, de l'absence de son mari.

Bientôt Madeleine, inquiète, accourut, mais elle la renvoya, disant que ce n'était rien qu'un mal de tête, et qu'elle voulait essayer de dormir.

Elle voulait rester seule en face du malheur, et son esprit s'efforçait de pénétrer l'avenir, de deviner ce qui arriverait le lendemain.

Il vint, ce lendemain qu'elle redoutait et qu'elle souhaitait.

Jusqu'à deux heures, elle compta les heures. Après, elle compta les minutes.

Enfin, au moment où sonnait la demie de deux heures, la porte du salon s'ouvrit et un domestique annonça :

– Monsieur le marquis de Clameran.

Mme Fauvel s'était promis de rester calme, froide même. Pendant sa dure insomnie de la nuit, elle s'était efforcée de prévoir et d'arranger à l'avance toutes les circonstances de cette pénible entrevue. Même, elle avait songé aux paroles qu'elle prononcerait, elle devait dire ceci, puis cela.

Mais, au moment suprême, son énergie la trahit, une émotion affreuse la cloua sur son fauteuil, sans voix, sans idées.

Lui, cependant, après s'être respectueusement incliné, restait debout au milieu du salon, immobile, attendant.

C'était un homme de cinquante ans, à la moustache et aux cheveux grisonnants, au visage triste et sévère, ayant grand air et portant avec distinction ses vêtements noirs.

Remuée d'inexprimables sensations, frissonnante, Mme Fauvel le considérait, cherchant sur son visage quelque chose des traits de l'homme qu'elle avait aimé jusqu'à l'abandon de soi-même, de cet amant qui avait appuyé ses lèvres sur les siennes, qui l'avait pressée contre sa poitrine, dont elle avait eu un fils.

Et elle s'étonnait de ne rien trouver chez l'homme mûr de l'adolescent dont le souvenir avait hanté sa vie... non, rien...

À la fin, comme il ne bougeait pas, d'une voix expirante, elle murmura :

– Gaston !

Mais lui, secouant tristement la tête, répondit :

– Je ne suis pas Gaston, madame. Mon frère a succombé aux douleurs et aux misères de l'exil ; je suis Louis de Clameran.

Quoi ! ce n'était pas Gaston qui lui avait écrit, ce n'était pas Gaston qui se tenait là, debout, devant elle !

Que pouvait-il donc vouloir, cet autre, ce frère en qui Gaston, autrefois, n'avait pas eu, elle le savait, assez de confiance pour livrer leur secret ?

Mille probabilités plus terrifiantes les unes que les autres se présentaient en même temps à sa pensée.

Pourtant elle réussit à dompter si promptement ses défaillances que Louis les aperçut à peine. L'affreuse étrangeté de sa situation, l'imminence même du péril donnaient à son esprit une lucidité supérieure.

D'un geste nonchalant elle montra un fauteuil à Louis, en face d'elle, et du ton le plus calme, elle dit :

– Alors, monsieur, veuillez m'expliquer le but d'une visite, à laquelle j'étais loin de m'attendre.

Le marquis ne voulut pas remarquer ce changement subit. Sans cesser de tenir ses yeux obstinément fixés sur les yeux de Mme Fauvel, il s'assit.

– Avant tout, madame, commença-t-il, je dois vous demander si nul ne peut écouter ce que nous disons ici.

– Pourquoi cette question ?... Je ne crois pas que vous ayez à me dire rien que ne puissent entendre mon mari et mes enfants.

Louis haussa les épaules avec une affectation visible, à peu près comme un homme sensé aux divagations d'un fou.

– Permettez-moi d'insister, madame, fit-il, non pour moi mais pour vous.

– Parlez, monsieur, parlez sans crainte, nous sommes à l'abri de toute indiscrétion.

En dépit de cette assurance, le marquis approcha son fauteuil auprès de la causeuse de Mme Fauvel, afin de pouvoir parler bas, tout bas, comme s'il eût été effrayé de ce qu'il avait à dire.

– Je vous l'ai dit, madame, reprit-il, Gaston est mort. Ainsi que cela devait être, c'est moi qui ai recueilli ses dernières pensées, c'est moi qu'il a choisi pour être l'exécuteur de ses suprêmes volontés. Comprenez-vous, maintenant ?...

Elle ne comprenait que trop, la pauvre femme, mais c'est en vain qu'elle s'efforçait de pénétrer les desseins de ce visiteur fatal. Peut-être venait-il simplement réclamer le précieux dépôt de Gaston.

– Je ne vous rappellerai pas, poursuivait Louis, les funestes circonstances qui ont brisé la vie de mon frère et perdu son avenir.

Pas un des muscles du visage de Mme Fauvel ne bougea. Elle paraissait chercher dans sa mémoire à quelle circonstance Louis faisait allusion.

– Vous avez oublié, madame ? reprit-il d'un ton amer, je vais essayer de m'expliquer plus clairement. Il y a longtemps, oh ! bien longtemps de cela, vous avez aimé mon malheureux frère...

– Monsieur !...

– Oh ! il est inutile de nier, madame ; Gaston, faut-il que je vous le répète, m'a tout confié, tout, ajouta-t-il en soulignant le mot.

Mais Mme Fauvel ne devait pas s'effrayer de cette révélation. Que pouvait être ce tout ? Rien, puisque Gaston était parti sans la savoir enceinte.

Elle se leva, et avec une assurance qui était bien loin de son cœur :

– Vous oubliez, ce me semble, monsieur, prononça-t-elle, que vous parlez à une femme vieille maintenant, mariée et mère de famille. Il se peut que votre frère m'ait aimée, c'est son secret et non le vôtre. Si, jeune et inexpérimentée, je n'ai pas été parfaitement prudente, ce n'est pas à vous de me le rappeler. Il ne me le rappellerait pas, lui !... Enfin, quel qu'ait été ce passé que vous évoquez, j'en ai depuis vingt ans perdu le souvenir.

– Ainsi, vous avez oublié ?

– Tout, absolument.

– Même votre enfant, madame ?

Cette phrase, lancée avec un de ces regards qui plongent jusqu'au fond de l'âme, atteignit Mme Fauvel comme un coup de massue. Elle se laissa retomber sur la causeuse, se disant : quoi ! il sait ! Comment a-t-il pu savoir ?

S'il ne se fût agi que d'elle, certes elle n'eût point lutté, elle se serait rendue à discrétion. Mais elle avait le bonheur des siens à garder et à défendre, et dans le sentiment de ce devoir sacré, elle puisait une énergie dont jamais on ne l'eût crue capable.

– Je crois que vous m'insultez, monsieur ! dit-elle.

– Ainsi, c'est bien vrai, vous ne vous souvenez plus de Valentin-Raoul ?

– Mais c'est donc une gageure !...

Elle voyait bien maintenant que cet homme savait tout, en effet. D'où ? Peu lui importait. Il savait... Mais elle était décidée, bien résolue à nier quand même, obstinément, à nier devant les preuves les plus irrécusables, les plus évidentes.

Un instant elle eut la pensée de chasser honteusement le marquis de Clameran. La prudence l'arrêta. Elle se dit qu'il fallait au moins connaître quelque chose de ses projets.

– Enfin ! reprit-elle avec un rire forcé, où voulez-vous en venir ?

– Voici, madame. Il y a deux ans les hasards de l'exil conduisirent mon frère à Londres. Là, dans une famille, il rencontra un tout jeune homme du nom de Raoul. La physionomie, l'intelligence de cet adolescent frappèrent à ce point Gaston qu'il voulut savoir qui il était. C'était un pauvre enfant abandonné, et, tous les renseignements pris, mon frère acquit la certitude que ce Raoul était son fils, le vôtre, madame.

– Mais c'est un roman que vous me récitez.

– Oui, madame, un roman, et le dénouement est entre vos mains. Certes, la comtesse votre mère avait pris, pour cacher votre secret, les précautions les plus minutieuses et les plus savantes ; mais les plans les mieux conçus pèchent toujours par quelque endroit. Après votre départ, une des amies que votre mère avait à Londres est venue la relancer jusqu'au village où vous étiez établies. Cette dame a prononcé votre vrai nom devant la fermière qui avait été chargée de l'enfant. Tout était découvert. Mon frère a voulu des preuves, il s'en est procuré d'irrécusables, de positives.

Il s'arrêta, épiant sur le visage de Mme Fauvel l'effet de ses paroles.

À sa grande surprise, elle ne semblait ni émue, ni troublée ; son œil souriait.

– Et après ? interrogea-t-elle du ton le plus léger.

– Ensuite, madame, Gaston a reconnu cet enfant. Mais les Clameran sont pauvres, c'est sur un grabat d'hôtel garni que mon frère est mort, et je n'ai, moi, pour vivre, qu'une pension de mille deux cents francs. Que va devenir Raoul, seul, sans famille, sans protecteur, sans un ami ? Ces inquiétudes ont torturé les derniers moments de mon frère.

– En vérité, monsieur...

– Je finis, interrompit Louis. C'est alors que Gaston m'a ouvert son cœur. C'est alors qu'il m'a ordonné de venir vers vous. « Valentine, m'a-t-il dit, Valentine se souviendra, elle ne saurait supporter cette idée, que notre fils manque de tout, même de pain ; elle est riche, très riche, je meurs tranquille. »

Mme Fauvel s'était levée ; cette fois, c'était bien évidemment un congé.

– Vous avouerez, n'est-ce pas, monsieur, commença-t-elle, que ma patience est grande.

Cette assurance imperturbable confondait si bien Louis qu'il ne répondit pas.

– Je veux bien vous dire, poursuivit-elle, qu'autrefois, en effet, j'ai eu la confiance de monsieur Gaston de Clameran. Je vais vous en donner une preuve, en vous restituant les parures de la marquise votre mère, qu'il m'avait confiées lors de son départ.

Tout en parlant, elle avait pris sous un des coussins de la causeuse la bourse qui renfermait les bijoux, et elle la tendait à Louis.

– Voici ce dépôt, monsieur le marquis, dit-elle, permettez-moi de m'étonner que votre frère ne me l'ait jamais redemandé.

Moins maître de soi, Louis eût laissé voir quelle surprise était la sienne.

– J'avais mission, fit-il d'un ton sec, de ne pas parler de ce dépôt.

Sans répondre, Mme Fauvel étendit la main vers un cordon de sonnette.

– Vous trouverez bon, monsieur, fit-elle, que je brise un entretien accepté uniquement pour vous restituer des bijoux précieux.

Ainsi repoussé, M. de Clameran ne crut pas devoir insister.

– Soit, madame, prononça-t-il, je me retire. Je dois seulement ajouter que mon frère m'a dit encore : « Si Valentine avait tout oublié, si elle refusait d'assurer l'avenir de notre fils, je t'ordonne de l'y contraindre. » Méditez ces paroles, madame, car ce que j'ai juré de faire, sur mon honneur, je le ferai !...

Enfin, Mme Fauvel était seule, elle était libre. Enfin elle pouvait, sans craintes, laisser éclater son désespoir.

Épuisée par les efforts qu'il lui avait fallu faire pour rester calme sous l'œil de Clameran, elle se sentait brisée de corps et d'âme.

C'est à peine si elle eut la force de gagner, en chancelant, sa chambre à coucher et de s'y enfermer.

Maintenant, plus de doutes, ses craintes étaient devenues des réalités. Elle pouvait, avec certitude, sonder les profondeurs du précipice où on allait la pousser et où elle entraînerait tous les siens.

Ah ! pourquoi avait-elle écouté sa mère, pourquoi s'était-elle tue !

Plus d'espoir, désormais.

Cet homme, qui venait de s'éloigner, la menace à la bouche, il reviendrait ; elle ne le comprenait que trop. Que lui répondrait-elle ?

Il s'en était fallu de bien peu qu'elle se trahît quand Louis avait parlé de Raoul. Ses entrailles avaient tressailli, au nom du pauvre abandonné qui expiait les fautes de sa mère.

À l'idée que peut-être il subirait les étreintes de la misère, tout son être frémissait d'une douleur aiguë.

Lui, manquer de pain, lui, son enfant ! Et elle était riche, et tout Paris enviait son luxe !

Ah ! que ne pouvait-elle mettre à ses pieds tout ce qu'elle possédait. Avec quelles délices elle eût épuisé les plus pénibles privations. Mais comment, sans se livrer, lui faire tenir assez d'argent pour le mettre à l'abri des difficultés de la vie !

C'est que la voix de la prudence lui criait qu'elle ne devait pas, qu'elle ne pouvait pas accepter l'entremise de Louis de Clameran.

Se confier à lui, c'était se mettre à sa merci, soi et les siens, et il lui inspirait une terreur instinctive.

Elle en était à se demander si vraiment il lui avait dit la vérité.

En repassant dans sa tête le récit de cet homme, elle y trouvait des lacunes et des invraisemblances presque choquantes. Comment

Gaston, revenu en France, habitant Paris, pauvre autant que le disait son frère, n'avait-il pas redemandé à la femme le dépôt confié à la jeune fille ?

Comment, redoutant l'avenir pour leur enfant, n'était-il pas venu la trouver puisqu'il la supposait riche à ce point que, mourant, il se reposait sur elle ?

Mille inquiétudes vagues s'agitaient dans son esprit ; elle était pleine de soupçons inexpliqués, d'indéfinissables défiances.

Elle comprenait qu'une seule démarche positive la liait à tout jamais, et alors que n'exigerait-on pas d'elle !

Un moment, elle eut l'idée de se jeter aux pieds de son mari et de lui tout avouer.

Malheureusement, elle repoussa cette pensée de salut.

Son imagination lui représentait l'atroce douleur de cet honnête homme, découvrant après plus de vingt années qu'il avait été odieusement joué.

Elle connaissait assez André pour savoir qu'il ne dirait rien et qu'il ferait tout pour étouffer cette horrible affaire. Mais c'en serait fait du bonheur de la maison. Il déserterait le foyer, les fils s'en iraient de leur côté, tous les liens de la famille seraient brisés.

Par bonheur, le banquier était absent, et les deux jours qui suivirent la visite de Louis, Mme Fauvel put garder la chambre, et personne ne s'aperçut de ses agitations.

Si, pourtant, Madeleine, avec sa finesse de femme, devina qu'il y avait autre chose que la maladie nerveuse dont se plaignait sa tante, et pour laquelle le médecin prescrivait toutes sortes de potions calmantes.

Même, elle remarqua fort bien que cette maladie semblait avoir été déterminée par la visite d'un personnage à figure sévère, qui était resté longtemps seul avec sa tante.

Madeleine pressentait si bien un secret que, le second jour, voyant Mme Fauvel plus inquiète, elle osa lui dire :

- Tu es triste, chère tante, qu'as-tu ? parle-moi, veux-tu que je fasse prier notre cher curé de venir causer avec toi ?

C'est avec une aigreur bien surprenante chez elle, qui était la douceur même, que Mme Fauvel repoussa la proposition de sa nièce.

Ce que Louis avait prévu arrivait.

À la réflexion, ne voyant nulle issue à sa déplorable situation, Mme Fauvel, peu à peu, se déterminait à céder. En consentant à tout, elle avait une chance de tout sauver. Elle ne s'abusait pas, elle comprenait bien qu'elle se préparait une vie impossible, mais au moins elle souffrirait seule, et dans tous les cas elle gagnerait du temps.

Cependant, M. Fauvel était de retour, et Valentine, en apparence du moins, avait repris ses habitudes.

Mais ce n'était plus l'heureuse mère de famille, la femme au visage souriant et reposé, si assurée en son bonheur, si calme en face de l'avenir. Tout en elle décelait d'horribles inquiétudes.

Sans nouvelles de Clameran, elle l'attendait, pour ainsi dire, à chaque minute du jour, tressaillant à chaque coup de sonnette, pâlissant toutes les fois que la porte s'ouvrait, n'osant sortir dans la crainte qu'il ne se présentât en son absence. Le condamné à mort qui chaque matin en s'éveillant, se dit : sera-ce pour aujourd'hui ? n'a pas de plus épouvantables angoisses.

Clameran ne vint pas, il écrivit, ou plutôt, comme il était trop prudent pour préparer des armes contre lui, il fit écrire un billet, dont seule Mme Fauvel pouvait connaître le sens, et où, se disant malade, il s'excusait d'être forcé de lui donner rendez-vous pour le surlendemain chez lui, à l'hôtel du Louvre.

Cette lettre fut presque un soulagement pour Mme Fauvel. Elle en était à tout préférer à ses anxiétés. Elle était résolue à consentir à tout.

Elle brûla donc la lettre en se disant : j'irai.

Le surlendemain, en effet, à l'heure indiquée, elle mit la plus simple de ses robes noires, celui de ses chapeaux qui lui cachait le mieux le visage, glissa dans sa poche une voilette et sortit.

Ce n'est que fort loin de chez elle qu'elle osa prendre un fiacre qui la déposa devant l'hôtel du Louvre.

La chambre de M. le marquis Louis de Clameran était, lui dit le concierge, au troisième étage.

Elle s'élança, heureuse d'échapper à tous les regards qui lui semblaient s'attacher à elle ; mais, en dépit de minutieuses indications, elle se perdit dans l'immense hôtel et longtemps erra dans les interminables corridors.

Enfin elle arriva devant une porte au-dessus de laquelle était le numéro indiqué : 317.

Elle s'arrêta, appuyant ses deux mains sur sa poitrine, comme pour comprimer les palpitations de son cœur qui battait à se briser.

Au moment d'entrer, au moment de risquer cette démarche décisive, une frayeur immense l'envahissait au point de paralyser ses mouvements.

La vue d'un locataire de l'hôtel qui traversait le corridor mit fin à ses hésitations.

D'une main tremblante, elle frappa trois coups bien légers.

– Entrez, dit une voix.

Elle entra.

Mais ce n'était pas le marquis de Clameran qui était au milieu de cette chambre, c'était un tout jeune homme, presque un enfant, qui la regardait d'un air singulier.

La première impression de Mme Fauvel fut qu'elle se trompait.

– Je vous demande pardon, monsieur, balbutia-t-elle, plus rouge qu'une pivoine, je croyais entrer chez monsieur le marquis de Clameran.

– Vous êtes chez lui, madame, répondit le jeune homme.

Et voyant qu'elle ne disait mot, qu'elle semblait se demander comment se retirer, comment s'enfuir, il ajouta :

– C'est, je crois, à madame Fauvel que j'ai l'honneur de parler ?

De la tête, elle fit un signe affirmatif : oui. Elle frémissait d'entendre son nom ainsi prononcé, elle était épouvantée par cette certitude qu'on la connaissait, que Clameran avait déjà livré son secret.

C'est avec une anxiété visible qu'elle attendait une explication.

– Rassurez-vous, madame, reprit le jeune homme, vous êtes en sûreté ici autant que dans le salon de votre hôtel. Monsieur de Clameran m'a chargé pour vous de ses excuses ; vous ne le verrez pas.

- Cependant, monsieur, d'après une lettre pressante qu'il m'a fait tenir avant-hier, je devais supposer... je supposais...

- Lorsqu'il vous a écrit, madame, il avait des projets auxquels il a renoncé pour toujours.

Mme Fauvel était bien trop surprise, bien trop troublée pour pouvoir réfléchir. Hors le moment présent, elle ne discernait rien.

- Quoi ! fit-elle avec une certaine défiance, ses intentions sont changées ?

La physionomie du jeune interlocuteur de Mme Fauvel trahissait une sorte de compassion douloureuse, comme s'il eût reçu le contrecoup de toutes les angoisses de la malheureuse femme.

- Le marquis, prononça-t-il d'une voix douce et triste, renonce à ce qu'il considérait - à tort - comme un devoir sacré. Croyez qu'il a longtemps hésité avant de se résigner à aller vous demander le plus pénible des aveux. Vous l'avez repoussé, vous deviez refuser de l'entendre, il n'a pas compris quelles impérieuses raisons dictaient votre conduite. Ce jour-là, aveuglé par une injuste colère, il avait juré d'arracher à l'effroi ce qu'il n'obtenait pas de votre cœur. Résolu à menacer votre bonheur, il avait amassé contre vous de ces preuves qui font éclater l'évidence. Pardonnez... un serment juré à un frère mourant le liait.

Il avait pris sur la cheminée une liasse de papiers qu'il feuilletait tout en parlant.

- Ces preuves, poursuivait-il, les voici, flagrantes, irrécusables. Voici le certificat du révérend Sedley, la déclaration de mistress Dobbin, la fermière, une attestation du chirurgien, les dépositions des personnes qui ont connu à Londres madame de La Verberie. Oh ! rien n'y manque. Toutes ces preuves, ce n'est pas sans peine que je les ai arrachées à monsieur de Clameran. Peut-être avait-il pénétré mes intentions, et voici, madame, ce que je voulais faire de ces preuves.

D'un mouvement rapide il lança dans le feu tous les papiers, ils s'enflammèrent et bientôt ne furent plus qu'une pincée de cendres.

- Tout est détruit, madame, reprit-il, l'œil brillant des plus généreuses résolutions. Le passé, si vous le voulez, est anéanti comme ces papiers. Si quelqu'un, à cette heure, ose prétendre qu'avant votre mariage vous avez eu un fils, traitez-le hardiment de calomniateur. Il n'y a plus de preuves, vous êtes libre.

Enfin, aux yeux de Mme Fauvel, le sens de cette scène éclatait, elle commençait à comprendre, elle comprenait.

Ce jeune homme qui l'arrachait à la colère de Clameran, qui lui rendait le libre exercice de sa volonté en détruisant des preuves accablantes qui la sauvaient, c'était l'enfant abandonné : Valentin-Raoul.

En ce moment elle oublia tout ; les tendresses de la mère si longtemps comprimées débordèrent, et d'une voix à peine distincte elle murmura :

– Raoul !

À ce nom ainsi prononcé, le jeune homme chancela. On eût dit qu'il pliait sous l'excès d'un bonheur inespéré.

– Oui, Raoul ! s'écria-t-il, Raoul qui aimerait mieux mourir mille fois que de causer à sa mère la plus légère souffrance, Raoul qui verserait tout son sang pour lui éviter une larme.

Elle n'essaya ni de lutter ni de résister ; tout son être vibrait. Comme si ses entrailles eussent tressailli en reconnaissant celui qu'elles avaient porté.

Elle ouvrit ses bras et Raoul s'y précipita en disant d'une voix étouffée :

– Ma mère ! ma bonne mère ! sois bénie pour ce premier baiser.

C'était vrai, cependant, ce fils, elle ne l'avait jamais vu. Malgré ses prières et ses larmes on l'avait emporté sans même lui permettre de l'embrasser, et ce baiser qu'elle venait de lui donner était bien le premier.

Après tant et de si cruelles angoisses, trouver cette joie immense, c'était trop de bonheur.

Mme Fauvel s'était laissée tomber sur un fauteuil, et, plongée dans une sorte d'extase recueillie, elle considérait avidement Raoul, qui s'était agenouillé à ses pieds.

Combien il lui paraissait beau, ce pauvre abandonné ! Il avait cette rayonnante beauté des enfants de l'amour dont la physionomie garde comme un reflet de félicités divines.

De la main, elle éparpillait ses beaux cheveux fins et ondés, elle admirait son front blanc et pur comme celui d'une jeune fille, ses grands yeux tremblants, et elle avait soif de ses lèvres si rouges.

– Ô mère, disait-il, je ne sais ce qu'il s'est passé en moi quand j'ai su que mon oncle avait osé te menacer. Lui, te menacer !... C'est que vois-tu, mère chérie, j'ai votre cœur à tous deux, à toi et à ce noble Gaston de Clameran, mon père. Va ! quand il a dit à son frère de s'adresser à toi, il n'avait plus sa pleine raison. Je te connaissais bien, et depuis longtemps. Souvent mon père et moi nous allions rôder autour de ton hôtel, et quand nous t'avions aperçue, nous rentrions heureux. Tu passais, et il me disait : « Voici ta mère, Raoul. » Te voir ! c'était notre joie. Quand nous savions que tu devais te rendre à quelque fête, nous t'attendions à la porte pour t'apercevoir belle et parée. Que de fois, l'hiver, j'ai lutté de vitesse avec les chevaux de ta voiture pour t'admirer plus longtemps.

Des larmes, les plus douces qu'elle eût versées de sa vie, inondaient le visage de Mme Fauvel.

La voix vibrante de Raoul chantait à son oreille de célestes harmonies.

Cette voix lui rappelait celle de Gaston, et elle lui rendait les fraîches et adorables sensations de sa jeunesse.

Oui, en l'écoutant, elle retrouvait l'enchantement des premières rencontres, les tressaillements de son âme encore vierge, le trouble mystérieux des sens.

Entre le moment où, un soir, elle s'était abandonnée frémissante aux bras de Gaston, et l'heure présente, il lui semblait qu'il n'y avait rien, André, ses deux fils, Madeleine, elle les oubliait, emportée dans ce tourbillon de tendresse.

Raoul, cependant, continuait :

– C'est hier seulement que j'ai su que mon oncle était allé te demander pour moi quelques miettes de ta richesse. À quoi bon ! Je suis pauvre, c'est vrai, très pauvre ; mais la misère ne m'épouvante pas, je la connais. J'ai mes bras et mon intelligence, c'est de quoi vivre. Tu es très riche, dit-on. Qu'est-ce que cela me fait ? Garde toute ta fortune, mère chérie, mais donne-moi un peu de ton cœur. Laisse-moi t'aimer. Promets-moi que ce premier baiser ne sera pas le dernier. Personne ne saura rien ; sois sans crainte ; je saurai bien cacher mon bonheur.

Et Mme Fauvel avait pu redouter ce fils ! Ah combien elle se le reprochait ! Combien elle se reprochait aussi de n'avoir pas plus tôt volé au-devant de lui.

Elle l'interrogeait, ce fils, elle voulait connaître sa vie, savoir comment il avait vécu, ce qu'il avait fait.

Il n'avait rien à lui cacher, disait-il, son existence avait été celle des enfants des pauvres.

La fermière à qui on l'avait confié lui avait toujours témoigné une certaine affection. Même, lui trouvant bonne mine et l'air intelligent, elle avait pris plaisir à lui faire donner une certaine éducation, au-dessus de ses moyens à elle et de sa condition à lui.

À seize ans, on l'avait placé chez un banquier, et à force de travail il commençait à gagner son pain, quand un jour un homme était venu qui lui avait dit : « Je suis ton père », et l'avait emmené.

Depuis, rien n'avait manqué à son bonheur, rien que la tendresse d'une mère. Il n'avait vraiment souffert qu'une fois en sa vie, le jour où Gaston de Clameran, son père, était mort entre ses bras.

– Mais maintenant, disait-il, tout est oublié, tout. Ai-je été malheureux ? Je n'en sais plus rien, puisque je te vois, puisque je t'aime.

Le temps passait, et Mme Fauvel ne s'en apercevait pas. Raoul, heureusement, veillait.

– Sept heures ! s'écria-t-il tout à coup.

Cette exclamation ramena brusquement Mme Fauvel au sentiment de la réalité. Sept heures !... Son absence si longue serait peut-être remarquée ?

– Te reverrai-je, ma mère ? demanda Raoul au moment où ils se séparaient.

– Oh ! oui, répondit-elle avec l'accent d'une tendresse folle, oui, souvent, tous les jours, demain.

C'était, depuis qu'elle était mariée, la première fois que Mme Fauvel s'apercevait qu'elle n'était pas absolument maîtresse de ses actions. Jamais encore elle n'avait eu occasion de souhaiter une liberté sans contrôle.

C'est son âme même qu'elle laissait dans cette chambre de l'hôtel du Louvre, où elle venait de retrouver un fils. Et il lui fallait l'abandonner, elle était condamnée à cet intolérable supplice de composer son visage, de cacher cet événement immense qui bouleversait sa vie.

Ayant eu quelque peine à se procurer un fiacre pour le retour, il était plus de sept heures et demie quand elle arriva rue de Provence où on l'attendait pour se mettre à table.

M. Fauvel l'ayant plaisantée de ce retard, elle le trouva commun, vulgaire et même un peu niais. Telles sont les révolutions soudaines de la passion, qu'elle le jugeait presque ridicule pour cette confiance sans bornes qu'il avait en elle.

Et c'est avec un calme imperturbable, sans trouble, presque sans efforts, qu'elle, d'ordinaire si craintive, elle répondit à ces plaisanteries.

Si enivrantes avaient été ses sensations près de Raoul, que dans son délire, elle était incapable de rien désirer, de rien rêver au-delà du renouvellement de ces émotions délicieuses.

Plus d'épouse dévouée, plus de mère de famille incomparable. C'est à peine si elle s'arrêtait à l'idée de ses deux fils. Ils avaient toujours été heureux et aimés, eux, ils avaient un père, ils étaient riches, tandis que l'autre, l'autre !... Quelles compensations ne lui devait-elle pas !

Encore un peu, et, dans son aveuglement, elle eût rendu les siens responsables des misères de Raoul.

Et nul remords, pas un tressaillement de conscience, nulle appréhension des événements. Sa folie était complète. L'avenir, pour elle, c'était le lendemain ; l'éternité, les seize heures qui la séparaient d'une nouvelle entrevue. La mort de Gaston lui paraissait être l'absolution du passé aussi bien que du présent.

Mais elle regrettait d'être mariée. Libre, elle eût pu se consacrer tout entière à Raoul. Elle était riche, mais c'est avec bonheur qu'elle eût donné son luxe pour la pauvreté avec lui.

Ni son mari, ni ses fils ne soupçonneraient jamais les pensées qui l'agitaient, elle était tranquille de ce côté, mais elle redoutait sa nièce.

Il lui semblait que lorsqu'elle était rentrée, Madeleine avait arrêté sur elle des regards singuliers. Se doutait-elle donc de quelque chose ? Elle l'avait depuis plusieurs jours poursuivie de questions étranges. Il fallait se défier d'elle.

Cette inquiétude changea en une sorte de haine l'affection qu'avait Mme Fauvel pour sa fille d'adoption.

Elle si bonne, si aimante, elle eut regret de l'avoir recueillie et de s'être ainsi donnée un de ces vigilants espions à qui rien n'échappe. Comment se dérober, se demandait-elle, à cette sollicitude inquiète du dévouement, à cette pénétration d'une jeune fille qui s'était habituée à suivre sur son visage la trace de ses plus fugitives émotions ?

C'est avec une indicible joie qu'elle découvrit un moyen à sa portée.

Depuis deux ans bientôt, il était question d'un mariage entre Madeleine et le caissier de la maison, Prosper Bertomy, le protégé du banquier. Mme Fauvel se dit qu'elle n'avait qu'à s'occuper de cette union et à la presser autant que possible.

Madeleine mariée irait habiter avec son mari et lui laisserait la libre disposition de ses journées.

Le soir même, elle osa parler la première de Prosper et, avec une duplicité dont elle eût été incapable quelques jours plus tôt, elle arracha le dernier mot de Madeleine.

– Ah ! c'est ainsi, mademoiselle la mystérieuse, disait-elle gaiement, que vous vous permettez de choisir entre tous vos soupirants sans ma permission !

– Mais, ma bonne tante, il me semble...

– Quoi ! que je devais deviner ? c'est ce que j'ai fait.

Elle prit un air sérieux, et ajouta :

– Cela étant, il ne reste plus qu'à obtenir le consentement de maître Prosper. Le donnera-t-il ?

– Lui ! ma tante. Ah ! s'il avait osé !...

– Ah ! vraiment, tu sais cela, mademoiselle ma nièce ?...

Intimidée, confuse, toute rouge, Madeleine baissait la tête, Mme

Fauvel l'attira vers elle :

– Chère enfant, poursuivait-elle, de sa plus douce voix, pourquoi craindre ? N'as-tu donc pas deviné, toi, si rusée, que depuis longtemps ton secret est le nôtre ? Prosper serait-il donc admis à notre foyer comme s'il était de la famille, s'il n'était d'avance agréé par ton oncle et par moi ?

Un peu pour cacher sa joie, peut-être, Madeleine se jeta au cou de sa tante en murmurant :

– Merci ! oh ! merci, tu es bonne, tu m'aimes...

De son côté, Mme Fauvel se disait : je vais, sans retard, engager André à encourager Prosper ; avant deux mois ces enfants peuvent être mariés.

Malheureusement, emportée dans le tourbillon d'une passion qui ne lui laissait pas une minute de réflexion, elle remit ce projet.

Passant à l'hôtel du Louvre, près de Raoul, une partie de ses journées, elle ne cessait de rêver aux moyens de lui préparer une position et de lui assurer une fortune indépendante.

Elle n'avait encore osé lui parler de rien.

À mesure qu'elle le connaissait mieux, qu'il se livrait davantage, elle croyait découvrir en lui tout le noble orgueil de son père et des fiertés si susceptibles qu'elle tremblait d'être repoussée.

Sérieusement elle se demandait s'il consentirait jamais à accepter d'elle la moindre des choses.

Au plus fort de ses hésitations, le marquis Louis de Clameran vint à son secours.

Elle l'avait revu souvent, depuis ce jour où il l'avait tant effrayée, et à sa répulsion première succédait une secrète sympathie. Elle l'aimait pour toute l'affection qu'il témoignait à son fils.

Si Raoul, insoucieux comme on l'est à vingt ans, se moquait de l'avenir, Louis, cet homme de tant d'expérience, paraissait vivement préoccupé du sort de son neveu.

C'est pourquoi, un jour, après quelques considérations générales, il aborda cette grave question d'une situation :

– Vivre ainsi que le fait mon beau neveu, commença-t-il, est charmant sans doute ; seulement ne serait-il pas sage à lui de penser à s'assurer un état dans le monde ? Il n'a aucune fortune...

– Eh ! cher oncle, interrompit Raoul, laisse-moi donc être heureux sans remords ; que me manque-t-il ?

– Rien en ce moment, mon beau neveu ; mais quand tu auras épuisé tes ressources et les miennes – et ce ne sera pas long –, que deviendras-tu ?

– Bast ! je m'engagerai, tous les Clameran sont soldats de naissance, et s'il survient une guerre !...

Mme Fauvel l'arrêta en lui mettant doucement sa main devant la bouche.

– Méchant enfant ! disait-elle d'un ton de reproche, te faire soldat !... Tu veux donc me priver du bonheur de te voir ?

– Non ! mère chérie, non...

– Tu vois bien, insista Louis, qu'il faut nous écouter.

– Je ne demande pas mieux, mais plus tard. Je travaillerai, je gagnerai énormément d'argent.

– À quoi ? pauvre enfant ; comment ?

– Dame !... je ne sais pas ; mais soyez tranquille, je chercherai, je trouverai.

Il était difficile de faire entendre raison à ce jeune présomptueux. Louis et Mme Fauvel eurent à ce sujet de longs entretiens, et ils se promirent bien de lui forcer la main.

Seulement, choisir une profession était malaisé, et Clameran pensa qu'il serait prudent de réfléchir, de consulter les goûts du jeune homme. En attendant, il fut convenu que Mme Fauvel mettrait à la disposition du marquis de quoi subvenir à toutes les dépenses de Raoul.

Voyant en ce frère de Gaston un père pour son enfant, Mme Fauvel en était venue rapidement à ne plus pouvoir se passer de lui. Sans cesse elle avait besoin de le voir, soit pour le consulter au sujet d'idées qui lui venaient, soit pour lui adresser mille recommandations.

Aussi fut-elle très satisfaite, le jour où il lui demanda de lui faire l'honneur de le recevoir chez elle ouvertement.

Rien n'était si facile. Elle présenterait à son mari le marquis de

Clameran comme un vieil ami de sa famille, et il ne tiendrait qu'à lui de devenir un intime.

Mme Fauvel ne devait pas tarder à s'applaudir de cette décision.

Ne pouvant absolument continuer à voir Raoul tous les jours ; n'osant, si elle lui écrivait, recevoir ses réponses, elle avait de ses nouvelles par Louis.

Les nouvelles ne restèrent pas longtemps bonnes, et moins d'un mois après le jour où Mme Fauvel avait retrouvé son fils, Clameran lui avoua que Raoul commençait à l'inquiéter sérieusement.

Le marquis s'exprimait d'un ton et d'un air à donner froid au cœur d'une mère, non sans embarras pourtant, en homme qui, pour remplir un devoir, triomphe de vives répugnances.

– Qu'y a-t-il ? demanda Mme Fauvel.

– Il y a, répondit Louis, qu'en ce jeune homme je retrouve l'orgueil et les passions des Clameran. Il est de ces natures dont rien n'arrête les emportements, que les obstacles irritent, que les représentations exaspèrent, et je ne vois pas de digue à opposer à ses violences.

– Grand Dieu ! que peut-il avoir fait ?

– Rien de précisément blâmable, rien d'irréparable à coup sûr, mais son avenir m'effraye. Il ne sait rien encore de vos bontés pour lui, il croit puiser à ma bourse et je lui vois la prodigalité d'un fils de millionnaire.

Mme Fauvel n'eût pas été mère, si elle n'eût essayé de prendre la défense de Raoul.

– Peut-être êtes-vous un peu sévère, dit-elle. Pauvre enfant ! il a tant souffert. Il n'a connu jusqu'ici que les privations, et le bonheur le grise. Il se jette sur le plaisir comme un affamé sur un bon repas. Est-ce si surprenant ? Allez, il reviendra promptement à la raison, il a bon cœur.

« Il a été si malheureux ! » Là était pour Mme Fauvel l'excuse de Raoul. C'est cette phrase que sans cesse elle répétait à M. de Clameran, toutes les fois qu'il se plaignait de son neveu.

Et certes, ayant une fois commencé, il ne cessait de se plaindre.

– Rien ne l'arrête, gémissait-il, une folie qui lui passe par la tête est une folie faite.

Mais Mme Fauvel ne voyait là nulle raison d'en vouloir à son fils.

C'est pourquoi, voyant que ses efforts n'arrêtaient pas ce jeune imprudent sur une pente désastreuse, il somma Mme Fauvel d'user enfin de son influence. Elle devait, pour l'avenir de son enfant, entrer plus intimement dans sa vie, le voir tous les jours.

– Hélas ! répondit la pauvre femme, ce serait là mon vœu le plus cher. Mais comment faire ? Ai-je le droit de me perdre ? J'ai d'autres enfants auxquels je dois compte de mon honneur.

Cette réponse parut étonner le marquis de Clameran. Quinze jours plus tôt, Mme Fauvel n'eût point parlé de ses autres fils.

– Je réfléchirai, dit Louis, peut-être à notre prochaine entrevue aurai-je l'honneur de vous soumettre une combinaison qui conciliera tout.

Les réflexions d'un homme de tant d'expérience ne pouvaient être vaines. Il paraissait fort rassuré, quand il se présenta le jeudi suivant.

– J'ai cherché, commença-t-il, et j'ai trouvé.

– Quoi ?

– Le moyen de sauver Raoul.

Il s'expliqua. Mme Fauvel ne pouvant sans éveiller les soupçons de son mari voir tous les jours son fils, il fallait qu'elle le reçût chez elle.

Cette proposition seule fit horreur à une femme qui certes avait été bien imprudente, bien coupable même, mais qui était l'honneur même.

– C'est impossible ! s'écria-t-elle, ce serait vil, odieux, infâme...

– Oui, répondit le marquis devenu songeur, mais ce serait le salut de l'enfant.

Mais elle sut, pour cette fois, résister. Elle résista avec une violence d'indignation, avec une énergie faites pour décourager une volonté moins ferme que celle du marquis de Clameran.

– Non ! répétait-elle, non, je ne saurais consentir.

Malheureuse ! sait-on, quand on quitte le droit chemin, quelles boues et quelles fondrières on affronte !

Elle avait dit « jamais » du plus profond de son âme, et à la fin de la semaine elle en était, non plus à repousser désespérément ce projet, mais à en discuter les moyens.

Voilà où l'avait conduite une marche savante. Éperdue, harcelée, elle se débattait vainement entre les insistances poliment menaçantes de Clameran et les prières et les câlineries de Raoul.

– Mais comment ? disait-elle... sous quel prétexte recevoir Raoul ?

– Ce serait fort simple, répondait Clameran, s'il s'agissait de l'admettre comme on admet un étranger. J'ai bien l'honneur, moi, d'être des habitués de votre salon... Pour Raoul, il faut mieux.

Ce n'est qu'après avoir longtemps torturé Mme Fauvel, après avoir brisé sa volonté, presque sa raison, par de continuelles alternatives de terreur ou d'attendrissement, qu'il révéla son projet définitif.

– Nous tenons, dit-il enfin, la solution du problème ; c'est une véritable inspiration.

Elle devina bien à son accent qu'il allait découvrir le fond de sa pensée, et elle l'écouta avec cette lamentable résignation du condamné qui entend lire son arrêt.

– N'avez-vous pas, poursuivait Louis, à Saint-Rémy, une de vos parentes, très âgée, veuve, n'ayant eu que deux filles ?...

– Oui, ma cousine de Lagors.

– C'est cela même. Quelle est sa situation de fortune ?

– Elle est pauvre, monsieur, très pauvre.

– Précisément, et sans les secours que vous lui adressez en secret, elle serait à la charité.

Mme Fauvel n'en pouvait revenir, de voir le marquis si bien informé.

– Quoi ! balbutia-t-elle, vous savez cela !

– Oui, madame, cela et bien d'autres choses encore. Je sais par exemple que votre mari ne connaît personne de votre famille, et que c'est à peine s'il se doute de l'existence de votre cousine de Lagors. Commencez-vous à comprendre mon plan ?

Elle l'entrevoyait, au moins, et elle se demandait comment résister.

– Voici donc, poursuivait Louis, ce que j'ai imaginé : demain ou après-demain, vous recevrez de Saint-Rémy une lettre de votre cousine, vous annonçant qu'elle envoie son fils à Paris et vous priant de veiller sur lui. Naturellement vous montrez cette lettre à votre mari, et quelques jours plus tard, il reçoit à merveille son neveu Raoul de Lagors, un charmant garçon, riche, spirituel, aimable, qui fera tout pour lui plaire et qui lui plaira.

– Jamais ! monsieur, s'écria Mme Fauvel, jamais ma cousine qui est une honnête femme ne prêtera les mains à cette comédie révoltante.

Le marquis eut un sourire plein de fatuité.

– Vous ai-je dit, demanda-t-il que je mettrais la cousine dans la confidence ?

– Il le faudrait bien !

– Oh ! que nenni ! La lettre que vous recevrez et que vous montrerez aura été dictée par moi à la première femme venue, et mise à la poste à Saint-Rémy par une personne de confiance. Si j'ai parlé des obligations que vous a votre cousine, c'est pour vous montrer qu'en cas d'accident son intérêt nous répond d'elle. Apercevez-vous encore quelque obstacle ?

Mme Fauvel s'était levée transportée d'indignation.

– Il y a ma volonté ! s'écria-t-elle, que vous ne comptez pas.

– Pardon, fit le marquis avec une politesse railleuse, je suis sûr que vous vous rendrez à mes raisons.

– Mais c'est un crime, monsieur, que vous me proposez, un crime abominable !

Clameran, lui aussi, s'était levé. Toutes ses passions mauvaises mises en jeu donnaient à sa pâle figure une expression atroce.

– Je crois, reprit-il avec une violence contenue, que nous ne nous entendons pas. Avant de parler de crime, rappelez-vous le passé. Vous étiez moins timorée le jour où, jeune fille, vous avez pris un amant. Il est vrai que vous l'avez renié, cet amant, que vous avez refusé de le suivre, lorsque pour vous il venait de tuer deux hommes et de risquer l'échafaud.

» Vous n'aviez pas de ces préjugés mesquins, quand après un accouchement clandestin, à Londres, vous abandonniez votre enfant. On doit vous rendre cette justice, que cet enfant vous l'avez oublié absolument, et que, riche à millions, vous ne vous êtes pas informée s'il avait du pain.

» Où donc étaient vos scrupules au moment d'épouser monsieur Fauvel ? Avez-vous dit à cet honnête homme quel front cachait votre couronne d'oranger ? Voilà des crimes. Et quand, au nom de Gaston, je vous demande réparation, vous vous révoltez ! Il est trop tard. Vous avez perdu le père, madame, vous sauverez le fils, ou, sur mon honneur, vous ne volerez pas plus longtemps l'estime du monde.

– J'obéirai, monsieur, murmura l'infortunée, vaincue, écrasée.

Et huit jours après, en effet, Raoul, devenu Raoul de Lagors, dînait chez le banquier, entre Mme Fauvel et Madeleine.

XVII

Ce n'est pas sans d'effroyables déchirements que Mme Fauvel s'était résignée à se soumettre aux volontés de l'impitoyable marquis de Clameran.

Désespérée, elle était allée demander secours à son fils.

Raoul, en l'écoutant, avait paru transporté d'indignation, et il l'avait quittée pour courir, disait-il, arracher des excuses au misérable qui faisait pleurer sa mère.

Mais il avait trop présumé de ses forces. Bientôt il était revenu, l'œil morne, la tête basse, les traits contractés par la rage de l'impuissance, déclarant qu'il fallait se rendre, consentir, céder.

C'est alors que la pauvre femme put sonder la profondeur de l'abîme où on l'entraînait. Elle eut en ce moment comme un pressentiment des ténébreuses machinations dont elle serait la victime.

Quel horrible serrement de cœur, lorsqu'il lui fallut montrer l'œuvre du faussaire, la lettre de Saint-Rémy, lorsqu'elle annonça à son mari qu'elle attendait un de ses neveux, un tout jeune homme, très riche !

Et quel supplice, le soir où elle présenta Raoul à tous les siens.

C'est d'ailleurs le sourire aux lèvres, que le banquier accueillit ce neveu dont il n'avait jamais entendu parler, et qu'il lui tendit sa main loyale.

– Parbleu ! lui avait-il dit, quand on est jeune et riche, on doit préférer Paris à Saint-Rémy.

Au moins Raoul prit-il à tâche de se montrer digne de cet accueil cordial. Si l'éducation première, cette éducation que la famille seule peut donner, lui faisait défaut, il était impossible de s'en apercevoir. Avec un tact bien supérieur à son âge, il sut assez démêler les caractères de tous les gens qui l'entouraient pour plaire à chacun d'eux.

Il n'était pas arrivé depuis huit jours qu'il avait su capter les très bonnes grâces de M. Fauvel, qu'il s'était concilié Abel et Lucien, et qu'il avait absolument séduit Prosper Bertomy, le caissier de la maison, qui passait alors toutes ses soirées chez son patron.

Depuis que Raoul, grâce aux relations de ses cousins, se trouvait lancé dans un monde de jeunes gens riches, loin de se réformer, il menait une vie de plus en plus dissipée. Il jouait, il soupait ; il se montrait aux courses, et l'argent, entre ses mains prodigues, glissait comme du sable.

Cet étourdi, d'une délicatesse susceptible jusqu'au ridicule, dans les commencements, qui ne voulait de sa mère qu'un peu d'affection, ne cessait maintenant de la harceler d'incessantes demandes.

Elle avait donné avec joie, d'abord, sans compter, mais elle ne tarda pas à s'apercevoir que sa générosité, si elle n'y mettait ordre, serait sa perte.

Cette femme si riche, dont les diamants étaient cités, qui avait un des plus beaux attelages de Paris, connut, de la misère, ce qu'elle a de plus poignant : l'impérieuse nécessité de se refuser aux fantaisies de l'être aimé.

Jamais son mari n'avait eu l'idée de compter avec elle. Dès le lendemain de son mariage, il lui avait remis la clé du secrétaire, et depuis, librement, sans contrôle, elle prenait ce qu'elle jugeait nécessaire, tant pour le train considérable de la maison, que pour ses dépenses personnelles.

Mais, précisément parce qu'elle avait toujours été modeste dans ses goûts, au point que son mari l'en plaisantait, précisément parce qu'elle avait administré l'intérieur avec une sagesse extrême, elle ne pouvait disposer tout à coup de sommes assez fortes sans s'exposer à des questions inquiétantes.

Certes, M. Fauvel, le plus généreux des millionnaires, était homme à se réjouir de voir sa femme faire quelques grosses folies ; mais les folies s'expliquent, on en retrouve les traces.

Un hasard pouvait faire reconnaître au banquier l'étonnant accroissement des dépenses de la maison ; que lui répondre s'il en demandait les causes ?

Et Raoul en trois mois avait dissipé une petite fortune. N'avait-il pas fallu l'installer, lui donner un joli intérieur de garçon ? Tout lui manquait, autant qu'à un naufragé. Il avait voulu un cheval, un coupé, comment les lui refuser ?

Puis c'était chaque jour quelque fantaisie nouvelle.

Si parfois Mme Fauvel hasardait une remontrance, la physionomie de Raoul prenait aussitôt une expression désolée, et ses beaux yeux s'emplissaient de larmes.

- C'est vrai, répondait-il, je suis un enfant, un pauvre fou, j'abuse. J'oublie que je suis le fils de Valentine pauvre, et non de la riche madame Fauvel.

Son repentir avait des accents qui perçaient le cœur de la pauvre mère. Il avait tant souffert autrefois ! Si bien, qu'à la fin, c'était elle qui le consolait et qui l'excusait.

D'ailleurs, elle avait cru s'apercevoir, non sans effroi, qu'il était jaloux d'Abel et de Lucien - ses frères, après tout.

En ces moments, pour que Raoul n'eût rien à envier à ses deux fils, elle était prête à tout.

Au moins voulut-elle avoir une compensation. Le printemps approchait ; elle pria Raoul de s'établir à la campagne près de la propriété qu'elle avait à Saint-Germain. Elle s'attendait à des objections ; point. Cette proposition sembla lui plaire, et peu après il lui annonça qu'il venait de louer une bicoque au Vésinet et qu'il y allait faire porter son mobilier.

- Ainsi, mère, dit-il, je serai plus près de toi. Quel bon été nous allons passer !

Elle se réjouit, surtout de ce que les dépenses de l'enfant prodigue probablement diminueraient. Et, vraiment, elle était si bien à bout, qu'un soir, comme il dînait en famille, elle osa, devant tout le monde, lui adresser - oh ! bien doucement - quelques observations.

Il était allé, la veille, aux courses, il avait parié et perdu deux mille francs.

- Bast ! fit M. Fauvel avec l'insouciance d'un homme qui a ses coffres pleins, maman Lagors paiera ; les mamans ont été créées et mises au monde pour payer.

Et, ne pouvant s'apercevoir de l'impression que produisaient ces simples paroles sur sa femme, devenue plus blanche que sa collerette, il ajouta :

- Ne t'inquiète pas, va, mon garçon, quand tu auras besoin d'argent, viens me trouver, je t'en prêterai.

Que pouvait objecter Mme Fauvel ? N'avait-elle pas annoncé, selon les volontés de Clameran, que Raoul était très riche ?

Pourquoi l'avait-on contrainte de mentir inutilement ? Elle eut comme une rapide intuition du piège où elle était prise, mais il n'était plus temps d'y revenir.

D'ailleurs, les paroles du banquier n'étaient pas tombées dans l'eau. À la fin de cette semaine, Raoul alla trouver son oncle dans son cabinet, et carrément il lui emprunta dix mille francs.

Informée de cette incroyable audace, Mme Fauvel se tordait les mains de désespoir.

– Mais que fait-il, mon Dieu ! de tant d'argent ! s'écriait-elle.

Depuis assez longtemps, on ne voyait plus guère Clameran à l'hôtel du banquier ; Mme Fauvel se décida à lui écrire pour lui demander une entrevue.

Quand il apprit ce qui se passait, ce qu'il ignorait absolument, déclara-t-il, le marquis parut bien autrement inquiet, bien plus irrité surtout que Mme Fauvel.

Il y eut entre Raoul et lui une scène de la dernière violence. Mais les défiances de Mme Fauvel étaient éveillées, elle observa, et il lui sembla – était-ce possible ! – que leur colère était simulée, et que, pendant qu'ils échangeaient les paroles les plus amères et même des menaces, leurs yeux riaient.

Elle n'osa rien dire, mais ce doute, pénétrant dans son esprit comme une goutte de ces poisons subtils qui désorganisent tout ce qu'ils touchent, ajouta de nouvelles douleurs à un supplice presque intolérable.

Elle se disait que, tombée à la discrétion d'un tel homme, elle devait s'attendre aux pires exigences ; puis elle s'efforça en vain de pénétrer son but.

Lui-même bientôt le lui apprit.

Après s'être plaint de Raoul plus amèrement que de coutume, après avoir montré à Mme Fauvel l'abîme creusé sous ses pieds, le marquis déclara qu'il n'apercevait qu'un moyen de prévenir une catastrophe :

C'était que lui, Clameran, il épousât Madeleine.

Il y avait longtemps que Mme Fauvel était préparée à toutes les tentatives d'une cupidité dont elle s'apercevait enfin.

La déclaration inattendue de Clameran l'atteignit dans le vif de ce qu'après tant de crises elle gardait encore de sensibilité.

– Et vous avez pu croire, monsieur ! s'écria-t-elle indignée, que je prêterais les mains à vos odieuses combinaisons.

D'un signe de tête, le marquis répondit :

– Oui.

– À quelle femme, donc, pensez-vous vous adresser ? Ah ! certes, j'ai été bien coupable autrefois ; mais la punition, à la fin, passe la faute. Est-ce à vous de me faire si cruellement repentir de mon imprudence ! Tant qu'il s'est agi de moi seule, vous m'avez trouvée faible, craintive, lâche ; aujourd'hui vous vous adressez aux miens, je me révolte !...

– Serait-ce donc, madame, un bien grand malheur pour mademoiselle Madeleine de devenir marquise de Clameran ?

– Ma nièce, monsieur, a choisi librement et de son plein gré son mari. Elle aime monsieur Prosper Bertomy.

Le marquis haussa dédaigneusement les épaules.

– Amourette de pensionnaire, dit-il ; elle l'oubliera quand vous le voudrez.

– Je ne le veux pas.

– Pardon !... reprit Clameran de cette voix basse et voilée d'un homme irrité qui s'efforce de se contenir, ne perdons pas notre temps en discussions oiseuses. Toujours, jusqu'ici, vous avez commencé par protester et vous vous êtes ensuite rendue à l'excellence de mes arguments. Cette fois encore, vous me ferez la grâce de céder.

– Non, répondit fermement Mme Fauvel, non !

Il ne daigna pas relever l'interruption.

– Si je tiens essentiellement à ce mariage, poursuivit-il, c'est qu'il doit rétablir vos affaires et les nôtres, fort compromises en ce moment. L'argent dont vous disposez ne peut suffire aux prodigalités de Raoul, vous devez vous en être aperçue. Un moment viendra où vous n'aurez plus rien à lui donner et où il vous sera impossible de cacher à votre mari vos emprunts forcés à la caisse du ménage. Qu'arrivera-t-il ce jour-là ?

Mme Fauvel frissonna. Le jour dont parlait le marquis, elle l'entrevoyait dans un avenir prochain. Lui, cependant, continuait :

– C'est alors que vous rendrez justice à ma prévoyante sagesse et à mes intentions. Mademoiselle Madeleine est riche, sa dot me permettra de combler le déficit et de vous sauver.

– J'aime mieux être perdue que sauvée par de tels moyens.

– Mais moi, je ne souffrirai pas que vous compromettiez notre sort à tous. Nous sommes associés pour une œuvre commune, madame, ne l'oubliez pas : l'avenir de Raoul.

Elle lui jeta, sur ces mots, un regard si perspicace que son impudence en fut troublée.

– Cessez d'insister, fit-elle en même temps, mon parti est irrévocablement pris.

– Votre parti ?

– Oui. Je suis résolue à tout, à tout, entendez-moi bien, pour me soustraire à vos honteuses obsessions. Oh ! quittez cet air ironique ! J'irai, si vous m'y contraignez, me jeter aux pieds de monsieur Fauvel et je lui dirai tout. Il m'aime, il saura ce que j'ai souffert, il me pardonnera.

– Croyez-vous ? demanda Clameran d'un air railleur.

– Que voulez-vous dire ? Qu'il sera impitoyable, qu'il me chassera comme une malheureuse que je suis ? Soit ; je l'aurai mérité. Après les tourments affreux dont vous m'accablez, il n'en est pas dont la perspective puisse m'effrayer.

Cette résistance inconcevable dérangeait à tel point les projets du marquis que, exaspéré, il cessa de se contraindre.

Le masque de l'homme du monde tomba, le coquin apparut, révoltant de cynisme. Sa figure prit la plus menaçante expression, sa voix devint brutale.

– Ah ! vraiment ! reprit-il, vous êtes décidée à vous confesser à monsieur Fauvel ! Fameuse idée ! Il est dommage qu'elle vous vienne un peu tard. Avouant tout, le jour où je vous suis apparu, vous aviez des chances de salut : votre mari pouvait pardonner une faute lointaine rachetée par vingt années d'une conduite sans reproche. Car vous avez été fidèle épouse, madame, et bonne mère. Seulement, songez-vous à ce que dira le cher homme quand vous lui apprendrez que le prétendu neveu que vous faites asseoir à sa table, qui lui emprunte de l'argent, est le fruit de vos premières amours ? Si excellent que soit le caractère de monsieur Fauvel, je doute qu'il accepte comme bonne cette plaisanterie qui annonce, ne vous y trompez pas, une perversité effrayante, une rare audace et une duplicité supérieure.

C'était vrai, ce que disait le marquis, terriblement vrai ; pourtant les éclairs de ses regards ne firent pas baisser les yeux de Mme Fauvel.

- Peste ! poursuivait-il, on voit qu'il vous tient furieusement au cœur, ce cher monsieur Bertomy ! Entre l'honneur du nom que vous portez et les amours de ce digne caissier, vous n'hésitez pas. Eh bien ! ce vous sera, je crois, une grande consolation, quand monsieur Fauvel se séparera de vous, quand Albert et Lucien se détourneront de vous, rougissant d'être vos fils, ce vous sera une grande douceur de pouvoir vous dire : le bon Prosper est heureux !

- Advienne que pourra, prononça Mme Fauvel, je ferai ce que je dois.

- Vous ferez ce que je veux ! s'écria Clameran, éclatant à la fin, il ne sera pas dit qu'un accès de sensiblerie nous aura tous plongés dans le bourbier. La dot de votre nièce nous est indispensable, et, d'ailleurs, votre Madeleine... je l'aime.

Le coup était porté, le marquis jugea qu'il serait sage d'en attendre l'effet. Grâce à son surprenant empire sur soi, il reprit son flegme habituel, et c'est avec une politesse glaciale qu'il ajouta :

- À vous maintenant, madame, de peser mes raisons. Croyez-moi, consentez à un sacrifice qui sera le dernier. Songez à l'honneur de votre maison et non aux amourettes de votre nièce. Je viendrai dans trois jours chercher une réponse.

- Vous viendrez inutilement, monsieur ; dès que mon mari sera rentré, il saura tout.

Si Mme Fauvel eût eu son sang-froid, elle eût surpris sur le visage de Clameran l'expression d'une poignante inquiétude. Mais ce ne fut qu'un éclair. Il eut le geste insoucieux qui, clairement, signifie :

« comme vous voudrez ! » et il dit :

– Je vous crois assez raisonnable pour garder notre secret.

Il s'inclina aussitôt cérémonieusement et sortit, tirant sur lui la porte, avec une violence trahissant la contrainte qu'il s'imposait.

Clameran avait d'ailleurs raison de craindre. L'énergie de Mme Fauvel n'était pas feinte.

– Oui ! s'écria-t-elle, enflammée de l'enthousiasme des grandes résolutions, oui, je vais tout dire à André.

Mais en ce moment même, et lorsqu'elle avait la certitude d'être seule, elle entendit marcher près d'elle. Brusquement, elle se retourna. Madeleine s'avançait, plus pâle et plus froide qu'une statue, les yeux pleins de larmes.

– Il faut obéir à cet homme, ma tante, murmurait-elle.

Des deux côtés du salon se trouvaient deux petites pièces, deux salles de jeu qui n'en étaient séparées que par de simples portières de tapisserie.

Madeleine, sans que sa tante s'en doutât, se trouvait dans une des petites pièces quand était arrivé le marquis de Clameran, et elle avait entendu la conversation.

– Quoi ! s'écria Mme Fauvel épouvantée, tu sais...

– Tout, ma tante.

– Et tu veux que je te sacrifie ?

– Je vous demande à genoux de me permettre de vous sauver.

– Mais il est impossible que tu ne haïsses pas monsieur de Clameran.

– Je le hais, ma tante, et je le méprise. Il est et sera toujours, pour moi, le dernier et le plus lâche des hommes, et, cependant, je serai sa femme.

Mme Fauvel était confondue, elle mesurait la grandeur de ce dévouement qui s'offrait à elle.

– Et Prosper, pauvre enfant, reprit-elle, Prosper que tu aimes ?

Madeleine étouffa un sanglot qui montait à sa gorge, et d'une voix ferme répondit :

– Demain, j'aurai pour toujours rompu avec monsieur Bertomy.

– Non ! s'écria Mme Fauvel, non, il ne sera pas dit que je t'aurai laissée, toi innocente, prendre l'accablant fardeau de mes fautes.

La noble et courageuse fille hocha tristement la tête.

– Il ne sera pas dit, reprit-elle, que j'aurai laissé le déshonneur entrer dans cette maison qui est la mienne, quand je puis m'y opposer. Ne vous dois-je donc pas plus que la vie ? Que serais-je sans vous ? Une pauvre ouvrière des fabriques de mon pays. Qui m'a recueillie ? Toi. N'est-ce pas à mon oncle que je dois cette fortune qui tente le misérable ? Abel et Lucien ne sont-ils pas mes frères ? Et quand notre bonheur à tous est menacé, j'hésiterais !... Non. Je serai marquise de Clameran.

Alors, entre Mme Fauvel et sa nièce, commença une lutte de générosité d'autant plus sublime que chacune offrait sa vie à l'autre, et la donnait, non dans un moment d'entraînement, mais de son plein gré et après délibération.

Mais Madeleine devait triompher, enflammée qu'elle était de ce saint enthousiasme du sacrifice qui fait les martyrs.

– Je n'ai à répondre de moi qu'à moi-même, répétait-elle, comprenant bien que là était la place où elle devait frapper, tandis que toi, chère tante, tu dois compte de toi à ton mari et à tes enfants. Songe à la douleur de mon oncle, s'il apprenait jamais la vérité ! Il en mourrait.

La généreuse jeune fille disait vrai.

Tel avait été le fatal enchaînement des circonstances, que toujours Mme Fauvel avait été arrêtée par l'apparence d'un grand devoir à remplir.

Ainsi, après avoir sacrifié son mari à sa mère, elle sacrifiait maintenant son mari et ses enfants à Raoul.

Mme Fauvel se défendait encore, mais elle résistait de plus en plus faiblement.

– Non, disait-elle, non, je ne saurais accepter ton dévouement. Quelle sera ta vie avec cet homme ?

– Qui sait ! fit Madeleine, affectant une espérance bien éloignée de son cœur : il m'aime, à ce qu'il dit ; peut-être sera-t-il bon pour moi.

– Ah ! si je savais où prendre une grosse somme ! C'est de

l'argent qu'il veut, cet homme, rien que de l'argent.

– Ne lui en faut-il donc pas pour Raoul ? N'est-ce pas Raoul qui, par ses folies, a creusé un abîme qu'il faut combler ? Si seulement je pouvais croire à la sincérité de monsieur de Clameran !

C'est avec une sorte de curiosité stupéfaite que Mme Fauvel regardait sa nièce.

Quoi ! cette jeune fille si naïve, si inexpérimentée, raisonnait son abnégation, pendant qu'elle, femme, mère de famille, n'avait jamais obéi qu'aux impulsions instinctives de son esprit et de son cœur !...

– Que veux-tu dire ? interrogea-t-elle.

– Je me demande, ma tante, si véritablement monsieur de Clameran pense à son neveu. A-t-il, oui ou non, l'intention formelle de lui venir en aide ? Maître de ma dot, ne vous abandonnera-t-il pas, toi et lui ? Enfin, il est un doute affreux qui me torture.

– Un doute ?

– Oui, et je te le soumettrais, si j'osais... si je ne craignais...

– Parle, insista Mme Fauvel, livre-moi ta pensée entière. Hélas ! le malheur m'a donné des forces. Qu'ai-je à redouter ? Je puis tout entendre...

Madeleine hésitait, partagée entre la crainte de frapper une personne aimée et le désir de l'éclairer.

– Je voudrais, reprit-elle enfin, être certaine, bien sûre que monsieur de Clameran et Raoul ne s'entendent pas, ne jouent pas chacun un rôle appris et convenu à l'avance.

La passion est aveugle et sourde. Mme Fauvel ne se souvenait plus des yeux riants de ces deux hommes, le jour où, devant elle, ils semblaient transportés de colère. Elle ne pouvait, elle ne voulait pas croire à une si odieuse comédie.

– C'est impossible, prononça-t-elle, le marquis est vraiment indigné de la conduite de son neveu, et ce n'est pas lui qui jamais lui donnera un mauvais conseil. Quant à Raoul, il est étourdi, léger, vaniteux, prodigue, mais il a bon cœur. La prospérité l'a grisé, mais il m'aime. Ah ! si tu le voyais, si tu l'entendais, quand je lui fais un reproche ! tous tes soupçons s'envoleraient. Quand, les larmes aux yeux, il me jure qu'il sera plus raisonnable, il est de bonne foi. S'il ne tient pas ses promesses, c'est que des amis perfides l'entraînent.

Toujours les mères s'en sont prises, s'en prennent et s'en prendront aux amis. L'ami, voilà le coupable.

Mais Madeleine était trop généreuse pour chercher même à désabuser sa tante.

- Fasse le Ciel que tu dises vrai ! murmura-t-elle, mon mariage ne sera pas inutile. Ce soir même nous écrirons à monsieur de Clameran.

- Pourquoi ce soir, Madeleine ? Rien ne presse. Nous pouvons attendre, traîner, gagner du temps.

Ces mots, ces espérances obstinées, cette confiance en un hasard, en une chimère, en rien, disaient tout le caractère de Mme Fauvel et expliquaient ses infortunes.

Tout autre était le caractère de Madeleine. Sa timidité cachait une âme virile. Décidée à un sacrifice, elle le faisait complet, absolu, elle fermait la porte aux illusions décevantes et marchait droit en avant sans retourner la tête.

- Mieux vaut en finir, chère tante, dit-elle d'un ton ferme. Crois-moi, la réalité du malheur est moins pénible que son attente. Résisterais-tu à ces alternatives de douleur et de joie ? Sais-tu ce qu'ont fait de toi les anxiétés que tu dissimules ? T'es-tu vue depuis quatre mois ?

Elle prit sa tante par la main, et, la conduisant devant une glace :

- Tiens, ajouta-t-elle, regarde-toi.

Mme Fauvel n'était plus que l'ombre d'elle-même. Elle était arrivée à cet âge perfide où la beauté d'une femme, comme celle d'une rose pleinement épanouie, se flétrit en un jour.

En quatre mois, elle avait vieilli. Le chagrin avait mis sur son front son empreinte fatale. Ses tempes, fraîches et lisses comme celles d'une jeune fille, se plissaient, des fils blancs argentaient les masses de sa chevelure.

- Comprends-tu, maintenant, poursuivait Madeleine, pourquoi la sécurité t'est nécessaire. Comprends-tu que tu as changé à ce point que c'est miracle que mon oncle ne s'en soit pas inquiété ?

Mme Fauvel, qui croyait avoir déployé une dissimulation supérieure, eut un geste négatif.

– Eh ! pauvre tante, n'ai-je pas deviné, moi, que tu avais un secret !

– Toi !...

– Oui ! seulement j'avais cru... Oh ! pardonne un soupçon injuste, j'avais osé supposer...

Elle s'interrompit toute troublée, et il lui fallut un grand effort pour ajouter :

– Je m'imaginais que peut-être tu aimais un autre homme que mon oncle.

Mme Fauvel ne put retenir un gémissement. Le soupçon de Madeleine, d'autres pouvaient l'avoir eu.

– L'honneur est perdu, murmura-t-elle.

– Non, chère tante ; non ! s'écria la jeune fille, rassure-toi et reprends courage : nous serons deux pour lutter maintenant ; nous nous défendrons, nous nous sauverons.

M. le marquis de Clameran dut être content, ce soir-là. Une lettre de Mme Fauvel lui annonça qu'elle consentait à tout. Elle demandait seulement un peu de temps. Madeleine, lui disait-elle, ne pouvait rompre du jour au lendemain avec M. Bertomy. Puis, on devait s'attendre à des objections de la part de M. Fauvel, lequel aimait Prosper et l'avait tacitement agréé.

Une ligne de Madeleine, au bas de la lettre de sa tante, assurait son concours.

Pauvre jeune fille ! elle ne se ménageait pas. Le lendemain même, elle avait pris Prosper à part, et, abusant de son ascendant sur lui, elle lui avait arraché cette fatale promesse de ne plus chercher à la revoir, et même de prendre sur lui la responsabilité de cette rupture.

Il avait conjuré Madeleine de lui dire au moins les raisons de cet exil qui allait briser sa vie, elle lui avait simplement répondu que son honneur et son bonheur à elle dépendaient de son obéissance.

Et il s'était éloigné la mort dans l'âme.

Presque sur ses pas, le marquis de Clameran arrivait.

Oui, il avait l'audace de venir, en personne, annoncer à Mme Fauvel que, du moment qu'il avait sa parole et celle de sa nièce, il consentait à attendre.

Tenant, à cette heure, la tante et la nièce, il était sans inquiétudes. Il se disait que le moment viendrait où un déficit impossible à combler leur ferait souhaiter et presser son mariage.

Or Raoul faisait tout pour hâter ce moment.

Mme Fauvel étant allée, plus tôt que d'ordinaire, habiter sa propriété, Raoul, de son côté, s'était installé au Vésinet.

Mais la campagne ne le rendait pas plus économe. Peu à peu, il avait dépouillé toute hypocrisie, il ne venait plus voir sa mère que quand il avait besoin d'argent, et il lui en fallait souvent et beaucoup.

Quant au marquis, il se tint prudemment à l'écart, guettant l'heure propice, et c'est au hasard d'une rencontre que, trois semaines plus tard, il dut d'être invité à dîner chez le banquier.

C'était un grand dîner, et il y avait bien une vingtaine de convives.

On venait de servir le dessert, et les conversations s'animaient, lorsque le banquier, tout à coup, se retourna vers Clameran.

– J'avais, monsieur le marquis, dit-il, un renseignement à vous demander. Avez-vous des parents portant votre nom ?

– Pas que je connaisse, du moins, monsieur.

– C'est que moi, depuis huit jours, je connais un autre marquis de Clameran.

Si cuirassé d'impudence que fût le marquis de Clameran, si armé que fut son esprit contre toutes les surprises des événements, il fut un instant déconcerté et pâlit.

– Oh ! oh ! balbutia-t-il, non sans un énergique effort de volonté, un Clameran, marquis... le marquisat au moins m'est suspect.

M. Fauvel n'était pas fâché de trouver une occasion de taquiner un hôte dont les prétentions nobiliaires l'avaient parfois agacé.

– Marquis ou non, reprit-il, le Clameran en question me paraît en état de faire honneur au titre.

– Il est riche ?

– J'ai tout lieu, du moins, de lui supposer une grande fortune.

J'ai été chargé, pour son compte, par un de mes correspondants, d'un recouvrement de quatre cent mille francs.

Clameran était merveilleusement maître de soi. Il avait accoutumé son visage à ne rien trahir du mouvement de son âme. Cependant, cette fois, l'aventure était si bizarre, si surprenante, elle présageait de telles menaces, que son assurance habituelle, son coup d'œil prompt lui faisaient défaut.

Il trouvait au banquier un ton ironique, un air singulier qui le mettaient en défiance.

Pour les gens qui n'étaient pas intéressés à l'observer, il restait le même. Mais Madeleine et sa tante avaient surpris ses tressaillements, elles avaient saisi un regard rapide adressé à Raoul.

– Il paraît, fit-il, que ce nouveau marquis est négociant.

– Ma foi ! vous m'en demandez trop. Tout ce que je sais, c'est que les quatre cent mille francs devaient lui être versés par des armateurs du Havre, après la vente de la cargaison d'un navire brésilien.

– C'est qu'alors il arrive du Brésil ?

– Je l'ignore, mais je puis, si vous le désirez, vous dire son prénom.

– Volontiers.

Le banquier se leva et alla prendre dans le salon une serviette de maroquin marquée à son chiffre. Il en sortit un carnet et se mit à parcourir en bredouillant à demi-voix les noms qui s'y trouvaient inscrits.

– Attendez, faisait-il, attendez... ; du 22, non, c'est plus tard... Ah ! nous y voici : Clameran, Gaston... Il se nomme Gaston.

Mais Louis, cette fois, ne sourcilla pas ; il avait eu le temps de se reconnaître et de faire provision d'audace pour parer n'importe quel coup.

– Gaston !... répondit-il d'un air dégagé, j'y suis. Ce monsieur doit être le fils d'une sœur de mon père dont le mari habitait la Havane. Revenant en France il aura pris sans façon le nom de sa mère, plus sonore que celui de son père, lequel, si j'ai bonne mémoire, s'appelait Moirot ou Boirot.

Le banquier avait replacé son carnet sur un des meubles de la salle à manger.

– Boirot ou Clameran, dit-il, je vous ferai, j'imagine, dîner avec lui avant longtemps. Des quatre cent mille francs que j'étais chargé de recouvrer pour lui, il ne s'en fait expédier que cent et me prie de garder le reste en compte courant. C'est donc qu'il se propose de venir à Paris.

– Je ne serai vraiment pas fâché de faire sa connaissance.

On parla d'autre chose, et bientôt Clameran parut avoir totalement oublié la communication du banquier.

Il est vrai que, tout en causant le plus gaiement du monde, il ne cessait d'observer Mme Fauvel et sa nièce.

Elles étaient bien autrement troublées que lui, et leur trouble était visible. À tout moment elles échangeaient, à la dérobée, les regards les plus significatifs.

Évidemment une même idée, terrible, avait traversé leur esprit.

Plus que sa tante encore, Madeleine semblait émue. C'est qu'au moment où le banquier avait prononcé le nom de Gaston, elle avait vu, elle ne se trompait pas, elle avait vu Raoul reculer sa chaise et jeter un coup d'œil vers la fenêtre, comme le filou surpris qui cherche une issue pour fuir.

Et Raoul, moins fortement trempé que son oncle, était, depuis ce moment, resté décontenancé. Lui, brillant d'ordinaire, causeur original, il était complètement éteint, il se taisait, il étudiait l'attitude de Louis.

Enfin, le dîner finit, les convives se levèrent pour passer dans le salon, et Clameran et Raoul manœuvrèrent de façon à rester les derniers dans la salle à manger.

Ils étaient seuls, ils n'essayaient plus de cacher leur anxiété.

– C'est lui !... dit Raoul.

– Je le crois.

– Tout est perdu, alors ; filons.

Mais Clameran, l'audacieux aventurier, n'était pas homme à jeter ainsi, avant d'y être contraint, le manche après la cognée.

– Qui sait ! murmura-t-il, pendant que la contraction de son front disait l'effort de sa pensée, qui sait !... Pourquoi ce misérable banquier ne nous a-t-il pas dit où trouver ce Clameran de malheur ?...

Il s'interrompit, poussant un cri de joie. Il venait d'apercevoir sur le buffet le carnet consulté par M. Fauvel.

– Veille, dit-il à Raoul.

Il saisit le carnet, il le feuilleta fiévreusement, il trouva : *Gaston, marquis de Clameran, Oloron (Basses-Pyrénées).*

– Sommes-nous bien plus avancés, fit Raoul, maintenant que nous avons son adresse ?

– C'est-à-dire que nous sommes peut-être sauvés. Viens, il ne faut pas qu'on remarque notre absence. Du sang-froid, morbleu ! de la tenue, de la gaieté ! J'ai vu le moment où ton attitude nous trahissait.

– Les deux femmes se doutent de quelque chose.

– Eh bien ! après ?

– Il ne fait pas bon pour nous ici.

– Faisait-il donc meilleur à Londres ? Confiance ! nous nous en tirerons. Je vais dresser mes batteries.

Ils rejoignirent les autres invités. Mais si leur conversation n'avait pas été entendue, leurs gestes avaient été observés.

Madeleine, qui s'était avancée sur la pointe du pied, avait aperçu Clameran consultant le carnet du banquier.

Mais à quoi pouvait lui servir cette constatation des inquiétudes du marquis. Elle n'en était plus à douter de l'infamie de cet homme, auquel elle avait promis sa main. Il l'avait bien dit à Raoul : ni Madeleine ni sa tante ne pouvaient se soustraire, quoi qu'il arrivât, à sa domination ; car pour l'atteindre il fallait parler, avouer...

Lorsque deux heures plus tard, Clameran reconduisit Raoul jusqu'au Vésinet, son plan était fait.

– C'est lui, je n'en doute pas, disait-il, mais nous avons, mon beau neveu, pris l'alarme trop tôt.

– Merci !... le banquier l'attend ; nous l'aurons peut-être demain sur le dos.

– Tais-toi ! interrompit Clameran. Sait-il ou ne sait-il pas que Fauvel est le mari de Valentine ? Tout est là. S'il le sait, nous n'avons qu'à jouer des jambes. S'il l'ignore, rien n'est désespéré.

– Comment s'en assurer ?

– En allant le lui demander, tout simplement.

Raoul eut un mouvement d'admiration.

– C'est joli, fit-il, mais dangereux.

– Il serait plus périlleux encore de rester. Quant à filer sur un simple soupçon, ce serait par trop niais.

– Et qui ira le trouver ?

– Moi !

– Oh ! fit Raoul, sur trois tons différents, oh ! oh !

L'audace de Clameran le confondait.

– Mais moi ? interrogea-t-il.

– Toi, tu me feras le plaisir de rester ici. Au moindre danger je t'expédie une dépêche et tu décampes.

Ils étaient arrivés devant la grille de la maison de Raoul.

– Voilà donc qui est entendu, dit Clameran, tu restes ici. Mais attention, tant que durera mon absence, redeviens le meilleur des fils. Prends parti contre moi, calomnie-moi si tu peux. Mais pas de bêtises. Pas de demandes d'argent... Allons, adieu !... Demain soir je serai à Oloron et j'aurai vu ce Clameran...

XVIII

Ce n'est pas sans les plus grands périls, sans des peines infinies, que Gaston de Clameran, en quittant Valentine, avait réussi à fuir.

Jamais, sans le dévouement et l'expérience de son guide, le père Menoul, il n'aurait trouvé le moyen de s'embarquer.

Ayant laissé à Valentine les parures de sa mère, il possédait pour toute fortune neuf cent vingt francs, et ce n'est pas avec cette pauvre somme qu'un fugitif qui vient de tuer deux hommes paie son passage à bord d'un bâtiment.

Mais Menoul, vieux matelot, était homme d'expédients.

Pendant que Gaston restait caché dans une ferme de la Camargue, Menoul avait gagné Marseille, et, dès le premier soir, courant les cabarets que fréquentent les matelots, il avait appris qu'il se trouvait en rade un trois-mâts américain, dont le commandant, M. Warth, un marin sans préjugés, se ferait un vrai plaisir de donner asile à un gaillard solide, qui lui serait utile à la mer, sans s'inquiéter de ses antécédents.

Ayant visité le navire et bu un verre de rhum avec le capitaine, le père Menoul était revenu trouver Gaston.

– S'il s'agissait de moi, lui dit-il, j'aurais mon affaire, mais vous !...

– Ce qui vous conviendrait me convient.

– C'est que, voyez-vous, il vous faudra trimer dur. Vous serez matelot, quoi ! Et pour tout dire, le bateau ne m'a pas l'air des plus catholiques et le patron me fait l'effet d'un fier sacripant.

– Il n'y a pas à choisir, répondit Gaston, partons.

Le flair du père Menoul ne l'avait pas trompé.

Il suffit à Gaston d'un séjour de quarante-huit heures à bord du *Tom-Jones* pour être sûr, à n'en pouvoir douter, que le hasard venait de le jeter au milieu d'une remarquable collection de bandits de la pire espèce.

L'équipage, recruté un peu partout, était comme un échantillon de coquins de tous les pays.

Mais que lui importaient ces gens parmi lesquels il était condamné à vivre pendant des mois !

C'est son corps seul que le navire emportait vers des pays nouveaux. Sa libre pensée se reposait sous les frais ombrages du parc de La Verberie, près de sa bien-aimée Valentine.

Qu'allait-elle devenir, la pauvre enfant, maintenant qu'il ne serait plus là pour l'aimer, pour la consoler, pour la défendre !

Heureusement, il n'avait ni le loisir ni la force de réfléchir. Ce qu'il y avait de plus affreux dans sa situation présente, il ne le sentait pas.

Obligé au rude apprentissage du métier de matelot, il n'avait pas trop de toute son énergie pour résister à des labeurs exorbitants pour qui n'en a pas, dès l'enfance, contracté l'habitude.

Là fut son salut. La fatigue physique calmait et engourdissait les douleurs morales. Aux heures de repos, lorsque brisé, rompu, il lui était permis de s'étendre sur son cadre, il s'endormait.

Si parfois, avec une anxiété poignante, il s'efforçait d'interroger l'avenir, c'était aux heures de quart, la nuit, quand le temps était beau, que la voilure ne réclamait aucune manœuvre.

Il avait juré qu'il reviendrait avant trois ans, et qu'il reviendrait riche pour satisfaire les exigences de Mme de La Verberie. Pourrait-il tenir cette promesse présomptueuse ? Si le désir a des ailes, la réalité se traîne lentement terre à terre.

Or, d'après tout ce qu'il entendait dire autour de lui, il n'était pas précisément sur le chemin de cette fortune tant souhaitée.

Le *Tom-Jones* faisait peut-être voile pour Valparaiso, mais il prenait, à coup sûr, pour y arriver, le chemin le plus long.

C'est que le capitaine Warth se proposait de visiter le golfe de Guinée.

Un prince noir de ses amis, disait-il en riant d'un large rire, l'attendait dans les environs de Badagri, pour lui confier, en échange de quelques pipes de rhum et d'une centaine de méchants fusils à pierre, toute une cargaison de « bois d'ébène ».

Pour tout dire, Gaston de Clameran servait en qualité de novice sur un de ces navires comme en armait alors, par centaines, tous les ans, la libre et philanthrope Amérique pour la traite des Noirs.

Cette découverte emplit Gaston de colère et de honte, mais il fut assez sage pour dissimuler ses impressions.

Toute son éloquence n'aurait pu dégoûter le digne capitaine Warth d'un trafic dont les profits dépassaient cent pour cent, en dépit des croiseurs français et anglais, malgré les avaries de la cargaison et une foule d'autres risques encore.

Si les hommes de l'équipage avaient pour Gaston une considération relative, c'est que l'histoire des coups de couteau, racontée par le père Menoul au capitaine, avait transpiré. Laisser voir ses opinions, c'était se créer sans nécessité ni utilité une situation impossible.

Il se tut, se jurant bien qu'il déserterait dès que se présenterait une occasion à peu près favorable.

Le malheur est que cette occasion, comme tout ce qu'on attend avec impatience, ne venait pas.

C'est qu'au bout de trois mois M. Warth ne pouvait plus se passer de Gaston. Lui ayant reconnu une intelligence supérieure, il l'avait pris en amitié, il le faisait manger à sa table, il avait, à l'entendre causer, un plaisir infini, il le forçait à faire sa partie de piquet.

Si bien que le second du navire étant venu à mourir, Gaston fut choisi pour le remplacer.

Et c'est en cette qualité qu'il fit deux voyages successifs au golfe de Guinée. C'est comme second qu'il aida à enlever un millier de nègres en deux fois, à les « arrimer », à les surveiller pendant une traversée de douze ou quinze cents lieues, et enfin à les jeter clandestinement sur les côtes du Brésil.

Il y avait plus de trois ans que Gaston s'était embarqué à Marseille, lorsque enfin le *Tom-Jones* ayant relâché à Rio Janeiro, il put se séparer du capitaine Warth, un digne homme après tout, et qui jamais ne se serait résigné à ce diabolique et répugnant commerce de chair humaine sans sa petite Mary, un ange, qu'il voulait doter magnifiquement.

Ces voyages avaient au moins profité à Gaston. Il possédait tout près de douze mille francs d'économies lorsqu'il toucha le sol du Brésil.

Cependant, les trois ans fixés par lui-même pour son retour étaient passés ; mais peut-être Valentine l'avait-elle attendu ; avant de rien entreprendre, il écrivit à un de ses amis, en qui il pouvait avoir toute confiance, et qui habitait Beaucaire. Il avait soif de nouvelles de son pays, de sa famille, de ses amis.

Il écrivit aussi à son père, auquel il avait essayé, toutes les fois qu'il en avait trouvé l'occasion, de faire parvenir des lettres.

Ce n'est que l'année suivante qu'il reçut une réponse de son ami.

Du même coup, cette réponse lui apprenait que son père était mort, que son frère Louis avait quitté le pays, que Valentine était mariée, et enfin que lui, Gaston, il avait été condamné à plusieurs années de prison, pour meurtre.

Cette lettre l'atterra.

Désormais il était seul au monde, sans patrie, déshonoré par un jugement. Valentine mariée, il ne voyait plus de but à sa vie.

Mais il n'était pas homme à se laisser abattre.

– Gagnons donc de l'argent ! s'écria-t-il avec rage, puisqu'il n'y a que l'argent ici-bas qui ne trompe jamais.

Et il se mit à l'œuvre, avec une âpre activité, fouettée, chaque matin, par une volonté nouvelle.

Tous les moyens de fortune qu'offre aux aventureux l'empire du Brésil, Gaston les tenta.

Tour à tour, il spécula sur les peaux, il exploita une mine, il tenta des défrichements. Cinq fois il se coucha riche et se réveilla ruiné ; cinq fois, avec la patience du castor dont le courant emporte la hutte, il recommença l'édifice de sa fortune.

Enfin, après de longues, bien longues années de luttes, il possédait près d'un million réalisable, et de vastes étendues de terrain.

Il s'était dit que jamais il ne quitterait le Brésil, qu'il finirait ses jours à Rio ; il comptait sans cet amour du sol natal, qui jamais ne s'éteint dans le cœur d'un Français.

Riche, il voulut mourir en France.

Aussitôt il fit les démarches indiquées par sa situation. Il s'assura que, rentrant, il ne serait pas inquiété, réalisa ce qu'il put de son avoir, confia le reste à un correspondant et s'embarqua.

Il y avait vingt-trois ans et quatre mois qu'il avait fui lorsque, par un beau jour de janvier 1866, il mit le pied sur les quais de Bordeaux.

Il était parti jeune homme, le cœur gonflé d'espérances ; il revenait avec des cheveux blancs, ne croyant plus à rien.

Une usine était à vendre, près d'Oloron, sur les bords du Gave, il l'acheta, songeant à trouver un moyen pour utiliser les immenses quantités de bois qui, faute de moyens de transport, se perdent dans les montagnes.

Il était installé depuis quelques semaines déjà, lorsqu'un soir son domestique lui remit la carte d'un étranger qui désirait le voir.

Il prit cette carte et lut : *Louis de Clameran.*

– Mon frère ! s'écria-t-il enfin, mon frère !...

Et laissant là son domestique tout ébahi, quelque peu effaré même, de l'exaltation de son maître, il se lança dans les escaliers.

Au milieu du vestibule, un homme, Louis de Clameran, se tenait debout, attendant.

Gaston se précipita vers lui, et après l'avoir serré entre ses bras, à l'étouffer, il l'entraîna, ou plutôt il l'emporta dans le salon.

Là, il le fit asseoir, s'asseyant lui-même, en face, le plus près possible, pour le mieux voir, pour le contempler plus à l'aise. Il lui avait pris les deux mains et les gardait dans les siennes.

– C'est toi, répétait-il, parlant très haut comme pour mieux s'entendre, pour se bien prouver la réalité, toi, mon bien-aimé Louis, mon frère... toi, c'est toi !...

Gaston, cet homme dont la vie avait été comme une continuelle tempête, ne se possédait plus. Lui, l'aventurier, le second du redoutable capitaine Warth, le chercheur d'or des mines de Villa-Rica, il pleurait et riait tout ensemble.

– Je t'aurais reconnu, disait-il à son frère ; oui, je t'aurais reconnu... Va ! l'expression de ton visage n'a pas changé, tu as bien le même regard, ton sourire est toujours ce qu'il était jadis.

Louis souriait, en effet, peut-être comme il avait souri cette nuit fatale où la chute de son cheval avait livré Gaston.

Il souriait, lui aussi, il avait l'air heureux, il paraissait ravi.

Une de ces angoisses à faire blanchir les cheveux d'un homme le pénétrait lorsqu'il avait soulevé le marteau de la porte de Gaston. Ses dents claquaient de peur, lorsqu'il avait dit au domestique, en lui tendant sa carte :

– Portez ceci à votre maître.

Et en attendant le retour de ce domestique, dont l'absence lui avait paru durer des siècles, il se disait : est-ce bien lui ? Et si c'est lui, sait-il, se doute-t-il ?... Si grande était son anxiété, qu'au moment où il avait aperçu Gaston descendant l'escalier avec la rapidité de l'ouragan, il avait eu la tentation de fuir.

Maintenant qu'il voyait bien que Gaston était resté le même, bon, confiant, crédule ; maintenant qu'il était presque certain que pas un soupçon n'avait effleuré l'esprit de son frère, il se rassurait et il souriait.

– Enfin, poursuivait Gaston, je ne serai donc plus seul dans la vie ; j'aurai quelqu'un à aimer, quelqu'un qui m'aimera.

Il s'interrompit, puis, brusquement, avec cette incohérence d'idées de toutes les émotions fortes qui rompent l'équilibre du cerveau :

– Es-tu marié ? interrogea-t-il.

– Non.

– Tant pis ! oui, tant pis ! J'aurais voulu te voir le mari de quelque bonne femme bien dévouée, je voudrais te savoir père de braves et beaux enfants. Comme j'aurais ouvert mon cœur à deux battants à tout ce monde-là ! Ta famille aurait été la mienne. Ce doit être si bon, la famille, si doux. Vivre seul, sans une femme adorée qui partage les tristesses et les joies, les épreuves et les succès, ce n'est pas vivre. N'avoir à penser qu'à soi, quelle tristesse ! Mais qu'est-ce que je dis là ? Je t'ai, n'est-ce donc pas assez ? Louis !... J'ai donc un frère, un ami avec qui je puis causer tout haut, comme je cause tout bas avec moi-même !

– Oui, Gaston, oui, un bon ami !...

– Parbleu !... puisque tu es mon frère. Ah, tu n'es pas marié ! Eh bien ! nous ferons ménage tous les deux. Nous allons vivre en garçons, en vieux garçons, heureux comme des dieux ; nous nous amuserons, nous ferons nos farces. Tiens ! quelle idée ! C'est toi qui me rajeunis ; il me semble que je n'ai plus que vingt ans, que je suis leste et vigoureux comme en ce temps où je traversais le Rhône à la nage. Il y a longtemps de cela, pourtant, et depuis j'ai lutté, j'ai souffert, j'ai cruellement vieilli, changé...

– Toi ! interrompit Louis, tu as moins vieilli que moi.

– Quelle plaisanterie !

– Je te le jure.

– Tu m'aurais reconnu ?

– Parfaitement, tu es resté toi.

Louis disait vrai. Il paraissait, lui, usé plutôt que vieilli. Mais Gaston, en dépit de ses cheveux gris, malgré son teint qui avait pris au soleil du Brésil des tons de brique, était bien l'homme robuste dans la force de l'âge, dans la pleine maturité de sa mâle beauté.

– Mais comment m'as-tu retrouvé ? demandait Gaston, quelle bonne pensée, quelle fée bienveillante t'a guidé jusqu'au seuil de ma maison ?

– C'est la Providence, répondit-il, qu'il faut remercier, de notre réunion. Il y a trois jours, à mon cercle, un jeune homme qui arrive des Eaux-Bonnes me dit qu'il a ouï parler, aux Pyrénées, d'un marquis de Clameran. Tu conçois ma surprise. Je me demande quel faussaire se permet de porter notre nom. Aussitôt, je cours au chemin de fer, je prends un billet, et me voici.

– Tu ne pensais donc pas à moi ?

– Eh ! pauvre frère, il y avait vingt-trois ans que je te croyais mort.

– Mort !... moi. Ah çà ! mademoiselle de La Verberie, Valentine, ne vous a donc pas fait savoir que j'étais sauvé ? Elle m'avait juré qu'elle irait trouver notre père.

Louis prit cet air navré d'un homme forcé bien malgré lui de révéler une lamentable vérité.

– Hélas ! murmura-t-il, elle ne nous a rien fait dire.

Une bouffée de colère passa comme l'éclair dans les yeux de Gaston. Peut-être l'idée lui vint-elle que Valentine avait été heureuse de se débarrasser de lui.

– Rien ! s'écria-t-il, elle n'a rien dit. Elle a eu la barbarie de vous laisser pleurer ma mort, elle a laissé mon vieux père mourir de chagrin. Ah ! c'est qu'elle avait une peur terrible des propos du monde : elle m'a sacrifié à sa réputation.

– Mais toi, interrompit Louis, pourquoi n'as-tu pas écrit ?

– J'ai écrit dès que je l'ai pu, et c'est par Lafourcade que j'ai appris que notre père n'était plus, et que tu avais abandonné le pays.

– J'ai quitté Clameran, parce que je te croyais mort.

Gaston se leva et fit, au hasard, quelques pas dans le salon. Il voulait secouer la tristesse qui l'envahissait.

– Bast ! murmura-t-il, pourquoi s'inquiéter de ce qui est passé ? Tous les souvenirs du monde, bons ou mauvais, ne valent pas la plus mince espérance, et Dieu merci ! l'avenir est à nous.

Louis se taisait. Il ne connaissait pas encore assez le terrain pour risquer une question.

– Mais je suis là que je bavarde, reprit Gaston ; je parle, je parle et tu n'as peut-être pas dîné.

– Je t'avouerai que non.

– Et tu ne disais rien !... Mais moi non plus je n'ai pas dîné encore. Pour le premier jour, j'allais te laisser mourir de faim. Ah ! j'ai un certain vin du Cap !...

Il se pendit aux sonnettes ; en un moment, la maison fut sur pied, et, une demi-heure plus tard, les deux frères s'asseyaient devant une table somptueusement servie.

La conversation entre les deux frères devait être infinie. Gaston voulait savoir tout ce qui était arrivé après son départ.

– Et Clameran ? demanda-t-il quand Louis eut fini.

Louis hésita un moment. Devait-il ou non dire la vérité ?

– J'ai vendu Clameran, dit-il enfin.

– Même le château ?

– Oui.

– Je comprends cela, murmurait Gaston, quoique moi, à ta place... là ont vécu nos ancêtres, là est mort notre père...

Mais voyant qu'il attristait son frère :

– Bast ! c'est dans le cœur que vit le souvenir, et non au milieu de vieilles pierres. Tel que tu me vois, je n'ai pas osé retourner en Provence. J'ai eu peur de trop souffrir en revoyant, en face de Clameran, le parc de La Verberie... Hélas ! j'ai eu là les seuls beaux jours de ma vie.

La physionomie de Louis s'éclairait. Cette certitude que Gaston n'était pas allé en Provence chassait une de ses plus pressantes inquiétudes.

Si bien qu'à deux heures du matin, les deux frères causaient encore...

Et le lendemain, Louis trouvait un prétexte pour courir au télégraphe, et il adressait à Raoul cette dépêche : *Sagesse et prudence. Suivre mes instructions. Tout va bien. Bon espoir.*

Tout allait bien, et cependant Louis, en dépit de ses questions habituellement calculées, n'avait obtenu aucun des renseignements qu'il était venu chercher.

Gaston si expansif, Gaston qui lui avait conté sa vie entière, en insistant sur les moindres circonstances, n'avait pas dit un mot pouvant l'éclairer.

Était-ce hasard ou calcul, préméditation savante ou simple oubli ? Louis se le demandait avec ces inquiétudes des gens pervers toujours disposés à gratifier les autres de leur perversité.

À tout prix, et fallût-il se départir de sa réserve, il résolut d'en avoir le cœur net et de voir clair dans l'esprit de son frère. Le moment était favorable, ils se mettaient à table pour déjeuner.

– Sais-tu, mon cher Gaston, commença-t-il, que jusqu'ici nous avons parlé de tout, sauf pourtant des choses sérieuses ?

– Diable ! Qu'y a-t-il donc, que tu prends une mine de procureur ?

– Il y a mon cher frère, que te croyant mort, j'ai recueilli la succession de notre père.

Un franc éclat de rire de Gaston lui coupa la parole.

– C'est là ce que tu appelles des choses sérieuses ?

– Certainement, je te dois compte de ta part de l'héritage ; tu as droit à la moitié...

– J'ai droit, interrompit Gaston, de te demander en grâce de clore ce chapitre. Ce que tu as est à toi, il y a prescription.

– Non, je ne puis accepter.

– Quoi ? la succession de notre père ? Non seulement tu le peux, mais tu le dois. Notre père ne voulait qu'un héritier, soumettons-nous à ses volontés.

Et croyant apercevoir un nuage sur le front de son frère :

– Ah çà ! ajouta-t-il gaiement, tu es donc bien riche ou tu me crois donc bien pauvre, pour insister ainsi ?

Louis tressaillit imperceptiblement à cette question à bout portant. Que répondre pour ne se point engager ?

– Je ne suis ni riche, ni pauvre, fit-il.

– Moi ! s'écria Gaston, je serais presque ravi de te trouver plus pauvre que Job, pour partager avec toi tout ce que j'ai.

Le déjeuner était terminé. Gaston jeta sa serviette et se leva en disant :

– Viens !... je veux toujours te faire visiter ma... c'est-à-dire notre propriété.

Tout en suivant son frère, Louis était aussi tourmenté que possible. Il lui semblait que Gaston fuyait avec une singulière obstination le terrain des confidences sur lequel il s'efforçait de l'attirer.

Son abandon n'était-il donc qu'une comédie ? Les défiances de Louis se réveillaient, il regrettait presque sa dépêche optimiste de la veille.

Mais rien des pensées fâcheuses qui s'agitaient au-dedans de lui n'apparaissait à la surface. Sa figure était calme et souriante, sa voix joyeuse.

Il lui fallut tout voir en détail, la maison d'abord, puis les servitudes, les écuries, le chenil, puis le jardin, vaste et bien planté, au bout duquel le Gave, sur son lit de cailloux, chantait sa chanson montagnarde.

À l'extrémité d'une jolie prairie se trouvait l'usine en pleine activité. Gaston, qui en était encore aux enchantements d'un nouveau propriétaire, ne fit grâce à son frère ni d'une lime ni d'un marteau.

Il lui disait ses projets futurs, comment il comptait substituer le bois à la houille, faire mieux, et réaliser encore des économies en exploitant des richesses forestières jugées jusqu'alors impossibles à atteindre.

Louis approuvait tout ; il applaudissait, mais il ne répondait que par monosyllabes.

– Oui ! en effet ! très bien !...

C'est qu'une nouvelle douleur, qu'il lui fallait dissimuler comme les autres, le torturait maintenant. Cette prospérité, dont l'évidence sautait aux yeux, le désolait.

Comparant au sien le sort de son frère, tous les aiguillons empoisonnés de la jalousie déchiraient son âme envieuse. Il voyait Gaston, riche, heureux, honoré, recueillant le prix de son courage, tandis que lui... Jamais il n'avait si cruellement ressenti l'horreur d'une situation qui était son œuvre.

À vingt ans de distance, les sentiments honteux et vils qui lui avaient fait haïr son frère revenaient.

Cependant l'inspection était terminée.

– Que dis-tu de mes acquisitions ? demanda joyeusement Gaston.

– Je dis, cher frère, que tu possèdes au milieu du plus beau pays du monde la plus ravissante propriété qui puisse tenter un pauvre Parisien.

– Est-ce vraiment ta pensée ?

– Sans restrictions.

Gaston eut un geste de joie et une exclamation de triomphe.

– Eh bien ! frère, s'écria-t-il, cette propriété est à nous, puisqu'elle est à moi. Elle te plaît ? ne la quitte plus. Tiens-tu vraiment à ton Paris brumeux ? Établis-toi ici, sous ce beau ciel du Béarn.

Louis se taisait. Ces propositions, il y a un an, l'auraient rempli de joie. Avec quels transports il aurait accueilli les perspectives de cette belle et large existence ! Quel repos délicieux après tant de traverses ! Il aurait pu sans crainte dépouiller le vieil homme, l'aventurier, et redevenir soi.

Mais il ne pouvait accepter maintenant, et il le reconnaissait avec rage.

Non, il n'était pas libre, non, il ne pouvait pas quitter Paris.

Il avait, là-bas, engagé une de ces affreuses parties qu'on perd quand on les abandonne, et dont la perte peut conduire au bagne.

Seul, il eût pu disparaître, mais il n'était pas seul, il avait un complice.

– Tu ne réponds rien, insistait Gaston, surpris de ce silence ; verrais-tu quelque obstacle à mes projets ?

– Aucun.

– Eh bien, alors ?

– Il y a, cher frère, que sans les émoluments d'une position que j'occupe à Paris, je n'aurais pas de quoi vivre.

– Et c'est là ton objection, à toi qui, il n'y a qu'une minute, m'offrais la moitié de l'héritage paternel ! Louis, c'est mal, c'est très mal ; ou tu ne m'as pas compris, ou tu es un mauvais frère.

Louis baissait la tête. Gaston, bien involontairement, tournait et retournait le poignard dans la plaie.

– Je te serais à charge, murmurait Louis.

– À charge !... Mais tu deviens fou. Ne t'ai-je pas dit que j'étais très riche... T'imaginerais-tu avoir vu tout ce que je possède ! Cette maison et l'usine ne constituent pas le quart de ma fortune. Je les ai eues pour un morceau de pain. Crois-tu donc que sur une entreprise pareille, je risquerais ce que j'ai gagné en vingt ans ? J'ai bel et bien, sur l'État, vingt-quatre mille livres de rentes. Et ce n'est pas tout ; il paraît que mes concessions du Brésil se vendront ; j'ai de la chance ! Déjà mon correspondant m'a fait tenir quatre cent mille francs.

Louis tressaillit de plaisir. Enfin, il allait savoir jusqu'à quel point il était menacé.

– Quel correspondant ? demanda-t-il de l'air le plus désintéressé qu'il pût prendre.

– Parbleu ! mon ancien associé de Rio. Les fonds sont à cette heure à ma disposition chez mon banquier de Paris.

– Un de tes amis.

– Ma foi ! non. Il m'a été indiqué par mon banquier de Pau et recommandé comme un homme fort riche, prudent, et d'une probité notoire ; c'est, attends donc, c'est un nommé... Fauvel, qui demeure rue de Provence.

Si maître de soi que fût Louis, si préparé qu'il fût à ce qu'il allait entendre, il pâlit et rougit visiblement. Mais Gaston, tout à ses idées, ne s'en aperçut pas.

– Connais-tu ce banquier ? demanda-t-il.

– De réputation, oui.

– Alors, nous ferons ensemble très prochainement sa connaissance, car je me propose de t'accompagner à Paris lorsque tu retourneras y arranger tes affaires avant ton établissement ici.

À cette annonce inattendue d'un projet dont la réalisation devait le perdre, Louis eut la force de rester impassible. Il sentait le regard de son frère arrêté sur lui.

– Tu viendras à Paris, fit-il, toi ?

– Certainement, qu'y a-t-il là d'extraordinaire ?

– Rien.

– Je déteste Paris et je le déteste sans y jamais être allé, ce qui est plus fort ; mais j'y suis appelé par des intérêts, par... – il hésitait – des devoirs sérieux... Enfin, mademoiselle de La Verberie habite Paris, m'a-t-on dit, et je veux la revoir.

– Ah !...

Gaston réfléchissait ; il était ému, et son émotion était visible.

– À toi, Louis, reprit-il, je puis dire pourquoi je veux la revoir. Je lui ai autrefois confié les parures de notre mère.

– Et tu veux, après vingt-trois ans, lui réclamer ce dépôt ?

– Oui... ou plutôt, tiens, non ; ce n'est là qu'un vain prétexte dont j'essaye de me payer moi-même. Je veux la revoir parce que... parce que... je l'ai aimée, voilà la vérité.

– Mais comment la retrouver ?

– Oh ! c'est bien simple. Le premier venu, dans le pays, me dira le nom de son mari, et quand je saurai ce nom... Tiens, dès demain, j'écrirai à Beaucaire.

Louis ne répondit pas.

Avant tout, Louis se gardait de discuter les projets de son frère.

Combattre les intentions d'un homme, c'est presque toujours les enfoncer plus profondément dans son esprit ; chaque argument fait l'effet d'un coup de marteau sur un clou.

En homme habile, il détourna la conversation, et, de la journée, il ne fut plus question de Paris, ni de Valentine.

C'est le soir seulement, lorsqu'il se trouva seul dans sa chambre, que, se posant résolument en face de la situation, Louis commença à l'étudier sous tous ses aspects.

Au premier abord, elle paraissait désespérée.

Acculé dans une position qui lui paraissait sans issue, il était près de se résigner à cesser de lutter, à se rendre.

Oui, il se demandait s'il ne serait pas sage d'emprunter une grosse somme à son frère et de disparaître pour toujours.

Vainement il se mettait l'esprit à la torture, sa détestable expérience ne lui représentait aucune combinaison applicable aux circonstances présentes.

De tous les côtés à la fois, le danger menaçait, pressant, impossible à conjurer.

Il avait à craindre également et Mme Fauvel, et sa nièce, et le banquier ; Gaston, découvrant la vérité, voudrait se venger ; Raoul lui-même, son complice, devait, en cas de malheur, se tourner contre lui et devenir son plus implacable ennemi.

Existait-il un moyen humain pour empêcher la rencontre de Valentine et de Gaston ?

Évidemment non.

Or, l'instant de leur réunion devait être l'instant de sa perte.

– C'est en vain, murmura-t-il, que je cherche. Il n'y a rien à faire, rien qu'à gagner du temps, rien qu'à guetter une occasion.

La chute du cheval, à Clameran, disait, sans doute, ce que Louis entendait par une « occasion ».

Il referma sa fenêtre, se coucha, et si grande était son habitude du danger, qu'il s'endormit.

Nul pli sur son front, au matin, ne révélait ses angoisses de la nuit.

Il fut affectueux, gai, causeur, bien plus qu'il ne l'avait été jusqu'alors. Il voulut monter à cheval et courir le pays. Devenu, tout à coup, aussi remuant qu'il s'était montré calme, il ne parlait que d'excursions dans les environs.

La vérité est qu'il voulait occuper Gaston, l'amuser, détourner son esprit de Paris et surtout de Valentine.

Avec le temps, en y mettant beaucoup d'adresse, il ne désespérait pas de dissuader son frère de revoir son ancienne amie. Il comptait lui démontrer que cette entrevue, absolument inutile, serait pénible pour tous deux, embarrassante pour lui et dangereuse pour elle.

Quant au dépôt, si Gaston persistait à le lui demander, eh bien ! Louis avait l'intention de s'offrir pour cette démarche délicate ! il promettait de la mener à bien, et, en effet, il savait où étaient les parures.

Mais il ne devait pas tarder à reconnaître l'inanité de ses espérances et de ses tentatives.

– Tu sais, lui dit un jour Gaston, j'ai écrit...

Louis ne savait que trop ce dont il s'agissait ; n'était-ce pas là le sujet habituel de ses méditations ! Il prit cependant son air le plus surpris :

– Écrit ?... interrogea-t-il, où, à qui, pourquoi ?

– À Beaucaire, à Lafourcade, pour savoir le nom du mari de Valentine.

– Tu penses donc toujours à elle ?

– Toujours.

– Tu ne renonces pas à la revoir ?

– Moins que jamais.

– Hélas ! frère, c'est que tu ne réfléchis pas que celle que tu aimais est la femme d'un autre, qu'elle est mère de famille, sans doute. Consentira-t-elle à te recevoir ? Sais-tu si tu ne vas pas troubler sa vie, si tu ne te prépares pas les plus cuisants regrets.

– Je suis fou, c'est vrai, je le sais, mais ma folie m'est chère.

Il dit cela d'un tel accent que Louis comprit bien que son parti était irrévocablement arrêté.

Cependant il resta le même, ne s'occupant, en apparence, que de parties de plaisir, en réalité passant sa vie à s'inquiéter des lettres qui arrivaient à la maison.

Il savait au juste à quelle heure passait le facteur, et toujours il se trouvait, par hasard, dans la cour pour le recevoir.

S'il était absent, ainsi que son frère, il savait à quelle place on mettait les lettres venues dans la journée, et il y courait.

Sa surveillance ne fut pas inutile.

Le dimanche suivant, parmi les lettres que lui remit le facteur, il en distingua une qui portait le timbre de Beaucaire.

Rapidement il la glissa dans sa poche, et bien qu'il fût sur le point de monter à cheval, avec son frère, il trouva un prétexte pour aller à sa chambre, incapable qu'il était de maîtriser son impatience.

C'était bien la lettre attendue, elle était signée : Lafourcade. Elle avait trois bonnes pages et contenait une foule de détails absolument indifférents à Louis, mais voici ce qu'elle disait de Valentine.

Le mari de Mlle de La Verberie est un banquier très considéré, nommé André Fauvel. Je n'ai pas l'honneur de le connaître, mais je pense aller le voir à mon prochain voyage à Paris. J'ai conçu un projet qui serait la fortune de notre pays, je me propose de le lui soumettre, et, s'il le juge bon, je solliciterai l'appui de ses capitaux. Vous ne trouverez pas mauvais, je l'espère, que je me recommande de votre nom...

Louis tremblait comme un homme qui vient d'échapper à un immense danger.

– Cette lettre entre les mains de mon frère, murmurait-il, et je n'avais qu'à filer.

Mais, sa perte, pour être retardée, n'en paraissait pas moins certaine.

Gaston attendrait une réponse pendant une huitaine encore, puis il écrirait de nouveau ; Lafourcade, tout surpris, répondrait sur-le-champ ; c'était, en mettant tout au mieux, une douzaine de jours que Louis avait encore devant lui.

Et là, se disait-il, là est le plus pressant danger. Que cet imbécile aille à Paris, qu'il prononce le nom de Clameran devant le banquier, et tout est fini.

En bas, Gaston s'impatientait.

– Viens-tu ! criait-il à son frère.

– Je descends, répondit Louis.

Il descendait, en effet, après avoir serré dans un compartiment secret de la malle la lettre de Lafourcade.

Désormais, il était décidé à un emprunt. Ayant une bonne somme en poche, jointe à ce qu'il possédait déjà, il passerait en Amérique, et, ma foi ! Raoul se tirerait d'affaire comme il pourrait.

Certes, il était désolé de voir manquer la plus belle combinaison qu'il eût imaginée en sa vie, mais l'homme fort ne s'indigne pas sottement contre la destinée, il tire des événements le meilleur parti possible.

Dès le lendemain même, se promenant, à la tombée de la nuit, avec Gaston, sur la jolie route qui mène de l'usine à Oloron, il entama le prologue d'une petite histoire dont la conclusion devait être un emprunt de deux cent mille francs.

Ils allaient doucement, se donnant le bras, lorsqu'à un kilomètre environ de la forge, ils croisèrent un tout jeune homme, vêtu comme les ouvriers qui font leur tour de France, et qui en passant les salua.

Une commotion si terrible secoua Louis que Gaston en reçut le contre-coup.

– Qu'as-tu ? demanda-t-il tout étonné.

– Rien. J'ai heurté du bout du pied une pierre qui m'a fait mal.

Il mentait, et le tremblement de sa voix eût dû le dire à Gaston.

S'il était si ému, c'est que, dans ce jeune ouvrier, il avait reconnu Raoul de Lagors.

De ce moment, Louis de Clameran fut anéanti.

La surprise, une épouvante instinctive paralysaient, anéantissaient absolument sa verve audacieuse et parleuse. Il n'était plus à la conversation.

Il disait :

- Oui. En effet. Vraiment ! Peut-être.

Mais sans avoir conscience de ce qu'il disait.

Comment Raoul se trouvait-il à Oloron ? Qu'y venait-il faire ? Pourquoi se cachait-il sous un bourgeron d'ouvrier ?

Depuis qu'il était à Oloron, Louis avait écrit presque tous les jours à Raoul, et il n'en avait pas reçu de réponse.

Ce silence que tout d'abord il avait trouvé naturel, il le jugeait maintenant extraordinaire, inexplicable.

Heureusement Gaston se sentait fatigué ce soir-là. Il parla de rentrer bien plus tôt que d'habitude, et, dès qu'il fut de retour à la maison, il regagna son appartement.

Louis était libre, enfin !...

Il alluma un cigare et sortit, disant au domestique de ne pas l'attendre.

Il savait bien que Raoul, si c'était lui toutefois, devait rôder autour de la maison, et guetter sa sortie.

Ses prévisions ne le trompaient pas.

Il avait à peine fait cent pas sur la route, qu'un homme sortit brusquement d'un taillis et vint se planter devant lui.

La nuit était fort claire, Louis reconnut Raoul.

- Qu'y a-t-il ? demanda-t-il aussitôt, incapable de maîtriser son impatience, qu'est-il arrivé ?

- Rien.

- Quoi ! la position là-bas n'est pas menacée ?

- En aucune façon. Je dirai plus, sans tes ambitions démesurées, tout irait au mieux.

Louis eut une exclamation, il faudrait presque dire un rugissement de fureur.

- Alors ! s'écria-t-il, que viens-tu faire ici ? Qui t'a permis d'abandonner ton poste, au risque de nous perdre ?

– Ça, fit Raoul le plus tranquillement du monde, c'est mon affaire.

D'un geste brusque, Louis saisit les poignets du jeune homme, et les serrant à le faire crier :

– Tu vas t'expliquer, lui dit-il, de cette voix rauque et brève que donne l'imminence du danger, tu vas me dire les raisons de ton étrange caprice.

Sans effort apparent, avec une vigueur dont jamais on ne l'eût soupçonné capable, Raoul se dégagea de l'étreinte de Louis.

– Plus doucement hein ! prononça-t-il du ton le plus provocant, je n'aime pas à être brusqué, et j'ai de quoi te répondre.

En même temps, il sortait à demi de sa poche et montrait un revolver.

– Tu vas te justifier, insista Louis, sinon !...

– Sinon, quoi ? Renonce donc, une fois pour toutes, à l'espoir de me faire peur. Je veux bien te répondre, mais pas ici, au milieu de ce grand chemin, et par ce clair de lune ; sais-tu si on ne nous observe pas ? Allons, viens...

Ils franchirent le fossé qui borde la route, et s'éloignèrent à travers champs, sans se soucier des plants de maïs qu'ils foulaient aux pieds.

– Maintenant, commença Raoul, quand ils furent à une assez grande distance de la route, je puis, mon cher oncle, te dire ce qui m'amène. J'ai reçu tes lettres, et je les ai lues et relues. Tu as voulu être prudent, je comprends cela, mais tu as été si obscur en même temps que je ne t'ai pas compris. De tout ce que tu m'as écrit, un seul fait ressort clairement : nous sommes menacés d'un grand danger.

– Raison de plus, malheureux, pour veiller au grain.

– Puissamment raisonné. Seulement, oncle cher et vénéré, avant de braver le péril, je tiens à savoir quel il est. Je suis homme à m'exposer, mais j'aime à savoir quels risques je cours.

– Ne t'ai-je pas dit d'être tranquille.

Raoul eut ce geste narquois du gamin de Paris raillant la crédulité naïve de quelque bon bourgeois.

– Alors, fit-il, je dois avoir en toi, cher oncle, pleine et entière confiance.

– Certainement. Tes doutes sont absurdes, après ce que j'ai fait pour toi. Qui donc est allé te chercher à Londres, où tu ne savais que devenir ? Moi. Qui donc t'a donné un nom et une famille, à toi, qui n'avais ni famille ni nom ? Encore moi. Qui travaille en ce moment, après t'avoir assuré le présent, à te préparer un avenir ? Moi, toujours moi.

Pour bien écouter, Raoul avait pris une pose grotesquement sérieuse.

– Superbe ! interrompit-il, magnifique, splendide !... Pourquoi, pendant que tu y es, ne me prouves-tu pas que tu t'es sacrifié pour moi ? Tu n'avais nul besoin de moi, n'est-ce pas, lorsque tu es venu me chercher ? Allons, va, démontre-moi que tu es le plus généreux et le plus désintéressé des oncles ; tu demanderas le prix Montyon et j'apostillerai ta demande.

Clameran se taisait, il redoutait les entraînements de sa colère.

– Tiens, reprit Raoul, laissons là les enfantillages, cher oncle. Si je suis venu, c'est que je te connais ; c'est que j'ai en toi juste la confiance que j'y dois avoir. S'il te paraissait avantageux de me perdre, tu n'aurais pas une seconde d'hésitation. En cas de danger, tu te sauverais seul et tu laisserais ton neveu chéri se débrouiller à sa guise. Oh ! ne proteste pas, c'est tout naturel, et à ta place j'en ferais autant. Seulement, note bien ceci, je ne suis pas de ceux qu'on joue impunément... Et sur ce, laissons là les récriminations inutiles et mets-moi au fait...

Avec un tel complice, il fallait compter, Louis le comprit. Loin de se révolter, il raconta brièvement et clairement les événements survenus depuis qu'il était près de son frère.

Il fut presque franc sur tous les points, sauf cependant en ce qui concerne la fortune de son frère, dont il diminua l'importance autant que possible.

Quand il eut terminé :

– Eh bien ! fit Raoul, nous sommes dans de beaux draps. Et tu espères t'en tirer, toi ?

– Oui, si tu ne me trahis pas.

– Je n'ai encore jamais trahi personne, entends-tu, marquis. Seulement, comment t'y prendras-tu ?

– Je ne sais, mais je sens que je trouverai un expédient. Oh ! je le trouverai, il le faut. Tu peux, tu le vois, repartir tranquille. Tu ne cours aucun risque à Paris, tant que moi, ici, je surveillerai Gaston.

Raoul réfléchissait.

– Aucun risque, fit-il ; en es-tu bien sûr ?

– Parbleu ! Nous tenons trop bien madame Fauvel, pour que jamais elle ose élever la voix contre nous. Elle saurait la vérité, la vraie, celle que toi et moi savons seuls, qu'elle se tairait encore, trop heureuse d'échapper au châtiment de sa faute passée, au blâme du monde, au ressentiment de son mari.

– C'est vrai, répondit Raoul, devenu sérieux, nous tenons ma mère, aussi n'est-ce pas elle que je redoute.

– Qui alors ?

– Une ennemie de ta façon, ô mon respectable oncle, une ennemie implacable, Madeleine.

Clameran eut un geste de dédain.

– Oh ! celle-là..., fit-il.

– Tu la méprises, n'est-ce pas ? interrompit Raoul, avec l'accent d'une conviction profonde, eh bien, tu te trompes. Elle s'est dévouée au salut de sa tante, mais elle n'a pas abdiqué. Elle a promis de t'épouser, elle a congédié Prosper qui est en train de mourir de douleur, c'est vrai, mais elle n'a pas renoncé à tout espoir. Tu la crois faible, peureuse, naïve, n'est-ce pas ? Erreur. Elle est trop forte, elle est capable des plus audacieuses conceptions, le malheur lui donnera l'expérience. Elle aime, mon oncle, et la femme qui aime défend son amour, comme une tigresse ses petits. Là est le péril...

– Elle a cinq cent mille francs de dot.

– C'est vrai ; et, à cinq pour cent, c'est douze mille cinq cents francs chacun. N'importe ! sage, tu renoncerais à Madeleine.

– Jamais ! entends-tu ! s'écria Clameran, jamais. Riche, je l'épouse ; pauvre, je l'épouserais encore. Ce n'est pas sa dot que je veux, à cette heure, c'est elle, Raoul, elle seule... je l'aime !

Raoul parut étourdi de la brusque déclaration de son oncle.

Il recula de trois pas, levant les bras au ciel, avec tous les signes d'une surprise immense.

– Est-ce possible ! répétait-il, tu aimes Madeleine, toi !... toi !...

– Oui, répondit Louis d'un ton soupçonneux, que vois-tu là de si extraordinaire ?

– Rien, assurément, oh ! rien ! Seulement, cette belle passion m'explique les surprenantes variations de ta conduite. Ah ! tu aimes Madeleine ! Alors, oncle vénéré, nous n'avons plus qu'à nous rendre.

– Et pourquoi, s'il te plaît ?

– Parce que, mon oncle, quand on a le cœur pris, on perd la tête. C'est un axiome banal. Les généraux amoureux ont toujours perdu leurs batailles. Un jour viendra fatalement où, épris de Madeleine, tu nous vendras pour un sourire. Et elle est notre ennemie, et elle est fine, et elle nous guette.

D'un éclat de rire trop bruyant pour être bien sincère, Louis interrompit son neveu.

– Comme tu prends feu tout à coup, dit-il ; tu la hais donc bien, cette belle, cette ravissante Madeleine ?

– C'est elle qui nous perdra.

– Sois franc, es-tu bien sûr de ne la pas aimer ?

Si claire que fût la nuit, Louis ne put voir le mouvement de colère qui contracta les traits de Raoul.

– Je n'ai jamais aimé que la dot, répondit-il.

– Alors, de quoi te plains-tu ? Ne t'en dois-je pas la moitié, de cette dot ? Tu auras l'argent sans la femme, les bénéfices sans les charges.

– Je n'ai pas cinquante ans passés, moi, fit Raoul, avec une nuance de fatuité.

– Assez, interrompit Louis, il a été convenu, n'est-ce pas, le jour où je suis allé t'arracher à la plus affreuse des misères, que je resterais le maître.

– Pardon ! tu oublies que ma vie, ou ma liberté, à tout le moins, est sur le jeu. Tiens les cartes, mais laisse-moi te conseiller.

Longtemps encore les deux complices restèrent à étudier et à discuter la situation, et il était plus de minuit lorsque Louis songea qu'en s'attardant davantage il risquerait de s'attirer des questions embarrassantes.

– Ne raisonnons pas dans le vide, dit-il à Raoul. Je suis de ton avis ; les choses sont telles qu'il est urgent de prendre un parti. Mais je ne sais pas me décider au pied levé. Demain, à cette heure, sois ici, j'aurai arrêté notre plan.

– Soit, à demain.

– Et pas d'imprudence d'ici là !

– Mon costume, ce me semble, doit te dire assez que je ne tiens pas à me montrer. J'ai arrangé, à Paris, un alibi si ingénieux que je défie qui que ce soit de prouver – judiciairement parlant – que j'ai quitté ma maison du Vésinet, J'ai poussé les précautions si loin que j'ai voyagé en troisièmes, et on y est terriblement mal. Allons, adieu ! je regagne mon auberge.

Il s'éloigna sur ces mots sans paraître se douter qu'il venait d'éveiller dans le cœur de son complice bien des soupçons.

Pendant le cours de sa vie aventureuse, Clameran avait assez organisé « d'affaires » pour savoir au juste quelle somme de confiance on doit accorder à des complices tels que Raoul. Les coquins ont leur probité à eux, c'est connu, d'aucuns la mettent bien au-dessus de celle des honnêtes gens, mais cette probité n'est jamais, après « le coup », ce qu'elle était avant. C'est au moment du partage que les difficultés surgissent.

L'esprit défiant de Clameran entrevoyait déjà mille sujets de craintes et de querelles.

– Pourquoi, se demandait-il, Raoul s'est-il si soigneusement caché pour venir ici ? Pourquoi cet alibi à Paris ? Me tendrait-il un piège ? Je le tiens, c'est vrai ; mais, de mon côté, je suis absolument à sa merci. Toutes ces lettres que je lui écris, depuis que je suis chez Gaston, sont autant de preuves contre moi ! Songerait-il à se révolter, à se débarrasser de moi, à recueillir seul les profits de notre entreprise ?

Cette nuit encore, Louis ne ferma pas l'œil ; mais au matin sa résolution était prise, et c'est avec une fébrile impatience qu'il attendit le soir.

Si puissant était son désir d'en finir, si vive était la tension de sa pensée, qu'il ne put réussir à être ce jour-là ce qu'il était les autres jours.

À plusieurs reprises, son frère, le voyant sombre et préoccupé, lui demanda :

- Qu'as-tu ? es-tu souffrant ? Me cacherais-tu quelque inquiétude ?

Enfin le soir vint, et Louis put rejoindre Raoul, qu'il trouva étendu sur l'herbe et fumant, dans ce champ où ils s'étaient entrevus la nuit précédente.

- Eh bien ! demanda Raoul en se levant, es-tu enfin décidé ?

- Oui. J'ai deux projets dont je crois le succès infaillible.

- Je t'écoute.

Louis parut réfléchir, en homme qui veut présenter sa pensée le plus clairement et le plus brièvement possible.

- Mon premier plan, commença-t-il, dépend de ton acceptation. Que dirais-tu si je te proposais de renoncer à l'affaire ?

- Oh !...

- Consentirais-tu à disparaître, à quitter la France, à retourner à Londres, si je te donnais une forte somme ?

- Encore faut-il la connaître, cette somme.

- Je puis te donner cent cinquante mille francs.

Raoul haussa les épaules.

- Oncle respecté, dit-il, je vois avec douleur que tu ne me connais pas, oh ! pas du tout. Tu ruses avec moi, tu dissimules, et ce n'est ni généreux ni adroit. Ce n'est pas généreux, parce que c'est trahir nos conventions ; ce n'est pas adroit, parce que - mets-toi bien cela dans la tête - je suis aussi fort que toi.

- Je ne te comprends plus.

- Tant pis ; je m'entends, moi, et cela suffit. Oh ! je te connais, mon oncle, je t'ai étudié avec les yeux de l'intérêt, qui sont bons ; j'ai tâté le fond de ton sac. Si tu m'offres ainsi cent cinquante mille francs, c'est que tu as la certitude de rafler un million.

Clameran essaya le geste de protestation indignée d'un honnête homme méconnu.

– Tu déraisonnes, essaya-t-il.

– Point. C'est d'après le passé que je juge l'avenir. Des sommes arrachées à madame Fauvel – contre mon gré, souvent – qu'ai-je reçu ? la dixième partie, à peine.

– Mais nous avons un fonds de réserve...

– Qui est entre tes mains, cher oncle, c'est très vrai. De telle sorte que si demain la mèche était éventée, tu sauverais la caisse, et que moi, faute d'argent, j'irais faire un tour en police correctionnelle.

Ces reproches parurent désoler Louis.

– Ingrat ! murmura-t-il ! ingrat !...

– Bravo ! reprit Raoul, tu as bien dit ce mot. Mais trêve de sornettes ; veux-tu que je te prouve que tu me trompes ?

– Si tu le peux...

– Soit. Tu m'as dit que ton frère n'avait qu'une modeste aisance, n'est-ce pas ! Eh bien ! Gaston a soixante mille livres de rentes au bas mot. Ne nie pas. Que vaut sa propriété ici ? Cent mille écus. Combien en a-t-il chez monsieur Fauvel ? Quatre cent mille francs. Total, sept cent mille francs. Est-ce tout ce qu'il possède ? Non, car le receveur particulier d'Oloron a été chargé de lui acheter des rentes. Tu vois que je n'ai pas perdu ma journée.

C'était si net, si précis, que Louis n'essaya pas de répondre.

– Que diable ! poursuivait Raoul, quand on se mêle de commander on devrait bien tâter ses forces. Tu as eu, nous avons eu entre les mains la plus belle partie du monde, qu'en as-tu fait ?

– Il me semble...

– Quoi ? qu'elle est perdue. C'est aussi mon avis. Et par ta faute, par ta très grande faute.

– On ne commande pas aux événements.

– Si, quand on est fort. Les imbéciles attendent le hasard, les habiles le préparent. Qu'avait-il été convenu, quand tu es venu me chercher à Londres ? Nous devions prier gentiment ma chère mère de nous aider un peu, et être charmants avec elle, si elle s'exécutait de bonne grâce. Qu'est-il arrivé, cependant ? Au risque de tuer la poule aux œufs d'or, tu m'as fait si bien tourmenter la pauvre femme qu'elle ne sait plus où donner de la tête.

– Il était prudent d'aller vite.

– Soit. Est-ce aussi pour aller plus vite que tu t'es mis en tête d'épouser Madeleine ? Ce jour-là, il a fallu la mettre dans le secret, et depuis elle soutient et conseille sa tante ; elle l'anime contre nous. Elle lui ferait tout avouer à monsieur Fauvel, ou tout conter au préfet de police, que je n'en serais pas bien surpris.

– Je l'aime !...

– Eh ! tu me l'as déjà dit. Mais tout ceci n'est rien. Tu nous embarques dans une affaire sans l'avoir étudiée, sans la connaître. Il n'y a que les niais, mon oncle, qui, après une faute, se contentent de cette banale excuse : « Si j'avais su ! » Il fallait t'informer. Que m'as-tu dit : « Ton père est mort. » Pas du tout, il vit, et nous avons agi de telle sorte que je ne puis me présenter chez lui. Il a un million qu'il m'aurait donné, et je n'en aurai pas un sou. Et il va chercher sa Valentine, et il la retrouvera, et alors, bonsoir...

D'un geste brusque, Louis interrompit Raoul.

– Assez ! commanda-t-il. Si j'ai tout compromis, j'ai un moyen sûr pour tout sauver.

– Toi ! un moyen ! Quel est-il ?

– Oh ! cela, fit Louis d'une voix sombre, c'est mon secret.

Louis et Raoul se turent pendant plus d'une minute.

Et ce silence entre ces deux hommes, en cette place, au milieu de la nuit, après la conversation qu'ils venaient d'avoir, fut si affreusement significatif que tous deux frissonnèrent.

Une abominable pensée leur était venue en même temps, et sans un mot, sans un geste, ils s'étaient compris.

Ce fut Louis qui le premier rompit ce silence pesant :

– Ainsi, commença-t-il, tu refuses les cent cinquante mille francs que je te propose pour disparaître ? Réfléchis, il en est temps encore.

– C'est tout réfléchi. Je suis sûr maintenant que tu ne chercheras plus à me tromper. Entre l'aisance sûre et une grande fortune probable, à tous risques je choisis la fortune. Je réussirai ou je périrai avec toi.

– Et tu m'obéiras ?

– Aveuglément.

Il fallait que Raoul se crût bien certain d'avoir pénétré le projet de son complice, car il ne l'interrogea pas.

– D'abord, reprit Louis, tu vas regagner Paris.

– J'y serai après-demain matin.

– Plus que jamais tu seras assidu près de madame Fauvel ; il ne faut pas qu'il puisse rien arriver dans la maison sans que tu sois prévenu.

– C'est entendu.

Louis posa la main sur l'épaule de Raoul comme pour bien appeler son attention sur ce qu'il allait dire.

– Tu as un moyen, poursuivit-il, de reconquérir toute la confiance de ta mère, c'est de rejeter sur moi tous tes torts passés. Ne manque pas de l'employer. Plus tu me rendras odieux à madame Fauvel et à Madeleine, mieux tu me serviras. Si on pouvait, à mon retour, me fermer la porte de la maison, je serais ravi. Pour ce qui est de nous deux, nous devons, en apparence, être brouillés à mort. Si tu continues de me voir, c'est que tu ne peux faire autrement. Voilà le thème, à toi de le développer.

C'est de l'air le plus surpris du monde que Raoul recevait ces instructions, au moins singulières.

– Quoi ! s'écria-t-il, tu adores Madeleine et c'est ainsi que tu cherches à lui plaire ? Drôle de façon de faire sa cour. Je veux être pendu si je comprends...

– Tu n'as pas besoin de comprendre.

– Bien ! fit Raoul, du ton le plus soumis, très bien.

Mais Louis se ravisa, se disant que, celui-là seul exécute bien une mission qui en soupçonne au moins la portée.

– As-tu ouï parler, demanda-t-il à Raoul, de cet homme qui, pour avoir le droit de serrer entre ses bras la femme aimée, fit mettre le feu à sa maison ?

– Oui, après ?

– Eh bien ! à un moment donné, je te chargerai de mettre, moralement, le feu à la maison de madame Fauvel, et je la sauverai ainsi que sa nièce.

De la voix et du geste, Raoul approuvait son oncle.

– Pas mal, fit-il quand il eut terminé, pas mal en vérité.

– Ainsi, prononça Louis, tout est bien entendu ?

– Tout, mais tu m'écriras.

– Naturellement, de même que s'il survenait du nouveau à Paris...

– Tu aurais une dépêche.

– Et ne perds pas de vue mon rival, le caissier.

– Prosper !... il n'y a pas de danger. Pauvre garçon ! il est maintenant mon meilleur ami. Le chagrin l'a poussé dans une voie où il périra. Vrai ! il y a des jours où j'ai bonne envie de le plaindre.

– Plains-le, ne te gêne pas.

Ils échangèrent une dernière poignée de main et se séparèrent les meilleurs amis du monde, en apparence ; en réalité se haïssant de toutes leurs forces.

Gaston ne semblait plus se souvenir qu'il avait écrit à Beaucaire, et il ne prononça pas une seule fois le nom de Valentine.

Comme tous les hommes qui, ayant beaucoup travaillé en leur vie, ont besoin tout à la fois du mouvement du corps et de l'activité, Gaston se passionnait pour sa nouvelle entreprise.

L'usine semblait l'absorber entièrement.

Elle perdait de l'argent lorsqu'il l'avait achetée et il s'était juré qu'il en ferait une exploitation fructueuse pour lui et pour le pays.

Il s'était attaché un jeune ingénieur, intelligent et hardi, et déjà, grâce à de rapides améliorations, grâce à divers changements de méthodes, ils en étaient arrivés à équilibrer la dépense et le produit.

– Nous ferons nos frais cette année, disait joyeusement Gaston, mais l'année prochaine, nous gagnerons vingt-cinq mille francs.

L'année prochaine ! Hélas !...

Cinq jours après le départ de Raoul, un samedi, dans l'après-midi, Gaston se trouva subitement indisposé.

Il venait d'être pris d'éblouissements et de vertiges tels que rester debout lui était complètement impossible.

– Je connais cela, dit-il, j'ai souvent eu de ces étourdissements à Rio, deux heures de sommeil me guériront. Je vais me coucher, on m'éveillera pour dîner.

Mais au moment de dîner, quand on monta le prévenir, il était loin de se trouver mieux.

Aux vertiges, un mal de tête affreux avait succédé. Ses tempes battaient avec une violence inouïe. Il éprouvait à la gorge un sentiment indescriptible de constriction et de siccité.

Ce n'est pas tout : sa langue embarrassée n'obéissait plus à sa pensée et le trahissait ; il voulait articuler un mot et il en prononçait un autre, comme il arrive en certains cas de dysphonie et d'alalie. Enfin, tous les muscles maxillaires s'étaient raidis, et ce n'est qu'avec des efforts douloureux qu'il pouvait ouvrir ou fermer la bouche.

Louis, qui était monté près de son frère, voulait à toute force envoyer chercher un médecin, Gaston s'y opposa.

– Ton médecin, dit-il, me droguera et me rendra malade, tandis que je n'ai qu'une indisposition dont je connais le remède.

Et en même temps il ordonna à Manuel, son domestique, un vieil Espagnol à son service depuis dix ans, de lui préparer de la limonade.

Le lendemain, en effet, Gaston parut aller beaucoup mieux.

Il se leva, mangea d'assez bon appétit au déjeuner, mais, à la même heure que la veille, les mêmes douleurs reparurent plus violentes...

Cette fois, sans consulter Gaston, Louis envoya chercher un médecin à Oloron, le docteur C..., qui doit à certaines cures aux Eaux-Bonnes une réputation presque européenne.

Le docteur déclara que ce n'était rien, et il se contenta d'ordonner l'application de plusieurs vésicatoires, sur la surface desquels on devait répandre quelques atomes de morphine. Il prescrivit aussi des prises de valérianate de zinc.

Mais dans la nuit, pendant trois heures environ que Gaston reposa assez tranquillement, le cours de la maladie changea brusquement.

Tous les symptômes du côté de la tête disparurent pour faire place à une oppression terrible, si douloureuse que le malade n'avait pas une minute de rémission, et se retournait sur son lit sans pouvoir trouver une position tolérable. Le docteur C..., venu dès le matin, parut quelque peu surpris, déconcerté même du changement.

Il demanda si, pour calmer plus rapidement les douleurs, on n'avait pas exagéré la dose de morphine. Le domestique Manuel, qui avait pansé son maître, répondit que non.

Le docteur, alors, après avoir ausculté Gaston, examina attentivement ses articulations, et s'aperçut que plusieurs se prenaient, c'est-à-dire se gonflaient et devenaient douloureuses.

Il prescrivit des sangsues, du sulfate de quinine à haute dose, et se retira en disant qu'il reviendrait le lendemain.

Gaston, grâce à un violent effort, s'était dressé sur son séant ; il ordonna à son domestique d'aller chercher un de ses amis qui était avocat.

– Et pourquoi, grand Dieu ? demanda Louis.

– Parce que, frère, j'ai besoin de ses avis. Ne nous abusons pas, je suis très mal. Or, il n'y a que les lâches ou les imbéciles qui se laissent surprendre par la mort. Quand mes dispositions seront prises, je serai plus tranquille. Qu'on m'obéisse.

S'il tenait à consulter un homme d'affaires, c'est qu'il voulait rédiger un nouveau testament et assurer toute sa fortune à Louis.

L'avocat qu'il avait envoyé chercher – un de ses amis – était un petit homme fort connu dans le pays, rusé et délié, rompu aux artifices de la légalité, à son aise dans les entraves du Code civil comme une anguille dans sa vase.

Lorsqu'il se fut bien pénétré des intentions de son client, il n'eut plus qu'une idée, les réaliser au meilleur marché possible, en évitant habilement des droits de succession toujours considérables.

Un moyen fort simple s'offrait.

Si Gaston, par un acte, associait son frère à ses entreprises en lui reconnaissant un apport équivalant à la moitié de sa fortune, et qu'il vînt à mourir, Louis n'aurait à payer des droits que sur le reste, c'est-à-dire sur la moitié.

C'est avec le plus vif empressement que Gaston adopta cette fiction. Non qu'il songeât à l'économie qu'elle réaliserait s'il mourait, mais parce qu'il y voyait une occasion, s'il vivait, de partager avec son frère tout ce qu'il possédait, sans froisser sa délicatesse susceptible.

Un acte d'association entre les sieurs Gaston et Louis de Clameran fut donc rédigé, pour l'exploitation d'une usine de fonte de fer, acte qui reconnaissait à Louis une mise de fonds de cinq cent mille francs.

Mais Louis, qu'il fallut avertir, puisque sa signature était indispensable, sembla s'opposer de toutes ses forces aux projets de son frère.

– À quoi bon, disait-il, tous ces préparatifs ! Pourquoi cette inquiétude d'outre-tombe pour une indisposition dont tu ne te souviendras plus dans huit jours ? Penses-tu que je puisse consentir à te dépouiller de ton vivant ? Tant que tu vis, ce que tu as est à toi, c'est entendu ; si tu meurs, je suis ton héritier, que veux-tu de plus ?

Vaines paroles ! Gaston n'était pas de ces hommes dont un rien fait vaciller la faible volonté.

Après une longue et héroïque résistance qui fit éclater et son beau caractère et son rare désintéressement, Louis, à bout d'arguments, pressé par le médecin, se décida à apposer sa signature sur les traités rédigés par l'avocat.

C'en était fait. Il était désormais pour la justice humaine, pour tous les tribunaux du monde, l'associé de son frère, le possesseur de la moitié de ses biens.

Les plus étranges sensations remuaient alors le complice de Raoul.

Il perdait presque la tête, égaré par ce délire passager des gens qui, brusquement, sans transition, par hasard ou par accident, passent de la misère à l'opulence.

Que Gaston vécût ou mourût, Louis possédait légitimement, honnêtement, vingt-cinq mille livres de rentes, même en ne comptant pour rien les bénéfices aléatoires de l'usine.

En aucun temps, il n'avait osé espérer, ni rêver une telle richesse. Ses vœux n'étaient pas seulement accomplis, ils étaient dépassés. Que lui manquait-il désormais ?

Hélas ! il lui manquait la possibilité de jouir en paix de cette aisance : elle arrivait trop tard.

Cette fortune, qui lui tombait du ciel et qui eût dû le remplir de joie, emplissait son cœur de tristesse et de colère.

Ses lettres à Raoul, pendant deux ou trois jours, rendaient bien toutes les fluctuations de ses pensées et gardaient un reflet des détestables sentiments qui s'agitaient en lui.

J'ai vingt-cinq mille livres de rentes, lui écrivait-il quelques heures après avoir signé l'acte de société, je possède, à moi, cinq cent mille francs. La moitié, que dis-je, le quart de cette somme aurait fait de moi, il y a un an, le plus heureux des hommes. À quoi me sert cette fortune, aujourd'hui ? À rien. Tout l'or de la terre ne supprimerait pas une des difficultés de notre situation. Oui, tu avais raison, j'ai été imprudent, mais je paie cher ma précipitation. Nous sommes maintenant lancés sur une pente si rapide, que bon gré mal gré, il faut aller jusqu'au bout. Tenter même de s'arrêter serait insensé. Riche ou pauvre, je dois trembler tant qu'une entrevue de Gaston et de Valentine sera possible. Comment les séparer à jamais ? Mon frère renoncera-t-il à revoir cette femme tant aimée ?

Non, Gaston ne renonçait pas à chercher, à retrouver Valentine, et la preuve, c'est que plusieurs fois, au milieu des plus vives souffrances, il avait prononcé son nom.

Cependant, vers la fin de la semaine, le pauvre malade eut deux jours de rémission. Il put se lever, manger quelques bouchées, et même se promener un peu.

Mais il n'était plus que l'ombre de lui-même. En moins de dix jours, il avait vieilli de dix ans. Le mal, sur les organisations puissantes, comme celle de Gaston, ayant plus de prise, les brise en moins de rien.

Appuyé au bras de son frère, il traversa la prairie pour aller donner un coup d'œil à l'usine, et, s'étant assis non loin d'un fourneau en activité, il déclara qu'il s'y trouvait bien et qu'il renaissait à cette chaleur intense.

Il ne souffrait pas, il se sentait la tête dégagée, il respirait librement, ses pressentiments se dissipaient.

– Je suis bâti à chaux et à sable, disait-il aux ouvriers qui l'entouraient, je suis capable de m'en tirer. Les vieux arbres dépérissent quand on les transplante, répétait-il, je ferais bien, si je veux vivre longtemps, de retourner à Rio.

Quelle espérance pour Louis, et avec quelle ardeur il s'y accrocha !

– Oui, répondit-il, tu ferais bien, très bien même ; je t'accompagnerais. Un voyage au Brésil avec toi serait pour moi une partie de plaisir.

Mais quoi ! Projets de malades, projets d'enfants ! Le lendemain, Gaston avait bien d'autres idées.

Il affirmait que jamais il ne saurait se résoudre à quitter la France. Il se proposait, sitôt guéri, de visiter Paris. Il y consulterait des médecins, il y retrouverait Valentine.

À mesure que sa maladie se prolongeait, il s'inquiétait d'elle davantage, et il s'étonnait de ne pas recevoir de lettre de Beaucaire.

Cette réponse, qui tardait, le préoccupait si fort qu'il écrivit de nouveau, en termes pressants, demandant un mot par le retour du courrier.

Cette seconde lettre, Lafourcade ne la reçut jamais.

Ce soir-là même, Gaston recommença à se plaindre. Les deux ou trois jours de mieux n'étaient qu'une halte de la maladie. Elle reprit avec une énergie et une violence inouïes, et pour la première fois, le docteur C... laissa voir des inquiétudes.

Enfin, le quatorzième jour de sa maladie, au matin, Gaston, qui était resté toute la nuit plongé dans l'assoupissement le plus inquiétant, parut se ranimer.

Il envoya chercher un prêtre et resta seul avec lui une demi-heure environ, déclarant qu'il mourait en chrétien comme ses ancêtres.

Puis il fit ouvrir toutes grandes les portes de sa chambre et donna ordre qu'on fît entrer ses ouvriers. Il leur adressa ses adieux et leur dit qu'il s'était occupé de leur sort.

Quand ils se furent retirés, il fit promettre à son frère de conserver l'usine, l'embrassa une dernière fois, et retombant sur ses oreillers, il entra en agonie.

Comme midi sonnait, sans secousses, sans convulsions, il expira.

Désormais Louis était bien marquis de Clameran, et il était millionnaire.

Quinze jours plus tard, cependant, Louis ayant arrangé toutes ses affaires et s'étant entendu avec l'ingénieur qui conduisait l'usine, prenait le chemin de fer.

La veille, il avait adressé à Raoul ce télégramme significatif : *J'arrive.*

XIX

Fidèle au programme tracé par son complice pendant que Louis de Clameran veillait à Oloron, Raoul, à Paris, s'efforçait de reconquérir le cœur de Mme Fauvel, de regagner sa confiance perdue, et, enfin, de la rassurer.

C'était une tâche difficile, mais non impossible.

Mme Fauvel avait été désolée des folies de Raoul, épouvantée par ses exigences ; mais elle n'avait pas cessé de l'aimer.

C'est à elle-même qu'elle s'en prenait de ses égarements, et vis-à-vis de sa conscience, elle en acceptait la responsabilité, se disant : c'est ma faute, c'est ma très grande faute !

Ces sentiments, Raoul les avait bien pénétrés pour être en mesure de les exploiter.

Pendant un mois que dura l'absence de Louis, il ravit Mme Fauvel par des félicités dont elle ne pouvait avoir idée.

Jamais cette mère de famille, si véritablement innocente, malgré les aventures où la précipitait une faute, n'avait rêvé de pareils enchantements. L'amour de ce fils la bouleversait comme une passion adultère ; il en avait les violences, le trouble, le mystère. Pour elle, il avait ce que n'ont guère les fils, les coquetteries, les prévenances, les idolâtries d'un jeune amoureux.

Comme elle habitait la campagne et que M. Fauvel, partant dès le matin, lui laissait la disposition de ses journées, elle les passait près de Raoul à sa maison du Vésinet. Souvent, le soir, ne pouvant se rassasier de le voir, de l'entendre, elle exigeait qu'il vînt dîner avec elle et qu'il restât à passer la soirée.

Cette vie de mensonge n'ennuyait pas Raoul. Il prenait à son rôle l'intérêt qu'y prend un bon acteur. Il possédait cette faculté qui fait les fourbes illustres : il se prenait à ses propres impostures. À certains moments, il ne savait plus trop s'il disait vrai ou s'il jouait une comédie infâme.

Mais aussi, quel succès ! Madeleine, la prudente et défiante Madeleine, sans revenir absolument sur le compte du jeune aventurier, avouait que peut-être, se fiant trop aux apparences, elle avait été injuste.

D'argent, il n'en avait plus été question. Cet excellent fils vivait de rien.

Raoul triomphait donc lorsque Louis arriva d'Oloron, ayant eu le temps de combiner et de mûrir un plan de conduite.

Bien que très riche maintenant, il était résolu à ne rien changer, en apparence du moins, et quant à présent, à son genre de vie. C'est à l'hôtel du Louvre qu'il s'installa, comme par le passé.

Le rêve de Louis, le but de son ambition et de tous ses efforts, était de prendre rang parmi les grands industriels de France.

Il faisait sonner très haut, bien plus haut que son titre de marquis, sa qualité de maître de forges.

Pour l'avoir expérimenté à ses dépens, il savait que notre siècle peu romanesque n'attache de prix à des armoiries qu'autant que leur possesseur les peut étaler sur une belle voiture.

On est très bien marquis sans marquisat, on n'est maître de forges qu'à la condition d'avoir une forge.

Louis, maintenant, avait soif de considération. Toutes les humiliations de son existence, mal digérées, lui pesaient sur l'estomac.

De Raoul, il ne s'en préoccupait pas aucunement, il en avait besoin encore, il était décidé à utiliser son habileté, puis il se proposait soit de s'en débarrasser au prix d'un gros sacrifice, soit de l'attacher à sa fortune.

C'est à l'hôtel du Louvre qu'eut lieu la première entrevue entre les deux complices.

Tout prouve qu'elle fut orageuse.

Raoul – un garçon pratique – prétendait qu'ils devaient se trouver bien heureux des résultats obtenus, et que poursuivre des avantages plus grands serait folie.

Mais cette modération ne pouvait convenir à Louis.

– Je suis riche, répondit-il, mais j'ai d'autres ambitions. Plus que jamais, je veux épouser Madeleine. Oh ! elle sera à moi, je l'ai juré. D'abord je l'aime ; puis, devenant le neveu d'un des plus riches banquiers de la capitale, j'acquiers immédiatement une importance considérable.

– Poursuivre Madeleine, mon oncle, c'est courir de gros risques.

– Soit !... il me plaît de les courir. Mon intention est de partager avec toi, mais je partagerai le lendemain seulement de mon mariage. La dot de Madeleine sera ta part.

Raoul se tut, Clameran avait l'argent, il était maître de la situation.

– Tu ne doutes de rien, fit-il d'un air mécontent, t'es-tu demandé comment tu expliqueras ta fortune nouvelle ? On sait, chez monsieur Fauvel, qu'un Clameran que tu ne connaissais pas – c'est toi qui l'as dit – habitait près d'Oloron ; il avait même des fonds dans la maison. Que diras-tu quand on te demandera quel était ce Clameran et par quel hasard tu te trouves être son légataire universel ?

Louis haussa les épaules.

– À force de chercher le fin du fin, mon neveu, prononça-t-il, tu arrives à la naïveté.

– Explique, explique !...

– Oh ! facilement. Pour le banquier, pour sa femme, pour Madeleine, le Clameran d'Oloron sera un fils naturel de mon père, – mon frère, par conséquent – né à Hambourg et reconnu pendant l'émigration. N'est-il pas tout simple qu'il ait voulu enrichir notre famille ? C'est là ce que dès demain tu raconteras à ton honorée mère.

– C'est audacieux.

– En quoi ?

– On peut aller aux renseignements.

– Qui ? le banquier ? Dans quel but ? Que lui importe que j'aie ou non un frère naturel ? J'hérite, mes titres sont en règle, il me paie et tout est dit.

– De ce côté, en effet...

– Penses-tu donc que madame Fauvel et sa nièce vont se mettre en quête ? Pourquoi ? Ont-elles un soupçon ? Non. La moindre démarche, d'ailleurs, peut les compromettre. Même maîtresses de nos secrets, je ne les crains pas, puisqu'elles ne peuvent s'en servir.

Raoul réfléchissait, il cherchait des objections et n'en trouvait pas.

– Soit ! fit-il, je t'obéirai ; mais il ne faut plus que je compte maintenant sur la bourse de madame Fauvel.

– Et pourquoi, s'il te plaît ?

– Dame ! maintenant que toi, mon oncle, tu es riche...

– Eh bien ! s'écria Louis triomphant, qu'est-ce que cela fait ? Ne sommes-nous pas brouillés, n'as-tu pas dit assez de mal de moi pour avoir le droit de refuser mes secours ? Va ! j'avais bien tout prévu, et quand je vais t'avoir expliqué mon plan, tu diras comme moi : « Nous réussirons !... »

– J'écoute.

– C'est moi qui, le premier, me suis présenté à madame Fauvel pour lui dire, non pas : « la bourse ou la vie », ce qui n'est rien, mais « la bourse ou l'honneur ». C'était dur. Je l'ai épouvantée, je m'y attendais, et je lui ai inspiré la plus profonde répulsion.

– Répulsion est faible, cher oncle.

– Je le sais. C'est alors que t'ayant cherché et trouvé, je t'ai poussé sur la scène. Ah ! je ne veux pas te flatter, tu as obtenu du premier coup un fier succès. J'assistais, caché derrière une portière, à votre première entrevue ; tu as tout bonnement été sublime. Elle t'a vu et elle t'a aimé ; tu as parlé et tu as été le maître de son cœur.

– Et sans toi...

– Laisse-moi donc dire. C'était là le premier acte de notre comédie. Passons au second. Tes folies, tes dépenses – un aïeul dirait tes débordements – n'ont pas tardé à changer nos situations respectives. Madame Fauvel, sans cesser de t'adorer – tu ressembles tant à Gaston ! – a eu peur de toi. Peur à ce point qu'elle s'est jetée entre mes bras, qu'elle s'est résignée à avoir recours à moi, qu'elle m'a demandé aide et assistance.

– Pauvre femme !...

– J'ai été fort bien, avoue-le, en cette circonstance. J'ai été grave, froid, paternel, avunculaire, indigné, mais attendri. L'antique probité des Clameran a noblement parlé par ma bouche. J'ai flétri comme il convient ta coupable conduite. Pendant cette période, j'ai triomphé à tes dépens. Revenant sur ses impressions premières, madame Fauvel m'a aimé, estimé, béni.

– Ce temps est loin.

Louis ne daigna pas relever l'ironique interruption de son neveu.

– Nous arrivons, poursuivit-il, à la troisième phase, pendant laquelle madame Fauvel, ayant Madeleine pour la conseiller, nous a presque jugés à notre juste valeur. Oh ! ne t'y trompe pas, elle nous a redoutés et méprisés autant l'un que l'autre. Si elle ne s'est pas mise à te haïr de toutes ses forces, c'est que, vois-tu, Raoul, le cœur d'une mère, surtout dans la situation où se trouve madame Fauvel, a des trésors d'indulgence et de pardon à rendre le bon Dieu jaloux. Une mère seule peut, en même temps, mépriser et adorer son fils.

– Elle me l'a, sinon dit, au moins fait comprendre, en termes tels que j'ai été ému... moi !

– Parbleu ! Et moi, donc ! Enfin, c'est là que nous en étions ; madame Fauvel tremblait, Madeleine, se dévouant, avait congédié Prosper et consentait à m'épouser, quand l'existence de Gaston nous a été révélée. Depuis, qu'est-il advenu ? Tu as su, aux yeux de madame Fauvel, te faire plus blanc que les neiges immaculées, et tu m'as fait, moi, plus noir que l'enfer. Elle s'est reprise à admirer tes nobles qualités, et à ses yeux et aux yeux de Madeleine, c'est moi dont la pernicieuse influence te poussait vers le mal.

– Tu l'as dit, oncle vénéré, c'est là que nous en sommes.

– Eh bien ! nous abordons le cinquième acte ; par conséquent, un nouveau revirement est indispensable à notre pièce.

– Un nouveau revirement...

– Te paraît difficile, n'est-ce pas ? Rien de si simple. Écoute-moi bien, car de ton habileté dépend l'avenir.

Raoul, sur son fauteuil, prit la pose des auditeurs intrépides, et dit simplement :

– Je suis tout à toi.

– Donc, reprit Louis, dès demain, tu iras trouver madame Fauvel, et tu lui diras ce dont nous sommes convenus relativement à Gaston. Elle ne te croira pas, peu importe. L'important, c'est que tu aies l'air, toi, absolument convaincu de ton récit.

– Je serai convaincu.

– Moi, d'ici quatre ou cinq jours, je verrai monsieur Fauvel et je lui confirmerai l'avis qu'a dû lui donner mon notaire d'Oloron, à savoir que les fonds déposés chez lui m'appartiennent. Je rééditerai, à son intention, l'histoire du frère naturel, et je le prierai de vouloir bien garder cet argent dont je n'ai que faire. Tu es la défiance même, mon neveu, ce dépôt sera pour toi une garantie de ma sincérité.

- Nous recauserons de cela.

- Ensuite, mon beau neveu, j'irai trouver madame Fauvel, et je lui tiendrai à peu près ce langage : « Étant fort pauvre, chère dame, j'ai dû vous imposer l'obligation de venir en aide au fils de mon frère qui est votre fils. Ce garçon est un coquin... »

- Merci, mon oncle !

- « ... Il vous a donné mille soucis, il a empoisonné votre vie qu'il était de son devoir d'embellir, agréez mes excuses et croyez à mes regrets. Aujourd'hui, je suis riche, et je viens vous annoncer que j'entends désormais me charger seul du présent et de l'avenir de Raoul. »

- Et c'est là ce que tu appelles un plan ?

- Parbleu ! tu vas bien le voir. À cette déclaration, il est probable que madame Fauvel aura envie de me sauter au cou. Elle ne le fera pas, cependant, retenue qu'elle sera par la pensée de sa nièce, elle me demandera si, du moment où j'ai de la fortune, je ne renonce pas à Madeleine. À quoi je répondrai carrément : « Non ». Même, ce sera l'occasion d'un beau mouvement de désintéressement. « Vous m'avez cru cupide, madame, lui dirai-je, vous vous êtes trompée. J'ai été séduit, comme tout homme le doit être, par la grâce, par les charmes, l'esprit et la beauté de mademoiselle Madeleine, et... je l'aime. N'eût-elle pas un sou, qu'avec plus d'instances encore, je vous demanderais sa main, à genoux. Il a été décidé qu'elle serait ma femme, permettez-moi d'insister sur ce seul article de nos conventions. Mon silence est à ce prix. Et pour vous prouver que sa dot ne compte pas pour moi, je vous donne ma parole d'honneur que, le lendemain de mon mariage, je remettrai à Raoul une inscription de vingt-cinq mille livres de rentes. »

Louis s'exprimait avec un tel accent, d'une voix si entraînante, que Raoul, artiste en fourberie, avant tout, fut émerveillé.

- Splendide ! s'écria-t-il, cette dernière phrase peut creuser un abîme entre madame Fauvel et sa nièce. Cette assurance d'une fortune pour moi peut mettre ma mère de notre côté.

– Je l'espère, reprit Louis d'un ton de fausse modestie, et j'ai d'autant plus de raisons de l'espérer que je fournirai à la chère dame d'excellents arguments pour s'excuser à ses propres yeux. Car vois-tu bien, quand on propose à une honnête personne quelque petite, comment dirais-je ?... transaction, on doit offrir en même temps des justifications pour mettre la conscience en repos. Le diable ne procède pas autrement. Je prouverai à madame Fauvel et à sa nièce que Prosper les a indignement abusées. Je montrerai ce garçon criblé de dettes, perdu de débauches, jouant, soupant et, pour tout dire, vivant publiquement avec une femme perdue...

– Et jolie, par-dessus le marché, n'oublie pas qu'elle est ravissante, la señora Gypsy ; dis qu'elle est adorable, ce sera le comble.

– Ne crains rien, je serai éloquent et moral autant que le ministère public lui-même. Puis, je ferai entendre à madame Fauvel que si vraiment elle aime sa nièce, elle doit souhaiter lui voir épouser non ce petit caissier, un subalterne sans le sou, mais un homme important, un grand industriel, l'héritier d'un des beaux noms de France, marquis, pouvant prétendre aux plus hautes situations, assez riche enfin, pour te donner un état dans le monde.

Raoul lui-même se laissait prendre à ces perspectives.

– Si tu ne la décides pas, dit-il, tu la feras hésiter.

– Oh ! je ne m'attends pas à un brusque changement. Ce n'est qu'un germe que je déposerai dans son esprit ; grâce à toi, il se développera, il grandira et portera ses fruits.

– Grâce à moi ?

– Oui, laisse-moi finir. Tout cela dit, je disparais, je ne me montre plus, et ton rôle commence. Comme de juste, ta mère te répète notre conversation, et même par là nous jugerons l'effet produit. Mais toi, à l'idée d'accepter quelque chose de moi, tu te révoltes. Tu te déclares énergiquement prêt à braver toutes les privations, la misère – dis la faim, pendant que tu y seras – plutôt que de recevoir quoi que ce soit d'un homme que tu hais, d'un homme qui... d'un homme dont... enfin, tu vois la scène d'ici.

– Je la vois et je la sens. Dans les rôles pathétiques, je suis toujours très beau, quand j'ai eu le temps de me préparer.

– Parfait. Seulement, ce généreux désintéressement ne t'empêchera pas de recommencer tout à coup ta vie de dissipation. Plus que jamais tu joueras, tu parieras et tu perdras. Il te faudra de l'argent, et encore de l'argent, tu seras pressant, impitoyable. Et note que de tout ce que tu arracheras je ne te demanderai nul compte, ce sera à toi, bien à toi.

– Diable ! si tu l'entends ainsi...

– Tu marcheras, n'est-ce pas.

– Et vite, je t'en réponds.

– C'est ce que je te demande, Raoul. Il faut qu'avant trois mois tu aies épuisé toutes les ressources, toutes, m'entends-tu bien ? de ces deux femmes. Il faut que tu les amènes à ne plus savoir où donner de la tête. Je les veux, dans trois mois, ruinées absolument, sans argent, sans un bijou, sans rien.

Louis de Clameran s'exprimait avec une telle animation, avec une violence de passion si surprenante après l'exposé de ses combinaisons, que Raoul n'en pouvait revenir.

– Tu hais donc bien ces malheureuses femmes ? demanda-t-il.

– Moi ! s'écria Louis, dont l'œil étincela, moi les haïr ! Tu ne vois donc pas, aveugle, que j'aime Madeleine, comme on aime à mon âge, à en devenir fou ? Tu ne sens donc pas que sa pensée envahit tout mon être, que le désir flambe dans mon cerveau, que son nom, quand je le prononce, brûle mes lèvres ?...

– Et tu n'es ni troublé ni ému à l'idée de lui préparer les plus cuisants chagrins ?

– Il le faut. Est-ce que jamais sans de cruelles souffrances, sans les plus amères déceptions, elle serait à moi ? Le jour où tu auras conduit madame Fauvel et sa nièce si près de l'abîme qu'elles en verront le fond, ce jour-là, j'apparaîtrai. C'est quand elles se croiront perdues sans rémission que je les sauverai. Va ! j'ai su me réserver une belle scène, et j'y saurai mettre tant de noblesse et de grandeur que Madeleine en sera touchée. Elle me hait, tant mieux ! Quand elle verra bien, quand il lui sera démontré que c'est sa personne que je veux et non pas son argent, elle cessera de me mépriser. Il n'est pas de femme que ne touche une grande passion et la passion excuse tout. Je ne dis pas qu'elle m'aimera, mais elle se donnera à moi sans répugnance ; c'est tout ce que je demande.

Raoul se taisait, épouvanté, de ce cynisme, de tant de froide perversité. Clameran affirmait son immense supériorité dans le mal, et l'apprenti admirait le maître.

– Tu réussirais certainement, mon oncle, dit-il, sans le caissier adoré. Mais entre Madeleine et toi, il y aura toujours, sinon Prosper lui-même, au moins son souvenir.

Louis eut un mauvais sourire, qu'un geste de colère et de dédain rendit plus significatif et plus effrayant encore.

– Prosper, prononça-t-il en jetant son cigare qui venait de s'éteindre, je me soucie de lui comme de cela...

– Elle l'aime.

– Tant pis pour lui. Dans six mois, elle ne l'aimera plus ; il est déjà perdu moralement. À l'heure où cela me conviendra, je l'achèverai. Sais-tu où mènent les mauvais chemins, mon neveu ? Prosper a une maîtresse coûteuse, il roule voiture, il a des amis riches, il joue. Es-tu joueur, toi ?... Il lui faudra de l'argent après quelque nuit de déveine ; les pertes du baccarat se paient dans les vingt-quatre heures, il voudra payer et... il a une caisse.

Pour le coup, Raoul ne put s'empêcher de protester.

– Oh !...

– Il est honnête ! vas-tu me dire. Parbleu ! je l'espère bien. Moi aussi, la veille du jour où j'ai fait sauter la coupe, j'étais honnête. Il y a longtemps qu'un coquin aurait confessé Madeleine et nous aurait forcés à plier bagage. Il est aimé, me dis-tu ? Alors, quel orgeat coule donc dans ses veines qu'il se laisse ainsi ravir la femme aimée ? Ah ! si j'avais senti la main de Madeleine frémir dans la mienne, si son souffle, dans un baiser, avait effleuré mon front, le monde entier ne me l'enlèverait pas. Malheur à qui barre ma route. Prosper me gêne, je le supprime. Je me charge, avec ton aide, de le pousser dans un tel bourbier que la pensée de Madeleine n'ira pas l'y chercher.

L'accent de Louis exprimait une telle rage, un si immense désir de vengeance, que Raoul, vraiment ému, réfléchissait.

– Tu me réserves, dit-il après un bon moment, un rôle abominable.

– Mon neveu aurait-il des scrupules ? demanda Clameran du ton le plus goguenard.

– Des scrupules... pas précisément ; cependant, j'avoue...

– Quoi ! Que tu as envie de reculer ? C'est un peu tard t'y prendre. Ah ! ah !... Monsieur veut toutes les jouissances du luxe, de l'or plein les poches, des chevaux de race, enfin tout ce qui brille et tout ce qui fait envie... seulement, monsieur désire rester vertueux. Il fallait naître avec des rentes alors. Imbécile !... As-tu jamais vu des gens comme nous puiser des millions aux sources pures de la vertu ? On pêche dans la boue, mon neveu, et on se débarbouille après.

– Je n'ai jamais été assez riche pour être honnête, fit humblement Raoul, seulement, torturer deux femmes sans défense, assassiner un pauvre diable qui se croit mon ami, dame ! c'est dur.

Cette résistance qu'il taxait d'absurde, de ridicule, exaspérait au dernier point Louis de Clameran.

Enfin, après d'interminables débats, tout fut réglé à leur commune satisfaction, et ils se séparèrent avec force poignées de main.

Hélas ! Mme Fauvel et sa nièce ne devaient pas tarder à ressentir les effets de l'accord des deux misérables.

Tout se passa de point en point comme l'avait prévu et arrêté Louis de Clameran.

Une fois encore, et précisément lorsque Mme Fauvel osait enfin respirer, la conduite de Raoul changea brusquement. Ses dissipations recommençaient de plus belle.

Jadis, Mme Fauvel avait pu se demander : où dépense-t-il tout l'argent que je lui donne ? Cette fois, elle n'avait pas de questions à se poser.

Raoul affichait des passions insensées ; il se montrait partout, vêtu comme ces jeunes gandins qui font les délices du boulevard, on le voyait aux premières représentations dans des avant-scènes, et aux courses en voiture à quatre chevaux.

Aussi, jamais il n'avait eu de si pressants, de si impérieux besoins d'argent : jamais Mme Fauvel n'avait eu à se défendre contre des exigences si exorbitantes et si répétées.

À ce train, les ressources avouables de Mme Fauvel et de sa nièce furent promptement à bout. En un mois, le misérable dissipa leurs économies. Alors, elles eurent recours à tous les expédients honteux des femmes dont les dépenses secrètes sont la ruine d'une maison. Elles réalisèrent sur toutes choses de flétrissantes économies. On fit attendre les fournisseurs, on prit à crédit. Puis elles gonflèrent les factures ou même en inventèrent. Elles se supposaient, l'une et l'autre, des fantaisies si coûteuses, que M. Fauvel leur dit une fois en souriant : – Vous devenez bien coquettes, mesdames !... Le jour vint, cependant, où Madeleine et sa tante se trouvèrent aussi dénuées de tout l'une que l'autre.

La veille, Mme Fauvel avait eu quelques personnes à dîner, et c'est à grand-peine qu'elle avait pu donner au cuisinier l'argent nécessaire à certains achats qu'il était allé faire à Paris.

Raoul se présenta ce jour-là. Jamais, à ce qu'il prétendit, il ne s'était trouvé dans un embarras si grand ; il lui fallait absolument deux mille francs.

On eut beau lui expliquer la situation, le conjurer d'attendre, il ne voulut rien entendre, il fut terrible, impitoyable.

– Mais je n'ai plus rien, malheureux, répétait Mme Fauvel, désespérée, plus rien au monde, tu m'as tout pris. Il ne me reste que mes bijoux, les veux-tu ? S'ils peuvent te servir, prends-les.

Si grande que fût l'impudence du jeune bandit, il ne put s'empêcher de rougir.

Mais il avait promis ; mais il savait qu'une main puissante arrêterait ces pauvres femmes au bord du précipice, mais il voyait la fortune, une grande fortune, au bout de toutes ces infamies, qu'il se promettait d'ailleurs de racheter plus tard.

Il se roidit donc contre son attendrissement, et c'est d'une voix brutale qu'il répondit à sa mère :

– Donne ; j'irai au Mont-de-Piété.

Et, telle était l'atroce gêne de ces deux femmes qu'entourait un luxe princier, dont dix domestiques attendaient les ordres, dont les chevaux attelés piaffaient dans la cour, qu'elles conjurèrent Raoul de leur apporter quelque chose de ce que lui prêterait le Mont-de-Piété, si peu que ce fût.

Il promit et tint parole.

Mais on lui avait montré une ressource nouvelle, une mine à

exploiter ; il en abusa.

Une à une, toutes les parures de Mme Fauvel suivirent les diamants, et, ses bijoux épuisés, ceux de Madeleine partirent.

Mme Fauvel, pour se défendre des misérables qui s'acharnaient après elle, n'avait que ses prières et ses larmes ; c'était peu.

Seulement, ces révoltantes extorsions amenaient parfois de telles crises, que Raoul ému, bouleversé, était pris, pour lui-même, d'horreur et de dégoût.

– Le cœur me manque, disait-il à son oncle, je suis à bout. Volons à main armée, je le veux bien ; mais égorger deux malheureuses que j'aime, c'est plus fort que moi !

Clameran ne semblait nullement s'étonner de ces répugnances.

– C'est triste, répondait-il, je le sais bien, mais nécessité n'a pas de loi. Allons, un peu d'énergie et de patience, nous touchons au but.

Ils en étaient plus proches que ne le supposait Clameran. Vers la fin du mois de novembre, Mme Fauvel se sentit si bien à la veille d'une catastrophe, que l'idée lui vint de s'adresser au marquis.

Elle ne l'avait pas revu depuis qu'à son retour d'Oloron, il était venu lui annoncer son héritage. Persuadée, à cette époque, qu'il était le mauvais génie de Raoul, elle l'avait assez mal reçu pour lui donner le droit de ne plus se représenter.

Elle hésita avant de parler à sa nièce de ce projet, redoutant une vive opposition.

À sa grande surprise, Madeleine l'approuva.

– Plus tôt tu verras monsieur de Clameran, dit-elle à sa tante, mieux cela vaudra.

En conséquence, le surlendemain même, Mme Fauvel arrivait à l'hôtel du Louvre, chez le marquis, prévenu à l'avance par un billet.

Il la reçut avec une politesse froide et étudiée, en homme qui a été méconnu et qui, affligé et blessé, se tient sur la réserve.

Il parut indigné de la conduite de son neveu, et même, à un moment, il laissa échapper un juron, disant qu'il aurait raison de ce drôle.

Mais quand Mme Fauvel lui eut appris que s'il s'adressait sans cesse à elle, c'est qu'il ne voulait rien lui demander à lui, Clameran semblait confondu.

– Ah ! s'écria-t-il, c'est trop d'audace, aussi ! Le misérable ! Je lui ai, depuis quatre mois, remis plus de vingt mille francs, et si j'ai consenti à les lui donner, c'est que sans cesse il me menaçait de recourir à vous.

Et voyant sur la figure de Mme Fauvel une surprise qui ressemblait à un doute, Louis se leva, ouvrit son secrétaire et en sortit des reçus de Raoul qu'il montra. Le total de ces reçus s'élevait à vingt-trois mille cinq cents francs.

Mme Fauvel était anéantie.

– Il a eu de moi près de quarante mille francs, dit-elle, c'est donc soixante mille francs au moins qu'il a dépensés depuis quatre mois.

– Ce serait incroyable, répondit Clameran, s'il n'était amoureux, à ce qu'il dit.

– Mon Dieu ! que font donc ces créatures de tout l'argent qu'on dépense pour elles ?...

– Voilà ce qu'on n'a jamais pu savoir...

Il paraissait très sincèrement plaindre Mme Fauvel ; il lui promit que, ce soir même, il verrait Raoul, qu'il saurait bien ramener à des sentiments meilleurs. Puis, après de longues protestations, il finit par mettre sa fortune entière à sa disposition.

Mme Fauvel refusa ses offres, mais elle en fut touchée, et en rentrant elle disait à sa nièce :

– Peut-être nous sommes-nous trompées, peut-être n'est-ce pas un mauvais homme...

Madeleine hocha tristement la tête. Ce qui arrivait, elle l'avait prévu ; le beau désintéressement du marquis, c'était la confirmation de ses pressentiments.

Raoul, lui, était allé chez son oncle, chercher des nouvelles. Il le trouva radieux.

– Tout marche à souhait, mon neveu, lui dit Clameran ; tes reçus ont fait merveille. Ah ! tu es un solide partenaire et je te dois les plus chaudes félicitations. Quarante mille francs en quatre mois ?

– Oui, répondit négligemment Raoul, c'est à peu près ce que m'a prêté le Mont-de-Piété.

– Peste ! tu dois avoir de belles économies, car la demoiselle des Délassements n'est, je l'imagine, qu'un prétexte ?

– Ceci, cher oncle, est mon affaire. Souviens-toi de nos conventions. Ce que je puis te dire, c'est que madame Fauvel et Madeleine ont fait argent de tout ; elles n'ont plus rien, et moi j'ai assez de mon rôle.

– Aussi ton rôle est-il fini. Je te défends désormais de demander un centime.

– Où en sommes-nous donc ? Qu'y a-t-il ?

– Il y a, mon neveu, que la mine est assez chargée, et que je n'attends plus qu'une occasion pour y mettre le feu.

Cette occasion, qu'attendait avec une fiévreuse impatience Louis de Clameran, son rival, Prosper Bertomy, devait, pensait-il, la lui fournir.

Il aimait trop Madeleine pour ne pas être jaloux jusqu'à la rage de l'homme que, librement, elle avait choisi, pour ne pas le haïr de toute la force de sa passion.

Il ne tenait qu'à lui, il le savait, d'épouser Madeleine ; mais comment ? Grâce à d'indignes violences, en lui tenant le couteau sur la gorge. Il se sentait devenir fou à l'idée qu'il la posséderait, que son corps serait à lui, mais que sa pensée, échappant à sa puissance, s'envolerait vers Prosper.

Aussi s'était-il juré qu'avant de se marier il précipiterait le caissier dans quelque cloaque d'infamie, d'où il lui serait impossible de sortir. Il avait songé à le tuer, il aimait mieux le déshonorer.

Jadis il s'était imaginé qu'il lui serait aisé de perdre l'infortuné jeune homme ; il supposait que lui-même en fournirait les moyens. Il s'était trompé.

Prosper menait, il est vrai, une de ces existences folles qui conduisent le plus souvent à une catastrophe finale, mais il mettait un certain ordre à son désordre. Si sa situation était mauvaise, périlleuse, s'il était dévoré de besoins, harcelé par les créanciers, réduit aux expédients, il était impossible de s'en apercevoir, tant ses précautions étaient bien prises.

Toutes les tentatives faites pour hâter sa ruine avaient échoué, et c'est vainement que Raoul, les mains pleines d'or, jouant le rôle du tentateur, avait essayé de préparer sa chute.

Il jouait gros jeu, mais il jouait sans passion, presque sans goût, et jamais l'exaltation du gain ni le dépit de la perte ne lui faisaient perdre son sang-froid.

Sa maîtresse, Nina Gypsy, était dépensière, extravagante, mais elle lui était dévouée et ses fantaisies ne dépassaient pas certaines limites.

En bien examinant sa conduite, elle était celle d'un homme désolé qui s'efforce de s'étourdir, mais qui cependant n'a pas abdiqué toute espérance, et qui cherche surtout à gagner du temps.

Intime ami de Prosper, son confident, Raoul avait, d'un œil sagace, jugé la situation et pénétré les sentiments secrets du caissier.

– Tu ne connais pas Prosper, mon oncle. Madeleine l'a tué, le jour où elle l'a exilé. Tout lui est indifférent, il ne prend intérêt à rien.

– Nous attendrons.

Ils attendaient en effet, et à la grande surprise de Mme Fauvel, Raoul redevint, pour elle, ce qu'il avait été en l'absence de Clameran.

C'est vers cette époque, à peu près, que Mme Fauvel, toute réjouie de ce changement, conçut le projet de placer Raoul dans les bureaux de son mari.

M. Fauvel adopta cette idée. Persuadé qu'un jeune homme sans occupations ne peut faire que des sottises, il lui offrit un pupitre au bureau de la correspondance, avec des appointements de cinq cents francs par mois.

Cette proposition enchanta Raoul, cependant, sur l'ordre formel de Clameran, il refusa net, disant qu'il ne se sentait pour les opérations de banque aucune vocation.

Ce refus indisposa si fort le banquier, qu'il adressa à Raoul quelques reproches passablement amers, le prévenant qu'il n'eût plus à compter sur lui désormais, et Raoul saisit ce prétexte pour cesser ostensiblement ses visites.

S'il voyait encore sa mère, c'était dans l'après-midi ou le soir, lorsqu'il était sûr que M. Fauvel était sorti, et il ne venait que tout juste assez souvent pour se tenir au courant des affaires de la maison.

Ce repos subit après tant et de si cruelles agitations paraissait sinistre à Madeleine. Elle ne disait rien à sa tante de ses pressentiments, mais elle était préparée à tout.

- Que font-ils ? disait parfois Mme Fauvel ; renonceraient-ils enfin à nous persécuter ?

- Oui, murmurait Madeleine, que font-ils ?

Si Louis ni Raoul ne donnaient signe de vie, c'est qu'ils se tenaient immobiles comme le chasseur à l'affût, qui craint d'éveiller les défiances de ses victimes. Ils guettaient le hasard.

Attaché aux pas de Prosper, Raoul avait épuisé toutes les ressources de son esprit pour le compromettre, pour l'attirer dans quelque embûche où resterait son honneur. Mais, ainsi qu'il l'avait prévu, l'indifférence du caissier offrait peu de prise.

Clameran commençait à s'impatienter et cherchait déjà quelque moyen plus expéditif, quand une nuit, sur les trois heures, il fut éveillé par Raoul.

- Qu'y a-t-il ? demanda-t-il tout inquiet.

- Peut-être rien, peut-être tout. Je quitte Prosper à l'instant.

- Eh bien !

- Je l'avais emmené dîner, ainsi que madame Gypsy, avec trois de mes amis. Après dîner, j'ai organisé un petit bal tournant assez corsé, mais impossible de lancer Prosper, bien qu'il fût gris.

Louis, désappointé, eut un mouvement de dépit.

- Tu es gris toi-même, fit-il, puisque tu viens me réveiller au milieu de la nuit pour me conter de pareilles billevesées.

- Attends, il y a autre chose.

- Morbleu ! parle, alors !

- Après avoir bien joué, nous sommes allés souper, et Prosper, de plus en plus ivre, a laissé échapper le mot sur lequel il ferme sa caisse.

À cette assurance, Clameran ne put retenir un cri de triomphe.

- Quel est ce mot ? demanda-t-il.

– Le nom de sa maîtresse.

– Gypsy !... C'est bien cela, en effet, cinq lettres...

Il était si ému, si agité, qu'il sauta à bas de son lit, passa une robe de chambre et se mit à arpenter l'appartement.

– Nous le tenons ! disait-il avec l'expression délirante de la haine satisfaite, il est donc à nous ! Ah ! il ne voulait pas toucher à sa caisse, ce caissier vertueux, nous y toucherons pour lui, et il n'en sera ni plus ni moins déshonoré. Nous avons le mot, tu sais où est la clé, tu me l'as dit...

– Quand monsieur Fauvel sort, il laisse presque toujours la sienne dans un des tiroirs du secrétaire de sa chambre.

– Eh bien ! tu iras chez madame Fauvel, tu lui demanderas cette clé ; elle te la remettra ou tu la lui prendras de force, peu importe ; quand tu l'auras, tu ouvriras la caisse, tu prendras tout ce qu'elle contient...

Pendant plus de cinq minutes, Clameran, absolument hors de lui, divagua, mêlant si étrangement sa haine contre Prosper, son amour pour Madeleine, que Raoul se demandait sérieusement s'il ne devenait pas fou. Il pensa qu'il était de son devoir de le calmer.

– Avant de chanter victoire, commença-t-il, examinons les difficultés.

– Je n'en vois pas.

– Prosper peut changer son mot dès demain.

– C'est vrai, mais c'est peu probable ; il ne se rappellera pas qu'il l'a dit ; d'ailleurs, nous allons nous hâter.

– Ce n'est pas tout. Par suite des ordres les plus positifs de monsieur Fauvel, il ne reste jamais en caisse, le soir, que des sommes insignifiantes.

– Il y en aura une très forte le soir où je le voudrai.

– Tu dis ?

– Je dis que j'ai cent mille écus chez monsieur Fauvel, et que si j'en demande le remboursement pour un de ces jours, de très bonne heure, à l'ouverture des bureaux, ils passeront la nuit dans la caisse.

– Quelle idée ! s'écria Raoul stupéfait.

C'était une idée, en effet, et les deux complices passèrent de longues heures à l'examiner, à la creuser, à en étudier le fort et le faible.

Après mûres réflexions, après avoir minutieusement calculé toutes les chances bonnes ou mauvaises, ils arrêtèrent que le crime serait commis dans la soirée du lundi 27 février.

S'ils choisissaient ce soir-là, c'est que Raoul savait que M. Fauvel devait dîner chez un financier de ses amis et que Madeleine était invitée à une réunion de jeunes filles.

À moins d'un contretemps, Raoul, en se présentant à l'hôtel Fauvel sur les huit heures et demie, devait trouver sa mère seule.

- Aujourd'hui même, conclut Clameran, je vais demander à monsieur Fauvel de tenir mes fonds prêts pour mardi.

- Le délai est bien court, mon oncle, objecta Raoul, vous avez des conventions, tu dois prévenir en cas de retrait de ton argent.

- C'est vrai ; mais notre banquier est orgueilleux, je me dirai pressé et il s'exécutera, dût-il pour cela se gêner. Ce sera à toi, ensuite, de demander à Prosper, comme un service personnel, de tenir la somme prête à l'ouverture des bureaux.

Raoul, une fois encore, examinait la situation, cherchant s'il ne découvrirait pas ce grain de sable qui devient montagne au dernier moment.

Tout alla d'ailleurs au gré des deux misérables. Le banquier ne daignant pas rappeler les conventions consentit au remboursement pour l'époque indiquée. Prosper promit que l'argent serait prêt dès le matin.

XX

Clameran avait dit à Raoul :

- Surtout, soigne ton entrée, ton aspect seul doit tout dire et éviter des explications impossibles.

La recommandation était inutile.

Raoul, en entrant dans le petit salon, était si pâle et si défait, ses yeux avaient une telle expression d'égarement, qu'en l'apercevant Mme Fauvel ne put retenir un cri.

- Raoul !... Quel malheur t'est arrivé ?

- Le malheur qui m'arrive, répondit-il, sera le dernier, ma mère !...

Mme Fauvel ne l'avait jamais vu ainsi ; elle se leva émue, palpitante, et vint se placer près de lui, son visage touchant presque le sien, comme si en le fixant de toutes les forces de sa volonté, elle eût pu lire jusqu'au fond de son âme.

- Qu'y a-t-il ? insista-t-elle. Raoul, mon fils, réponds-moi.

Il la repoussa doucement.

- Ce qu'il y a, répondit-il d'une voix étouffée, et qui cependant faisait vibrer les entrailles de Mme Fauvel, il y a, ma mère, que je suis indigne de toi, indigne de mon noble et généreux père.

Elle fit un signe de tête, comme pour essayer de protester.

- Oh ! continua-t-il, je me connais et je me juge. Personne ne saurait me reprocher l'infamie de ma conduite aussi cruellement que me la reproche ma conscience. Je n'étais pas né mauvais, cependant, je ne suis qu'un misérable fou. Il y a des heures où, frappé de vertige, je ne sais plus ce que je fais. Ah ! je ne serais pas ainsi, ma mère, si je t'avais eue près de moi, dans mon enfance. Mais élevé parmi des étrangers, livré à moi-même, sans autres conseillers que mes instincts, je me suis abandonné sans lutte à toutes mes passions. N'ayant rien, portant un nom volé, je suis vaniteux et dévoré d'ambition. Pauvre, sans autres ressources que tes secours, j'ai les goûts et les vices des fils de millionnaires. Hélas ! quand je t'ai retrouvée, le mal était fait. Ton affection, tes maternelles tendresses, qui m'ont donné mes seuls jours de bonheur vrai ici-bas, n'ont pas pu m'arrêter. Moi qui ai tant souffert, qui ai enduré tant de privations, qui ai manqué de pain, j'ai été affolé par le luxe si nouveau pour moi que tu me donnais. Je me suis rué sur les plaisirs, comme l'ivrogne longtemps privé de vin sur les liqueurs fortes...

Raoul s'exprimait avec l'accent d'une conviction si profonde, avec un tel entraînement, que Mme Fauvel ne songeait pas à l'interrompre.

Elle écoutait, muette, terrifiée, n'osant interroger, certaine qu'elle allait apprendre quelque chose d'affreux.

Lui, cependant, poursuivait :

- Oui, j'ai été un insensé. Le bonheur a passé près de moi, et je n'ai pas su étendre la main pour le retenir. J'ai repoussé la réalité délicieuse, pour m'élancer à la poursuite d'un fantôme. Moi qui aurais dû passer ma vie à tes genoux, inventer des témoignages nouveaux de reconnaissance, j'ai comme pris à tâche de te porter les coups les plus cruels, de te désoler, de te rendre la plus infortunée des créatures... Ah ! j'étais un misérable quand, pour une créature que je méprisais, je jetais au vent une fortune dont chaque pièce d'or te coûtait une larme. C'est près de toi qu'était le bonheur, je le reconnais trop tard.

Il s'interrompit, comme s'il eût été accablé par le sentiment de ses torts ; il semblait près de fondre en larmes.

- Il n'est jamais trop tard pour se repentir, mon fils, murmura Mme Fauvel, pour racheter ses torts.

- Ah ! si je pouvais !... s'écria Raoul ; mais non !... il n'est plus temps. Sais-je d'ailleurs ce que dureraient mes bonnes résolutions ! Ce n'est pas d'aujourd'hui que je me condamne sans pitié. Saisi de remords à chaque faute nouvelle, je me jurais de reconquérir ma propre estime. Hélas ! à quoi ont-ils abouti, mes repentirs périodiques ? À la première occasion, j'oubliais mes hontes et mes serments. Tu me crois un homme, je ne suis qu'un pauvre enfant sans consistance. Je suis faible et lâche, et tu n'es pas assez forte pour dominer ma faiblesse, pour diriger ma volonté vacillante. J'ai les meilleures intentions du monde et mes actes sont ceux d'un scélérat. Entre ma position et mes désirs, la disproportion est trop grande pour que je puisse me résigner. Qui sait d'ailleurs où me conduirait mon déplorable caractère.

Il eut un geste d'affreuse insouciance et ajouta :

– Mais je saurai me faire justice !...

Mme Fauvel était bien trop cruellement agitée pour suivre les habiles transitions de Raoul.

– Parle ! s'écria-t-elle, explique-toi, ne suis-je pas ta mère ? Tu me dois la vérité, je puis tout entendre.

Il parut hésiter, comme s'il eût été épouvanté du coup terrible qu'il allait porter à sa mère. Enfin d'une voix sourde il répondit :

– Je suis perdu !

– Perdu !...

– Oui, et je n'ai plus rien à attendre ni à espérer. Je suis déshonoré, et par ma faute, par ma très grande faute.

– Raoul !...

– C'est ainsi. Mais ne crains rien, ma mère, je ne traînerai pas dans la boue le nom que tu m'as donné. J'aurai au moins le vulgaire courage de ne pas survivre à mon déshonneur. Va, ma mère... ne me plains pas... Je suis de ceux après lesquels s'acharne la destinée, et qui n'ont de refuge que la mort. Je suis un être fatal. N'as-tu pas été condamnée à maudire ma naissance ? Longtemps mon souvenir a hanté comme un remords tes nuits sans sommeil. Plus tard, je te retrouve, et pour prix de ton dévouement, j'apporte dans ta vie un élément funeste...

– Ingrat !... t'ai-je jamais fait de reproche ?

– Jamais. Aussi, est-ce en te bénissant et ton nom chéri sur les lèvres que va mourir ton Raoul.

– Mourir, toi !...

– Il le faut, ma mère, l'honneur commande ; je suis condamné par des juges sans appel, ma volonté et ma conscience.

Une heure plus tôt, Mme Fauvel eût juré que Raoul lui avait fait souffrir tout ce que peut endurer une femme, et voici que cependant il lui apportait une douleur nouvelle, si aiguë, que les autres, en comparaison, ne lui semblaient plus rien.

– Qu'as-tu donc fait ? balbutia-t-elle.

– On m'a confié de l'argent ; j'ai joué, je l'ai perdu.

– C'est donc une somme énorme ?

– Non, mais ni toi ni moi ne saurions la trouver. Pauvre mère ! ne t'ai-je pas tout pris ? Ne m'as-tu pas donné jusqu'à ton dernier bijou ?

– Mais monsieur de Clameran est riche, il a mis sa fortune à ma disposition, je vais faire atteler et aller le trouver...

– Monsieur de Clameran, ma mère, est absent pour huit jours, et c'est ce soir que je dois être sauvé ou perdu. Va ! j'ai songé à tout avant de me décider. On tient à la vie, à vingt ans.

Il sortit à demi le pistolet qu'il avait dans sa poche, et ajouta avec un sourire forcé :

– Voilà qui arrange tout.

Mme Fauvel était trop hors de soi pour réfléchir à l'horreur de la conduite de Raoul, pour reconnaître dans ses horribles menaces un suprême expédient.

Oubliant le passé, sans souci de l'avenir, tout entière à la situation présente, elle ne voyait qu'une chose, c'est que son fils allait mourir, se tuer, et qu'elle ne pouvait rien pour l'arracher au suicide.

– Je veux que tu attendes, dit-elle. André va rentrer, je lui dirai que j'ai besoin de... Combien t'avait-on confié ?

– Trente mille francs.

– Tu les auras demain.

– C'est ce soir qu'il me les faut.

Elle se sentait devenir folle, elle se tordait les mains de désespoir.

– Ce soir, disait-elle, que n'es-tu venu plus tôt ? Manquais-tu donc de confiance en moi ?... Ce soir, il n'y a plus personne à la caisse... sans cela !...

Ce mot, Raoul l'attendait, il le saisit au passage ; il eut une exclamation de joie comme si une lueur eût éclairé les ténèbres d'un désespoir réel.

– La caisse ! s'écria-t-il, mais tu sais où est la clé ?

– Oui, elle est là.

– Eh bien !...

Il regardait Mme Fauvel avec une si infernale audace qu'elle baissa les yeux.

- Donne-la-moi, mère, supplia-t-il.

- Malheureux !...

- C'est la vie que je te demande.

Cette prière la décida, elle prit un des flambeaux, passa rapidement dans sa chambre, ouvrit le secrétaire et y trouva la clé de M. Fauvel...

Mais, au moment de la remettre à Raoul, la raison lui revint.

- Non, balbutia-t-elle, non, ce n'est pas possible.

Il n'insista pas et même parut vouloir se retirer.

- En effet, dit-il... alors, mère, un dernier baiser.

Elle l'arrêta.

- Que feras-tu de la clé, Raoul ? as-tu le mot ?

- Non, mais on peut essayer.

- Ne sais-tu pas qu'il n'y a jamais d'argent en caisse ?

- Essayons toujours. Si j'ouvre, par miracle, s'il y a de l'argent en caisse, c'est que Dieu aura eu pitié de nous.

- Et si tu ne réussis pas ? Me jures-tu d'attendre jusqu'à demain ?

- Sur la mémoire de mon père, je le jure.

- Alors, voici la clé, viens.

Pâles et tremblants, Raoul et Mme Fauvel traversèrent le cabinet du banquier et s'engagèrent dans l'étroit escalier tournant qui met en communication les appartements et les bureaux.

Raoul marchait le premier, tenant la lumière, serrant entre ses doigts crispés la clé de la caisse.

En ce moment, Mme Fauvel était convaincue que la tentative de Raoul serait inutile.

Elle était donc presque rassurée sur les suites de cette révoltante entreprise, et elle ne redoutait guère que le désespoir de Raoul après un échec.

Si elle prêtait les mains à une action dont la pensée lui paraissait affreuse, si elle avait livré la clé, c'est qu'elle se fiait à la parole de

Raoul, et qu'elle voulait surtout gagner du temps.

Quand il aura reconnu l'inanité de ses espérances et de ses efforts, pensait-elle, il attendra, il me l'a juré, jusqu'à demain, et moi, alors, demain... demain...

Ce qu'elle ferait, le lendemain, elle l'ignorait et ne se le demandait même pas. Mais dans les situations extrêmes, le moindre délai rend l'espérance, comme si un court répit était le salut définitif.

Ils étaient arrivés dans le bureau de Prosper, et Raoul avait placé la lampe sur une tablette assez élevée pour que, malgré l'abat-jour, elle éclairât toute la pièce.

Il avait alors recouvré sinon tout son sang-froid, au moins cette précision mécanique des mouvements presque indépendante de la volonté, et que les hommes accoutumés au péril trouvent à leur service, alors qu'il est le plus pressant.

Rapidement, avec la dextérité de l'expérience, il plaça successivement les cinq boutons du coffre-fort sur les lettres composant le nom de Gypsy.

Ami intime de Prosper, étant venu le voir, le chercher cinquante fois, à la fermeture des bureaux, Raoul savait parfaitement, pour l'avoir étudié et même essayé - c'était un garçon prévoyant - comment il fallait manœuvrer la clé dans la serrure.

Il l'introduisit doucement, donna un tour ; la poussa davantage, tourna une seconde fois ; l'enfonça tout à fait avec une secousse et tourna encore. Il avait des battements de cœur si violents que Mme Fauvel eût pu les entendre.

Le mot n'avait pas été changé ; la caisse s'ouvrit.

Raoul et sa mère, en même temps, laissèrent échapper un cri, elle de terreur, lui de triomphe.

- Referme !... s'écria Mme Fauvel, épouvantée de ce résultat inexplicable, incompréhensible... laisse... reviens...

Et, à moitié folle, elle se précipita sur Raoul, s'accrocha désespérément à son bras et le tira à elle avec une telle violence que la clé sortit de la serrure, glissa le long de la porte du coffre et y traça une longue et profonde éraillure.

Mais Raoul avait eu le temps d'apercevoir sur la tablette supérieure de la caisse trois liasses de billets de banque. Il les saisit de la main gauche et les glissa sous son paletot entre son gilet et sa chemise.

Épuisée par l'effort qu'elle venait de faire, succombant à la violence de ses émotions, Mme Fauvel avait lâché le bras de Raoul, et, pour ne pas tomber, se soutenait au dossier du fauteuil de Prosper.

– Grâce, Raoul, disait-elle, je t'en conjure, remets ces billets de banque dans la caisse, j'en aurai demain, je te le jure, dix fois plus, et je te les donnerai, mon fils, je t'en prie, aie pitié de ta mère !

Il ne l'écoutait pas ; il examinait l'éraillure laissée sur le battant ; cette trace du vol était très visible et l'inquiétait.

– Au moins, poursuivait Mme Fauvel, ne prends pas tout, garde juste ce qu'il te faut pour te sauver, et laisse le reste.

– À quoi bon ? La soustraction en sera-t-elle moins découverte ?

– Oui, parce que moi, vois-tu bien, j'arrangerai tout. Laisse-moi faire, je saurai bien trouver une explication plausible, je dirai à André que c'est moi qui ai eu besoin d'argent...

Avec mille précautions, Raoul avait refermé le coffre-fort.

– Viens, dit-il à sa mère, retirons-nous, on peut nous surprendre, un domestique peut entrer dans le salon, ne pas nous y trouver et s'étonner.

Cette cruelle indifférence, cette faculté de calcul dans un tel moment transportèrent Mme Fauvel d'indignation. Elle se croyait encore quelque influence sur son fils, elle croyait à la puissance de ses prières et de ses larmes.

– Eh bien ! répondit-elle, tant mieux ! Qu'on nous surprenne, et je serai contente. Alors tout sera fini, André me chassera comme une misérable, mais je ne sacrifierai pas des innocents. C'est Prosper qu'on accusera demain ; Clameran lui a pris la femme qu'il aimait, tu prétends, toi, lui voler son honneur, je ne veux plus.

Elle parlait très haut, d'une voix si éclatante que Raoul eut peur. Il savait qu'un garçon de bureau passait la nuit dans la pièce voisine. Ce garçon, bien qu'il ne fût pas tard, pouvait fort bien être couché et tout entendre.

– Remontons ! dit-il en saisissant Mme Fauvel par le bras.

Mais elle se débattit ; elle s'était accrochée à une table pour mieux résister.

– J'ai déjà été assez lâche pour sacrifier Madeleine, répétait-elle, je ne sacrifierai pas Prosper.

Raoul comprit qu'un argument victorieux briserait seul la résolution de Mme Fauvel.

– Eh ! fit-il avec un rire cynique, tu ne comprends donc pas que je suis d'accord avec Prosper et qu'il m'attend pour partager.

– C'est impossible !...

– Allons, bon ! tu t'imagines alors que le hasard seul m'a soufflé le mot et a rempli la caisse ?

– Prosper est honnête.

– Certainement, et moi aussi. Seulement nous manquions d'argent.

– Tu mens.

– Non, chère mère, Madeleine a chassé Prosper, et, dame ! il se console comme il peut, ce pauvre garçon, et les consolations sont hors de prix.

Il avait repris la lampe, et doucement, mais avec une vigueur extraordinaire, il poussait Mme Fauvel vers l'escalier.

Elle se laissait faire maintenant, plus confondue de ce qu'elle venait d'entendre que d'avoir vu la caisse s'ouvrir.

– Quoi ! murmurait-elle, Prosper serait un voleur !...

– Il faut remettre la clé dans le secrétaire, dit Raoul, dès qu'ils furent dans la chambre à coucher.

Mais elle ne parut pas l'entendre, et c'est lui qui replaça la clé de la caisse là où il l'avait vue prendre.

Il reconduisit alors, ou plutôt il porta Mme Fauvel dans le petit salon où elle se tenait, lorsqu'il était arrivé, et il l'assit dans un fauteuil.

Telle était la prostration de la malheureuse femme, ses yeux fixes et son expression décelaient si bien le trouble affreux de son esprit, que Raoul, effrayé, se demanda si elle ne devenait pas folle.

– Raoul, murmurait-elle, mon fils, tu m'as tuée !...

Sa voix avait une douceur si pénétrante, son accent exprimait si bien le plus affreux désespoir, que Raoul, remué jusqu'au fond de l'âme, eut un bon mouvement : il eut envie de restituer ce qu'il venait de voler. La pensée de Clameran l'arrêta.

Alors voyant que Mme Fauvel restait anéantie, mourante, sur son fauteuil, tremblant de voir entrer soit M. Fauvel, soit Madeleine qui demanderaient des explications, il déposa un baiser sur le front de sa mère et s'enfuit.

Au restaurant, dans le cabinet où ils avaient dîné, Clameran, torturé par l'incertitude, attendait son complice.

Lors donc que Raoul parut, il se dressa brusquement, pâle d'angoisse, et c'est d'une voix à peine distincte qu'il demanda :

– Eh bien ?

– C'est fini, mon oncle, grâce à toi ; je suis maintenant le dernier des misérables.

– Sois satisfait, voici cette somme qui va coûter l'honneur et peut-être la vie à trois personnes.

Clameran ne releva pas l'injure. D'une main fiévreuse il avait saisi les billets de banque, et il les maniait comme pour se bien convaincre de la réalité du succès.

– Maintenant, disait-il, Madeleine est à moi !

Raoul se taisait, le spectacle de cette joie après les scènes de tout à l'heure le révoltait et l'humiliait. Mais Louis se méprit sur les causes de cette tristesse.

– Ç'a été dur ? demanda-t-il avec un sourire.

– Je te défends ! s'écria Raoul hors de soi, je te défends, entends-tu bien, de me reparler de cette soirée. Je veux l'oublier...

À cette explosion de colère, Clameran haussa imperceptiblement les épaules.

– À ton aise, prononça-t-il d'un ton goguenard, oublie, mon beau neveu, oublie. J'aime à croire, cependant, que tu ne refuseras pas de prendre, en manière de souvenir, ces trois cent cinquante mille francs. Garde-les, ils sont à toi.

Cette générosité ne sembla ni surprendre ni satisfaire Raoul.

– D'après nos conventions, dit-il, j'ai droit à bien davantage.

– Aussi, n'est-ce qu'un acompte.

– Et quand aurai-je le reste, s'il vous plaît ?

– Le jour de mon mariage avec Madeleine, mon beau neveu ; pas avant. Tu es un auxiliaire trop précieux pour que je songe à me priver de tes services, et, tu sais, si je ne me défie pas de toi, je ne suis pas tout à fait sûr de ton affection sincère.

Raoul réfléchissait que commettre un crime et n'en tirer aucun profit serait aussi par trop niais. Venu avec l'intention de rompre avec Clameran, il se décidait à n'abandonner la fortune de son complice que lorsqu'il n'aurait plus rien à en espérer.

– Soit, fit-il, j'accepte l'acompte, mais plus de commissions comme celle de ce soir ; je refuserais.

Clameran eut un éclat de rire.

– Bien, répondit-il, très bien. Tu deviens honnête, c'est le bon moment, puisque te voici riche. Que la conscience timorée se rassure, je n'aurai plus à te demander d'insignifiants services de détail. Rentre dans la coulisse, mon rôle commence.

XXI

Pendant plus d'une heure après le départ de Raoul, Mme Fauvel était restée plongée dans cet état d'engourdissement voisin de l'insensibilité absolue qui suit également les grandes crises morales et de violentes douleurs physiques.

Peu à peu cependant elle revint au sentiment de la situation présente, et avec la faculté de penser la faculté de souffrir lui revenait.

Elle comprenait maintenant qu'elle avait été dupe d'une odieuse comédie, Raoul l'avait torturée de sang-froid, avec préméditation, se faisant un jeu de ses souffrances, spéculant sur sa tendresse.

Mais Prosper avait-il, oui ou non, secondé le vol dont Raoul venait de la rendre complice.

Pour Mme Fauvel, tout était là.

Ce qu'elle avait su de la conduite de Prosper rendait vraisemblable l'assertion de Raoul, et, toujours aveuglée, elle aimait à attribuer à un autre qu'à son fils la première idée du crime.

On lui avait dit que Prosper aimait une de ces créatures qui fondent les patrimoines au feu de caprices étranges et pervertissent les meilleures natures. Dès lors, elle pouvait le supposer capable de tout.

Ne savait-elle pas, par expérience, où peut conduire une imprudence !...

Pourtant, elle excusait Prosper coupable, et elle s'avouait que sur elle retombait toute responsabilité.

Réfléchissant, elle ne savait quel parti prendre, se demandant si elle devait, ou non, se confier à Madeleine.

Fatalement inspirée, elle décida que le crime de Raoul resterait son secret.

Lors donc que sur les onze heures Madeleine revint de soirée, elle ne lui dit rien et même parvint à dissimuler toute trace de souffrance, assez habilement pour éviter les questions.

Son calme ne se démentit pas lorsque rentrèrent M. Fauvel et Lucien.

Et pourtant elle venait d'être saisie de transes affreuses. L'idée pouvait venir au banquier de descendre dans ses bureaux, de vérifier la caisse ; cela lui était arrivé bien rarement, mais enfin cela lui était arrivé.

Comme par un fait exprès, le banquier, ce soir-là, ne parla que de Prosper, du chagrin qu'il éprouvait de le voir se déranger, des inquiétudes qu'il en ressentait et enfin des raisons qui, selon lui, l'éloignaient de la maison.

Par bonheur, pendant qu'il traitait fort mal son caissier, M. Fauvel ne regarda ni sa femme ni sa nièce. Il eût été bien intrigué de leur singulière contenance.

Cette nuit, pour Mme Fauvel, devait être et fut un long et intolérable supplice.

Dans six heures, se disait-elle, dans trois heures, dans une heure, tout sera découvert. Qu'arrivera-t-il ?

Le jour vint, la maison s'éveilla ; elle entendit aller et venir les domestiques. Puis, le bruit des bureaux qu'on ouvrait, des employés qui arrivaient, monta jusqu'à elle.

Mais quand elle voulut se lever, elle ne le put. Une invincible faiblesse et d'atroces douleurs la rejetèrent sur ses oreillers. Et c'est là, grelottant, et cependant baignée des sueurs de l'angoisse, qu'elle attendit le résultat.

Elle attendait, penchée sur le bord de son lit, l'oreille au guet, lorsque la porte de sa chambre s'ouvrit. Madeleine, qui venait de la quitter, reparut.

L'infortunée était plus pâle qu'une morte, ses yeux avaient l'éclat du délire, elle frissonnait comme les feuilles du tremble au vent de l'orage.

Mme Fauvel comprit que le crime était découvert.

– Tu sais ce qui arrive, n'est-ce pas, ma tante ? dit Madeleine d'une voix stridente. On accuse Prosper d'un vol ; le commissaire est là qui va le conduire en prison.

Un gémissement fut la seule réponse de Mme Fauvel.

– Je reconnais là, poursuivait la jeune fille, la main de Raoul ou du marquis...

– Quoi ! comment expliquer ?...

– Je l'ignore. Ce que je sais, c'est que Prosper est innocent. Je viens de le voir, de lui parler. Coupable, il n'eût pas osé lever les yeux sur moi.

Mme Fauvel ouvrait la bouche pour tout avouer : elle n'osa.

– Que veulent donc de nous ces monstres ? disait Madeleine, quels sacrifices exigeront-ils ? Déshonorer Prosper !... Mieux valait l'assassiner... je me serais tue.

L'entrée de M. Fauvel interrompit Madeleine. La fureur du banquier était telle qu'à peine il pouvait parler.

– Le misérable ! balbutiait-il, oser m'accuser, moi !... Laisser entendre que je me suis volé... Et ce marquis de Clameran, qui semble suspecter ma bonne foi.

Alors, sans prendre attention aux impressions des deux femmes, il raconta tout ce qui s'était passé.

– Je pressentais cela hier soir, conclut-il ; voilà où mène l'inconduite.

Ce jour-là, le dévouement de Madeleine pour sa tante fut mis à une rude épreuve.

La généreuse fille vit traîner dans la boue l'homme qu'elle aimait ; elle croyait à son innocence comme à la sienne même : elle pensait connaître ceux qui avaient ourdi le complot dont il était victime, et elle n'ouvrit pas la bouche pour le défendre.

Cependant Mme Fauvel devinait les soupçons de sa nièce ; elle comprit que la maladie était un indice, et bien que mourante, elle eut le courage de se lever pour le déjeuner.

Ce fut un triste repas. Personne ne mangea. Les domestiques marchaient sur la pointe des pieds et parlaient bas, comme dans les maisons où il est arrivé un grand malheur.

Sur les deux heures, M. Fauvel était renfermé dans son cabinet, quand un garçon de recette vint le prévenir que le marquis de Clameran demandait à lui parler.

– Quoi ! s'écria le banquier, il ose...

Mais il réfléchit et ajouta :

– Qu'on le prie de monter.

Ce nom seul de Clameran avait suffi pour réveiller les colères mal apaisées de M. Fauvel. Victime d'un vol le matin, sa caisse se trouvant vide en face d'un remboursement, il avait pu imposer silence à son ressentiment ; à cette heure, il se promettait bien, il se réjouissait de prendre sa revanche.

Mais le marquis ne voulait pas monter. Bientôt le garçon de recette apparut, annonçant que cet importun visiteur tenait, pour des raisons majeures, à parler à M. Fauvel dans ses bureaux.

– Qu'est-ce que cette exigence nouvelle ? s'écria le banquier.

Et aussi irrité que possible, ne voyant nul motif de se contenir, il descendit.

M. de Clameran attendait, debout, dans la première pièce, celle qui précède la caisse. M. Fauvel alla droit à lui :

– Que désirez-vous encore, monsieur ? demanda-t-il brutalement ; on vous a payé, n'est-ce pas ? J'ai votre reçu.

À la grande surprise de tous les employés et du banquier lui-même, le marquis ne sembla ni ému ni choqué de l'apostrophe.

– Vous êtes dur pour moi, monsieur, répondit-il, d'un ton de déférence étudiée, sans humilité cependant, mais je l'ai mérité. C'est même pour cela que je suis venu. Un galant homme souffre toujours quand il s'est mis dans son tort, c'est là mon cas, monsieur, et je suis heureux, que mon passé me permette de l'avouer hautement sans risquer d'être taxé de faiblesse. Si j'ai insisté pour vous parler ici et non dans votre cabinet, c'est qu'ayant été parfaitement inconvenant devant vos employés c'est devant eux que je vous prie d'agréer mes excuses.

La conduite de Clameran était si inattendue, elle contrastait tellement avec ses hauteurs accoutumées que c'est à peine si le banquier trouva au service de son étonnement quelques paroles banales.

– Oui, en effet, je l'avoue, vos insinuations, certains doutes...

– Ce matin, poursuivit le marquis, j'ai eu un moment d'excessif dépit dont je n'ai pas été le maître. Mes cheveux grisonnent, c'est vrai, mais quand je suis en colère je suis violent et inconsidéré comme à vingt ans. Mes paroles, croyez-le, ont trahi ma pensée intime, et je les regrette amèrement.

M. Fauvel, très emporté lui-même et excellent en même temps, devait mieux que tout autre apprécier la conduite de Clameran et en être touché. D'ailleurs une longue vie de scrupuleuse probité ne saurait être atteinte par un propos inconsidéré. Devant des explications si loyalement données, sa rancune ne tint pas.

Il tendit la main à Clameran en disant :

- Que tout soit oublié, monsieur.

Ils s'entretinrent amicalement quelques minutes, Clameran expliqua pourquoi il avait eu un si pressant besoin de ses fonds, et, en se retirant, il annonça qu'il allait faire demander à Mme Fauvel la permission de lui présenter ses hommages.

- Ce sera peut-être indiscret, fit-il avec une nuance visible d'hésitation, après le chagrin qu'elle a dû éprouver ce matin.

- Oh ! il n'y a pas d'hésitation, répondit le banquier, je crois même que causer un peu la distraira, et moi, je suis forcé de sortir pour cette funeste affaire.

Mme Fauvel était alors dans le petit salon où, la veille, Raoul l'avait menacée de se tuer. De plus en plus souffrante, elle était à demi couchée sur un canapé, et Madeleine était près d'elle.

Lorsque le domestique annonça M. Louis de Clameran, elles se dressèrent toutes deux épouvantées comme par une effroyable apparition.

Lui avait eu le temps, en montant l'escalier, de composer son visage. Presque gai en quittant le banquier, il était maintenant grave et triste.

Il salua ; on lui montra un fauteuil, mais il refusa de s'asseoir.

- Vous m'excuserez, mesdames, commença-t-il, d'oser troubler votre affliction, mais j'ai un devoir à remplir.

Les deux femmes se taisaient, elles paraissaient attendre une explication, alors il ajouta en baissant la voix :

- Je sais tout !

D'un geste, Mme Fauvel essaya de l'interrompre. Elle comprenait qu'il allait révéler le secret caché à sa nièce.

Mais Louis ne voulut pas voir ce geste. Il ne semblait s'occuper que de Madeleine, qui lui dit :

– Expliquez-vous, monsieur.

– Il n'y a qu'une heure, répondit-il, que je sais comment, hier soir, Raoul, recourant aux plus infâmes violences, s'est fait livrer par sa mère la clé de la caisse et a volé trois cent cinquante mille francs.

La colère et la honte empourprèrent à ces mots les joues de Madeleine.

Elle se pencha sur sa tante et lui saisissant les poignets qu'elle secoua :

– Est-ce vrai, cela ? demanda-t-elle d'une voix sourde, est-ce vrai ?

– Hélas ! gémit Mme Fauvel anéantie.

Madeleine se releva, confondue de tant d'indigne faiblesse.

– Et tu as laissé accuser Prosper ! s'écria-t-elle, tu le laisses déshonorer, il est en prison !

– Pardon !... murmura Mme Fauvel, j'ai eu peur, il voulait se tuer ; puis, tu ne sais pas... Prosper et lui étaient d'accord.

– Oh ! s'écria Madeleine, révoltée, on t'a dit cela et tu as pu le croire !...

Clameran jugea le moment d'intervenir.

– Malheureusement, dit-il d'un air navré, madame votre tante ne calomnie pas monsieur Bertomy.

– Des preuves ! monsieur ! des preuves !

– Nous avons l'aveu de Raoul.

– Raoul est un misérable !

– Je ne le sais que trop, mais enfin qui a révélé le mot ? Qui a laissé l'argent en caisse ? Monsieur Bertomy, incontestablement.

Ces objections ne parurent nullement toucher Madeleine.

– Et maintenant, dit-elle sans prendre la peine de cacher un mépris qui allait jusqu'au dégoût, savez-vous ce qu'est devenu l'argent ?

Il n'y avait pas à se méprendre au sens de cette question. Soulignée d'un regard écrasant, elle signifiait : « Vous avez été l'instigateur du vol, et vous êtes le receleur. » Cette sanglante injure d'une jeune fille qu'il aimait à ce point que lui, le bandit si prudent, il risquait pour elle les produits de ses crimes, atteignit si bien Clameran, qu'il devint livide. Mais son thème était trop nettement arrêté pour qu'il pût être déconcerté.

– Un jour viendra, mademoiselle, reprit-il, où vous regretterez de m'avoir traité si cruellement. La signification exacte de votre question, je l'ai comprise, oh ! ne prenez pas la peine de nier...

– Mais je ne nie rien, monsieur.

– Madeleine ! murmura Mme Fauvel, qui tremblait, en voyant attiser ainsi les passions mauvaises de l'homme qui tenait sa destinée entre ses mains ; Madeleine, pitié !...

– Oui, fit tristement Clameran, mademoiselle est impitoyable ; elle punit cruellement un homme d'honneur, dont le seul tort est d'avoir obéi aux dernières volontés d'un frère mourant. Et si je suis ici, cependant, c'est que je suis de ceux qui croient à la solidarité de tous les membres d'une famille.

Il sortit lentement des poches de côté de son paletot plusieurs liasses de billets de banque et les déposa sur la cheminée.

– Raoul, prononça-t-il, a volé trois cent cinquante mille francs, voici cette somme. C'est plus de la moitié de ma fortune. De grand cœur je donnerais ce qu'il me reste pour être sûr que ce crime sera le dernier.

Trop inexpérimentée pour pénétrer le plan si audacieux et si simple de Clameran, Madeleine restait interdite ; toutes ses prévisions étaient déroutées.

Mme Fauvel, au contraire, accepta cette restitution comme le salut.

– Merci, monsieur, dit-elle en prenant les mains de Clameran ; merci, vous êtes bon.

Un rayon de la joie qu'il ressentit éclaira les yeux de Louis. Mais il triomphait trop tôt. Une minute de réflexion avait rendu à Madeleine toute sa défiance. Elle trouvait ce désintéressement trop beau pour un homme qu'elle estimait incapable d'un sentiment généreux et l'idée lui vint qu'il devait cacher un piège.

– Que ferons-nous de cet argent ? demanda-t-elle.

– Vous le rendrez à monsieur Fauvel, mademoiselle.

– Nous, monsieur, et comment ? Restituer, c'est dénoncer Raoul, c'est-à-dire perdre ma tante. Reprenez votre argent, monsieur.

Clameran était bien trop fin pour insister, il obéit et sembla disposé à se retirer.

– Je comprends votre refus, dit-il ; à moi de trouver un moyen. Mais je ne me retirerai pas, mademoiselle, sans vous dire combien votre injustice m'a pénétré de douleur. Peut-être, après la promesse que vous m'avez daigné faire, pouvais-je espérer un autre accueil.

– Je tiendrai ma promesse, monsieur, mais quand vous m'aurez donné des garanties, pas avant.

– Des garanties !... Et lesquelles ? De grâce, parlez.

– Qui me dit qu'après mon... mariage, Raoul ne viendra pas de nouveau menacer ma mère ? Que sera ma dot pour un homme qui, en quatre mois, a dissipé plus de cent mille francs ? Nous faisons un marché, je vous donne ma main en échange de l'honneur et de la vie de ma tante, avant de rien conclure, je dis donc : où sont vos garanties ?

– Oh ! je vous en donnerai de telles ! s'écria Clameran, qu'il vous faudra bien reconnaître ma bonne foi. Hélas ! vous doutez de mon dévouement ; que faire pour vous le prouver ? Faut-il essayer de sauver monsieur Bertomy ?

– Merci de votre offre, monsieur, répondit dédaigneusement Madeleine. Si Prosper est coupable, qu'il périsse ; s'il est innocent, Dieu le protégera.

Mme Fauvel et sa nièce se levèrent, c'était un congé. Clameran se retira.

– Quel caractère ! disait-il, quelle fierté !... Me demander des garanties !... Ah ! si je ne l'aimais pas tant ! Mais je l'aime, et je veux voir cette orgueilleuse à mes pieds... Elle est si belle !... Ma foi ! tant pis pour Raoul !

Clameran n'avait jamais été plus irrité.

L'énergie de Madeleine, que ses calculs ne prévoyaient pas, venait de faire manquer le coup de théâtre sur lequel il avait compté et déconcerté ses savantes prévisions.

Il avait trop d'expérience pour se flatter désormais d'intimider une jeune fille si résolue. Il comprenait que, sans avoir pénétré ses desseins, sans saisir le sens de ses manœuvres, elle était assez sur ses gardes pour n'être ni surprise ni trompée. De plus, il était patent qu'elle allait dominer Mme Fauvel de toute la hauteur de sa fermeté, l'animer de sa hardiesse, lui souffler ses préventions et enfin la préserver de défaillances nouvelles.

Juste au moment où Louis croyait gagner en se jouant, il trouvait un adversaire. C'était une partie à recommencer.

Il était clair que Madeleine était résignée à se dévouer pour sa tante, mais il était certain aussi qu'elle était déterminée à ne se sacrifier qu'à bon escient et non à tout hasard sur la foi de promesses aléatoires.

Or, comment lui donner les garanties qu'elle demandait ? Quelles mesures prendre pour mettre ostensiblement et définitivement Mme Fauvel à l'abri des entreprises de Raoul ?

Certes, une fois Clameran marié, Raoul devenu riche, Mme Fauvel ne devait plus être inquiétée. Mais comment le prouver, le démontrer à Madeleine ?

La connaissance exacte de toutes les circonstances de l'ignoble et criminelle intrigue l'aurait rassurée sur ce point ; mais était-il possible de l'initier à tous les détails, avant le mariage surtout ? Évidemment non.

Alors, quelles garanties donner ?

Longtemps Clameran étudia la question sous toutes ses faces, s'ingéniant, épuisant toutes les forces de son esprit alerte ; il ne trouvait rien, pas une transaction possible, pas un expédient.

Mais il n'était pas de ces natures hésitantes qu'un obstacle arrête des semaines entières. Quand il ne pouvait dénouer une situation, il la tranchait.

Raoul le gênait ; il se jura que, de façon ou d'autre, il se débarrasserait de ce complice devenu si gênant.

Pourtant, se défaire de Raoul, si défiant, si fin, n'était pas chose aisée. Mais cette considération ne pouvait faire réfléchir Clameran. Il était aiguillonné par une de ces passions que l'âge rend terribles.

Plus il était certain de la haine et du mépris de Madeleine, plus, par une inconcevable et cependant fréquente aberration de l'esprit et des sens, il l'aimait, il la désirait, il la voulait.

Cependant, une lueur de raison éclairant encore son cerveau malade, il décida qu'il ne brusquerait rien. Il sentait qu'avant d'agir il devait attendre l'issue de l'affaire de Prosper.

Puis, il souhaitait revoir Mme Fauvel ou Madeleine, qui, croyait-il, ne pouvaient tarder à lui demander une entrevue.

Sur ce dernier point, il se faisait encore illusion.

Jugeant froidement et sainement les derniers actes des deux complices, Madeleine se dit que, pour le moment, ils n'iraient pas plus loin.

Elle comprenait à cette heure que la résistance n'eût certes pas été plus désastreuse qu'une lâche soumission.

Elle se résolut donc à assumer la pleine et entière responsabilité des événements, assez sûre de sa bravoure pour tenir tête à Raoul aussi bien qu'à Louis de Clameran.

Mme Fauvel résisterait, elle n'en doutait pas, mais elle se proposait d'user, d'abuser à la rigueur de son influence, pour lui imposer, dans son intérêt même, une attitude plus ferme et plus digne.

C'est pourquoi, après la demande de Clameran, les deux femmes, décidées à attendre leurs adversaires, à les voir venir, ne donnèrent plus signe de vie.

Cachant sous une indifférence assez bien jouée le secret de leurs angoisses, elles renoncèrent à aller aux renseignements.

Par M. Fauvel elles apprirent successivement le résultat des interrogatoires de Prosper, ses dénégations obstinées, les charges qui s'élevaient contre lui, les hésitations du juge d'instruction, et enfin sa mise en liberté, faute de preuves suffisantes – ainsi que le spécifiait l'arrêt de non-lieu. Depuis la tentative de restitution de Clameran, Mme Fauvel ne doutait pas de la culpabilité du caissier.

Elle n'en disait mot ; mais intérieurement elle l'accusait d'avoir séduit, entraîné, poussé au crime Raoul, ce fils qu'elle ne pouvait prendre sur elle de cesser d'aimer.

Madeleine, bien au contraire, était sûre de l'innocence de Prosper.

Si sûre, qu'ayant su qu'il allait être libre, elle osa demander à son oncle, sous prétexte d'une bonne œuvre, une somme de dix mille francs qu'elle fit parvenir à ce malheureux, victime de fausses apparences, et qui, d'après tout ce qu'elle avait entendu dire, devait se trouver sans ressources.

Si dans la lettre qu'elle joignit à cet envoi, lettre découpée dans son paroissien, elle conseillait à Prosper de quitter la France, c'est qu'elle n'ignorait pas qu'en France l'existence lui deviendrait impossible.

De plus, Madeleine était alors persuadée qu'un jour ou l'autre il lui faudrait épouser Clameran, et elle préférait savoir loin, bien loin d'elle l'homme qu'autrefois elle avait distingué et choisi.

Et pourtant, au moment de cette générosité que désapprouvait Mme Fauvel, ces deux pauvres femmes se débattaient au milieu d'inextricables difficultés.

Les fournisseurs, dont Raoul avait dévoré l'argent, et qui, pendant longtemps, avaient fait crédit, insistaient pour qu'on acquittât leurs factures.

D'un autre côté, Madeleine et sa tante, qui, tout l'hiver, s'étaient abstenues de sortir pour éviter des dépenses de toilette, allaient se trouver obligées de paraître au bal que préparaient messieurs Jandidier, des amis intimes de M. Fauvel.

Comment paraître à ce bal, qui, pour comble de malheur, était un bal travesti, et où prendre de l'argent pour les costumes ?...

Car elles en étaient là, dans leur inexpérience des vulgaires et cependant atroces difficultés de la vie, ces femmes qui ignoraient ce qu'est la gêne, qui toujours avaient marché les mains pleines d'or.

Il y avait un an qu'elles n'avaient payé la couturière ; elles lui devaient une certaine somme. Consentirait-elle à faire encore un crédit ?

Une nouvelle femme de chambre, nommée Palmyre Chocareille, qui entra au service de Madeleine, les tira d'inquiétude.

Cette fille, qui semblait avoir une grande expérience des petites misères, qui sont les seules sérieuses, devina peut-être les soucis de ses maîtresses.

Toujours est-il que, sans en être priée, elle indiqua une couturière très habile, qui débutait, qui avait des fonds, et qui serait trop heureuse de fournir tout ce qu'il faudrait, et encore d'attendre pour le paiement, récompensée d'avance par cette certitude que la clientèle des dames Fauvel la ferait connaître et lui amènerait d'autres pratiques.

Mais ce n'était pas tout. Ni Mme Fauvel, ni sa nièce ne pouvaient se rendre à ce bal sans un bijou.

Or, toutes leurs parures, sans exception, avaient été prises et engagées au Mont-de-Piété par Raoul qui avait gardé les reconnaissances.

C'est alors que Madeleine eut l'idée d'aller demander à Raoul d'employer au moins une partie de l'argent volé à dégager les bijoux arrachés à la faiblesse de sa mère. Elle s'ouvrit de ce projet à sa tante, en lui disant :

– Assigne un rendez-vous à Raoul, il n'osera te refuser, et j'irai...

Et en effet, le surlendemain, la courageuse fille prit un fiacre, et, malgré un temps épouvantable, se rendit au Vésinet.

Elle ne se doutait pas alors que M. Verduret et Prosper la suivaient, et que, hissés sur une échelle, ils étaient témoins de l'entrevue.

Cette tentative hardie de Madeleine fut d'ailleurs inutile. Raoul déclara qu'il avait partagé avec Prosper ; que sa part à lui était dissipée, et qu'il se trouvait sans argent.

Même, il ne voulait pas rendre les reconnaissances, et il fallut que Madeleine insistât énergiquement pour s'en faire donner quatre ou cinq, d'objets indispensables et d'une valeur minime.

Ce refus, Clameran l'avait ordonné, imposé. Il espérait que dans un moment de détresse suprême on s'adresserait à lui.

Raoul avait obéi, mais seulement après une altercation violente dont Joseph Dubois, le nouveau domestique de Clameran, avait été témoin.

C'est que les deux complices étaient alors au plus mal ensemble. Clameran cherchait un moyen, sinon honnête, au moins peu dangereux, de se défaire de Raoul, et le jeune bandit avait comme un pressentiment des amicales intentions de son compagnon.

Seule, la certitude d'un grand danger pouvait les réconcilier, et cette certitude, ils l'eurent au bal de messieurs Jandidier.

Quel était ce mystérieux Paillasse qui, après ses transparentes allusions aux malheurs de Mme Fauvel, avait dit à Louis d'un ton si singulier : « Je suis l'ami de votre frère Gaston » ?

Ils ne pouvaient le deviner, mais ils reconnurent si bien un ennemi implacable, qu'au sortir du bal ils essayèrent de le poignarder.

L'ayant suivi, ayant été dépistés, ils furent épouvantés.

– Prenons garde, avait murmuré Clameran ; nous ne saurons que trop tôt quel est cet homme.

Raoul, alors, avait essayé de le décider à renoncer à Madeleine.

– Non ! s'était-il écrié, je l'aurai ou je périrai...

Ils pensaient que prévenus, il serait difficile de les prendre. C'est qu'ils ignoraient quel homme était sur leurs traces.

XXII

Tels sont les faits qui, avec une science presque invraisemblable d'investigation, avaient été recueillis et coordonnés par ce gros homme à figure réjouie qui avait pris Prosper sous sa protection, M. Verduret.

Arrivé à Paris à neuf heures du soir, non par le chemin de fer de Lyon, ainsi qu'il l'avait annoncé, mais par le chemin de fer d'Orléans, M. Verduret s'était aussitôt rendu à l'hôtel du *Grand-Archange,* où il avait trouvé le caissier l'attendant, dévoré d'impatience.

- Ah ! vous allez en entendre de belles, lui avait-il dit, et vous allez voir jusqu'où, parfois, il faut remonter dans le passé pour trouver les causes premières d'un crime. Tout se tient et s'enchaîne ici-bas. Si Gaston de Clameran n'était pas allé, il y a vingt ans, prendre une demi-tasse dans un petit café de Jarnègue, à Tarascon, on n'aurait pas volé votre caisse il y a trois semaines. Valentine de La Verberie a payé en 1866 les coups de couteau donnés pour l'amour d'elle vers 1840. Rien ne se perd ni ne s'oublie. Au surplus, écoutez.

Et tout aussitôt, il s'était mis à conter, s'aidant de ses notes et du volumineux manuscrit qu'il avait rédigé.

Depuis une semaine, M. Verduret n'avait peut-être pas pris en tout vingt-quatre heures de repos, mais il n'y paraissait guère. Ses muscles d'acier bravaient les fatigues, et les ressorts de son esprit étaient trop solidement trempés pour s'affaisser jamais.

Un autre eût été brisé, lui se tenait debout et contait avec cette verve entraînante qui lui était particulière, jouant, pour ainsi dire, le drame dont il déroulait les péripéties, s'attendrissant ou se passionnant - « entrant », pour parler comme au théâtre, dans la peau de chacun des personnages qu'il mettait en scène.

Prosper, lui, écoutait, ébloui de cette surprenante lucidité, de cette faculté merveilleuse d'exposition.

Il écoutait, et il se demandait si ce récit qui expliquait les événements jusque dans les moindres circonstances, qui analysait des sensations fugitives, qui rétablissait des conversations qui avaient dû être secrètes, n'était pas un roman bien plus qu'une relation exacte.

Certes, toutes ces explications étaient ingénieuses, séduisantes comme probabilité, strictement logiques ; mais sur quoi reposaient-elles ? N'étaient-elles pas le rêve d'un homme d'imagination ?

M. Verduret mit longtemps à tout dire ; il était près de quatre heures du matin, quand, ayant terminé, il s'écria avec l'accent du triomphe :

– Et maintenant, ils sont sur leurs gardes ; ils sont bien fins, mais je m'en moque, je les tiens, ils sont à nous ! Avant huit jours, ami Prosper, vous serez réhabilité : je l'ai promis à votre père.

– Est-ce possible ! murmurait le caissier dont toutes les idées étaient bouleversées, est-ce possible !

– Quoi ?

– Tout ce que vous venez de m'apprendre.

M. Verduret bondit en homme peu habitué à voir ses auditeurs douter de la sûreté de ses informations.

– Si c'est possible ! s'écria-t-il, mais c'est la vérité même, la vérité prise sur le fait et exposée toute palpitante.

– Quoi ! de telles choses peuvent se passer à Paris, au milieu de nous, sans que...

– Parbleu ! interrompit le gros homme, vous êtes jeune, mon camarade ! il s'en passe bien d'autres... et vous ne vous en doutez guère. Vous ne croyez, vous, qu'aux horreurs de la cour d'assises. Peuh ! on ne voit au grand jour de la *Gazette des Tribunaux* que les mélodrames sanglants de la vie, et les acteurs, d'immondes scélérats, sont lâches comme le couteau ou bêtes comme le poison qu'ils emploient. C'est dans l'ombre des familles, souvent à l'abri du code que s'agite le drame vrai, le drame poignant de notre époque ; les traîtres y ont des gants, les coquins s'y drapent de considération, et les victimes meurent désespérées, le sourire aux lèvres... Mais c'est banal, ce que je vous dis là, et vous vous étonnez...

– Je me demande comment vous avez pu découvrir toutes ces

infamies.

Le gros homme eut un large sourire.

- Eh ! eh !... fit-il, d'un air content de soi, quand je me donne à une tâche, je m'y applique tout entier. Notez bien ceci : un homme d'intelligence moyenne qui concentre toutes ses pensées, toutes les impulsions de sa volonté vers un seul but, arrive presque toujours à ce but. De plus, j'ai mes petits moyens à moi.

- Encore faut-il des indices, et je n'aperçois pas...

- C'est vrai ; pour se guider dans les ténèbres d'une pareille affaire, il faut une lueur. Mais la flamme du regard de Clameran, quand j'ai prononcé le nom de Gaston, son frère, a allumé ma lanterne. De ce moment, j'ai marché droit à la solution du problème comme vers un phare.

Les regards de Prosper interrogeaient et suppliaient. Il eût voulu connaître les investigations de son protecteur, car il doutait encore, il n'osait croire à ce bonheur qu'on lui annonçait : une éclatante réhabilitation.

- Voyons ! fit M. Verduret, vous donneriez bien quelque chose pour savoir comment je suis arrivé à la vérité.

- Oui, je l'avoue ; c'est pour moi un tel prodige !...

M. Verduret jouissait délicieusement de la stupéfaction de Prosper. Certes, ce n'était pour lui ni un bon juge, ni un amateur distingué ; peu importe, on est toujours flatté d'une admiration sincère, de quelque part qu'elle vienne.

- Soit, répondit-il, je vais vous démontrer mon système. De prodige, il n'y a pas l'ombre. Nous avons travaillé ensemble à la solution du problème, vous savez donc par quels moyens je suis arrivé à me douter que Clameran était pour quelque chose dans le crime. De ce moment, avec mes certitudes, la besogne était facile. Qu'ai-je donc fait ? J'ai placé des gens à moi près des personnes que j'avais intérêt à surveiller, Joseph Dubois chez Clameran, Nina Gypsy près des dames Fauvel.

- En effet, et j'en suis encore à comprendre comment Nina a consenti à se charger de cette commission.

- Ceci, répondit M. Verduret, c'est mon secret. Je continue. Ayant de bons yeux et de fines oreilles dans la place, sûr de connaître le présent, j'ai dû m'informer du passé, et je suis parti pour Beaucaire. Le lendemain, j'étais à Clameran, et, du premier coup, je mettais la main sur le fils de Saint-Jean, l'ancien valet de chambre. C'est un brave garçon, ma foi ! franc comme l'osier, simple comme la nature, et qui a tout de suite deviné que j'avais besoin d'acheter des garances...

– Des garances ? interrogea Prosper dérouté.

– Certainement, cela se voyait, il faut vous dire que je n'avais pas tout à fait l'air que j'ai en ce moment. Lui, ayant des garances à vendre, ce qui se voyait aussi, nous sommes entrés en marché. Les débats ont duré toute une journée pendant laquelle nous avons bien bu une douzaine de bouteilles. Au moment du souper, Saint-Jean fils était ivre comme une bonde, et moi j'avais acheté pour neuf cents francs de garance que votre père revendra.

Si singulier était l'air de Prosper que M. Verduret éclata de rire.

– J'avais risqué neuf cents francs, poursuivit-il ; mais, de fil en aiguille, j'avais appris toute l'histoire des Clameran, les amours de Gaston, sa fuite et aussi la chute du cheval de Louis. Je savais aussi que Louis était revenu il y a un an environ, qu'il avait vendu le château à un marchand de biens nommé Fougeroux, et que la femme de cet acheteur, Mihonne, avait assigné un rendez-vous à Louis. Le même soir, ayant passé le Rhône j'arrivais chez cette Mihonne. Pauvre femme ! son coquin de mari l'a tant battue qu'elle n'est pas bien loin d'être idiote. Je lui ai prouvé que je venais de la part d'un Clameran quelconque, et elle s'est empressée de me conter tout ce qu'elle savait.

La simplicité de ces moyens d'investigations confondait Prosper.

– Dès lors, continuait M. Verduret, l'écheveau se débrouillait, je tenais le maître fil. Restait à savoir ce qu'était devenu Gaston. Ah ! je n'ai pas eu de peine à retrouver sa trace. Lafourcade, qui est un ami de votre père, m'a appris qu'il s'était fixé à Oloron, qu'il y avait acheté une usine, et qu'il y était mort. Trente-six heures plus tard, j'étais à Oloron.

– Vous êtes donc infatigable ?...

– Non, mais j'ai pour principe de battre le fer pendant qu'il est chaud. À Oloron, j'ai rencontré Manuel, venu pour y passer quelques jours en se rendant en Espagne, et, par lui, j'ai eu la biographie exacte de Gaston et les plus minutieux détails sur sa mort. Par Manuel, j'ai su la visite de Louis, et un aubergiste de la ville m'a appris le séjour à cette époque d'un jeune ouvrier en qui j'ai reconnu Raoul.

– Mais les conversations, demanda Prosper, ces conversations si précises...

– Vous croyez que je les ai prises sous mon bonnet, n'est-ce pas ? Erreur. Pendant que je travaillais là-bas, mes aides, ici, ne mettaient pas leurs mains dans le même gant. Se défiant l'un de l'autre, Clameran et Raoul ont été assez ingénieux pour garder les lettres qu'ils s'écrivaient. Ces lettres, Joseph Dubois les a trouvées, il en a copié la majeure partie, il a fait photographier les plus décisives et il m'a expédié le tout. De son côté, Nina passait sa vie à écouter aux portes et m'envoyait le résumé fidèle de ce qu'elle entendait. Enfin, j'ai eu chez les Fauvel un dernier moyen d'investigation que je vous révélerai plus tard.

C'était net, précis, indiscutable.

– Je comprends, murmurait Prosper, je comprends.

– Et vous, mon jeune camarade, interrogea M. Verduret, qu'avez-vous fait ?

Prosper, à cette question, se troubla et rougit. Mais il comprit que taire son imprudence serait une folie et une mauvaise action.

– Hélas ! répondit-il, j'ai été fou, j'ai lu dans un journal que Clameran allait épouser Madeleine.

– Et alors ? insista M. Verduret devenu inquiet.

– J'ai écrit à monsieur Fauvel une lettre anonyme où je lui donne à entendre que sa femme le trahit pour Raoul...

D'un formidable coup de poing, M. Verduret brisa la table près de laquelle il était assis.

– Malheureux !... s'écria-t-il, vous avez peut-être tout perdu !

En un clin d'œil, la physionomie du gros homme changea. Sa face joviale prit une expression menaçante.

Il s'était levé, et il arpentait rageusement la plus belle chambre de l'hôtel du *Grand-Archange,* sans souci des locataires de l'étage inférieur.

– Mais vous êtes donc un enfant, disait-il à Prosper consterné, un insensé, pis encore... un sot !...

– Monsieur...

– Quoi ! il se trouve un brave homme qui, lorsque vous vous noyez, se jette à l'eau, et quand il est sur le point de vous sauver, vous vous accrochez à ses jambes pour l'empêcher de nager !... Que vous avais-je dit ?

– De me tenir tranquille, de ne pas sortir.

– Eh bien !...

Le sentiment de ses torts rendait Prosper plus timide que le lycéen auquel son professeur demande compte de ses heures d'étude, et qui s'excuse.

– C'était le soir, monsieur, répondit-il, je souffrais, je me suis promené le long des quais, j'ai cru pouvoir entrer dans un café, on m'a donné un journal, j'ai vu l'épouvantable nouvelle...

– N'était-il pas arrêté que vous aviez confiance en moi ?

– Vous étiez absent, monsieur, l'annonce de ce mariage m'a bouleversé ; vous étiez loin, on peut être surpris par les événements...

– Il n'y a d'imprévu que pour les imbéciles ! déclara péremptoirement M. Verduret. Écrire une lettre anonyme ! Savez-vous à quoi vous m'exposez ? Vous êtes cause que je manquerai peut-être à une parole sacrée donnée à une des rares personnes que j'estime ici-bas. Je passerai pour un fourbe, pour un lâche, moi qui...

Il s'interrompit comme s'il eût craint d'en trop dire, et ce n'est qu'après un certain temps que, devenu relativement calme, il reprit :

– Revenir sur ce qui est fait est idiot. Tâchons de sortir de ce mauvais pas. Où et quand avez-vous mis votre lettre à la poste ?

– Hier soir, rue du Cardinal-Lemoine. Ah ! elle n'était pas au fond de la boîte que j'avais déjà des regrets.

– Il eût mieux valu les avoir avant. Quelle heure était-il ?

– Près de dix heures.

– C'est-à-dire que votre poulet est arrivé à monsieur Fauvel ce matin avec son courrier ; donc il était probablement seul dans son cabinet, quand il l'a décacheté et lu.

– Ce n'est pas probable, c'est sûr.

– Vous rappelez-vous les termes de votre lettre ? Ne vous troublez pas, ce que je vous demande est important ; cherchez...

– Oh ! je n'ai pas besoin de chercher. J'ai les expressions présentes à la mémoire comme si je venais d'écrire.

Il disait vrai, et c'est presque textuellement qu'il récita sa lettre à M. Fauvel.

C'est avec l'attention la plus concentrée que l'écoutait M. Verduret, et les plis de son front trahissaient le travail de sa pensée.

– Voilà, murmurait-il, une rude lettre anonyme, pour qui n'en fait pas son état. Elle laisse tout entendre, sans rien préciser, elle est vague, railleuse, perfide... Répétez encore une fois.

Prosper obéit, et sa seconde version ne varia pas.

– C'est que tout y est, poursuivait le gros homme, répétant après Prosper les phrases de la lettre. Rien de plus inquiétant que cette allusion au caissier. Ce doute : « Est-ce aussi lui qui a volé les diamants de Mme Fauvel ? » est tout simplement affreux. Quoi de plus irritant que cet ironique conseil : « À votre place, je ne ferais pas d'esclandre ; je surveillerais ma femme » ?

Sa voix s'éteignit ; c'est intérieurement qu'il poursuivait son monologue.

À la fin, il revint se planter droit, les bras croisés devant Prosper.

– L'effet de votre lettre, dit-il, a dû être terrible ; passons. Il est emporté, n'est-ce pas, votre patron.

– Il est la violence même.

– Alors, le mal n'est peut-être pas irréparable.

– Quoi ! vous supposez...

– Je pense que tout homme d'un naturel violent se redoute et n'obéit jamais à un premier mouvement. Là est notre chance de salut. Si, au reçu de vos obus, monsieur Fauvel n'a pas su se contenir, s'il s'est précipité dans la chambre de sa femme en criant : « Où sont vos diamants ? » N, i, ni, adieu nos projets. Je connais madame Fauvel, elle confessera tout.

– Serait-ce un si grand malheur ?

– Oui, mon jeune camarade, parce qu'au premier mot prononcé haut entre madame Fauvel et son mari, nos oiseaux s'envoleront.

Prosper n'avait pas prévu cette éventualité.

– Ensuite, continua M. Verduret, ce serait causer à quelqu'un une immense douleur.

– À quelqu'un que je connais ?

– Oui, mon camarade, et beaucoup. Enfin, je serais désolé de voir filer ces deux gredins sans être absolument édifié à leur endroit.

– Il me semble pourtant que vous savez à quoi vous en tenir ?

M. Verduret haussa les épaules.

– Vous n'avez donc pas senti, demanda-t-il, les lacunes de mon récit ?

– Aucunement.

– C'est que vous n'avez pas su m'écouter. Primo, Louis de Clameran a-t-il, oui ou non, empoisonné son frère ?

– Oui, d'après ce que vous avez dit, j'en suis sûr.

– Oh !... vous êtes plus affirmatif, jeune homme, que je n'ose l'être. Votre opinion est la mienne ; mais quelle preuve décisive avons-nous ? Aucune. J'ai, avec une certaine adresse, j'ose le croire, interrogé le docteur C... Il n'a pas eu l'ombre d'un soupçon. Et le docteur C... n'est pas un médicastre, c'est un savant homme, un praticien, un observateur. Quels poisons produisent les effets décrits ? Je n'en connais pas. Et j'ai pourtant étudié bien des poisons, depuis la digitale de La Pommeraye jusqu'à l'aconitine de la Sauvresy.

– Cette mort est arrivée si à propos...

– Qu'on ne peut s'empêcher de croire à un crime ? c'est vrai, mais le hasard est parfois un merveilleux complice. Voilà le premier point. Secundo, j'ignore les antécédents de Raoul.

– Est-il donc nécessaire de les connaître ?

– Indispensable, mon camarade. Mais nous les connaîtrons avant peu. J'ai expédié à Londres un de mes hommes... pardon, un de mes amis qui est très adroit, monsieur Pâlot, et il m'a écrit qu'il tient la piste. Vrai, je ne serai pas fâché de connaître l'épopée de ce jeune gredin sceptique et sentimental, qui peut-être sans Clameran serait un brave et honnête garçon...

Prosper n'écoutait plus.

L'assurance de M. Verduret lui donnait confiance ; déjà, il voyait les vrais coupables sous la main de la justice et il se délectait, par avance, de ce drame de cour d'assises où éclaterait son innocence, et où il serait réhabilité avec éclat, après avoir été bruyamment déshonoré.

Bien plus, il retrouvait Madeleine, car il s'expliquait sa conduite, ses réticences chez la couturière ; il comprenait qu'elle n'avait pas un instant cessé de l'aimer.

Ces certitudes de bonheur à venir devaient lui rendre et lui rendaient, en effet, son sang-froid, perdu depuis le moment où, chez son patron, il avait découvert que la caisse venait d'être volée.

Et pour la première fois, il s'étonna de la singularité de sa situation.

Les événements qui déconcertent les prévisions humaines ont ceci de remarquable qu'ils bouleversent les idées et les haussent au niveau des plus étranges situations.

Prosper, qui s'était simplement étonné de la protection de M. Verduret, de l'étendue de ses moyens d'investigation, en vint à se demander quelles raisons secrètes le faisaient agir.

En somme, quels étaient les mobiles du dévouement de cet homme, et quel prix espérait-il de ses services ?

Telle fut l'intensité de l'inquiétude du caissier, que brusquement il s'écria :

– Vous n'avez plus le droit, monsieur, de vous cacher de moi ! Quand on a rendu à un homme l'honneur et la vie, quand on l'a sauvé, on lui dit qui il doit remercier et bénir.

Arraché brusquement à ses méditations, le gros homme tressaillit.

– Oh !... fit-il en souriant, vous n'êtes pas tiré d'affaire encore, ni marié, n'est-ce pas ? ayez donc, pour quelques jours encore, la patience et la foi...

Six heures sonnèrent.

– Bon ! s'écria M. Verduret, déjà six heures, et moi qui arrivais avec l'espoir de me donner une nuit pleine. Ce n'est pas le moment de dormir.

Il sortit de la chambre et alla se pencher sur la cage de l'escalier.

– Madame Alexandre ! cria-t-il ; eh ! madame Alexandre !

L'hôtesse du *Grand-Archange,* la volumineuse épouse de M. Fanferlot, dit l'Écureuil, ne s'était pas couchée. Ce détail frappa Prosper.

Elle apparut humble, souriante, empressée.

– Qu'y a-t-il pour votre service, messieurs ? demanda-t-elle.

– Il y a, répondit M. Verduret, qu'il me faut, le plus tôt possible, votre... Joseph Dubois et aussi Palmyre. Faites-les prévenir. Quand ils arriveront on m'éveillera, car je vais me reposer un peu.

Mme Alexandre n'était pas au bas de l'escalier que déjà le gros homme s'était sans façon jeté sur le lit de Prosper.

– Vous permettez, n'est-ce pas ? avait-il dit.

Cinq minutes plus tard, il dormait, et Prosper, étendu sur un fauteuil, se demandait, plus intrigué que jamais, quel était ce sauveur.

Il n'était guère que neuf heures lorsqu'un doigt timide frappa trois petits coups à la porte de la chambre.

Si léger qu'eût été le bruit, il suffit pour éveiller M. Verduret, qui sauta à bas du lit en disant :

– Qui est là ?

Mais déjà Prosper, qui n'avait pu s'assoupir sur son fauteuil, était allé ouvrir.

Joseph Dubois, le domestique du marquis de Clameran, entra.

L'auxiliaire de M. Verduret était essoufflé comme un homme qui a couru, et ses petits yeux de chat étaient plus mobiles et plus inquiets qu'à l'ordinaire.

– Enfin, je vous revois, patron ! s'écria-t-il ; enfin, vous allez me conseiller de nouveau. Vous absent, je ne savais plus à quel saint me vouer ; j'étais comme un pantin dont le fil est cassé.

– Comment, toi, tu te laisses démonter ainsi !

– Dame ! pensez donc, je ne savais où vous prendre. Hier, dans l'après-midi, je vous ai expédié trois dépêches aux adresses que vous m'aviez données, à Lyon, à Beaucaire, à Oloron, et pas de réponse. Je me sentais devenir fou, quand on est venu me chercher de votre part.

- Ça chauffe donc ?

- C'est-à-dire que ça brûle, patron, et que la place n'est plus tenable, parole d'honneur !

Tout en parlant, M. Verduret avait réparé l'économie de sa toilette, quelque peu dérangée pendant son sommeil.

Quand il eut achevé, il se jeta dans un fauteuil, pendant que Joseph Dubois restait respectueusement debout, sa casquette à la main, dans l'attitude du soldat qui va au rapport sans armes.

- Explique-toi, mon garçon, commença M. Verduret, et lestement, s'il te plaît ; pas de phrases.

- Voilà, bourgeois. Je ne sais pas quelles sont vos intentions, j'ignore vos moyens d'action, mais il faut en finir, frapper votre dernier coup, vite, très vite.

- C'est votre avis, maître Joseph ?

- Oui, patron, parce que si vous attendez, si vous hésitez, si vous tergiversez, bonsoir la compagnie, vous ne trouverez plus qu'une cage vide, les oiseaux auront pris leur volée. Vous souriez ?... Oui, je sais bien que vous êtes fort, mais ils sont roués, eux aussi.

- Tu ne les as donc pas recommandés là-bas, quand je t'ai écrit ?

- Si, mais ils sont gens à glisser entre les doigts comme une anguille. Ils savent qu'ils ont du monde à leurs trousses.

- Mille diables ! s'écria M. Verduret, on aura commis quelque maladresse.

Cette conversation était par trop transparente pour ne pas donner beaucoup à réfléchir à Prosper ; aussi écoutait-il de toutes ses forces, tout en notant et la supériorité aisée de M. Verduret et la déférence très sincère, on le sentait, du domestique.

- On n'a pas été maladroit, reprit Joseph ; la défiance de nos gaillards, vous en savez quelque chose, patron, date de loin. Ils se sont doutés de quelque chose le soir où vous vous êtes déguisé en Paillasse, et la preuve, c'est le coup de couteau qu'ils vous ont allongé. Depuis, ils n'ont dormi que d'un œil. Cependant ils commençaient, je crois, à se rassurer quand hier, ma foi ! la mèche a été décidément éventée.

– Et c'est pour cela que tu m'envoyais des dépêches ?

– Naturellement. Écoutez la chose. Hier matin, au saut du lit, c'est-à-dire sur les dix heures, voilà que mon honorable bourgeois s'avise de mettre de l'ordre dans ses paperasses qui sont renfermées dans un meuble du salon, un meuble à lui, lequel, entre parenthèses, a une serrure qui m'a donné bien du mal. Moi, pendant ce temps-là, je faisais semblant d'arranger le feu, et je le guignais. Patron, cet homme-là a l'œil américain ! Du premier coup, il a vu, il a deviné plutôt, qu'on avait touché les damnés papiers. Il est devenu blanc comme un linge, et il a poussé un juron, mais un juron !...

– Passons, passons.

– Soit ! Comment s'est-il aperçu de mes petites recherches ? C'est un mystère. Vous savez comme je suis soigneux. J'avais tout remis en ordre avec une légèreté de main, une attention !... Alors, voilà que pour se convaincre qu'il ne s'abuse pas, mon marquis se met à examiner toutes les lettres une à une, à les tourner, à les flairer... j'avais envie de lui offrir un microscope. Il n'en avait pas besoin, le gredin. Tout à coup, paf, il se dresse avec des yeux flamboyants, d'un coup de pied, il envoie sa chaise à l'autre bout du salon, et il se précipite sur moi en hurlant : « On est venu ici, on a visité mes papiers, on a photographié la lettre que voici !... » Brrr ! je ne suis pas plus lâche qu'un autre, mais tout mon sang n'a fait qu'un tour ; je me voyais mort, haché, massacré. Même, je me suis dit : Fanfer... pardon, Dubois, mon garçon, tu es flambé. Et j'ai pensé à madame Alexandre...

M. Verduret était devenu sérieux. Il réfléchissait, laissant ce bon Joseph analyser et exposer ses sensations personnelles.

– Continue, dit-il enfin.

– J'en ai été quitte pour la peur, patron, le scélérat n'a pas osé me toucher. Il est vrai que, plein de prudence, je m'étais mis hors de portée et que nous causions avec la large table qui est au milieu du salon entre nous deux. Tout en me demandant comment il avait découvert le pot aux roses, je me défendais comme un beau diable. Je disais : « Ce n'est pas vrai, monsieur le marquis se trompe ; ce n'est pas possible ! » Bast ! il ne m'écoutait pas ; il brandissait une lettre en me répétant : « Cette lettre a été photographiée, et j'en ai la preuve. »

» Il ne se trompait pas, le cher homme. Et en même temps il me montrait sur le papier une petite tache jaunâtre. « Sens ! me criait-il, sens ! c'est du..., c'est de la... » Il m'a dit le nom, je l'ai oublié ; c'est, paraît-il, une drogue dont les photographes se servent...

– Je sais, je sais, interrompit M. Verduret. Après ?

– Après, patron, nous avons eu une scène, oh ! mais une scène !... Il a fini par m'empoigner au collet et il me secouait comme un prunier, pour me faire dire qui je suis, qui je connais, d'où je viens... est-ce que je sais ? Il m'a fallu lui donner l'emploi de mon temps, à une minute près, depuis que je suis chez lui. Ce brigand-là était né pour faire un juge d'instruction. Puis, il a fait venir le garçon de l'hôtel chargé de l'appartement et il l'a questionné, mais en anglais, en sorte que, vous comprenez, je n'ai pas compris... À la fin, pourtant, il s'est radouci, et quand le garçon a été parti, il m'a donné une pièce de vingt francs en me disant : « Tiens, je suis fâché de t'avoir brusqué, tu es trop bête pour le métier dont je te soupçonnais. »

– Il t'a dit cela ?

– En propres termes, parlant à ma personne, oui, patron.

– Et tu crois qu'il le pensait ?

– Positivement.

Le gros homme modula un petit sifflement qui indiquait nettement que telle n'était pas son opinion.

– Si tu le prends ainsi, prononça-t-il, Clameran avait raison, tu n'es pas fort.

Il était aisé de voir que cet excellent Joseph Dubois grillait d'envie de motiver son avis, cependant il n'osa pas.

– Dans le fait, répondit-il, tout déconcerté, c'est bien possible. Toujours est-il que, cette affaire arrangée, monsieur le marquis s'est habillé pour sortir. Seulement, il n'a pas voulu de sa voiture et je lui ai vu prendre un remise dans la cour de l'hôtel. Là, franchement, j'ai bien cru que je ne le reverrais pas de longtemps et qu'il allait se donner de l'air. Erreur. Il m'est revenu sur les cinq heures, gai comme un pinson. Moi, pendant cette absence, j'avais couru au télégraphe...

– Comment, tu ne l'as pas suivi ?

– Excusez, patron, un de nos... amis le « filait », je m'en étais assuré. C'est même par cet ami que je sais ce qu'a fait notre gaillard. Il est allé d'abord chez un agent de change, puis au Comptoir d'escompte, puis à la Banque. On voit bien que c'est un capitaliste ! J'ai idée qu'il a pris ses dispositions pour un petit voyage.

– Et c'est tout ?

– De ce côté, oui, patron. D'un autre, il est bon que vous sachiez que nos coquins ont essayé de faire coffrer administrativement, vous m'entendez, mademoiselle Palmyre. Par bonheur, vous aviez prévu le coup, et j'avais prévenu là-bas. Sans vous, elle était « emballée » raide.

Il s'arrêta, le nez en l'air, cherchant s'il n'avait pas autre chose encore à dire. Ne trouvant rien :

– Et voilà ! s'écria-t-il. J'ose espérer que monsieur Patrigent va se frotter les mains ferme à ma première visite. Il ne s'attend pas aux détails qui vont grossir son dossier 113.

Il y eut un long silence. Ainsi que l'avait conjecturé ce bon Joseph, l'instant décisif était venu, et M. Verduret dressait son plan de bataille en attendant le rapport de Nina, redevenue Palmyre, lequel devait décider son point d'attaque.

Mais Joseph Dubois était impatient et inquiet.

– Que dois-je faire maintenant, patron ? demanda-t-il.

– Toi, mon garçon, tu vas retourner à l'hôtel ; ton maître, très probablement, se sera aperçu de ton absence, mais il ne t'en dira rien, tu continueras donc...

Une exclamation de Prosper, qui se tenait debout près de la fenêtre, interrompit M. Verduret.

– Qu'est-ce ? demanda-t-il.

– Clameran ! répondit Prosper, là.

D'un bond, M. Verduret et Joseph furent à la fenêtre.

– Où le voyez-vous ? demandaient-ils.

– Là, au coin du pont, derrière la baraque de cette marchande d'oranges.

Prosper ne s'était pas trompé.

C'était bien le noble marquis Louis de Clameran qui, embusqué derrière l'échoppe volante, épiait les allants et les venants de l'hôtel du *Grand-Archange,* et attendait son domestique.

Il fallut un peu de temps pour s'en assurer, car le marquis se dissimulait très habilement, en aventurier habitué à ces expéditions hasardeuses.

Mais un moment vint où, pressé et coudoyé par la foule, il fut obligé de descendre du trottoir. Il parut alors à découvert.

– Avais-je raison ? s'écria le caissier ; est-il encore possible de douter ?

– Vrai ! murmurait Joseph, convaincu, c'est à n'y pas croire.

M. Verduret, lui, ne semblait aucunement surpris.

– Voilà, dit-il, que le gibier se fait chasseur. Eh bien ! Joseph, mon garçon, t'obstines-tu à soutenir que ton honorable bourgeois a été dupe de tes simagrées de Jocrisse ?

– Vous m'aviez assuré le contraire, patron, répondit le bon Dubois du ton le plus humble, et après une affirmation de vous, les preuves sont inutiles.

– Au surplus, continuait le gros homme, cette manœuvre, si téméraire qu'elle semble, était indiquée. Il sait qu'on est sur lui, cet homme, et tout naturellement il cherche à connaître ses adversaires. Comprenez-vous combien il doit souffrir de ses incertitudes ? Peut-être s'imagine-t-il que ceux qui le traquent sont tout simplement d'anciens complices très affamés qui voudraient une petite part du gâteau. Il va rester là jusqu'à ce que Joseph ressorte, et alors il viendra aux informations.

– Mais je puis sortir sans qu'il m'aperçoive, patron !

– Oui, je sais, tu franchirais le petit mur qui sépare l'hôtel du *Grand-Archange* de la cour du marchand de vins ; de là, tu passerais par le sous-sol du papetier et tu filerais par la rue de la Huchette.

Ce bon Joseph avait la mine impayable d'un brave homme qui tout à coup, sans savoir d'où, reçoit sur la tête un seau d'eau glacée.

- C'est cela même, patron, bégaya-t-il. On m'a dit, là-bas, que vous connaissiez comme cela toutes vos maisons de Paris. Est-ce vrai ?

Le gros ami de Prosper ne daigna pas répondre. Il se demandait quel profit immédiat tirer de la démarche de Clameran.

Quant au caissier, il écoutait, bouche béante, observant alternativement ces inconnus, qui, sans apparence d'intérêt, avec autant de passion que lui-même, s'ingéniaient à gagner la difficile partie dont son honneur, son bonheur, sa vie, étaient l'enjeu.

- Il y a encore un moyen, proposa Joseph, qui de son côté avait réfléchi.

- Lequel ?

- Je puis sortir tout bonifacement, les mains dans les poches, et regagner en flânant l'hôtel du Louvre.

- Et après ?

- Dame !... le Clameran viendra questionner madame Alexandre, et, si vous lui avez fait la leçon, vous savez combien elle est futée, elle déroutera notre gaillard de telle façon, qu'il ne saura plus que penser.

- Mauvais !... prononça péremptoirement M. Verduret ; on ne déroute pas un gaillard si fort compromis, et surtout, on ne le rassure pas.

Le parti du gros homme était arrêté, car de ce ton bref qui n'admet pas de réplique, il reprit :

- J'ai mieux. Depuis que Clameran sait que ses papiers ont été explorés, a-t-il vu Lagors ?

- Non, patron.

- Il peut lui avoir écrit.

- Je parierais ma tête à couper que non. D'après vos instructions, ayant à surveiller surtout sa correspondance, j'ai organisé un petit système qui me met en garde dès qu'il touche une plume ; or, depuis vingt-quatre heures, les plumes n'ont pas bougé.

- Clameran est sorti hier une partie de l'après-midi.

- Il n'a pas écrit en route, l'homme qui le suivait le garantit.

– Alors ! s'écria le gros homme, en avant, en avant ! Descends, et plus vite que ça ; je te donne un quart d'heure pour te faire une autre tête, une tête de là-bas, tu sais ; moi, d'ici, je ne perds pas notre gredin de vue.

Sans hésiter, sans un mot dire, le bon Joseph disparut, léger comme un sylphe, et M. Verduret et Prosper restèrent près de la fenêtre, observant Clameran, qui, selon les caprices du flux et du reflux de la foule, apparaissait ou disparaissait, mais qui semblait bien déterminé à ne pas abandonner son poste sans avoir obtenu quelque renseignement.

– Pourquoi vous attacher ainsi exclusivement au marquis ? demanda Prosper.

– Parce que, mon camarade, répondit M. Verduret, parce que...

Il cherchait une bonne raison à donner, un prétexte spécieux ; n'en trouvant pas, il se dépita et ajouta brutalement :

– Ceci est mon affaire.

On avait accordé un quart d'heure à Joseph Dubois pour se métamorphoser ; dix minutes ne s'étaient pas écoulées qu'il reparut.

Du joli domestique à gilet rouge, à favoris taillés à la Bergami, aux allures à la fois revêches et suffisantes, il ne restait absolument rien.

L'homme qui reparaissait était de ceux dont l'aspect seul effarouche et fait fuir comme des moineaux les plus naïfs filous.

Sa cravate noire, roulée en corde autour d'un faux col douteux et ornée d'une épingle « en faux », sa redingote noire boutonnée très haut, son chapeau gras, ses bottes si merveilleusement cirées qu'une coquette s'y fût mirée, enfin sa lourde canne trahissaient l'employé subalterne de la rue de Jérusalem aussi clairement que le pantalon garance dénonce le soldat.

Joseph Dubois s'évanouissait, et de sa livrée s'échappait, triomphant et radieux, le futé Fanferlot dit l'Écureuil.

À son entrée, Prosper ne put retenir une exclamation de surprise, presque d'effroi.

Il venait de reconnaître ce petit homme qui, le jour où le vol avait été commis, aidait aux perquisitions du commissaire de police.

M. Verduret, lui, examinait son auxiliaire d'un air évidemment satisfait.

– Pas mal, approuva-t-il, pas mal. Il s'exhale de toute ta personne un parfum policier à faire frémir un honnête homme. Tu m'as compris, c'est bien ainsi que je te voulais.

Le compliment sembla transporter Dubois-Fanferlot.

– Maintenant que je suis paré, patron, demanda-t-il, que faire ?

– Rien de difficile pour un homme adroit. Cependant, note-le bien, de la précision des manœuvres dépend le succès de mon plan. Avant de m'occuper de Lagors, je veux en finir avec Clameran ; or, puisque les gredins sont séparés, il faut les empêcher de se rejoindre.

– Compris ! fit Fanferlot, en clignant de l'œil ; je vais opérer une diversion.

– Tu l'as dit. Donc, tu vas sortir par la rue de la Huchette et gagner le pont Saint-Michel. Là, tu descendras sur la berge et tu iras te poster sur un des escaliers du quai, bien maladroitement, de telle sorte que Clameran puisse, d'où il est, te découvrir et comprendre que tandis qu'il épie, il est épié lui-même. S'il ne t'aperçoit pas, tu es assez intelligent pour attirer son attention.

– Parbleu ! je jetterai une pierre dans l'eau.

Ravi de son idée, Dubois-Fanferlot se frottait les mains.

– Va pour la pierre, poursuivit M. Verduret. Dès que Clameran t'aura vu, l'inquiétude l'empoignera et il décampera. Toi, tu le suivras, sottement en apparence, mais avec acharnement. Reconnaissant qu'il a affaire à la police, la peur le prendra, et il mettra tout en jeu pour te dépister. C'est ici qu'il te faudra ouvrir l'œil ; il est rusé, le gaillard.

– Bon ! je ne suis pas né d'hier.

– Tant mieux ! tu le lui prouveras. Ce qui est sûr, c'est que te sentant à ses trousses, il n'osera pas rentrer à l'hôtel du Louvre, craignant d'y trouver des curieux. C'est là pour moi le point capital.

– Mais s'il rentrait, cependant ? demanda Fanferlot.

Le gros homme parut évaluer l'objection.

– Ce n'est pas probable, répondit-il. Si cependant il avait cette audace, tu le laisserais faire, tu l'attendrais, et à sa sortie tu recommencerais à le suivre. Mais il ne rentrera pas. L'idée lui viendrait plutôt de prendre un chemin de fer quelconque. Auquel cas, tu ne le lâcherais pas, dût-il te conduire en Sibérie. As-tu de l'argent ?

– Je vais en demander à madame Alexandre.

– Bien ! je n'examinerai pas ta note de trop près. Ah !... deux mots encore. Si le gredin prend le chemin de fer, envoie un mot ici. Ensuite, s'il se fait battre jusqu'à ce soir, défie-toi, la nuit venue, des endroits écartés. Le gredin est capable de tout.

– Puis-je tirer dessus ?

– Halte-là ! pas d'enfantillage. Cependant, s'il t'attaquait !... Allons, mon garçon, en route.

Dubois-Fanferlot sorti, M. Verduret et Prosper reprirent leur poste d'observation.

– Pourquoi tant de peines ? murmurait le caissier. Je n'avais pas contre moi toutes les charges qui accablent Clameran, et on n'y a pas mis tant de façons...

– Comment, répondit le gros homme, vous en êtes encore à comprendre que je veux séparer la cause de Raoul de celle du marquis... mais chut !... Regardez...

Clameran avait quitté son poste d'observation pour s'approcher du parapet du pont, et il se promenait comme s'il eût cherché à bien distinguer quelque chose d'insolite.

– Ah ! murmura M. Verduret, il vient de découvrir notre homme.

En effet, l'inquiétude de Clameran était manifeste ; il fit quelques pas comme s'il eût voulu traverser le pont ; puis, tout à coup réfléchissant, il fit volte-face et s'élança dans la direction de la rue Saint-Jacques.

– Il est pris ! s'écria joyeusement M. Verduret.

Mais au même moment, le bruit de la porte le fit se retourner ainsi que Prosper.

Mme Nina Gypsy, c'est-à-dire Palmyre Chocareille, était debout au milieu de la chambre.

Pauvre Nina ! Chacun des jours écoulés depuis qu'elle était

entrée au service de Madeleine avait pesé autant qu'une année sur sa tête charmante.

Les larmes avaient éteint la flamme amoureuse de ses grands yeux noirs ; ses joues fraîches avaient pâli et s'étaient creusées, le sourire s'était glacé sur ses lèvres jadis si provocantes et plus rouges que la grenade entrouverte.

Pauvre Gypsy ! Elle si vive autrefois, si gaie, si remuante, elle était maintenant affaissée sous le poids de chagrins trop lourds pour elle. Après avoir eu toutes les insolences du bonheur, elle était humble comme la misère.

Prosper s'imaginait que, folle de la joie de le revoir, toute fière de s'être si noblement dévouée pour lui, Nina allait se jeter à son cou et l'étreindre entre ses bras. Il se trompait ; et, bien que tout entier à Madeleine depuis qu'il connaissait les raisons de sa dureté, cette déception l'affecta.

C'est à peine si Mme Gypsy eut l'air de le reconnaître. Elle le salua timidement, presque comme un étranger.

Toute son attention se concentrait sur M. Verduret. Les regards qu'elle attachait sur lui avaient cette timidité craintive et aimante du pauvre animal souvent rudoyé par son maître.

Lui, cependant, se montrait excellent pour elle, paternel, affectueux.

– Eh bien, chère enfant, lui demanda-t-il de sa bonne voix, quels renseignements m'apportez-vous ?

– Il doit y avoir du nouveau à la maison, monsieur, et j'avais hâte de vous prévenir, mais j'étais retenue par mon service, et il a fallu que mademoiselle Madeleine prît la peine de me trouver un prétexte de sortir.

– Vous remercierez mademoiselle Madeleine de sa confiance, reprit le gros homme, en attendant que je lui exprime moi-même toute ma reconnaissance. J'imagine que, pour le reste, elle est fidèle à nos conventions ?

– Oui, monsieur.

– On reçoit le marquis de Clameran ?

– Depuis que le mariage est arrêté, il vient tous les soirs, et mademoiselle le reçoit bien. Il a l'air ravi.

Ces assurances, qui renversaient toutes les idées de Prosper, le transportèrent de colère. Le pauvre garçon qui ne comprenait rien aux manœuvres savantes de M. Verduret, qui se sentait ballotté au gré de volontés inexplicables, se vit tout à coup trahi, bafoué, joué.

- Quoi ! s'écria-t-il, ce misérable marquis de Clameran, cet infâme voleur, cet assassin est admis familièrement chez monsieur Fauvel, il fait sa cour à Madeleine !... Que me disiez-vous donc, monsieur, de quelles espérances me berciez-vous pour m'endormir ?...

D'un geste impérieux M. Verduret coupa court à ses récriminations.

- Assez, dit-il durement, en voilà assez. Vous êtes par trop... honnête homme, à la fin, mon camarade. Si vous êtes incapable de rien tenter de sérieux pour votre salut, au moins laissez agir, sans les importuner sans cesse de vos puérils soupçons, ceux qui travaillent pour vous. Ne trouvez-vous pas en avoir fait assez pour me gêner ?

Cette leçon donnée, il se retourna vers Gypsy, et d'un ton plus doux :

- À nous deux, chère enfant, dit-il ; qu'avez-vous appris ?

- Eh ! monsieur, rien de positif, malheureusement, rien qui puisse vous fixer, et j'en suis bien désolée, croyez-le !

- Cependant, mon enfant, vous m'annonciez un événement grave.

Mme Gypsy eut un geste découragé.

- C'est-à-dire, monsieur, reprit-elle, que je soupçonne, que je devine quelque chose. Quoi ? Je ne saurais le dire ni l'exprimer clairement. Peut-être n'est-ce qu'un ridicule pressentiment qui me montre tout sous un aspect extraordinaire. Il me semble que le malheur est sur la maison, que nous touchons à la catastrophe. Impossible de rien tirer de madame Fauvel, désormais, elle est comme un corps sans âme ; je jurerais d'ailleurs qu'elle se défie de sa nièce, qu'elle se cache d'elle.

- Et monsieur Fauvel ?

- J'allais vous en parler, monsieur. Il lui est arrivé un malheur, j'en mettrais ma main au feu. Depuis hier, il n'est plus le même homme. Il va, il vient, il ne tient pas en place, on dirait un fou. Sa voix est tout altérée, si changée que mademoiselle s'en est aperçue et me l'a dit, et que monsieur Lucien, lui aussi, l'a remarqué. Monsieur, que j'ai vu si indulgent, si bon, est devenu brusque, irritable, nerveux. Il a l'air de quelqu'un qui est près d'éclater et qui se contient. Enfin, ses yeux, que j'ai bien observés, ont une expression étrange, indéfinissable, et qui devient terrible quand il regarde madame. Hier soir, dès que monsieur de Clameran est arrivé, monsieur est sorti brusquement en disant qu'il avait à travailler.

Une triomphante exclamation de M. Verduret interrompit Mme Gypsy. Il était radieux.

– Hein ! dit-il à Prosper, oubliant sa mauvaise humeur de tout à l'heure ; hein ! qu'avais-je annoncé ?

– Il est certain, monsieur...

– Ce malheureux homme s'est défié de son premier mouvement, je l'avais prévu. Il cherche maintenant, il guette des preuves à l'appui de votre lettre. Et quand je dis des preuves... il doit en avoir déjà. Ces dames sont-elles sorties hier ?

– Oui, une partie de la journée.

– Qu'a fait monsieur Fauvel ?

– Il est resté seul ; ces dames m'avaient emmenée.

– Plus de doute ! s'écria le gros homme. Il aura cherché et trouvé, pardieu ! des indices bien décisifs après votre lettre. Ah ! Prosper, malheureux jeune homme ! votre lettre anonyme nous fait bien du mal.

Les réflexions de M. Verduret éclairèrent d'une lumière soudaine l'esprit de Mme Gypsy.

– J'y suis ! dit-elle, monsieur Fauvel sait tout.

– C'est-à-dire qu'il croit tout savoir, et ce qu'on lui a appris est plus affreux encore que la vérité.

– Alors, je m'explique l'ordre que monsieur Cavaillon prétend avoir surpris.

– Quel ordre ?

– Monsieur Cavaillon soutient avoir entendu monsieur Fauvel commander à son valet de chambre, monsieur Évariste, sous peine de renvoi immédiat, de ne remettre qu'à lui seul toutes les lettres qu'on apporterait à la maison, d'où qu'elles arrivassent et quelle que fut leur adresse.

– Si c'est ainsi, observa Prosper – dominé par son égoïsme fort compréhensible – si c'est ainsi, tout va être découvert, et il vaudrait mieux avouer...

Une fois encore, un regard foudroyant de M. Verduret l'arrêta net.

– À quel moment, demandait-il, le jeune Cavaillon a-t-il entendu donner cet ordre ?

– Hier, dans l'après-midi.

– Voilà ce que je redoutais ! s'écria M. Verduret, il est clair qu'à cette heure son parti est pris, et que s'il dissimule, c'est qu'il veut se venger sûrement. Arriverons-nous à temps pour contrecarrer ses projets ? Est-il encore possible de nouer sur ses yeux un bandeau assez épais pour qu'il puisse croire à la fausseté de la lettre anonyme ?

Il se tut. La folie – excusable, d'ailleurs – de Prosper renversait le plan si simple que tout d'abord il avait conçu, et maintenant il demandait à son esprit alerte un suprême expédient.

– Merci de vos renseignements, ma chère enfant, prononça-t-il enfin, je vais aviser, car l'inaction serait horriblement dangereuse en ce moment. Vous, rentrez bien vite. Ne vous abusez pas, monsieur Fauvel suppose que vous êtes dans le secret. Ainsi, de la prudence, au moindre fait, si insignifiant qu'il soit, un mot.

Mais Nina, ainsi congédiée, ne se retirait pas.

– Et Caldas, monsieur ? demanda-t-elle bien timidement.

C'était la troisième fois, depuis quinze jours, que Prosper entendait prononcer ce nom.

La première fois, c'était dans les couloirs de la préfecture de police : un homme d'un certain âge, à figure respectable, l'avait murmuré à son oreille en lui promettant aide et protection.

Une autre fois, le juge d'instruction le lui avait jeté à la face à propos de Gypsy.

Ce nom, il l'avait cherché parmi les noms de tous les individus qu'il avait connus et oubliés, et il lui semblait qu'il devait se trouver mêlé à quelque grave aventure de sa vie ; mais laquelle ?...

M. Verduret, lui, l'homme impassible, avait eu à ce nom un tressaillement nerveux aussitôt réprimé.

– Je vous ai promis de vous le faire retrouver, prononça-t-il ; je tiendrai ma promesse... au revoir.

Il était midi, M. Verduret s'aperçut qu'il avait faim. Il appela Mme Alexandre, et la puissante souveraine du *Grand-Archange* eut bientôt disposé devant la fenêtre une petite table où prirent place Prosper et son protecteur.

Mais, ni un petit déjeuner fin cuisiné avec amour, ni les huîtres d'Ostende dignes du baron Brisse, ni l'excellent vin pris derrière les fagots ne purent dérider M. Verduret.

Aux questions empressées et câlines de Mme Alexandre, il ne savait que répondre :

– Chut ! chut ! laissez-moi.

Pour la première fois depuis qu'il connaissait le gros homme, Prosper surprenait sur son visage des traces d'inquiétude et d'hésitation, et les exclamations et les lambeaux de phrases qu'il laissait échapper trahissaient des incertitudes.

L'anxiété de Prosper en redoubla au point qu'il osa questionner.

– Je vous ai mis dans un terrible embarras, monsieur ? hasarda-t-il.

– Oui, répondit M. Verduret, terrible est le mot. Que faire ? précipiter les événements, ou les attendre ? Et je suis lié par des engagements sacrés... Allons, je ne sortirai pas de là sans le juge d'instruction ; il faut aller lui demander secours... Venez avec moi.

XXIII

Ainsi qu'il était aisé de le prévoir, ainsi que l'avait annoncé M. Verduret, l'effet de la lettre anonyme de Prosper avait été épouvantable.

C'était le matin ; M. André Fauvel venait de passer dans son cabinet pour ouvrir sa correspondance quotidienne.

Il avait déjà brisé le cachet d'une douzaine d'enveloppes et parcouru autant de communications ou de propositions d'affaires, lorsque la missive fatale lui tomba sous la main.

L'écriture lui sauta aux yeux.

Évidemment elle était contrefaite, et bien qu'en sa qualité de millionnaire il fût habitué à recevoir bon nombre de demandes ou d'injures anonymes, cette particularité le frappa, et même - il serait puéril de nier les pressentiments - lui serra le cœur.

C'est d'une main tremblante, avec la certitude absolue qu'il allait apprendre un malheur, qu'il fit sauter le cachet, qu'il déplia le papier grossier du café, et qu'il lut :

Cher monsieur,

Vous avez livré à la justice votre caissier, et vous avez bien fait puisque vous êtes certain qu'il a été infidèle. Mais si c'est lui qui a pris à votre caisse trois cent cinquante mille francs, est-ce lui aussi qui a volé les diamants de Mme Fauvel ?

etc., etc...

Ce fut un coup de foudre pour cet homme dont la constante prospérité avait épuisé les faveurs de la destinée, et qui en cherchant bien dans tout son passé n'y eût peut-être pas trouvé une larme répandue pour un malheur réel.

Quoi ! sa femme le trompait, et elle avait choisi précisément, entre tous, un homme vil à ce point qu'il s'était emparé des bijoux qu'elle possédait, et qu'il avait abusé de son ascendant pour la contraindre à devenir complice d'un vol qui perdait un innocent !...

Car c'était bien là ce que disait la dénonciation anonyme.

M. Fauvel fut d'abord terrassé, autant qu'un malheureux qui, au moment où il doit le moins s'y attendre, reçoit sur le crâne un coup de massue. Toutes ses idées bouleversées tourbillonnèrent dans le vide, au hasard, comme les feuilles d'un arbre, en automne, aux premières rafales de l'ouragan.

Il lui semblait qu'autour de lui tout n'était que ténèbres, et qu'un mortel engourdissement paralysait son intelligence.

Mais au bout de quelques minutes la raison lui revint.

- Quelle lâche infamie ! s'écria-t-il, quelle honteuse abomination !...

Et froissant la lettre maudite, la roulant rageusement entre ses mains, il la jeta dans la cheminée, sans feu en ce moment, en murmurant :

- Je n'y veux plus penser. Je ne salirai pas mon imagination à ces turpitudes !...

Il disait cela ; bien plus, en le disant il le pensait, et cependant il ne put prendre sur lui de continuer le dépouillement de son courrier.

C'est que le soupçon, pareil à ces vers imperceptibles qui se glissent dans les fruits mûrs, sans laisser de trace de leur entrée, et les gâtent intérieurement, le soupçon, quand il a pénétré dans un cerveau, y grandit, s'y établit et n'y laisse intacte aucune croyance.

Accoudé à son bureau, M. Fauvel réfléchissait, faisant d'inutiles efforts pour recouvrer son calme, la lucidité de son esprit.

- Si on disait vrai, cependant !

À son anéantissement des premières minutes, la colère succédait, une de ces dangereuses colères blanches qui ôtent le libre arbitre, qui jettent un homme hors de soi, qui font commettre des crimes.

- Ah ! disait-il les dents contractées par la fureur, si je connaissais le misérable qui a osé m'écrire ; si je le tenais !...

S'imaginant alors que l'écriture lui apprendrait quelque chose, il se leva et alla prendre dans les cendres le papier fatal. Il le détordit, l'ouvrit, le lissa de son mieux et le plaça sur son bureau.

Il s'appliquait à étudier les caractères, concentrant toutes les forces de son intelligence sur un plein ou sur un délié, sur la forme plus ou moins habile de telle ou telle majuscule.

Ceci, pensait-il, doit être l'œuvre de quelqu'un de mes employés dont j'aurai blessé les intérêts ou l'amour-propre.

À cette idée, il passait en revue son nombreux personnel sans y découvrir personne capable de cette basse vengeance. Alors il se demanda où cette lettre avait été jetée à la poste, pensant que cette circonstance l'éclairerait peut-être. Il chercha l'enveloppe, la trouva et lut : *Rue du Cardinal-Lemoine.*

Ce détail ne lui apprenait aucun éclaircissement.

Une fois encore, il revint à la lettre, épelant, pour ainsi dire, chaque mot l'un après l'autre, pesant chaque expression, analysant la contexture de toutes les phrases.

On doit, c'est convenu, mépriser absolument une lettre anonyme, l'œuvre d'un lâche, et n'en pas tenir compte.

Que de catastrophes pourtant n'ont pas d'autre origine ! Combien de nobles existences ont été brisées, flétries par quelques lignes qu'un misérable jetait au hasard sur le papier.

Oui, on méprise la lettre anonyme, on la lance au feu, elle brûle... Mais après que la flamme a détruit le papier, le doute reste, qui, pareil à un poison subtil, se volatilise et pénètre aux plus profonds replis de l'âme, souillant et désorganisant les plus saintes et les plus fermes croyances.

Et toujours il en reste quelque chose.

La femme soupçonnée, même injustement, ne fût-ce qu'une heure, n'est plus la femme en qui on avait foi comme en soi-même. Le doute, quoi qu'il advienne, laisse sa trace comme la sueur des doigts, à la dorure des idoles.

À mesure que M. Fauvel réfléchissait, il sentait s'altérer sa confiance, si absolue quelques minutes avant.

- Non ! s'écria-t-il, je ne saurais plus longtemps endurer ce supplice. Je vais aller montrer cette lettre à ma femme.

Il se levait, une pensée affreuse, plus aiguë qu'une pointe de fer rouge dans les chairs, le cloua sur son fauteuil.

- Si l'on disait vrai, pourtant ! murmurait-il, si j'étais misérablement dupé ! En me confiant à ma femme, je la mets sur ses gardes, je m'enlève tout moyen d'investigation, je renonce à savoir jamais la vérité.

Ainsi se réalisaient toutes les présomptions de M. Verduret, ce grand analyste de la passion.

« Si monsieur Fauvel, avait-il dit, ne cède pas à l'inspiration du premier moment ; s'il réfléchit, nous avons du temps devant nous. »

En effet, après de longues et douloureuses méditations, le banquier venait de décider qu'il surveillerait sa femme.

Oui, lui, l'homme loyal et franc par excellence, il se résignait à ce rôle ignominieux du jaloux, de l'espion domestique, dont les tristes investigations l'avilissent autant et plus que celle qui en est l'objet.

Lui, l'homme des violences spontanées, des colères soudaines aussitôt apaisées, il venait de prendre la résolution de se composer un visage impassible, de recueillir une à une des preuves d'innocence ou de culpabilité, d'imposer silence à son ressentiment, de n'éclater, enfin, que lorsqu'il aurait pour lui l'évidence.

Il avait, au surplus, un moyen bien simple de vérification.

Les diamants de sa femme avaient été, lui écrivait-on, portés au Mont-de-Piété. Il lui était aisé de s'assurer de l'exactitude de cette assertion.

Si la lettre mentait sur ce point, il n'y avait pas à tenir compte du reste. Si au contraire, elle disait vrai !...

M. André Fauvel en était là de ses méditations, lorsqu'on vint le prévenir que le déjeuner était servi. Il s'agissait de ne pas se laisser pénétrer. Avant de sortir de son cabinet, il se regarda dans la glace, il était si affreusement pâle qu'il se fit peur.

Manquerais-tu donc d'énergie ? se dit il.

À table, il pensait à se maîtriser assez pour éviter toutes les questions, dont, pour la moindre des choses, l'accablait la sollicitude de sa femme. Même, il causa beaucoup, il dit des histoires, espérant ainsi détourner l'attention.

Mais, tout en parlant, il ne songeait qu'aux moyens de visiter le plus tôt possible les tiroirs de sa femme sans qu'elle pût s'en apercevoir.

Cette idée le préoccupait à ce point qu'il ne put s'empêcher de demander à sa femme si elle sortirait ce jour-là.

- Oui, répondit-elle, le temps est affreux, mais Madeleine et moi avons quelques courses pressées à faire.

- Et à quelle heure comptez-vous sortir ?

- Aussitôt après le déjeuner.

Il respira fortement, comme s'il eût été soulagé d'une terrible oppression.

Dans quelques instants il allait donc savoir à quoi s'en tenir.

Or, si poignante et si intolérable était l'incertitude de cet homme infortuné, qu'il lui préférait tout, même la plus atroce réalité.

Le déjeuner fini, il alluma un cigare, mais il ne resta pas dans la salle à manger, comme il avait coutume de le faire ; il passa dans son cabinet, prétextant un travail urgent.

Il poussa la précaution jusqu'à se faire suivre de son fils, Lucien, qu'il chargea d'une commission. Il voulait rester seul à la maison.

Enfin, au bout d'une demi-heure, qui lui parut un siècle, il entendit le roulement d'une voiture sous la voûte d'entrée. Mme Fauvel et sa nièce sortaient.

Sans plus attendre, il se précipita dans la chambre de sa femme, et ouvrit le tiroir du chiffonnier où elle serrait ses parures.

Beaucoup des écrins qu'il lui connaissait manquaient, ceux qui restaient - il y en avait dix ou douze - étaient vides.

La lettre anonyme disait vrai.

Cette certitude éclata comme un obus dans le cerveau de M. Fauvel. Et cependant !...

- Non, balbutia-t-il, ce n'est pas possible !

Aussitôt, avec le fol acharnement de l'angoisse et comme si, condamné à mort, il eût l'espoir de trouver sa grâce, il se mit à fouiller partout, à chercher dans tous les meubles, avec un certain ordre cependant, prenant bien garde de ne pas laisser de traces de ses perquisitions.

Mme Fauvel, il le comprenait vaguement, pouvait avoir changé ses bijoux de place, en avoir donné quelques-uns à raccommoder ou à remonter.

Rien, il ne trouvait rien !...

Alors il se souvint du grand bal qu'avaient donné les messieurs Jandidier. Lui, vaniteux, il avait dit à sa femme :

– Pourquoi ne mets-tu pas tes diamants ?

Elle avait répondu en souriant :

– À quoi bon ? tout le monde les connaît ; en n'en portant pas, je serai mieux remarquée ; d'ailleurs, ils n'iraient pas avec mon costume.

Oui, elle lui avait dit cela sans se troubler, sans rougir, sans un tremblement dans la voix.

Quelle impudence ! quelles corruptions se cachaient donc sous ces apparences de vierge qu'elle gardait après vingt années de mariage !

Mais tout à coup, dans le désarroi de ses pensées, un espoir lui vint, chétif, à peine acceptable, auquel cependant il se raccrocha comme le noyé à son épave.

Ses diamants, Mme Fauvel pouvait les avoir placés dans la chambre de Madeleine.

Sans réfléchir à l'odieux de ses investigations, il courut à cette chambre de jeune fille, et là, comme chez sa femme, il porta partout ses mains brutales, oublieux du respect qu'il devait à ce sanctuaire.

Il ne trouva pas les diamants de Mme Fauvel ; mais, dans le coffre à bijoux de Madeleine, il aperçut sept ou huit écrins vides.

Elle aussi, elle avait donné ses parures, elle savait les hontes de la maison, elle était complice.

Ce dernier coup brisa le courage de M. Fauvel.

– Elles s'entendaient pour me tromper, murmurait-il, elles s'entendaient !...

Et anéanti, sans forces, il se laissa tomber sur un fauteuil. De grosses larmes silencieuses tombaient le long de ses joues, et par moments, un soupir profond soulevait sa poitrine.

C'en était fait de sa vie. En un instant, l'édifice de son bonheur, de sa sécurité, de son avenir, qu'il avait mis vingt ans à élever, qu'il croyait d'une solidité à l'épreuve de tous les caprices du sort, volait en éclats, plus fragile que le verre.

En apparence, rien n'était changé dans son existence ; il n'était point atteint matériellement ; les objets autour de lui restaient les mêmes avec les mêmes aspects, et cependant un bouleversement était survenu, plus inouï, plus surprenant que l'interversion du jour et de la nuit.

Quoi ! Valentine, la chaste et jeune fille autrefois tant aimée, dont il avait acheté la possession au prix de sa fortune ; Valentine, cette femme qui lui était devenue de plus en plus chère, à mesure qu'ils avaient vieilli, ensemble ; cette épouse, incomparable en apparence, le trahissait !...

Elle le trompait... elle... la mère de ses fils !

Cette dernière pensée surtout révoltait tout son être jusqu'au dégoût.

Ses fils !... Amère dérision ! Étaient-ils bien à lui ? Celle qui maintenant, lorsque déjà des cheveux blancs argentaient ses tempes, le trompait, ne l'avait-elle pas trompé autrefois ?

Et non seulement il était torturé dans le présent, mais il souffrait dans le passé, payant par des angoisses inouïes de quelques minutes des années de félicité, transporté de fureur au souvenir de certaines joies intimes, comme un homme qui tout à coup apprendrait que les vins exquis dont il s'est enivré renfermaient du poison.

Car c'est ainsi, la confiance n'admet ni accommodement ni gradations, elle est ou elle n'est pas.

Et lui, il n'avait plus confiance.

Tous les rêves, toutes les espérances de cet homme si malheureux reposaient sur l'amour de cette femme.

Découvrant, à ce qu'il croyait, qu'elle était indigne de lui, il n'admettait nulle possibilité de bonheur et il demandait à quoi bon vivre désormais et pour quelle fin.

Cependant l'état de prostration de M. Fauvel dura peu. Le feu de la colère eut vite séché ses larmes et il se redressa altéré de vengeance, décidé à faire payer cher son bonheur détruit.

Mais il comprenait que sur ce seul indice, des diamants introuvables, il ne pouvait s'abandonner aux inspirations de son ressentiment.

Heureusement, il pouvait sans peine se procurer d'autres

preuves.

Pour commencer, il appela son valet de chambre et lui enjoignit de ne remettre qu'à lui seul, le maître, toutes les lettres qui arriveraient à la maison.

Puis il adressa à un notaire de Saint-Rémy, son correspondant, une dépêche télégraphique détaillée, par laquelle il demandait d'exacts renseignements sur la famille de Lagors et de Raoul en particulier.

Enfin, se conformant aux conseils de la dénonciation anonyme, il courut à la préfecture de police, espérant y trouver une biographie de Clameran.

Mais la police, c'est un bonheur pour beaucoup de gens, est discrète comme la tombe même. Ses secrets, elle les garde pour elle seule, comme un avare garde son trésor. Il faut une injonction du parquet pour faire parler les terribles cartons verts qu'elle garde au fond d'une galerie cadenassée comme un coffre-fort.

On demanda poliment à M. Fauvel quelles raisons le poussaient à s'informer du passé d'un citoyen français ; et comme il ne pouvait les déduire, on l'engagea à s'adresser au procureur impérial.

Cette insinuation, il ne pouvait l'accepter. Il avait juré que le secret de ses infortunes resterait entre les trois intéressés. Mortellement offensé, il voulait être le seul juge et l'exécuteur.

Il rentra chez lui plus irrité qu'à son départ, et il trouva la dépêche de Saint-Rémy répondant à la sienne :

La famille de Lagors, lui disait-on, comme on l'avait dit à M. Verduret, est dans la dernière des détresses, et personne n'y connaît le sieur Raoul. Mme de Lagors n'a eu de son mariage que des filles, etc...

Cette révélation, c'était la dernière goutte d'eau qui fait verser la coupe. Le banquier pensa qu'il lui était donné de mesurer la profondeur de l'infamie de sa femme. Il lui voyait un raffinement de duplicité plus affreux peut-être que le crime lui-même.

– La misérable ! s'écria-t-il, fou de douleur et de rage, la misérable ! Pour voir plus librement son amant, pour ne jamais le perdre de vue, elle a osé me le présenter sous le nom d'un neveu qui n'a jamais existé. Elle a eu l'inconcevable impudeur de lui ouvrir ma maison, de le faire asseoir au foyer conjugal entre moi et nos fils. Et moi, honnête homme imbécile, mari confiant et crédule, je l'aimais, ce garçon, je lui serrais les mains, je lui prêtais mon argent...

Il se représentait alors Raoul et sa femme, s'égayant, à leurs rendez-vous, de sa débonnaireté candide, et les aiguillons de l'amour-propre offensé, s'ajoutant à ces horribles déchirements, il connut le plus horrible supplice qui soit ici-bas.

La mort ! Il ne voyait que la mort pour punir de telles injures. Mais l'intensité même de son ressentiment lui donna la force de feindre, de se contenir.

À mon tour de tromper les misérables, se disait-il avec une affreuse satisfaction.

Il fut ce soir-là ce qu'il était toujours. Au dîner, il plaisanta. Seulement lorsque, sur les neuf heures, il vit entrer Clameran, il s'enfuit, craignant de ne pouvoir se contenir, et il ne rentra que très avant dans la nuit.

Le lendemain, il recueillit le fruit de sa prudence.

Parmi les lettres qu'à la distribution de midi lui apporta son valet de chambre, il s'en trouva une qui portait le timbre du Vésinet.

Avec d'infinies précautions, il rompit le cachet et il lut :

Chère tante,

Il est indispensable que je te voie aujourd'hui même, et je t'attends. Je te dirai quelles raisons m'empêchent d'aller chez toi.

Raoul.

– Je les tiens donc ! s'écria M. Fauvel, frémissant de la joie de la vengeance satisfaite.

Il se croyait si bien vengé, qu'ouvrant un des tiroirs de son bureau, il en tira un revolver dont il fit jouer la batterie.

Certes, il se croyait seul, et cependant il avait un témoin de ses moindres gestes. L'œil collé à la serrure, Nina Gypsy, de retour du *Grand-Archange,* observait, et les gestes du banquier lui révélaient la vérité.

M. Fauvel avait déposé son revolver sur la cheminée, et il s'occupait à rajuster le cachet de la lettre. L'opération terminée, il sortit pour aller la reporter au concierge, ne voulant pas que sa femme sût que la missive de Raoul avait passé par ses mains.

Il ne fut guère absent que deux minutes, mais, inspirée par l'imminence du danger, Gypsy eut le temps d'entrer dans le cabinet, de courir à la cheminée et d'enlever les balles du revolver.

Ainsi, pensait-elle, le péril du premier moment est conjuré, et M. Verduret, que je vais faire prévenir de ce qui se passe, par Cavaillon, aura peut-être le temps d'aviser.

Elle descendit en effet et alla donner ses instructions au jeune commis, lui enjoignant de se confier, pour être plus sûr de réussir, à Mme Alexandre.

Une heure plus tard, Mme Fauvel s'étant habillée, demanda sa voiture et sortit.

M. Fauvel, qui avait, d'avance, envoyé chercher un remise, s'élança sur ses traces.

Mon Dieu !... pensa Nina, si monsieur Verduret n'arrive pas à temps, madame Fauvel et Raoul sont perdus.

XXIV

Le jour où le marquis de Clameran n'avait plus aperçu entre Madeleine et lui d'autre obstacle que Raoul de Lagors, il s'était bien juré qu'il supprimerait l'obstacle.

Le lendemain même, ses mesures étaient prises, et Raoul, en rentrant chez lui, au Vésinet, à pied, après minuit, fut assailli, au détour du petit chemin de la gare, par trois individus qui voulaient absolument, disaient-ils, voir l'heure à sa montre.

D'une force prodigieuse sous ses apparences sveltes, agile, rompu aux exercices du « chausson français » et de la boxe anglaise, Raoul parvint à se débarrasser de ses agresseurs, sans autre dommage qu'une forte égratignure au bras gauche.

Tiré d'affaire, il se promit que désormais il prendrait ses précautions, et que lui, qui jusqu'alors n'avait pas cru aux arrestations nocturnes, serait toujours armé quand il rentrerait.

L'idée, d'ailleurs, ne lui vint pas de soupçonner son complice.

Mais deux jours plus tard, au café qu'il fréquentait, un grand diable d'individu qu'il ne connaissait pas lui chercha querelle sans motifs, et finit par lui jeter sa carte à la figure, en lui disant qu'il se tenait à sa disposition et était prêt à lui accorder toutes les satisfactions imaginables.

Raoul avait voulu se précipiter sur l'insolent et le châtier de main de maître, ses amis l'avaient retenu.

– C'est bien, dit-il alors, soyez chez vous demain matin, monsieur, je vous adresserai deux de mes amis.

Il dit cela, sur le moment, tout frémissant de colère ; mais l'insulteur parti, il recouvra tout son sang-froid, réfléchit, et les doutes les plus singuliers assiégèrent son esprit.

Ayant ramassé la carte de cet individu à grandes moustaches, aux allures de bravache, il avait lu :

W. - H. - B. Jacobson

Ancien volontaire de Garibaldi

Ex-officier supérieur des armées du sud

(Italie-Amérique)

30, rue Léonie.

Oh ! oh ! pensa-t-il, voici un glorieux militaire qui pourrait bien avoir conquis tous ses grades dans une salle d'armes !

Raoul, qui avait beaucoup vu, avait précisément assez retenu pour savoir au juste à quoi s'en tenir sur ces honorables héros qui étalent leurs états de service sur le vélin des cartes de visite.

Ce qui ne l'empêcha pas, l'insulte ayant eu de nombreux témoins, de prier deux jeunes gens de sa société de vouloir bien se transporter le lendemain, de bon matin, chez M. Jacobson, pour régler avec lui les conditions d'une rencontre.

Il fut convenu que ces messieurs viendraient rendre compte à Raoul de l'issue de leur mission, non chez lui, au Vésinet, mais à l'hôtel du Louvre, où il se proposait de coucher.

Tout étant bien arrêté, Raoul sortit. Flairant un piège, il voulait en avoir le cœur net.

Agile et expérimenté, il se mit sur-le-champ en campagne, en quête de renseignements.

Ceux qu'il obtint, non sans quelque peine, ne furent ni brillants, ni surtout rassurants.

M. Jacobson, qui demeurait dans un hôtel de louche apparence, habité surtout par des dames de mœurs plus que légères, lui fut représenté comme un gentleman excentrique, dont l'existence paraissait un problème fort difficile à résoudre.

Il régnait despotiquement, lui apprit-on, dans une table d'hôte, sortait beaucoup, rentrait tard et ne semblait guère avoir d'autre capital que ses états de service, ses talents de société et une notable quantité d'expédients en tous genres.

Dès lors, pensa Raoul, quel but poursuit cet individu en me cherchant querelle ? Quel avantage retirera-t-il d'un coup d'épée qu'il me donnera ? Aucun en apparence ? Sans compter que son humeur batailleuse peut éveiller les susceptibilités tracassières de la police, qu'il doit avoir à cœur de ménager. Donc il a pour agir comme il l'a fait des raisons que je ne discerne pas ; donc...

Cette petite enquête, rondement et habilement menée, ces considérations diverses et leurs déductions naturelles refroidirent si singulièrement Raoul, que, rentré à l'hôtel du Louvre, il ne souffla mot de sa mésaventure à Clameran qu'il trouva encore debout.

Vers huit heures et demie, ses témoins arrivèrent.

M. Jacobson consentait à se battre, à l'épée, mais sur l'heure au bois de Vincennes.

Raoul n'était rien moins que rassuré, cependant c'est fort gaillardement qu'il répondit :

- Soit ! j'accepte les conditions de ce monsieur, partons.

On se rendit sur le terrain, et après une minute d'engagement Raoul fut touché légèrement un peu au-dessus du sein droit.

L'ex-officier supérieur du Sud voulait continuer le combat jusqu'à ce que mort s'ensuivît, ses seconds étaient de cet avis, mais les témoins de Raoul - d'honnêtes garçons - déclarèrent que l'honneur était satisfait, et qu'ils ne laisseraient pas leur client exposer de nouveau sa vie.

Force fut de leur obéir, car ils menaçaient de se retirer, et Raoul rentra, s'estimant très heureux d'en être quitte pour cette saignée hygiénique, et bien résolu à éviter désormais ce gentleman soi-disant garibaldien.

C'est que depuis la veille, la nuit aidant de ses salutaires conseils, son esprit alerte avait fait beaucoup de chemin.

Entre l'attaque à main armée du Vésinet et ce duel évidemment prémédité et voulu, sans raisons plausibles, il découvrait des coïncidences au moins singulières.

De là à reconnaître sous les apparences de ces deux tentatives le bras de Clameran, il n'y avait qu'un pas ; son esprit le fit.

Ayant appris par Mme Fauvel quelles conditions Madeleine mettait à son mariage, il comprit quel intérêt énorme Clameran avait à se défaire de lui, sans démêlés avec la justice.

Ce soupçon entré dans son esprit, il se rappela une foule de petits faits insignifiants des jours précédents ; il donna un sens à certains propos en l'air, il interrogea fort habilement le marquis, et bientôt ses doutes se changèrent en certitude.

Cette conviction que l'homme dont il avait si puissamment aidé les projets payait des assassins et armait contre lui des spadassins était bien faite pour le transporter de fureur.

Cette trahison lui semblait monstrueuse. Bandit naïf encore, il croyait à la probité entre complices, à cette fameuse probité des coquins, plus fidèles, aime-t-on à dire, que les honnêtes gens à la foi jurée.

À sa colère, un sentiment d'effroi très naturel se mêlait.

Il comprenait que la vie menacée par un scélérat aussi audacieux que Clameran ne tenait qu'à un fil.

Deux fois le hasard l'avait miraculeusement favorisé, un troisième essai pouvait et même devait lui être fatal.

Jugeant bien son complice, Raoul ne vit plus qu'embûches autour de lui ; il apercevait la mort se dressant sous toutes ses formes. Il craignait également de sortir et de rester chez lui ; il ne s'aventurait qu'avec mille précautions dans les endroits publics, et il redoutait le poison autant que le fer. C'est à peine s'il osait manger ; il trouvait à tous les mets qu'on lui servait des saveurs bizarres, comme un arrière-goût de strychnine.

Vivre ainsi n'était pas possible, et autant désir de vengeance que nécessité de défense personnelle, il résolut de prendre les devants.

La lutte ainsi engagée sur ce terrain entre Clameran et lui, il comprenait bien qu'il fallait à toute force qu'un des deux succombât.

Mieux vaut, se disait-il, tuer le diable que d'être tué par lui.

Au temps de sa misère, lorsque pour quelques guinées il risquait insoucieusement Botany-Bay, Raoul n'eût point été embarrassé de tuer le diable. D'un joli coup de couteau, il eût eu raison de Clameran.

Mais avec l'argent, la prudence lui était venue. Il voulait jouir honnêtement de ses quatre cent mille francs volés, et tenait à ne pas compromettre sa considération nouvelle.

Il se mit donc à chercher de son côté quelque moyen discret de faire disparaître son redoutable complice. Le moyen était difficile à trouver...

En attendant, il trouva de bonne guerre de faire avorter les combinaisons de Clameran et d'empêcher son mariage. Il était sûr ainsi de l'atteindre en plein cœur, et c'était déjà une satisfaction.

Ce mariage, il ne tenait qu'à Raoul de le faire manquer. De plus, il était persuadé qu'en prenant franchement le parti de Madeleine et de sa tante, il les tirerait des mains de Clameran.

C'est à la suite de cette résolution longuement méditée qu'il écrivit à Mme Fauvel pour lui demander un rendez-vous.

La pauvre femme n'hésita pas. Elle accourut au Vésinet à l'heure indiquée, tremblant d'avoir à subir encore des exigences et des menaces.

Elle se trompait. Elle retrouva le Raoul des premiers jours, ce fils si séduisant et si bon, dont les caresses l'avaient séduite. C'est qu'avant de s'ouvrir à elle, avant de lui expliquer la vérité à sa façon, il tenait à la rassurer. Il réussit. C'est d'un air souriant et heureux que cette femme infortunée s'assit sur un fauteuil pendant que Raoul s'agenouillait devant elle.

– Je t'ai trop fait souffrir, mère, murmura-t-il de sa voix la plus câline, je me repens, écoute-moi.

Il n'eut pas le temps d'en dire davantage ; au bruit de la porte qui s'ouvrait, il s'était redressé brusquement. M. Fauvel, un revolver à la main, était debout sur le seuil.

Le banquier était affreusement pâle. Il faisait, il était aisé de le voir, des efforts surhumains pour montrer la froide impassibilité du juge qui voit le crime et punit ; mais son calme était effrayant comme celui qui précède et présage les convulsions de la tempête.

Au cri que sa femme et Raoul ne purent retenir en l'apercevant, il répondit par ce ricanement nerveux des infortunés que la raison est près d'abandonner.

– Ah ! vous ne m'attendiez pas, dit-il, vous pensiez que ma confiance imbécile vous assurait une éternelle impunité !...

Raoul avait eu du moins le courage de se placer devant Mme Fauvel, la couvrant de son corps, s'attendant, il faut lui rendre cette justice, se préparant à recevoir une balle.

– Croyez, mon oncle..., commença-t-il.

Un geste menaçant du banquier l'interrompit.

– Assez ! disait-il, assez de mensonges et d'infamies comme cela !

Cessons une odieuse comédie dont je ne suis plus dupe.

– Je vous jure...

– Épargnez-vous la peine de nier. Ne voyez-vous pas que je sais tout, comprenez-moi bien, absolument tout ! Je sais que les diamants de ma femme ont été portés au Mont-de-Piété, et par qui ! Je connais l'auteur du vol pour lequel Prosper, innocent, a été arrêté et mis en prison !

Mme Fauvel, atterrée, s'était laissée tomber à genoux.

Enfin, il était venu, ce jour tant redouté ! Vainement, depuis des années, elle avait entassé ses mensonges sur mensonges ; vainement elle avait donné sa vie et sacrifié les siens : tout ici-bas se découvre.

Oui, toujours, quoi qu'on fasse, un moment arrive où la vérité se dégage des voiles sous lesquels on pensait l'ensevelir, et brille plus éclatante, comme le soleil après qu'il a dissipé le brouillard.

Elle vit bien qu'elle était perdue, et avec des gestes suppliants, le visage inondé de larmes, elle balbutia :

– Grâce, André, je t'en conjure, pardonne !

Aux accents de cette voix mourante, le banquier tressaillit et fut remué jusqu'au plus profond de ses entrailles.

C'est qu'elle lui rappelait, cette voix, toutes les heures de bonheur que depuis vingt ans il devait à cette femme, qui avait été la maîtresse souveraine de sa volonté et qui, d'un regard, avait pu le rendre heureux ou malheureux.

Tout le monde du passé s'éveillait à ces prières. En cette malheureuse se traînant à ses pieds il reconnaissait cette bien-aimée Valentine, entrevue comme un rêve sous les poétiques ombrages de La Verberie. En elle il revoyait l'épouse aimante et dévouée des premières années, celle qui avait failli mourir quand était né Lucien.

Et au souvenir des félicités d'autrefois, qui ne devaient plus revenir, son cœur se gonflait de tristesse, l'attendrissement le gagnait – le pardon montait à ses lèvres.

– Malheureuse ! murmurait-il, malheureuse ! Que t'avais-je donc fait ? Ah ! je t'aimais trop, sans doute, et je te l'ai trop laissé voir. On se lasse de tout ici-bas, même du bonheur. Elles te semblaient fades, n'est-ce pas, les pures joies du foyer domestique ? Fatiguée des respects dont tu étais entourée et que tu méritais, tu as voulu risquer ton honneur, le nôtre, et braver les mépris du monde. En quel abîme es-tu tombée, ô Valentine ! et comment, si mes tendresses t'importunaient à la longue, n'as-tu pas été retenue par la pensée de nos enfants !

M. Fauvel parlait lentement, avec les efforts les plus pénibles, comme si à chaque mot il eût été près de suffoquer.

Raoul, lui, qui écoutait avec une attention profonde, devina que si, en effet, le banquier savait beaucoup de choses, il ne savait pas tout.

Il comprit que des renseignements erronés avaient abusé le banquier, et qu'il était victime en ce moment de trompeuses apparences.

Il pensa que le malentendu qu'il soupçonnait pouvait s'expliquer.

– Monsieur..., commença-t-il, daignez, je vous prie...

Mais le ton de sa voix suffit pour briser le charme. La colère du banquier se réveilla plus terrible, plus menaçante.

– Ah ! taisez-vous !... s'écria-t-il, en blasphémant, taisez-vous !...

Il y eut un long silence, qu'interrompaient seuls les sanglots de Mme Fauvel.

– J'étais venu, reprit le banquier, avec l'intention formelle de vous surprendre et de vous tuer tous deux. Je vous ai surpris, mais... le courage, oui, le courage me manque... Je ne saurais tuer un homme désarmé.

Raoul essaya une protestation.

– Laissez-moi parler ! interrompit M. Fauvel. Votre vie est entre mes mains, n'est-ce pas ? La loi excuse la colère du mari offensé. Eh bien ! je ne veux pas de l'excuse du Code. Je vois sur votre cheminée un revolver semblable au mien, prenez-le et défendez-vous...

– Jamais !...

– Défendez-vous ! poursuivit le banquier en élevant son arme, défendez-vous ; sinon...

Raoul vit à un pied de sa poitrine le canon du revolver de M. Fauvel, il eut peur et prit son arme sur la cheminée !

– Mettez-vous dans un des angles de la chambre, continua le

banquier, je vais me placer dans l'autre, au coup de votre pendule qui va sonner dans quelques secondes, nous tirerons ensemble.

Ils se placèrent comme le disait M. Fauvel, lentement, sans mot dire. Mais la scène était trop affreuse pour que Mme Fauvel pût la supporter. Elle ne comprit plus qu'une chose, c'est que son fils et son mari allaient s'égorger, là, sous ses yeux.

L'épouvante et l'horreur lui donnèrent la force de se lever, et elle se plaça entre les deux hommes, les bras étendus, comme si elle eût eu l'espérance d'arrêter les balles. Elle s'était tournée vers son mari :

– Par pitié, André, gémissait-elle, laisse-moi tout te dire, ne le tue pas.

Cet élan de l'amour maternel, M. Fauvel le prit pour le cri de la femme adultère défendant son amant.

Avec une brutalité inouïe, il saisit sa femme par le bras et la jeta de côté, en criant :

– Arrière !...

Mais elle revint à la charge, et se précipitant sur Raoul elle l'étreignit entre ses bras en disant :

– C'est moi qu'il faut tuer, moi seule, car seule je suis coupable.

À ces mots, un flot de sang monta à la tête de M. Fauvel, il ajusta ce groupe odieux et fit feu.

Ni Raoul ni Mme Fauvel ne tombant, le banquier fit feu une seconde fois, puis une troisième...

Il armait son revolver pour la quatrième fois quand un homme tomba au milieu de la chambre, qui arracha l'arme des mains du banquier, l'étendit sur un canapé et se précipita vers Mme Fauvel.

Cet homme était M. Verduret, que Cavaillon avait enfin trouvé et prévenu, mais qui ne savait pas que Mme Gypsy avait retiré les balles du revolver de M. Fauvel.

– Grâce au Ciel ! s'écria-t-il, elle n'a pas été touchée.

Mais déjà le banquier s'était relevé.

– Laissez-moi, faisait-il en se débattant, je veux me venger !...

M. Verduret lui saisit les poignets, qu'il serra à les briser, et, approchant son visage du sien comme pour donner à ses paroles une autorité plus grande :

– Remerciez Dieu, lui dit-il, de vous avoir épargné un crime atroce ; la lettre anonyme vous a trompé.

Les situations exorbitantes ont ceci d'étrange, que les événements excessifs qui en procèdent semblent naturels aux acteurs qui y sont mêlés et dont la passion a déjà brisé le cadre des conventions sociales.

M. Fauvel ne songea à demander à cet homme survenu tout à coup, ni qui il était ni d'où il tenait ses informations.

Il ne vit, il ne retint qu'une chose : la lettre anonyme mentait.

– Ma femme avoue qu'elle est coupable ! murmura-t-il.

– Oui, elle l'est, répondit M. Verduret, mais non comme vous l'entendez. Savez-vous quel est cet homme que vous vouliez tuer ?

– Son amant !...

– Non... mais son fils !...

La présence de cet inconnu si bien informé semblait confondre Raoul et l'épouvanter plus encore que les menaces de M. Fauvel. Cependant, il eut assez de présence d'esprit pour répondre :

– C'est vrai !

Le banquier semblait près de devenir fou, et ses yeux hagards allaient de M. Verduret à Raoul, puis à sa femme, plus affaissée que le criminel qui attend un arrêt de mort.

Tout à coup, l'idée qu'on voulait se jouer de lui traversa son cerveau.

– Ce que vous me dites n'est pas possible ! s'écria-t-il ; des preuves !

– Des preuves, répondit M. Verduret, vous en aurez ; mais pour commencer, écoutez.

Et, rapidement, avec sa merveilleuse faculté d'exposition, il esquissa à grands traits le drame qu'il avait découvert.

Certes, la vérité était affreuse encore pour M. Fauvel ; mais qu'était-elle, près de ce qu'il avait soupçonné !

Aux douleurs ressenties, il reconnaissait qu'il aimait encore sa femme. Ne pouvait-il pardonner une faute lointaine, rachetée par une vie de dévouement et noblement expiée ?

Depuis plusieurs minutes, déjà, M. Verduret avait achevé son récit, et le banquier se taisait.

Tant d'événements, qui se précipitaient depuis quarante-huit heures, irrésistibles comme l'avalanche, l'horrible scène qui venait d'avoir lieu étourdissaient M. Fauvel et lui enlevaient toute faculté de réflexion.

Ballottée comme le liège au caprice de la vague, sa volonté flottait éperdue au gré des événements.

Si son cœur lui conseillait le pardon et l'oubli, l'amour-propre offensé lui disait de se souvenir pour se venger.

Sans Raoul, ce misérable qui était là, debout, témoignage vivant d'une faute lointaine, il n'eût pas hésité. Gaston de Clameran était mort, il eût ouvert ses bras à sa femme en lui disant : « Viens, tes sacrifices à mon honneur seront ton absolution, viens, et que tout le passé ne soit qu'un mauvais rêve que dissipe le jour. »

Mais Raoul l'arrêtait.

– Et c'est là votre fils, dit-il à sa femme, cet homme qui vous a dépouillée, qui m'a volé !

Mme Fauvel était trop bouleversée pour pouvoir articuler une syllabe. Heureusement, M. Verduret était là.

– Oh ! répondit-il, madame vous dira qu'en effet ce jeune homme est le fils de Gaston de Clameran, elle le croit, elle en est sûre... seulement...

– Eh bien !...

– Pour la dépouiller plus aisément, on l'a indignement trompée.

Depuis un moment déjà, Raoul manœuvrait habilement pour se rapprocher de la porte. S'imaginant que personne en ce moment ne songeait à lui, il voulut fuir...

Mais M. Verduret, qui avait prévu le mouvement, guettait Raoul du coin de l'œil et l'arrêta au moment où il disparaissait.

– Où allez-vous donc ainsi, mon joli garçon ? disait-il en le ramenant au milieu de la chambre, nous voulions donc fausser compagnie à nos amis ? Ce n'est pas gentil. Avant de se séparer, que diable ! on s'explique !

L'air goguenard de M. Verduret, ses intonations railleuses, furent pour Raoul autant de traits de lumière. Il recula épouvanté en murmurant :

– Le Paillasse !

– Juste ! répondit le gros homme, tout juste. Ah ! vous me reconnaissez ! Alors j'avoue. Oui, je suis le joyeux Paillasse du bal de messieurs Jandidier. En doutez-vous ?

Il releva la manche de son paletot, mit son bras à nu et poursuivit :

– Si vous n'êtes pas bien convaincu, examinez cette cicatrice toute fraîche. Ne connaîtriez-vous pas le maladroit qui, une belle nuit que je passais rue Bourdaloue, est tombé sur moi, un couteau ouvert à la main ?... Ah ! vous ne niez pas ?... C'est autant de gagné. En ce cas, vous allez être assez aimable pour nous conter votre petite histoire...

Mais Raoul était en proie à une de ces terreurs qui contractent la gorge et empêchent de prononcer un mot.

– Vous vous taisez ? reprit M. Verduret, seriez-vous donc modeste ? Bravo !... La modestie sied au talent, et vrai, pour votre âge, vous êtes un coquin assez réussi.

M. Fauvel écoutait sans comprendre.

– Dans quel abîme de honte sommes-nous donc tombés ! gémissait-il.

– Rassurez-vous, monsieur, répondit M. Verduret redevenu sérieux. Après ce que j'ai été contraint de vous apprendre, ce qu'il me reste à vous dire n'est plus rien. Voici le complément de l'histoire :

» En quittant Mihonne, qui venait de lui révéler les... malheurs de mademoiselle Valentine de La Verberie, Clameran n'a rien eu de plus pressé que de se rendre à Londres.

» Bien renseigné, il eut vite retrouvé la digne fermière à laquelle la comtesse avait confié le fils de Gaston.

» Mais là, une déconvenue l'attendait.

» On lui apprit que cet enfant, inscrit à la paroisse sous le nom de Raoul-Valentin Wilson, était mort du croup, à l'âge de dix-huit mois.

Raoul essaya de protester.

– On a dit cela ?... commença-t-il.

– On l'a dit, oui, mon joli garçon, et on l'a aussi écrit. Me croyez-vous homme à me contenter de propos en l'air ?

Il sortit de sa poche divers papiers ornés de timbres officiels qu'il posa sur la table.

– Voici, poursuivit-il, les déclarations de la fermière, de son mari et de quatre témoins ; voici encore un extrait du registre des naissances, voici enfin un acte de décès en bonne et due forme, le tout légalisé par l'ambassade française. Êtes-vous content, mon joli garçon, vous tenez-vous pour satisfait ?

– Mais alors ?... interrogea le banquier.

– Alors, reprit M. Verduret, Clameran s'imagina qu'il n'avait pas besoin de l'enfant pour tirer de l'argent de monsieur Fauvel ; il se trompait. Sa première démarche échoua. Que faire ? Le gredin est inventif. Parmi tous les bandits de sa connaissance – et il en connaît un certain nombre ! –, il choisit celui que vous voyez devant vous.

Mme Fauvel était dans un état à faire pitié, et cependant elle renaissait à l'espérance. Son anxiété, pendant si longtemps, avait été si atroce, qu'elle éprouvait à voir la vérité comme un affreux soulagement.

– Est-ce possible ! balbutiait-elle, est-ce possible !

– Quoi ! disait le banquier, on peut à notre époque combiner et exécuter de telles infamies !

– Tout cela est faux ! affirma audacieusement Raoul.

C'est à Raoul seul que M. Verduret répondit :

– Monsieur désire des preuves ? fit-il avec une révérence ironique, monsieur va être servi. Justement, je quitte à l'instant un de mes amis, monsieur Pâlot, qui arrive de Londres, et qui est fameusement renseigné. Dites-moi donc ce que vous pensez de cette petite histoire qu'il vient de me conter :

» Vers 1847, lord Murray, qui est un grand et généreux seigneur, avait un jockey nommé Spencer, qu'il affectionnait particulièrement.

» Aux courses d'Epsom, cet habile jockey tomba si malheureusement qu'il se tua.

» Voilà lord Murray au désespoir, et comme il n'avait pas d'enfants, il déclara qu'il entendait se charger de l'avenir du fils de Spencer, lequel fils avait alors quatre ans.

» Le lord tint parole. James Spencer fut élevé comme l'héritier d'un grand seigneur. C'était un enfant charmant, heureusement doué d'un extérieur séduisant, ayant une intelligence vive et nette.

» Jusqu'à seize ans, James donna à son protecteur toutes les satisfactions imaginables. Malheureusement, il fit, à cet âge, de mauvaises connaissances et ma foi ! tourna mal.

» Lord Murray qui était l'indulgence même, pardonna bien des fautes, mais un beau jour, ayant découvert que son fils adoptif s'amusait à imiter sa signature sur des lettres de change, indigné, il le chassa.

» Or, il y avait quatre ans que James Spencer vivait à Londres du jeu et de diverses autres industries, lorsqu'il rencontra Clameran qui lui offrit vingt-cinq mille francs pour jouer un rôle dans une comédie de sa façon...

Raoul n'avait pas besoin d'en entendre davantage.

– Vous êtes un agent de la police de sûreté ? demanda-t-il.

Le gros homme eut un bon sourire.

– En ce moment, répondit-il, je ne suis qu'un ami de Prosper. Selon que vous agirez, je serai ceci ou cela.

– Qu'exigez-vous ?

– Où sont les trois cent cinquante mille francs volés ?

Le jeune bandit hésita un moment.

– Ils sont ici, répondit-il enfin.

– Bien !... cette franchise vous sera comptée. En effet, les trois cent cinquante mille francs sont ici ; je le savais, et je sais aussi qu'ils sont cachés dans le bas du placard que voici. Restituez-vous ?...

Raoul comprit que la partie était perdue, il courut au placard et en retira plusieurs liasses de billets de banque et un énorme paquet de reconnaissances du Mont-de-Piété.

– Très bien, faisait M. Verduret en inventoriant tout ce que lui remettait Raoul, très bien, voilà qui est agir sagement.

Raoul avait bien compté sur ce moment d'attention. Doucement, en retenant sa respiration, il gagna la porte, l'ouvrit vivement et disparut, la refermant sur lui, car la clé était restée dehors.

– Il fuit !... s'écria M. Fauvel.

– Naturellement, répondit M. Verduret, sans daigner tourner la tête, je pensais bien qu'il aurait cet esprit-là.

– Cependant...

– Quoi !... voulez-vous ébruiter tout ceci ? Tenez-vous à raconter devant la police correctionnelle de quelles scélératesses votre femme a été victime...

– Oh !... monsieur !...

– Laissez donc fuir ce misérable, alors. Voici les trois cent cinquante mille francs volés, le compte y est. Voici toutes les reconnaissances des objets engagés par lui. Tenons-nous pour satisfaits. Il emporte une cinquantaine de mille francs encore, tant mieux. Cette somme lui permet de passer à l'étranger, nous n'entendrons plus parler de lui...

Comme tout le monde, M. Fauvel subissait l'ascendant de M. Verduret.

Peu à peu, il était revenu au sentiment de la réalité, des perspectives inespérées s'ouvraient devant lui, il comprenait qu'on venait de lui sauver mieux que la vie.

L'expression de sa gratitude ne se fit pas attendre. Il saisit les mains de M. Verduret presque comme s'il eût voulu les porter à ses lèvres, et de la voix la plus émue, il dit :

– Comment vous prouver jamais l'étendue de ma reconnaissance, monsieur ?... Comment reconnaître le service immense que vous m'avez rendu ?...

M. Verduret réfléchissait.

– S'il en est ainsi, commença-t-il, j'aurais une grâce à vous demander.

– Une grâce, vous !... à moi ? Parlez, monsieur, parlez ! ne voyez-vous pas que ma personne aussi bien que ma fortune sont à votre disposition.

– Eh bien ! donc, monsieur, je vous avouerai que je suis un ami de Prosper. Ne l'aiderez-vous pas à se réhabiliter ? Vous pouvez tant pour lui, monsieur ! il aime mademoiselle Madeleine...

– Madeleine sera sa femme, monsieur, interrompit M. Fauvel ; je vous le jure. Oui, je le réhabiliterai, et avec tant d'éclat que nul jamais n'osera lui reprocher ma fatale erreur.

Le gros homme, tout comme s'il se fût agi d'une visite ordinaire, était allé reprendre sa canne et son chapeau déposés dans un angle.

– Vous m'excuserez de vous importuner, fit-il, mais madame Fauvel...

– André !... murmura la pauvre femme, André !...

Le banquier hésita d'abord quelques secondes, puis, prenant bravement son parti, il courut à sa femme, qu'il serra entre ses bras, en disant :

– Non, je ne serai pas assez fou pour lutter contre mon cœur ! Je ne pardonne pas, Valentine, j'oublie, j'oublie tout...

M. Verduret n'avait plus rien à faire au Vésinet.

C'est pourquoi, sans prendre congé du banquier, il s'esquiva, regagna la voiture qui l'avait amené, et donna ordre au cocher de le conduire à Paris, à l'hôtel du Louvre... et bon train.

En ce moment il était dévoré d'inquiétudes. Du côté de Raoul, tout était arrangé, le jeune filou devait être loin. Mais était-il possible de soustraire Clameran au châtiment qu'il avait mérité ? Non, évidemment.

Or, M. Verduret se demandait, comment livrer Clameran à la justice, sans compromettre Mme Fauvel, et il avait beau repasser son répertoire d'expédients, il n'en voyait aucun s'ajustant aux circonstances présentes.

Il n'y a, pensait-il, qu'un moyen. Il faut qu'une accusation d'empoisonnement parte d'Oloron. Je puis y aller travailler « l'opinion publique », on clabaudera, il y aura enquête. Oui, mais tout cela demande du temps, et Clameran est trop bien averti pour ne pas jouer de ses jambes.

Il était vraiment désolé de son impuissance, quand la voiture s'arrêta devant l'hôtel du Louvre. Il faisait presque nuit.

Sous le porche de l'hôtel et sous les arcades, une centaine de personnes au moins se pressaient, et, en dépit des « Circulez ! circulez ! » des sergents de ville, paraissaient s'entretenir d'un grave événement.

– Qu'arrive-t-il ? demanda M. Verduret à un des badauds.

– Un fait inouï, monsieur, répondit l'autre, qui était une espèce de Prudhomme, un fait bizarre et même singulier, comme on n'en voit que dans la capitale ; car je l'ai vu, parfaitement vu, tenez, c'est à la septième lucarne là-haut, qu'il a paru d'abord ; il était à moitié nu ! On a voulu le saisir, bast !... avec l'agilité d'un singe ou d'un somnambule, il s'est élancé sur le toit en criant à l'assassin ! L'extrême imprudence de cette action me fait supposer...

Le badaud s'arrêta court, très vexé ; son interlocuteur venait de le quitter.

– Si c'était lui, pensait M. Verduret, si l'effroi avait désorganisé ce cerveau si merveilleusement disposé pour le crime !...

Tout en poursuivant son monologue, il avait joué des coudes et avait réussi à pénétrer dans la cour de l'hôtel.

Là, au pied du grand escalier, M. Fanferlot, en compagnie de trois physionomies singulières, attendait.

– Eh bien !... cria M. Verduret.

Avec un louable ensemble, les quatre hommes tombèrent au port d'armes.

– Le patron !... dirent-ils.

– Voyons, fit le gros homme avec un juron, qu'y a-t-il ?

– Il y a, patron, reprit Fanferlot d'un air désolé, il y a que je n'ai pas de chance, voyez-vous. Pour une fois que je tombe sur une vraie affaire, paf ! mon criminel fait banqueroute.

– Alors, c'est Clameran qui...

– Eh !... oui ! c'est lui ! En m'apercevant ce matin, le gaillard a détalé comme un lièvre, d'un train, oh ! mais d'un train... je croyais qu'il irait comme cela jusqu'à Ivry, pour le moins. Pas du tout. Arrivé au boulevard des Écoles, une idée subite le prend, et il accourt ici. Très probablement il venait chercher son magot. Il entre ; que voit-il ? Mes trois camarades ici présents. Cette vue a été pour lui comme un coup de marteau sur le front. Il s'est vu perdu, la raison a déménagé.

– Mais où est-il ?

– À la préfecture, sans doute, j'ai vu des sergents de ville le ficeler et le porter dans un fiacre.

– Alors, arrive...

C'est, en effet, dans une de ces cellules particulières, réservées aux hôtes dangereux, que M. Verduret et Fanferlot trouvèrent Clameran.

On lui avait passé une camisole de force, et il se débattait furieusement entre trois employés et un médecin qui voulait lui faire avaler une potion.

– Au secours !... criait-il, à moi, à l'aide !... Ne le voyez-vous pas ? Il s'avance, c'est mon frère, il veut m'empoisonner !...

M. Verduret prit le médecin à part, pour lui demander quelques renseignements.

– Ce malheureux est perdu, répondit le docteur ; ce genre particulier d'aliénation ne se guérit pas. Il croit qu'on veut l'empoisonner, il repoussera toute boisson, toute nourriture... et, quoiqu'on tente, il finira par mourir de faim, après avoir subi toutes les tortures du poison.

M. Verduret frissonnait, en sortant de la préfecture.

– Madame Fauvel est sauvée, murmurait-il, puisque c'est Dieu qui se charge de punir Clameran.

– Avec tout cela, grommelait Fanferlot, j'en suis, moi, pour mes frais et pour mes peines ; quel guignon !...

– C'est vrai, répondit M. Verduret, le *dossier 113* ne sortira pas du greffe. Mais console-toi. Avant la fin du mois, je t'enverrai porter une lettre à un de mes amis, et, ce que tu perds en gloire, tu le rattraperas en argent.

XXV

Quatre jours plus tard, un matin, M. Lecoq – le Lecoq officiel, celui qui ressemble à un chef de bureau – se promenait dans son cabinet, interrogeant à chaque moment la pendule.

Enfin on sonna, et la fidèle Janouille introduisit Mme Nina et Prosper Bertomy.

– Ah ! fit M. Lecoq, vous êtes exacts, les amoureux, c'est bien.

– Nous ne sommes pas amoureux, monsieur, répondit Mme Gypsy, et il a fallu les ordres exprès de M. Verduret pour nous réunir une fois encore. Il nous a donné rendez-vous ici, chez vous.

– Très bien !... dit le policier célèbre, alors, veuillez attendre ici quelques instants, je vais le prévenir.

Pendant plus d'un quart d'heure que Nina et Prosper restèrent seuls ensemble, ils n'échangèrent pas une parole. Enfin, une porte s'ouvrit, et M. Verduret parut.

Nina et Prosper voulaient se précipiter vers lui, il les cloua à leur place d'un de ces regards auxquels on ne résiste pas.

– Vous venez, leur dit-il, d'un ton dur, pour connaître le secret de ma conduite. J'ai promis... je tiendrai ma parole, quoiqu'il m'en coûte en ce moment, écoutez-moi donc.

» Mon meilleur ami est un brave et loyal garçon, nommé Caldas. Cet ami était, il y a dix-huit mois, le plus heureux des hommes. Épris d'une jeune femme, il ne vivait que par elle et pour elle, et, niais qu'il était, il s'imaginait que, lui devant tout, elle l'aimait...

– Oui ! s'écria Gypsy, oui, elle l'aimait !...

– Soit. Elle l'aimait tant qu'un beau soir elle partit avec un autre. Sur le premier moment, Caldas, fou de douleur, voulait se tuer. Puis, réfléchissant, il se dit que mieux valait vivre et se venger.

– Mais alors !... balbutia Prosper.

– Alors, Caldas s'est vengé à sa manière. C'est-à-dire que sous les yeux de la femme qui l'a trahi, il a fait éclater son immense supériorité sur l'autre. Faible, lâche, inintelligent, l'autre roulait dans l'abîme ; la puissante main de Caldas l'a retenu. Car vous avez compris, n'est-ce pas ?... La femme, c'est Nina ; le séducteur, c'est vous ; quant à Caldas...

D'un geste violent, il fit sauter sa perruque et ses favoris, et la tête intelligente et fière du vrai Lecoq apparut.

– Caldas !... s'écria Nina.

– Non, pas Caldas, pas Verduret, non plus, mais Lecoq, l'agent de la sûreté...

Il y eut un moment de stupeur, après lequel M. Lecoq se retourna vers Prosper.

– Ce n'est pas à moi seul, dit-il, que vous devez votre salut. Une femme, en ayant le courage de se confier à moi, m'a rendu la tâche facile. Cette femme est mademoiselle Madeleine, c'est à elle que j'avais juré que monsieur Fauvel ne saurait jamais rien... Votre lettre a rendu mes combinaisons impossibles. J'ai dit...

Il voulut regagner sa chambre, mais Nina lui barra le passage.

– Caldas ! disait-elle, je t'en conjure, je suis une malheureuse !... Ah ! si tu savais, grâce, pitié !...

Prosper sortit seul de chez M. Lecoq.

Le 15 du mois dernier a été célébré, à l'église de Notre-Dame-de-Lorette, le mariage de M. Prosper Bertomy et de Mlle Madeleine Fauvel.

La maison de banque est toujours rue de Provence, mais M. Fauvel, comptant se retirer à la campagne, en a changé la raison sociale qui est maintenant : *Prosper Bertomy et Cie.*

FIN

Milton Keynes UK
Ingram Content Group UK Ltd.
UKHW051037220923
429186UK00009B/505